COLLECTION FOLIO

Marcus Malte

Le garçon

Gallimard

Marcus Malte est né en 1967. Il est notamment l'auteur de *La part des chiens*, et *Garden of love* (récompensé par le Grand Prix des lectrices de *Elle* 2008, catégorie policier), des *Harmoniques*, de *Fannie et Freddie* et du *Garçon*, prix Femina 2016.

À Frédérique, en attendant l'or.

Même l'invisible et l'immatériel ont un nom, mais lui n'en a pas. Du moins n'est-il inscrit nulle part, sur aucun registre ni aucun acte officiel que ce soit. Pas davantage au fond de la mémoire d'un curé d'une quelconque paroisse. Son véritable nom. Son patronyme initial. Il n'est pas dit qu'il en ait jamais possédé un. Plus tard, au cours de l'histoire, une femme qui sera pour lui sœur, amante et mère, lui fera don du sien, auquel elle accolera en hommage le prénom d'un célèbre musicien qu'elle chérissait entre tous. Il portera également un nom de guerre, attribué à l'occasion par les autorités militaires en même temps que sa tenue réglementaire d'assassin. Ainsi l'amour et son contraire l'auront baptisé chacun à sa façon. Mais il n'en reste rien. Ces succédanés aussi seront voués à disparaître à la suite de cette femme et de cette guerre et de l'ensemble du monde déjà ancien auquel elles avaient pris part. Qui le sait ?

Pour peu qu'on daigne y croire, l'unique trace de son passage qui subsiste est celle-ci.

1908

Le jour n'est pas encore levé et ce que l'on aperçoit tout d'abord au loin sur la lande est une étrange silhouette à deux têtes et huit membres dont la moitié semble inerte. Plus dense que la nuit elle-même, et comme évoluant en transparence derrière ce voile d'obscurité. La paupière fronce à cette apparition. Doit-on s'y fier ? On se demande. On doute. À cette heure les gens dorment, dans les villes, dans les villages, ailleurs. Ici, il n'y a rien ni personne. Si la lune se montrait elle n'éclairerait qu'un paysage de maquis, brut, désolé. Une terre indéfrichée. Qui va là ? Quoi ? On l'ignore. On scrute avec une attention accrue cette ombre insolite pour tenter de l'assimiler à quelque espèce connue et répertoriée. Mais il n'y en a guère qui feraient l'affaire. À quel ordre appartient-elle ? De quelle nature est-elle ? On s'interroge. On la suit du regard. On la voit qui avance, courbée, l'échine déformée par une énorme protubérance, l'allure lente et quasi mécanique dans sa régularité. On devine, on sent qu'il y a dans cette démarche quelque chose qui tient à la fois du désespoir et de l'obstination. On pense à une tortue géante dressée sur ses pattes arrière. À un

15

fabuleux coléoptère de la taille d'un jeune ours. On s'inquiète vaguement. On chasse ces pensées. Mais elles reviennent. Car après avoir passé en revue les divers représentants de la faune courante, en vain, on est bien obligé de lâcher les monstres. Les vrais. Légendes et mythes remontent. On convoque le bestiaire des créatures primitives, archaïques, imaginaires, fantasmagoriques. On puise à la source de nos craintes les plus anciennes, de nos peurs les plus profondes. On frissonne.

Et tandis que notre esprit bouillonne et se tourmente, là-bas la silhouette bossue continue de progresser pas à pas sur un chemin qui n'a jamais été tracé.

On se rapproche. L'œil s'est aiguisé, il est capable à présent de trancher. D'un seul coup il scinde l'entité en deux. Deux corps distincts. L'un sur l'autre. L'un chevauchant l'autre comme lors de ces parodies de joutes qui égaient les cours de récréation – si un tournoi a eu lieu il est terminé, les adversaires tous disparus, vainqueurs ou vaincus, on ne sait.

Ainsi donc ils sont deux.

Le mystère s'éclaircit quant à la nature de l'apparition, mais curieusement on n'en est pas soulagé pour autant. On ne respire pas mieux. Au contraire.

Ils sont deux mais qui sont-ils ?

Que sont-ils ?

Que font-ils ?

Où vont-ils ?

On n'a pas fini de s'interroger.

Celui qui sert ici de monture a la stature d'un garçon de quatorze ans. Sec et dur. Les côtes, les muscles, les tendons saillent, à fleur de peau. Et par-dessus de vagues morceaux de tissu, un assortiment de frusques vraisemblablement constitué sur le dos d'un épouvantail. Il va sans chaussures, les plantes de ses pieds ont la texture de l'écorce. Du chêne-liège. Ses cheveux ruissellent sur ses épaules et sur son front tel un bouquet d'algues. Il est en nage, il luit, émergeant tout juste, dirait-on, de l'océan ori-ginel. La sueur lui sale les paupières au passage puis s'écoule en suivant le chemin des larmes. Une goutte se prend parfois dans la jeune pousse de duvet qui ourle sa lèvre supérieure. Ses yeux sont noirs, plus noirs que le fond des âges, où palpite pourtant le souvenir de la prime étincelle.

C'est l'enfant.

Celle qui pèse sur ses reins n'a rien d'un chevalier sinon la triste figure. Une femme. Ce qui reste d'une femme. Les reliques. Sous les loques des bouts de bras qui dépassent, des bouts de jambe, la chair qui semble fuir du tas de hardes comme la paille d'une vieille poupée. Elle ne pèse pas lourd en vérité mais c'est un poids presque mort. Ballottant à chaque foulée. Son crâne repose entre les omoplates du gar-çon. Ses paupières sont closes. Elle a le teint cireux, la peau flétrie des pommes sauvages tombées de l'arbre. On lui donne soixante ans. Elle n'en a pas trente.

C'est la mère.

De temps en temps le garçon marque une pause. Ses mâchoires se desserrent. Il inspire, expire fort par le nez, on entend l'air chuinter. On croit entendre aussi battre son cœur mais ce n'est qu'il-lusion. Les secondes passent et il demeure, immo-bile, attentif, insensible semble-t-il aux secousses qui se propagent par vagues courtes, spasmodiques, le long de ses cuisses. Ses genoux tremblent mais ne fléchissent pas. Son buste est toujours incliné sous sa charge. Il lance à la nuit un regard par en dessous. Il sonde, en quête de repères qu'il est le seul à pouvoir extraire de la pénombre. Il n'a suivi qu'une fois cette voie auparavant mais cela lui suffit. Il a la mémoire des détails. L'épaisseur d'un buisson ou l'inclinaison d'un tronc ou les contours d'un rocher : ce que le commun des mortels est inapte à remarquer, lui le capte et le retient. Jusqu'au plus infime. Dans les galeries de son cerveau il y a des niches où s'entassent mille feuilles de tilleul que les nervures seules différencient. De même mille feuilles de platane, mille feuilles de chêne. Il y a des poches pleines de cailloux que rien ne distingue entre eux hormis la subtile variation des éclats que chacun renvoie sous le feu de midi. Le garçon possède cela. Dans un ciel saturé d'étoiles il pourrait montrer du doigt l'endroit précis où l'une d'elles soudain manque à l'appel. C'est sans doute son unique trésor.

La femme sur son dos n'a pas bougé. Elle tient en suspension dans une sorte de hotte faite de peau de chèvre et de cuir et de corde. Ouvrage grossier confectionné par ses soins en prévision de cet événement sitôt qu'elle a été certaine qu'il surviendrait. Ses membres pendent de chaque côté, aux flancs du garçon. Avant de repartir ce dernier tire sur la sangle qui lui bride la poitrine afin d'en soulager la tension. Le cuir s'est incrusté dans la chair, y traçant un sillon de couleur mauve pareil à une balafre fraîche. Le temps l'effacera. Maintenant le garçon a repris ses marques, il a relevé ses indices, il se remet en route. Non sans une sourde angoisse on les regarde tous deux s'éloigner puis se dissoudre à nouveau dans le noir qui les a tout à l'heure engendrés. Vers quelle destination ? Dans quel but ? Au fond on ne tient pas tant que ça à le savoir, mais on se prend à espérer qu'ils les atteindront.

C'est l'enfant portant la mère.

Mer, lui avait-elle dit. Mer. Mer. Plusieurs fois. Elle lui avait serré le bras en le fixant droit dans les yeux comme elle le faisait lorsqu'elle voulait être sûre qu'il avait compris. Précaution inutile : il comprenait tout et tout de suite. Mais parfois il trichait et retardait le moment de le confirmer d'un signe de tête car il aimait sentir sa main et son regard posés sur lui. Cela était rare.

Ils étaient accroupis sur la grève et elle pointait le doigt vers l'immensité étalée devant eux. Ce jour-là le ciel et l'eau étaient du même gris et pourtant ils ne consommaient leur union que loin, très loin, à l'extrême limite de l'horizon. Le garçon se tenait sur ses gardes. Il avait déjà vu des flaques et des mares, mais ceci jamais. Les flaques et les mares pouvaient être franchies. Les flaques et les mares étaient des eaux mortes alors qu'il se sentait ici en présence d'une force éminemment vive, une puissance phénoménale contenue à grand-peine sous la surface et susceptible à chaque instant de se libérer. Dans son grondement sourd, incessant, il percevait une menace. Ses effluves âcres et lourds lui emplissaient les poumons, lui portaient au cœur.

Sans parler de l'écume blanchâtre qu'elle bavait sur le sable.

La mère était restée un long moment le regard tourné vers le large. Dans le globe de ses yeux brillait une flamme que le garçon ne connaissait pas. Qu'il aurait aimé faire naître lui-même ou pour le moins recueillir dans la conque de ses mains pour la protéger du vent et de tout. Cette lueur nouvelle l'étonnait. Que voyait-elle là-bas qui embrasait ainsi son âme ?

Le garçon n'avait jamais entendu parler ni de bateaux, ni de voyages, ni de continents.

C'était peut-être deux mois en arrière. Mer, avait répété une ultime fois la femme avant de se relever, et cette fois il s'était empressé de lui signifier sa pleine et entière compréhension, pour la rassurer, pour lui complaire. Pour conserver la flamme. Laquelle avait malgré tout disparu, comme soufflée, dès qu'ils avaient eu le dos tourné. Le rideau terne qui couvrait habituellement le regard de la mère était retombé. Était-ce sa faute à lui ? Qu'aurait-il pu faire de plus ? Personne ne pouvait répondre à ses questions car il ne pouvait les formuler.

Ils s'en étaient retournés vers leur foyer.

Ce jour-là c'était elle qui le guidait. Ouvrant la marche. Elle était déjà très affaiblie. Le mal l'avait déjà prise. Elle respirait avec un bruit de grésil et toussait quelquefois à en vomir ses tripes. Mais ses jambes la portaient encore, elle pouvait encore se déplacer seule. Avec lenteur. Lui qui hier devait trotter pour la suivre était contraint désormais de réfréner son allure pour ne pas lui écraser les talons. Il la gardait respectueusement dans sa ligne de mire, à quatre ou cinq pas de distance. À bien l'observer il constatait qu'elle avait rétréci. Ce n'était pas qu'une impression. Au fil des semaines le corps de la mère s'était rabougri, il s'était ramassé, ratatiné, sa taille avait réellement diminué. L'effet du mal, toujours. À coup sûr un trou s'était ouvert en elle, au centre d'elle, une bonde par laquelle petit à petit sa propre vie s'évacuait.

Néanmoins elle marchait. Elle avançait. Sans hésitation quant à la direction à prendre. L'itinéraire, apparemment, n'avait pas de secret pour elle. L'avait-elle si souvent emprunté ? Certains matins le garçon se réveillait seul. La mère n'était pas sur sa couche, elle n'était pas dans la cabane, elle n'était pas non plus au potager. Il la cherchait alentour, dans le périmètre, assez vaste, qui lui était familier, son terrain de jeu et de chasse, son univers entier. Elle n'y était pas. Le garçon retournait à la cabane, s'asseyait par terre sur le seuil et passait les heures suivantes à l'attendre. Sentinelle. Guet. Plus solitaire que jamais. Mer, mer : était-ce vers cela qu'elle s'en était allée ? Elle désertait sans prévenir. Le garçon n'imaginait pas que cette absence pût être définitive. Il attendait. La plupart du temps la nuit précédait son retour. Aussi légers fussent-ils il entendait ses pas bien avant que de discerner ses contours auréolés d'un halo lunaire. Il n'avait pas quitté son poste. La mère n'expliquait rien. Elle passait devant lui pour regagner leur antre, lui accordant non une parole, non une caresse, mais un simple regard, neutre, au passage, et distillant dans son sillage son odeur d'humus et de sueur, de salpêtre et de cendre, à laquelle se mêlaient ces soirs-là, oui, c'est vrai, des relents étrangers, des remugles plus lointains, plus musqués, que le garçon flairait sans pour autant parvenir à en saisir l'origine.

Mer, lui avait-elle dit.

Cela fait quatre heures qu'il marche à présent. La mère sur le dos, suivant sa dernière volonté. Il ne saurait tenir le compte des mètres et des kilomètres parcourus. Il a soif. Quand il a pensé à l'outre il était trop tard pour faire demi-tour. L'air était lourd, chargé, longtemps il a cru que crèverait l'orage. En cours de route deux maigres éclairs ont craquelé le ciel, c'est tout. Les nuages se sont effilochés. La pluie ne tombera pas. Elle n'est pas tombée depuis des semaines, il n'y a guère d'espoir de trouver de quoi se désaltérer au fond d'une ornière ou dans le creux d'un rocher. Tout a été bu. Le garçon est condamné à s'abreuver à sa propre source : régulièrement il se lèche le pourtour des lèvres afin de ne rien perdre du clair brouet au goût de sel que son corps génère sous la chaleur et l'effort.

La femme a-t-elle soif aussi ? Elle ne réclame pas. Elle n'est plus en mesure de le faire. Elle brûle. Son sang brûle. Ses os brûlent, jusqu'à la moelle. Ses viscères se sont racornis comme des morceaux de viande après fumage. La fièvre la consume et la momifie. Elle n'a plus, elle, la moindre goutte à exsuder. Une fine couche de salive séchée cimente sa bouche, scelle ses lèvres. Elle ne râle plus. Elle ne tousse plus. Elle ne crache plus. Le garçon pense qu'elle dort. Elle a perdu conscience. La seule infime différence entre le sommeil et la mort est ce frêle filet d'air qui filtre par ses narines. Le garçon le reçoit dans le bas de la nuque. C'est aussi ténu que la chute de flocons de cendre.

Il traverse maintenant une zone au sol fissuré où poussent la soude et la salicorne. Disséminés ici ou là d'épais tapis d'obione dans lesquels ses pieds enfoncent. De loin en loin un pin parasol esseulé. Il marche encore les trois quarts d'une heure avant de marquer soudain l'arrêt. Nez au vent comme un cerf aux aguets. Parmi le bouquet d'odeurs il en est une qui se détache, celle de l'iode. Son pouls s'accélère. Il se remet en route.

Et bientôt il l'entend. Elle gronde en sourdine à son approche. Et lorsqu'il la découvre elle occupe déjà tout son champ de vision, étalée de toute sa masse, de toute sa démesure, jusqu'aux confins du monde connu. Sa peau ondule et fluctue, se hérisse à certains endroits. D'un noir d'encre mais luisant inexplicablement sous le ciel sans lune.

Cette fois-ci le garçon n'a pas peur. Ce qu'il ressent c'est de la joie et du soulagement. Il s'immobilise sur un semblant de dune et gonfle ses poumons et il tend le bras vers l'horizon. Pour montrer ou pour offrir.

Mer.

La femme sur son dos ne relève pas la tête. Elle n'ouvre pas les yeux. Elle reste muette.

Tout à sa satisfaction le garçon ne s'est pas rendu compte que le souffle dans son cou s'était interrompu. Quelques minutes, quelques pas plus tôt. Le cœur de la femme a cessé de battre. Il ne battra plus.

Sa mère est morte, c'est aussi simple que cela. À cette heure, elle et lui, ce n'est pas sur le même rivage qu'ils ont échoué.

Le garçon ne le sait pas encore.

Avec une gestuelle de chameau il fléchit un genou et se pose délicatement sur son séant. Il dénoue la lanière autour de sa taille, fait passer par-dessus sa tête celle qui entravait son torse. Aussitôt détaché son fardeau bascule vers l'arrière et s'affale sans résistance aucune. Le garçon est surpris. Il se retourne. Il demeure un instant à quatre pattes à scruter le corps inerte. De la femme on ne distingue rien d'autre que la tache pâle du visage. Une antique page de parchemin où sont inscrites les souffrances et les misères de son existence. Pour qui sait lire. Cette nuit plus encore que les nuits précédentes elle paraît minuscule. Flottant dans ses guenilles. N'étaient ces stigmates dans sa chair on pourrait la prendre pour la fille de son enfant. Sans doute a-t-elle déjà entamé sa conversion.

Le garçon allonge la main et lui touche l'épaule. Il y exerce une timide pression du bout des doigts. Puis il saisit la pointe du menton et la secoue doucement. La mère ne se réveille pas. Le garçon retire sa main.

Il reste là immobile à la regarder. La joie s'en est allée. Quelque chose d'autre s'installe dans son ventre. Et il y a aussi une sorte de bourdonnement qui fait vibrer ses tympans et couvre peu à peu le bruit du ressac. Ce sont des phénomènes qu'il ne connaît pas. Il a vu des oiseaux morts. Des lézards morts. Des mulots morts. Quantité d'insectes morts. Il a brisé le cou à des poulets et à des lapins, il a écrasé des crapauds et des vipères. Ils étaient étendus par terre à ses pieds et ils ne bougeaient plus et le garçon avait parfaitement conscience qu'ils ne se relèveraient pas. Mais c'était sans comparaison avec cela. Rien ne se manifestait alors ni dans ses oreilles ni au fond de ses entrailles. Il a eu maintes fois l'occasion d'observer les avatars de ces bêtes mortes. Les cadavres décomposés ou desséchés ou le plus souvent aux trois quarts dévorés par une infinité de charognards, renards, corbeaux, fourmis, mouches, asticots, tous y prélevant leur pauvre mais indispensable pitance. Et la terre elle-même pour finir.

Est-ce sa faute à lui ?

Du regard le garçon embrasse l'espace alentour. Chaque épine de la rose des vents. Puis il lève les yeux au ciel. Il n'y a pas d'étoiles. Aucun astre. Il n'y a rien. Soudain sa bouche s'ouvre en grand comme pour recueillir l'eau de pluie mais c'est de l'air, c'est de l'air qu'il cherche, qu'il happe avec avidité sous peine d'asphyxie tandis qu'au même instant des spasmes l'agitent, des hoquets, des sanglots secs remontés des tréfonds et qui font trembler les barreaux de sa cage thoracique.

La crise ne dure pas. Quand sa respiration est à nouveau régulière le garçon redresse en douceur le corps inanimé. Il l'assoit. D'une main il s'efforce de lui maintenir le dos et la tête qui balle au bout de la tige du cou. Il frotte son autre main sur sa cuisse afin de la débarrasser des grains de sable puis l'approche de la figure de la femme. Il pose ses doigts sur une paupière (la peau fine comme du papier de soie, fine et friable comme l'aile du papillon) et la relève précautionneusement. Il se penche pour voir. Il n'y a pas de lueur. Aucune flamme. Il n'y a rien. Le garçon ôte ses doigts et la paupière retombe.

Aurait-il pu faire quelque chose de plus ?

Il hésite. Indécis. Une fois encore il lance des regards à travers l'obscurité, vers l'intérieur des terres, dans la direction d'où il vient, puis à l'opposé, vers la vaste plaine liquide, mouvante, vers les rives invisibles où naissent les vagues. Voilà les extrémités du monde. Nul ne surgit de l'une ni de l'autre pour lui porter secours ou conseil. Ce n'est pas qu'il l'espérait. À vrai dire il n'en a même pas l'idée.

Au bout d'un moment il prend place derrière la femme. Il se cale contre son dos de manière à lui servir de tuteur. Elle repose sur lui, le visage tourné vers l'horizon. Chose promise.

Le garçon a replié les genoux contre sa poitrine. Il serre ses bras autour. La sueur a commencé à sécher sur sa peau et c'est tout juste s'il n'a pas froid. Son pouls bat une lente cadence. Son regard est flou. Il faut bien avoir à l'esprit que jamais au cours de sa courte existence il n'a entendu prononcer le mot « mère ». Non plus que le mot « maman ». Jamais une comptine ne lui a été contée, une berceuse chantée, qui auraient pu comprendre l'un de ces termes et lui en révéler sinon l'exacte signification, du moins l'essence secrète.

Jamais.

Le garçon ne peut savoir objectivement ce qu'il vient de perdre. Ce qui ne l'empêche pas d'en éprouver l'absence jusque dans le moindre atome de son être.

Le jour le surprend allongé sur le ventre et la bouche ensablée. Il a dormi d'un sommeil sans fond. C'est la lumière qui l'en extirpe, coulant à verse, crue, dense. Avant même d'ouvrir les yeux il prend appui sur ses coudes et redresse la tête. Il grimace. Des grains crissent entre ses mâchoires. Il s'assoit et s'essuie les lèvres, puis le menton, le nez, les joues rêches d'une croûte de sel. Se débarrasse de cette barbe postiche poussée durant la nuit. Il se racle la langue avec les dents et crache.

Là-haut les nuages ont déserté. Le soleil blanchit le bleu du ciel, à mi-chemin de midi. Une pluie d'or picore la surface de l'eau : ce sont des myriades de gouttes fulgurantes, en plein jour une constellation de lucioles ou de feux follets. C'est beau. Le garçon réussit à garder entrouvertes ses paupières et la féerie se reflète dans le miroir de ses pupilles. Ce spectacle l'enchante. Il aime ce qui brille. Les mains en visière il se protège les yeux. Évite de les poser sur le cadavre avachi contre sa jambe.

À les voir tous deux ainsi comment ne pas songer à des naufragés au lendemain de la tempête ? Un unique survivant parmi eux.

La mer est calme ce matin. Elle s'échoue paresseusement sur le rivage à vingt pas du garçon. Mais ce n'est pas la mer.

En réalité c'est un étang. Certes le plus grand d'Europe, vingt kilomètres de long et presque autant de large, mais un bassin tout de même, enclos, et de bien modeste dimension en regard des océans. Un vaste bocal à poissons. C'est l'étang de Berre. Relié à la Méditerranée par le cordon ombilical du canal de Caronte.

La femme ignorait ce détail. Lorsqu'elle venait s'asseoir ici sur la grève elle croyait faire face à l'infini. Mer : c'est ainsi qu'elle l'a toujours nommée de son vivant. Et dans sa tête sans doute embarquait-elle sur la grande, la vraie. Celle qu'on prend sans esprit de retour. Celle qui ouvre sur le champ des possibles, qui nous transporte en des contrées vierges où l'on peut commencer, recommencer, effacer tout ce qui a été si mal écrit et se mettre enfin à écrire ce qui aurait dû l'être. Et alors à chaque fois se reproduisait le miracle de la petite lueur embrasant ses yeux et son âme.

Mais ce n'était pas la mer. Juste un échantillon, un ersatz, juste une reproduction miniature. On a les rêves qu'on peut. Quel que fût celui de la femme il n'avait pas l'envergure qu'elle imaginait. Elle est partie en emportant avec elle cette illusion. Mystifiée de bout en bout. Qu'importe, souvent compte davantage l'idée qu'on se fait des choses que les choses elles-mêmes.

Le garçon s'est levé. Des étincelles crépitent encore devant ses prunelles. Il s'avance jusqu'à la frange d'écume. S'arrête. Se laisse lécher les pieds. La fraîcheur l'étonne, il s'attendait à quelque chose

29

de tiède. Ses orteils se rétractent et creusent le sol meuble. C'est une sensation agréable. Il se remet en marche tandis que derrière lui ses empreintes s'évanouissent déjà. Il s'enfonce dans l'eau. Lorsqu'elle lui arrive aux genoux il s'arrête à nouveau et reste une longue minute sans bouger. Puis il s'asperge le visage. Il se mouille les cheveux. L'eau cascade sur ses épaules et dans son cou. Toute cette eau, il y a toute cette eau, fraîche, claire, à portée de doigts, à perte de vue, et puis il y a sa soif.

Il considère un instant la paume de sa main qu'il tient grande ouverte devant lui. Luisante et ruisselante. Il la lape d'un unique coup de langue. Le goût est saumâtre. Puis il se penche à la surface comme sur une auge et engouffre une pleine gorgée, se rince la bouche en gonflant les joues et recrache le tout dans un geyser de postillons. L'amertume demeure, tapissant son palais.

En retournant vers le rivage il voit un couple de goélands occupés à ausculter la dépouille de la mère. Docteurs ès viande avariée. Ils sont là qui piétinent en se haussant du col, la mine sévère, l'œil glacial, avant de piquer brusquement du bec dans le tas de haillons. Le garçon se met à courir. Il agite les bras, griffe l'air, un rictus lui retrousse les lèvres d'entre lesquelles s'échappe cette espèce de sifflement ou de feulement que produisent certains serpents et les chats en colère.

Les oiseaux fuient à son approche. Trottent d'abord à pas menus, ailes écartées, pareils à de vieilles carmélites outrées tenant relevé leur scapulaire. Mais cela ne lui suffit pas. Le garçon les pourchasse jusqu'à ce qu'ils soient forcés de prendre leur envol. Et longtemps encore il les poursuit du regard. Ils ne sont plus que des mouettes, puis des moineaux, puis d'indistincts moucherons dans l'azur quand lui est toujours là, campé, les bras tendus dans leur direction avec au bout des doigts crochus comme des serres et qui semblent s'agripper au firmament.

S'il connaissait Dieu il Le prierait de les maudire.

Après cela il retourne auprès de la femme. Il la charge sur son dos et repart.

La nuit est tombée lorsqu'il franchit le seuil de la cabane. C'est un vieillard que l'on croit voir apparaître. L'ancêtre de lui-même. Chaque pas lui coûte. Chaque geste. Dans la pénombre il s'approche de la couche de la mère, s'apprête à s'y asseoir mais ses forces le lâchent et il choit lourdement sur les fesses. Le poids de son fardeau l'entraîne à la renverse. Il lui faut un temps infini pour se débarrasser du harnais. Une sangle a entaillé sa chair au-dessus du sein, un peu de sang a coulé.

Il tire une couverture sur la morte puis se remet debout. Ses jambes sont prises de tremblements qu'il essaie d'endiguer en empoignant ses cuisses. Au bout d'un moment il y renonce et ressort.

Dehors il traverse ce qu'on pourrait appeler la cour. Se déplaçant à très courtes foulées comme si ses chevilles étaient enchaînées l'une à l'autre, par obligation autant que par prudence, sachant qu'au point d'épuisement où il est rendu la terre peut à tout instant s'ouvrir sous ses pieds et l'avaler. Il ne veut pas tomber avant d'avoir bu. Maintes fois sur le retour il a été tenté de quitter sa trajectoire pour partir en quête d'une source, il a résisté de crainte de se perdre avant que sa mission fût achevée. Il a les gencives vertes de toutes les tiges qu'il a mâchées et sucées pour en extraire la sève. Alors soit, c'est peut-être la cour qu'il traverse mais c'est un vaste désert, avec l'oasis au bout.

Sont posés côte à côte une bassine et un bidon en fer-blanc cabossé. La bassine est vide. Le garçon soulève à deux mains le bidon et en porte l'embout à ses lèvres. Son cou s'étire. Il ne boit pas, il avale. La première gorgée manque l'étouffer. L'eau rejaillit par ses narines. Il tousse. Cette toux sèche est le seul bruit que retient la nuit. Au loin son écho lui répond et l'on croit entendre une série de détonations feutrées, un échange de coups de fusil.

Il reprend son souffle. Puis il lève à nouveau le récipient et s'astreint à boire avec parcimonie. Une gorgée, puis une autre, puis une autre. Une fois sa soif étanchée il émet un énorme rot.

On le trouve un peu plus tard à quatre pattes dans une sorte d'enclos qui tient lieu de poulailler. Il fouille. Il a réveillé la volaille, en témoigne le caquetant concert qui l'accompagne. Le garçon n'en a cure. Il allonge le bras et cherche à tâtons au fond de larges casiers à claire-voie, palpe du bout des doigts la mince litière de paille qui s'orne parfois d'une plume rousse ou d'un brin de duvet aussi doux que la soie, pousse si nécessaire les volatiles, sans ménagement ni égard pour leurs cris d'effroi ou de courroux. Il connaît les endroits que les pondeuses affectionnent, les cachettes illusoires où elles abritent les fruits de leurs amours.

À quelques pas de là se trouve une cage à lapins mais elle est vide depuis la fin de l'hiver.

Il se retire. Il a déniché deux œufs qu'il porte sous

son nez et renifle accroupi au milieu de la cour. Il en pose un à ses pieds et lève l'autre au-dessus de son visage. Tête renversée, bouche béante. Il brise la coquille et la sépare en deux avec les pouces. La substance visqueuse se déverse sur sa langue, se répand dans sa gorge. Il laisse s'écouler jusqu'à la dernière goutte. Il lèche l'intérieur de la coquille puis la jette. Puis il ramasse le second œuf et recommence.

D'un coup de poignet il efface la trace baveuse qui suit l'arrondi de son menton. Il suce consciencieusement ses dix doigts. Il va boire encore au bidon mais pas plus de trois gorgées cette fois. Puis il retourne vers la cabane, portant devant lui son estomac qui lui fait l'effet d'une outre enflée où le liquide clapote à chaque pas.

Longtemps le garçon garde les yeux ouverts. Couché sur sa paillasse dans l'obscurité. Longtemps la surface des eaux continue de scintiller dans son regard. Ou autre chose, mais quoi ?

C'est la rumeur des vagues qui l'endort. C'est la respiration calme et régulière du ressac qu'il fait sienne.

Il sait qu'il se trouve d'autres hommes sur terre mais il n'a pas idée de leur nombre. Si on lui disait que pour l'année en cours ce nombre est estimé à un milliard et sept cent quarante millions il ne comprendrait pas de quoi l'on parle. Si on lui disait qu'il y a plus d'hommes et de femmes dans le monde qu'il n'y a d'étourneaux dans le ciel de décembre il éclaterait franchement de rire – de son rire fracassant mais si rare hélas.

Des surprises l'attendent dans l'avenir.

Pour sa part il en a épinglé cinq à ce jour. Cinq spécimens de l'espèce humaine dont il a pu de visu vérifier l'existence. Sa génitrice non comprise. Trois d'entre eux étaient des braconniers occupés à poser pièges et collets. Le quatrième était un étrange marcheur solitaire, encapuchonné, à l'allure de moine. Peut-être un pèlerin. Peut-être un pénitent égaré sur son propre chemin de croix. Ceux-là le garçon les avait aperçus de trop loin pour distinguer leurs traits. Seul le cinquième et dernier s'était approché à moins de trente pas. C'était un colporteur, lui aussi certainement déboussolé pour en arriver là. Bien avant de le voir ils l'avaient repéré au tintinnabulement de son barda. L'homme était venu jusqu'à eux. Il avait fait halte devant la cabane et lancé deux grands ohé ! pour signaler sa présence. Le garçon avait tressailli au son de cette voix, la première voix d'homme qu'il entendait. La mère et lui étaient alors perchés au cœur d'un mûrier à trois mètres au-dessus du sol, ils observaient le marchand à travers la frondaison. L'homme portait sur le dos une hotte en osier dans laquelle il aurait pu tenir tout entier et sa descendance avec. Elle était remplie de tissus et de dentelles et autres articles de mercerie et d'une quincaillerie complète et d'une petite bibliothèque composée de livres et d'almanachs et d'images allant de pieuses à licencieuses et encore d'une batterie de produits de première et de dernière nécessité. Le garçon se tordait le cou à fouiller du regard dans ce bric-à-brac, fasciné par ces objets dont pour la plupart il ne concevait pas l'usage. À l'affût sur sa branche la mère surveillait les faits et gestes de l'intrus avec des airs de grand-duc. Elle s'était munie d'une courte bûche de bois dur qui lui servait habituellement de gourdin pour estourbir les lapins ou les couleuvres.

Le colporteur était resté un moment planté dans la cour. Une moustache tombante et floue ornait sa figure émaciée. La sueur dessinait une large trace sombre autour de son col, comme la marque d'un joug. Il tournait lentement le regard d'un côté et de l'autre, circonspect, ou peut-être au fond vexé que sa venue ne fût pas plus attendue que celle du prophète. La mère avait serré un peu plus fort son bâton lorsqu'elle l'avait vu se diriger vers l'entrée de la cabane. L'homme s'était arrêté sur le seuil et avait donné encore une fois de la voix, et comme son appel demeurait encore une fois sans réponse il avait risqué la tête à l'intérieur et la pénombre l'avait froidement décapité. De là-haut dans l'arbre ils ne voyaient plus qu'une hotte sur pattes. Puis le colporteur était retourné à la lumière à reculons. Il avait fait de nouveau une ou deux voltes pour inspecter les parages. Personne. Ultime camelot dans un hameau fantôme. Ses yeux s'étaient attardés plus qu'il n'était nécessaire du côté du poulailler. Ils s'étaient attardés du côté du potager. La bonne aubaine ? Sans doute avait-il pesé le pour et le contre. Il se grattait la joue et sa barbe renaissante crissait sous ses ongles noirs. On ne sait si c'est l'honnêteté ou quelque forme de crainte superstitieuse qui l'avait conduit en fin de compte à poursuivre sa route sans rien prendre. Il était reparti avec sa manne pleine et son boniment en travers de la gorge. Bien après l'avoir perdu de vue ils entendaient encore son attirail cliqueter dans le lointain comme la clochette d'une brebis esseulée. Ils n'avaient pas quitté leur cachette avant que le silence ne fût complet. Alors le garçon avait sauté de sa branche, il s'était précipité dans la cour et s'était penché sur les empreintes que l'homme avait laissées et il les avait effleurées une à une du bout des doigts. Il avait senti ses doigts. Après quoi il était resté debout à humer l'air à plein nez jusqu'à ce que tous les effluves inconnus se fussent évaporés.

Le colporteur n'était jamais réapparu. Ni lui ni personne. Le garçon n'a pas eu d'autre contact avec la civilisation depuis lors. Que font les hommes lorsqu'ils ne se promènent pas avec leur maison sur le dos ? Il l'ignore. Il ignore tout du reste du monde et cela est réciproque : la mère était la seule sur terre à connaître son existence et la mère est morte.

Il passe la matinée à construire un bûcher. C'était ce qu'elle lui avait dit qu'il faudrait faire. Il casse des branches. Dans les arbres alentour il en choisit de basses et minces et s'y suspend jusqu'à ce qu'elles cèdent sous son poids. Il les porte ou les traîne dans la cour et les assemble de manière à constituer un large sommier. Par-dessus il empile un matelas de petit bois qu'il ramasse ici et là et rapporte par fagots entiers. Il exécute tout cela sans hâte. Sans entrain. Outre que ses membres souffrent encore des efforts accomplis au cours des journées précédentes, son cœur est lourd. C'est à cet endroit que la douleur est la plus vive. Davantage que la veille. Davantage d'heure en heure.

Il interrompt quelquefois sa besogne et regagne l'intérieur de la cabane. Durant les brèves secondes que mettent ses yeux à s'accoutumer à la pénombre il ne peut s'empêcher d'imaginer que la mère se sera réveillée, ou bien qu'elle aura purement et simplement disparu. C'est plus fort que lui. Cette pensée se forme à son insu, elle monte et enfle et éclot à la surface de sa conscience comme une bulle de gaz, puis éclate aussitôt : le corps menu gît toujours recroquevillé sur sa couche tel qu'il l'a laissé. Si fol fut l'espoir, la déception est immense. Dans ces moments-là le garçon prend la pleine mesure de sa solitude et de son dénuement. Sa gorge se serre, ses paupières se gorgent. Il retourne dehors et la lumière du jour perce à travers ses larmes, diffuse et floue comme derrière le verre d'un vitrail.

Au lit de branchages et de petit bois il ajoute un tendre édredon de paille, de feuilles, de brindilles et d'aiguilles de pin qu'il sème par brassées. Tout ce qu'il peut amasser d'assez sec dans les parages. Lorsqu'il estime en avoir terminé le bûcher lui arrive aux genoux.

Il boit. Il se passe de l'eau sur les mains et le visage. Puis il est à nouveau dans la cabane où il s'assoit sur sa paillasse, les cuisses serrées contre sa poitrine comme si la température avait chuté. Et il a froid en effet, mais ne songe pas à se couvrir. Pendant de longues minutes il demeure immobile. Tout ce qui bouge et bruisse ici ce sont les mouches. L'odeur de la mort gagne sur les autres.

C'est en ces lieux qu'il a vécu depuis sa naissance jusqu'à ce jour. Son foyer. Son asile. C'est là le royaume dont il est désormais seul souverain et seul sujet. Vois ce qu'il en est : presque rien.

Sous la voûte en pierre sèche pend une queue de renard qui fut souple et douce et qui est aujourd'hui grise et rêche, quasi laquée d'un résidu de suif et de poussière. Au fond d'une niche il y a deux paires de moufles et deux paires de chaussons et une paire de manchons taillée dans des peaux de lapins, dans des peaux de lièvres. De confection encore plus grossière on trouve une coiffe : un assemblage de reliquats de pelages d'origine indéfinie censé former une sorte de toque qu'aurait sans doute adorée l'enfant attardé du dernier domestique du dernier tsar de toutes les Russies. Les couvertures et le tapis sont les vestiges des six chèvres successives que la mère et le fils ont possédées. De braves bêtes. Ils avaient gardé certaines d'entre elles plusieurs mois d'affilée, parfois une année complète. Le garçon n'aimait rien tant que se coucher par terre sous leurs mamelles et boire le lait tiède à la source même. Et puis lorsque la mère l'avait décidé elle soulevait à bout de bras une grosse pierre plate et en lâchait les dix kilos sur le crâne de l'animal. Il était plus aisé ensuite de lui trancher la gorge. Rien ne se perdait. Ils mangeaient le cœur et le foie et le festin de viande fraîche durait une bonne semaine. Ils séchaient le reste. Le garçon aidait. Il avait le droit de garder les cornes, dont il se servait pour dessiner des soleils dans la boue. Et des fleurs, des oiseaux. La mère lui avait appris qu'il fallait se débarrasser des os et des ultimes abats en les brûlant car cela risquait autrement d'attirer les prédateurs. C'était ce qu'elle lui avait dit qu'il faudrait faire pour elle aussi.

Qui d'autre que lui ?

Le garçon se relève. Il prend la femme dans ses bras et lui fait franchir le seuil. Il traverse la cour. Il la porte comme une fiancée assoupie qu'il dépose sur son lit de branches et de feuilles. C'est à peine si le bois craque sous son poids.

À présent ses yeux sont secs, son regard clair. Ses mains ne tremblent pas quand il frotte l'allumette. Deux seront nécessaires pour que le feu prenne. Il souffle sur la flamme en train de naître. Quand s'élèvent les premières volutes il tend le bras à travers la fumée et touche le front de la mère. Il sait que c'est la dernière fois. Il a fouillé parmi les cendres et il a vu ce qui restait des os des chèvres : nul n'aurait pu mieux lui enseigner ce que signifie retourner à la poussière. Il ne lui vient pas à l'esprit d'autre forme d'adieu que cette brève imposition. Il ne dispose d'aucune autre sorte d'éloge, d'aucune autre prière. Quand la chaleur se fait trop forte il retire sa main.

C'est un beau brasier. Au summum de leur intensité les flammes atteignent deux fois la hauteur de la cabane. L'odeur pique le nez, serre la gorge. Le garçon a pris place à l'ombre du mûrier. Il écoute craquer le bois sous la morsure du feu. Les sifflements et les crépitements. Il observe l'épaisse colonne de fumée qui se délite à mesure qu'elle s'élève, se dilue, se désagrège et finit par engendrer une flopée de fins nuages qui dérivent dans l'azur avant de s'évanouir définitivement, aussi légers et évanescents que des baisers envoyés du bout des lèvres. Le garçon les accompagne du regard. Il n'a pas la moindre notion d'âme et pourtant quelque chose s'entrouvre au fond de lui, quelque chose qui l'interroge et le désarme.

Au crépuscule le bûcher s'est réduit aux proportions d'un bon feu d'âtre. Loin à l'ouest un autre incendie se déclare, les lueurs du couchant répondant à celles des flammes dans la cour. C'est l'heure où elle se mettait à parler – et justement dans le ronflement sourd du brasier le garçon croit entendre sa voix. Cela arrivait quelquefois : sans que rien ne le laissât prévoir la mère ouvrait soudain la bouche et d'entre ses lèvres des mots s'écoulaient. Un débit régulier, une litanie monotone mais ô combien précieuse pour le garçon. Il lâchait tout pour la boire. Les paroles lui échappaient, le sens mais non le son. La mère ne le regardait pas. Ce n'était pas à lui qu'elle s'adressait. Pas davantage ce soir que les soirs d'avant. C'était peut-être à elle-même. Ou bien à un parent, un frère, une sœur, une amie, un confident défunt avec qui elle aurait poursuivi une conversation hors des sphères ordinaires de l'espace et du temps. On peut imaginer qu'il y a des êtres tout près que nul ne soupçonne. Elle n'avait pas l'air d'attendre de réponse de son interlocuteur.

C'était peut-être seulement pour entendre une voix.

Le garçon aurait aimé que cela durât la nuit entière mais hier comme aujourd'hui le flot s'interrompait tout à coup au détour d'une phrase et alors le silence heurtait ses tympans à la manière d'un gong et seules ses ondes continuaient à vibrer longtemps.

À la nuit bien avancée il n'y a plus qu'un épais tapis de braises dont la Voie lactée au-dessus déployée semble l'exact reflet à l'échelle du cosmos. Les derniers panaches se sont dissipés, dévoilant un ciel limpide et clair que les astres éclaboussent. Pas une étoile ne manque mais on ne jurerait pas non plus qu'il en soit une nouvelle et récente venue grossir leur nombre comme l'affirment pourtant certains contes.

Ici-bas toute voix s'est tue. Le garçon quitte son abri. Dans le carré du potager il va chercher une espèce de râteau dont la griffe rappelle celle d'un oiseau de proie. Il revient vers ce qui reste du bûcher. Avec des gestes lents et appliqués il étale les cendres encore tièdes au centre de la cour. Il les recouvre ensuite d'une couche de terre. Puis il ratisse à nouveau jusqu'à ce que la surface du sol soit partout parfaitement plane et égale et lorsqu'il en a terminé il se redresse et il reste là debout sous la voûte céleste armé de son râteau à contempler l'œuvre accompli.

C'était ce qu'elle lui avait dit qu'il faudrait faire.

Mais elle ne lui avait pas dit ce qu'il faudrait faire après.

Tout homme laisse un jour derrière lui son enfance. Il ne la retrouvera pas. Seuls quelques très vieux ou très fous bénéficient parfois de cette seconde chance. Les autres quand ils quittent ce monde qu'ont-ils de si précieux à emporter ?

Le garçon part au soir de la sixième journée de deuil. Il ne l'a pas décidé, c'est ainsi. C'est une évidence et c'est une nécessité.

Il a plu la veille. Enfin. Une brève et violente averse, suffisante pour transformer la cour en un épais magma, un sombre précipité où se confondaient sans doute à jamais la terre et les cendres et les chairs carbonisées. On aurait dit qu'il s'agissait là de la mission essentielle de la pluie, qui s'était tarie sitôt après. Un vent venu du nord a débarrassé le ciel, le soleil a repris son règne et à eux deux ces éléments n'ont pas mis plus de vingt-quatre heures pour assécher le sol et solidifier la croûte. Et voilà sous quel tapis se cache la poussière du passé. Voilà comment se régénère la mémoire minérale. Le garçon peut fouler cette nouvelle strate vierge de toute trace autre que celle qu'il crée à l'instant même.

Il libère les poules et s'en va.

Que ce soit par ici ou par là tout ce qui lui reste à voir est inédit. Il marche. Une lune ronde et blonde éclaire ses pas. La pâle lueur qu'elle saupoudre adoucit les ombres, atténue la terreur qui couve dans son ventre. Au hasard il a pris la direction du nord. L'étoile Polaire épinglée droit devant lui à quarante-cinq degrés au-dessus de l'horizon : unique point fixe dans le grand tourbillon, et brillant cette nuit à notre œil d'une lumière jaillie quatre siècles auparavant, en un temps où les caravelles de Colomb n'avaient pas encore appareillé, où le Nouveau Monde n'avait pas encore découvert le Christ.

Il marche du crépuscule à l'aube, il dort au plus chaud de la journée : au début le garçon conserve ce rythme. Et puis la lune s'amenuise et sa clarté décline. Et puis il s'enhardit. Au quatrième jour il n'est pas midi lorsqu'il s'éveille et reprend la route.

Il a franchi la frontière de son domaine. En ces territoires inconnus où il s'aventure il peut aussi bien être le chasseur que la proie. Il avance les sens à l'affût. L'ennemi est d'autant plus effrayant qu'il en ignore la nature. Il ne sait pas de quoi il doit avoir peur. Chaque bruit, chaque silence est jaugé dans l'immédiat pour la menace qu'il recèle. Chaque mouvement esquissé dans son champ de vision. En réalité c'est à son instinct plus qu'à son jugement que le garçon s'en remet. Qui lui dicte sa conduite, l'incite à s'arrêter, à se tapir, à attendre ou à fuir. Dans l'ombre du prochain bosquet respire peut-être la créature qui va le dévorer.

Quant à sa propre nourriture elle ne tombe pas du ciel. Il lui faut la dénicher. La ramasser. La cueillir. Il connaît la plupart des baies mais elles ne sont pas encore de saison. Il connaît les plantes et les racines. Il arrache et pèle et mâche les jeunes pousses des pattes d'ours et des pas-d'âne. Les tiges de morgeline. Les tubercules de bardane. Il fait provision de feuilles d'amarante qu'il enfourne dans l'informe sacoche qui lui pend à la hanche où l'on trouve déjà pêle-mêle l'outre en peau de chèvre et les allumettes et huit centimètres de bougie ainsi qu'un collet, un couteau à la lame ébréchée, un oignon et une poignée de fèves et une autre de pois chiches exhumés des friches du potager. C'est là tout son viatique.

Quand la chance lui sourit il s'agenouille comme un fidèle devant un autel dédié aux cèpes. Aux girolles. Décolle les noires oreilles de Judas qui flanquent les troncs morts. Ses lèvres, ses dents rougissent parfois du sang de mûres et de framboises précoces.

Sur un lopin piqué d'ajoncs il repère un drôle d'oiseau brun de la taille d'une perdrix et réussit à l'approcher à moins de trois pas avant que le volatile ne détale sur ses pattes et ne prenne plus loin son envol dans un lourd et disgracieux battement d'ailes. Le garçon cherche le nid et le trouve dans une dépression du sol mais le nid est vide. Il pose un piège à l'orée du trou et guette toute une demi-journée allongé sur le ventre derrière un genévrier mais l'oiseau ne revient pas. Il pense aux poules qu'il a abandonnées dans la cour. Maudit soit-il.

Il mange les fèves.

Il mange l'oignon.

Dans l'onde d'un ruisselet il fait tremper les pois chiches afin de les attendrir. Puis il les suce un à un, les laisse fondre sur sa langue comme des friandises.

À toute heure et en tout lieu sa faim l'accompagne,

qui se nourrit de rien et grandit en son sein à mesure que lui dépérit.

Son destin tient peut-être dans l'eau croupissante d'une modeste mare. Il tombe dessus un soir. Voit le rose et l'orange du ciel s'y refléter. Mais c'est un miroir brisé, sa surface criblée comme sous la mitraille par les plongeons compulsifs et incessants d'une congrégation de grenouilles réunies en ces lieux pour célébrer on ne sait quel événement. Elles sont cent ou davantage. Floc. Floc. Floc. Floc. Dieu bénisse cette furieuse kermesse. Le garçon n'a qu'à se servir. Ce qu'il fait, d'abord à mains nues puis à l'aide d'un filet improvisé à partir de l'infâme loque qu'il porte pour chemise. Il prend le temps qu'il faut mais lorsqu'il retire une ultime fois de l'eau le tissu dégouttant la mare est curée jusqu'au dernier de ses batraciens.

Épuisé le garçon s'affale sur le dos. Il souffle. La nuit est close à présent. La surface de la mare étale, aussi noire et opaque qu'une nappe de pétrole, où luit un astre unique. Un linceul de silence retombe doucement.

Dans l'herbe où il les a jetées gisent les grenouilles étêtées, chacune à peine plus grosse qu'une rainette et toutes ensemble formant un singulier tumulus à demi effondré, un cairn de chair et de nerfs dont il est l'architecte. Certaines agonisent encore. Certaines se sont mues sur plus d'un mètre après leur décollation, se traînant, rampant, surjouant une pantomime macabre et grotesque ou secouées tout à coup de terribles convulsions et bondissant à tort et à travers, exécutant dans l'air d'extravagantes, de fantaisistes figures, sans équilibre ni coordination, ataxiques peut-être ou pour le moins soumises à de nouvelles lois physiques, à d'iconoclastes règles et équations issues du cerveau d'un savant ivre ou aliéné ou simplement d'un clown cruel.

Le garçon se relève. Il prépare un feu. À la lueur des flammes il écorche une à une ses prises jusqu'à une heure avancée de la nuit. Puis il les enfile en chapelet sur la plus longue tige qu'il ait pu trouver. Tandis qu'elles cuisent il rince ses doigts poisseux dans la mare. L'odeur de la viande rôtie lui emplit la bouche de salive.

Il mange les grenouilles. Tout ce qu'il est capable d'avaler. Il suce leurs os de la taille d'arêtes et les recrache dans les flammes parfaitement polis et immaculés. Celles qui restent il les enveloppe de son vêtement humide et les fourre en réserve dans la sacoche. Après quoi il se couche en chien de fusil près des braises, la panse tendue et délicieusement douloureuse et il ferme les yeux et s'endort quand le jour naît.

Il mange les grenouilles saupoudrées de fleurs de romarin.

Il mange les grenouilles piquées de graines de sarriette.

Il mange les grenouilles frottées de feuilles de sauge.

Il conserve le dernier os du dernier squelette et le range dans la boîte d'allumettes en guise de talisman.

Au solstice d'été il entre dans une vallée de cistes. C'est l'un de ces moments où il baisse sa garde et s'émerveille. Si grande est la beauté du monde et lui si petit, jamais il ne pourra la contenir. Il franchit ce fleuve d'arbrisseaux les bras déployés comme des ailes, éprouvant au passage la douceur de leur duvet, caressant les corolles de pétales roses, mauves, en un geste qui est à la fois un bonjour et un adieu, car ces fleurs éphémères écloses à l'aurore mourront au retour de la nuit, leur règne tout entier accompli dans cette unique ellipse. Est-ce la raison pour laquelle au fil de la traversée le ravissement initial du garçon se teinte de mélancolie puis d'un chagrin véritable ? Triste pollen récolté. Parvenu sur l'autre rive sa vue se voile. Il préfère ne pas se retourner.

Peut-être songe-t-il à la flamme soufflée dans les yeux de la mère. Non seulement la beauté et l'harmonie ne durent ni ne s'emportent, mais aussi bref que fut le temps où elles nous sont apparues leur souvenir persiste, et leur absence ainsi mise en relief rend d'autant plus vertigineux le vide qu'elles nous laissent.

Le mois de juillet démarre en trombe. La pluie tombe quatre jours et quatre nuits sans discontinuer. Le garçon patauge trempé tout au long de la première de ces journées sans trouver d'abri. Ses pieds ventousés par la boue rouge à chaque foulée. Au soir il avise l'éminence grise et pelée d'une colline et se réfugie dans une cavité creusée à mi-pente sur son flanc. C'est un simple renfoncement dans la roche. Juste la place de s'y accroupir. Juste de quoi se tenir au sec, une marquise calcaire au-dessus de sa tête. Il demeure ici reclus les trois jours et les trois nuits qui suivent entre les murs de pierre et les barreaux de pluie et celui qui le verrait songerait naturellement au dernier pensionnaire d'un zoo à l'abandon ou à l'antique représentant d'une espèce animale oublié dans la cale de l'arche biblique.

Mais il n'y a personne pour le voir.

Après le déluge l'été explose. Mille soleils en un. Resplendissent les térébinthes, croissent les euphorbes, s'épanouissent les garances et les clématites et partout sur les arbres et les arbustes mûrissent les fruits et les baies. Le plus clair du temps le garçon marche avec une main en visière sur le front et dans l'autre un bâton de buis qu'il frappe sur le sol devant lui tel un aveugle afin de prévenir les serpents. Loin de toute piste. Loin de tout chemin tracé ou ne serait-ce qu'esquissé par quelqu'un de sa race.

Pionnier en ces contrées, semble-t-il. S'il a eu des prédécesseurs ils sont morts, ils sont en exil depuis si longtemps que s'est effacé le souvenir même de leur présence. Ce sont des champs incultes qu'il sillonne. Des plateaux nus. Des combes désertes. Des jungles denses de chênes-lièges et d'arbousiers. Des arpents entiers couverts de salsepareille et de lierre rampant où il s'embronche. D'une pinède à un maquis. D'une steppe à une forêt. Il explore. Il arpente. Inaugure des sentes au même titre qu'une martre ou un rat musqué. Bête parmi les bêtes. Jalonnant son périple il n'y a d'essentiel que le repos, la nourriture et l'eau.

Au long d'un talweg il joue à faire gicler sous ses pieds des gerbes de minuscules sauterelles, espiègle et lilliputienne escorte. Dans un champ d'aspic il flotte sur un tapis volant tissé de nuées de papillons bleus. Il ne manque jamais de compisser les dômes des fourmilières pour en voir jaillir les cohortes d'ouvrières affolées. Ce sont les plaisirs qui s'offrent à lui et qu'il accepte.

Il va aux trois quarts nu, la peau cuite et tannée.

Il mange des figues.

Il mange des prunes.

Il mange des groseilles à maquereau.

Il mange des amandes.

Par une nuit claire il fouille le terrier d'un putois en maraude et exhume de sa réserve la dépouille d'un lapereau.

Il mange le lapereau.

Trois jours après c'est de la chair fraîche en l'espèce de deux jeunes lièvres qu'il prend coup sur coup au lacet. Ils ne pèsent pas deux livres chacun mais à chaque fois son cœur exulte. Il les soulève par les oreilles et les brandit à bout de bras comme des trophées – les levrauts roulant des yeux et ruant dans le vide, étrangement silencieux.

Il mange l'un. Puis l'autre.

Il n'a plus d'allumettes. Il lui faut maintenant collecter l'amadou ou un ersatz et il lui faut frotter la lame de son couteau sur du silex pour espérer faire naître la flamme. Le miracle se mérite.

Il piège un lapin de garenne, si gros et combatif celui-là qu'il doit l'assommer à coups de bâton avant de pouvoir s'en saisir.

Il mange le lapin. Il en conserve la fourrure et le soir il la pose sous sa joue, il la caresse de ses lèvres avant de trouver le sommeil.

Les cigales chantent dès l'aube et jusque dans ses rêves.

Un matin il suit le cours d'un ruisseau et bientôt le ruisseau devient rivière et le garçon emprunte son lit et à midi il s'engouffre avec elle dans une brèche pratiquée au milieu d'un gigantesque massif rocheux. Marchant sur des galets laminés par un courant vieux de cent mille millénaires. L'eau est claire et glacée, elle lui monte aux chevilles, aux mollets, à la poitrine quelquefois quand les parois du canyon se resserrent, et alors le garçon en a le souffle coupé et il continue d'avancer la bouche grande ouverte en portant sa sacoche au-dessus du crâne pour la garder au sec. S'il lève les yeux à cet instant il n'aperçoit qu'une lézarde bleue au plafond : c'est là toute la dimension du ciel, la part octroyée par l'ombre à la lumière.

Il s'enfonce dans ces gorges sur peut-être trois ou quatre kilomètres. Le goulet tantôt s'étrécissant, flanqué d'à-pics tout à fait vierges et blancs comme neige, tantôt s'évasant et s'étageant en terrasses où se sont implantées des colonies de buis, de sureaux, de lierres. Il franchit un détroit d'éboulis, il cascade entre d'énormes blocs de pierre qui semblent avoir chu tout droit d'une lointaine galaxie à l'ère du grand chaos.

À trois heures de l'après-midi il fait halte dans une crique, sur un banc de sable gris. Ici jadis régnait la mer. Aujourd'hui le cours retenu de la rivière forme un bassin presque rond, un lagon nain d'un mètre de fond et large de six ou sept. Une dalle de galets plats précède la mince plage de sable, puis la pente s'élève en douceur sur un versant luxuriant de la falaise avant de s'achever soixante mètres plus haut en un mur de rocaille à nouveau aussi abrupt et nu qu'un rempart.

L'obscurité vient vite. Déjà dans l'ombre de la paroi l'eau se teinte d'un vert profond et froid. Le garçon s'étend sur le dos dans la dernière flaque de soleil. Sa peau et ses braies mises à sécher. Le visage offert. Des gouttes de lumière dorée s'accrochent à ses cils. Puis il ferme les yeux et l'on se demande s'il ne va pas reposer ici pour l'éternité.

Il y reste une semaine.

Il se baigne. Il saute dans le trou d'eau du haut des rochers ou se laisse glisser sur leur dos. Il aime les éclaboussures, les geysers, toutes ces perles qu'il lance en l'air et qui sont de miel ou de pur cristal selon l'heure et la couleur du ciel. Il aime le bruit qu'elles font lorsqu'elles retombent et s'écrasent.

Il somnole au chaud sur le sable.

Après une matinée de patience et d'efforts il extrait de l'eau une truite fario d'un demi-bras de long. Il la propulse sur la berge où elle s'échoue avec un bruit de linge humide. À l'air libre elle s'asphyxie peu à peu. Il l'observe sans bouger aussi longtemps que dure son agonie.

Il mange la truite.

Un peu plus loin en amont il construit un barrage. Soulevant, transportant, ajustant galet après galet, pierre après pierre, méticuleusement. Peut-être est-ce une entreprise sérieuse. Peut-être a-t-il réellement l'intention d'interrompre le cours de la rivière. Il est toujours à l'œuvre quand la lune se montre. Il ne sent plus ses mains ni ses pieds. L'édifice dépasse en hauteur la ligne de ses hanches et

cependant l'eau continue de s'écouler, à peine frei-
née dans son élan.

Ce qu'il a fait, il le défait le lendemain, pierre
après pierre, galet après galet, méticuleusement.

Au soir tombant souvent on le trouve accroupi
devant une petite cuvette d'eau stagnante creusée
dans la roche. Considérant son reflet dans ce miroir
de longues minutes durant. Le dardant du regard
sans ciller jusqu'à ce qu'il parvienne à s'en séparer, à
se détacher de lui, à en faire un parfait étranger : ami
ou ennemi qu'importe, pourvu qu'il soit un autre.
Pourvu qu'ils soient deux.

La nuit au faîte du canyon se découpe un étroit
ruban de ciel sur lequel ne peuvent s'inscrire que
des bouts de constellations. La Grande Ourse et le
Lion et le Petit Chien et la Colombe et le Cygne et
le Dauphin et toute la ménagerie stellaire défilent
en portions congrues et c'est ainsi que le garçon
avant de s'endormir assiste à l'inexorable manège
du temps.

Le dernier jour dans un pli de la falaise à douze
mètres au-dessus du sol il découvre l'entrée d'une
grotte escamotée par une épaisse tenture de lierre.
C'est un sanctuaire où jamais le soleil n'a été admis.
Le garçon sacrifie le moignon de bougie qu'il lui
reste à son exploration. Sur la paroi du vestibule
apparaissent des gravures dont il redessine les
contours du bout de l'index : un arc, une spirale,
d'obscurs symboles, peut-être des esprits incarnés,
d'hybrides divinités nées d'un culte cosmogonique,
des animaux anthropomorphes dont les représentations ne sont pas sans ressemblance avec le portrait
que lui renvoie la flaque où le soir il se mire.

En rampant à travers un boyau à demi écroulé il

débouche dans une chambre sépulcrale où quatre millénaires avant notre ère des hommes étaient logés à l'enseigne de l'éternel repos. Toute une faune fouisseuse l'y a précédé. La terre déjà creusée, profanée patiemment. Des vestiges affleurent à la surface. En l'espace d'une heure il met au jour trois vertèbres, un tibia, une rotule, deux têtes de fémur, un calcanéum, douze phalanges, un demi-maxillaire et dix-huit dents qu'il aligne avec soin, par rangées, telles les pièces d'un échiquier. Il exhume aussi des tessons de vase couverts de concrétions calcaires. Une pointe de javelot en silex blond. Six perles oblongues et translucides en aragonite. Deux perles cylindriques en schiste noir. Une griffe d'aigle percée. Un florilège de dentales.

Des offrandes tout ceci, objets de l'industrie lithique, céramiques, bijoux, pendeloques de parures funéraires dont étaient généreusement pourvus ces morts qui furent chers. Sans compter les pleurs versés à leur chevet – ces larmes que rien ne fossilise.

Le garçon gratte encore le sol à la lueur de la bougie. Gratte avec ses doigts, avec ses ongles, misérable archéologue à genoux devant son ombre décuplée sur la voûte. Mais qui sait si ce ne sont pas ses propres racines qu'il cherche là-dessous ? Sa propre souche. Qui sait si la seconde rotule qu'il déterre n'appartenait pas à l'un de ses lointains ascendants ? Si elle n'est pas l'articulation d'un maillon de la chaîne qui court depuis le commencement jusqu'à ce jour et au-delà. Le lignage, la grande filiation, des pères de nos pères aux fils de nos fils, tous issus du même germe. Qui sait si l'un de ces défunts ici ensevelis n'était pas son ancêtre ?

Bien sûr qu'il l'était. Forcément.

Sa dernière trouvaille est un dé à jouer en ivoire qui n'a pas vingt-cinq siècles.

La cire s'épuise. Le garçon doit sortir avant que l'obscurité ne l'enferme plus sûrement que la dalle d'un tombeau. Il conserve la pointe de javelot et quelques dentales. Il conserve les perles qu'il frotte et oint de sa salive. Il emporte aussi la griffe d'aigle et le dé, son butin rejoignant l'os de grenouille dans la boîte d'allumettes.

Puis il regagne la première caverne et dans les ultimes vacillements de la flamme il s'applique à graver un poisson dans la roche. Une esquisse de truite parmi les autres pétroglyphes. Son témoignage et sa contribution.

Cette année-là l'Autriche-Hongrie annexe la Bosnie-Herzégovine.

Cette année-là l'État indépendant du Congo, propriété privée de Léopold II, roi des Belges, devient une colonie belge, le monarque ayant cédé ce territoire à son pays.

À Paris les Camelots du roi distribuent les premiers exemplaires de *L'Action française*, organe de presse antisémite, antiprotestant, antimaçonnique, anticommuniste, antidémocratique et antiparlementaire, dirigé par Charles Marie Photius Maurras, écrivain provençal, sourd, et chantre du nationalisme intégral.

Charles Maurras sera élu à l'Académie française trente ans plus tard par vingt voix contre douze.

Cette année-là est mise en service la ligne 4 du métro, reliant la porte de Clignancourt au Châtelet, dont les travaux et l'exploitation ont été concédés à la Compagnie du chemin de fer métropolitain de Paris, fondée à cette occasion par le baron Édouard Louis Joseph Empain associé aux établissements Schneider du Creusot.

Croquignol, Filochard et Ribouldingue, trio

d'escrocs de moindre envergure, font pour leur part leur apparition dans la revue *L'Épatant* sous le surnom des Pieds nickelés.

Cette année-là la Fédération française de football refuse de siéger aux côtés de la Fédération anglaise pour la simple raison que cette dernière autorise la pratique du football professionnel.

Dans les rues de Londres des dizaines de milliers de femmes manifestent à l'initiative du mouvement des suffragettes pour revendiquer le droit de vote, qu'elles obtiendront vingt ans après.

Cette année-là Charles Joseph Bonaparte, petit-neveu de Napoléon Ier et Attorney General des États-Unis, crée le Bureau of Investigation (BOI), première mouture du futur Federal Bureau of Investigation (FBI) et qui se compose alors d'une petite dizaine d'inspecteurs.

À Valparaíso, Chili, vient au monde Salvador Allende Gossens.

En Seine-et-Oise, dans le secteur de Vigneux, Draveil et Villeneuve-Saint-Georges, les ouvriers des sablières lancent une grève qui durera cent jours et fera dans leurs rangs six morts et des centaines de blessés dus aux sabres et aux balles des gendarmes et dragons que leur envoie Georges Clemenceau, dit le Tigre, socialiste radical, ministre de l'Intérieur et président du Conseil, lequel fera également arrêter et emprisonner dans la foulée tous les principaux dirigeants de la Confédération générale du travail (CGT).

Georges Clemenceau sera élu à l'Académie française en 1918 à l'unanimité.

Cette année-là à Detroit, Michigan, est créée la firme General Motors, plus grand constructeur automobile mondial.

Cette année-là à Detroit, Michigan, la Ford Motor Company inaugure la production et la consommation automobile de masse avec une Ford Model T toute fraîche sortie de son usine et toute première d'une longue série de quinze millions vendues par la suite à travers les décennies et les continents.

Henry Ford, son concepteur, sera décoré trente ans plus tard de la Grand-Croix de l'Aigle allemand en récompense de son soutien spirituel et financier au IIIe Reich et cité en exemple par l'un de ses plus fervents admirateurs dans un ouvrage intitulé *Mein Kampf*.

Cette année-là l'Association internationale des Gédéons fait placer pour la première fois des bibles dans les chambres d'hôtel.

Cette année-là les cigarettes au *Cannabis indica* sont en vente dans toutes les bonnes pharmacies de France, le chanvre indien, antispasmodique et antiasthmatique, étant reconnu d'une grande efficacité dans la lutte contre les maladies des voies respiratoires.

À Lucerne, Suisse, la Conférence internationale pour la protection du travail interdit le travail industriel nocturne pour les enfants de moins de quatorze ans.

Un petit garçon de trois ans, dénommé Puyi, devient empereur de Chine.

Sur le ring Jack Johnson envoie Tommy Burns au tapis et devient le premier Afro-Américain champion du monde de boxe dans la prestigieuse catégorie poids lourd, la police ayant interrompu le combat à la quatorzième reprise et empêché les caméras de filmer le coup de grâce de l'homme noir à l'homme blanc.

Wilbur Wright, sur son *Flyer*, bat le double record du monde de la plus grande distance et de la plus longue durée de vol en parcourant dans les airs cent vingt-quatre kilomètres sept cents en deux heures, vingt minutes et vingt-trois secondes.

Des membres de l'Académie française, consultés afin de trouver un nom pour ces nouvelles machines volantes, proposent : « aéroplane », « aéro », « philair », « auto-planeuse », « aérion ». Clément Ader, ingénieur, continue de son côté à défendre le terme : « avion ».

Cette année-là une énorme boule de feu explose dans le ciel au-dessus de la Toungouska, en Sibérie centrale, créant une onde de choc estimée à plusieurs centaines de fois celle de la future bombe d'Hiroshima, dévastant la forêt dans un rayon de plus de vingt kilomètres, arrachant et abattant des dizaines de millions d'arbres et décimant des troupeaux entiers de rennes, mais ne laissant cependant sur place aucune trace d'impact ni le moindre débris. Astéroïde ? Comète ? Autre ? La nature de l'objet cosmique demeure un mystère. À cette heure on ne sait toujours pas.

Par un jour de grand vent il découvre le cheval et la roue.

C'est pour commencer un frémissement du sol sous ses pieds, qui suffit à briser net son pas. Il s'immobilise dans l'ombre clairsemée d'un olivier. En alerte. Le mistral balaie le feuillage et siffle à ses oreilles, noyant les autres sons sous son courant puissant et froid. Pourtant le garçon croit entendre soudain un lointain roulement de tonnerre, il lève les yeux par réflexe mais il n'y a rien entre les branches que du bleu, du bleu, sans limites et sans faille. Le temps que retombe son regard le vacarme redouble, le frémissement de la terre se mue en tremblement et la poitrine du garçon se creuse, se serre, tandis qu'à l'intérieur les battements de son cœur enflent et s'accélèrent, puis cessent tout à fait lorsque surgit de nulle part, dans un halo de poussière dorée, la créature la plus extraordinaire qu'il lui ait été donné de voir.

Pour tout autre que lui il ne s'agit que d'un banal attelage, un coupé que tracte un couple de chevaux lancé au grand galop, mais pour l'œil innocent du garçon c'est une vision fantastique, et monstrueuse et magnifique, qui viendra longtemps nourrir ses rêves autant que ses cauchemars. Il n'eût pas été plus étonné de croiser un char ailé ou un dragon.

L'équipage défile à trente pas devant son nez. Le cheval le plus proche tourne la tête au passage, le vent et la vitesse soulèvent les longs poils de son toupet et dévoilent le globe de son œil et le garçon est frappé par l'éclair sombre du regard que l'animal lui décoche. Tout comme le second formant la paire il est de cette race de Camargue qui pousse d'ordinaire libre et sauvage au milieu des marais. Race parmi les plus anciennes, née de l'écume de la mer, dit-on, de laquelle elle tire le fil de sa robe d'argent.

Cela ne dure qu'une poignée de secondes mais le tonnerre et l'écume et l'éclair sont des phénomènes que le garçon n'oubliera pas.

L'attelage disparaît. Restent le vent et lui. Il n'a toujours pas remué. Frappé de stupeur et d'extase. Jusqu'à ce que le ramène à la réalité la tiédeur d'un filet d'urine en train de s'écouler le long de ses jambes.

Il se détache du tronc et sort de l'ombre et se précipite vers les deux fins sillons que les roues du fiacre ont esquissés. Il scrute au large mais aussi loin que porte sa vue l'horizon est vierge. Il lève le nez et hume l'air mais le mistral a fait le ménage, chassé la poussière et les résidus de poussière et l'odeur même des chevaux. Qu'à cela ne tienne, plein d'une ferveur nouvelle il s'élance à la suite de l'équipage.

C'est qu'une autre ère vient de s'ouvrir. Certes la roue, certes le cheval, animal fabuleux, mais la plus grande découverte du garçon ne concerne que lui-même. Car c'est ici, ce jour, à cette heure – Dieu seul doit savoir pourquoi – qu'il prend soudain conscience de son appartenance à cette espèce particulière qu'il ne saurait encore définir mais qui est celle de l'humanité.

Il est homme.

C'est pour lui une révélation. Ou plutôt c'est la brusque confirmation d'une intuition jusque-là mise en veilleuse, trop floue, trop faible pour l'éclairer. Voici qu'un pan d'obscurité s'effondre et que la lumière entre à flots.

Désormais il veut voir. Il veut savoir. Il veut connaître. Il ne se tiendra plus à l'écart comme sa mère d'abord en avait décidé, pour des raisons connues d'elle seule, comme son propre instinct ensuite le lui dictait. Désormais il veut suivre d'autres voies que celles empruntées par des reptiles ou des quadrupèdes. Il veut se frotter à ses semblables. À compter de ce jour il ne refusera plus leur compagnie, et même il la recherchera, et cela ne changera pas jusqu'au crépuscule de sa vie où sans doute alors il aura fait le tour de ce qu'ils sont et de ce qu'il est et jugera bon de s'en détacher et où de nouveau il aspirera à la solitude qui est au final la seule certitude et l'unique vérité sur lesquelles l'homme peut se reposer.

Autant l'annoncer tout de suite : il ne reverra jamais le fiacre et sa paire de chevaux d'argent.

Les semaines qui suivent il les passe à cerner des villages. Des hameaux. Des fermes. L'approche se fait par étapes. Il se tient à la lisière des habitations, repère un fourré ou le plus souvent un arbre touffu dans lequel il se perche tel un matelot à la hune et d'où il pourra voir sans être vu. Espion à sa propre solde. Pourvu d'un don du camouflage aussi efficace que celui du caméléon. Depuis son poste il regarde et il écoute. Il recueille. Il retient. Tant de choses nouvelles, des objets et des êtres, des attitudes, des voix, toutes ces découvertes qui ne laissent pas de le surprendre et de l'enchanter et celles qui le déconcertent, le plongent dans des abîmes de perplexité. Combien étranges en effet lui paraissent certains rites dont il est témoin. Mais eux savent, pas lui : cela doit avoir un sens.

Il observe et il imite. Le soir, une fois retiré dans ses quartiers, il s'applique à reproduire les gestes, les mimiques, il rejoue les scènes qu'il a vu jouer. Dans son théâtre de plein air il répète. Il est le gros homme à la pipe : lippe molle, tordue, tétant un court tuyau de jonc duquel il s'imagine tirer d'impeccables ronds de fumée, il déambule panse en avant sous l'œil indifférent des hirondelles qui lacèrent le ciel au-dessus de sa tête. Il est l'ancêtre, l'aïeul qu'on pose sur le banc sous le tilleul et qu'on oublie, à longueur de temps, et qui rumine, qui dodeline. S'appuyant sur une canne fictive il se relève et traîne sa carcasse percluse de rhumatismes jusqu'au seuil d'une invisible maison. Une fois. Deux fois. Dix fois il est capable de recommencer. Il se repasse les images récoltées. Se remémore ses modèles. Les réanime. Peaufine leur représentation. Mime. Remue les lèvres, montre les dents, hausse les sourcils, les fronce, plisse les paupières d'un air matois, l'instant d'après les écarquille dans la plus pure expression de la stupéfaction. Il est la petite fille qui saute à cloche-pied et sa petite sœur qui l'applaudit et leur rire de cristal, qu'il propulse vers le couchant, transperce de son éclat la litanie des grillons. Il chique tout ce qu'il trouve. Il crache le jus amer en ravalant son dégoût. Il effrite entre ses doigts une feuille de chêne desséchée et s'en fourre une pincée dans la narine en guise de tabac à priser. Il éternue à s'en arracher les sinus. Dans son crâne les cloches sonnent, aussitôt il exécute le signe de croix, une fois, deux fois, dix fois d'affilée, de la main gauche, de la main droite, craignant de s'emmêler les pinceaux car c'est là sans doute l'un des us les plus imperméables à son entendement. À quoi cela sert-il ? Qu'est-ce que cela signifie ? Il a beau se creuser la cervelle il ne saisit pas. Néanmoins il se prête à l'exercice sans rechigner. Puisque c'est ainsi que les hommes vivent.

Eux savent, pas lui.

Il y retourne quelquefois la nuit. Profite de l'obscurité pour s'approcher au plus près. Se faufile dans les ruelles et dans les cours, longe les bâtiments. Il a besoin de toucher. Il pose ses paumes à plat sur la pierre des maisons. Il y colle sa joue. Il y colle son oreille, comme s'il pouvait les entendre, eux, à l'intérieur, comme s'il pouvait capter leur souffle, leur pouls, les épouser. Pénétrer leur coquille à défaut de pénétrer leur cœur. Bientôt. Bientôt, peut-être.

Mais sa présence ne passe pas toujours inaperçue. Dans l'étable les bêtes le sentent. Ça bruisse. Un sabot racle le sol nerveusement. Et tout à coup un aboiement éclate et lui glace le sang. Un volet s'écarte, une voix crie : Qu'est-ce que c'est ? Qui est là ? Dans sa panique il trépigne, puis il bondit et s'élance et ses pieds nus le remportent vers les profondeurs de la nuit.

Au lieu-dit Les Roches-Blanches il a eu le temps avant de s'enfuir d'entrevoir l'éclat métallique d'un fusil surgissant d'une fenêtre ouverte, tout de suite suivi d'une détonation qui a dû bouleverser l'ordre des planètes, et il a entendu siffler à ses oreilles de drôles d'abeilles de plomb.

C'est que pour les braves gens rien de bon ne peut survenir à cette heure tardive mais trois sortes de fléaux seulement : les voleurs, les fantômes, ou le diable sous l'un de ses innombrables déguisements.

De cette période date une kyrielle de légendes dont il est à l'origine. Des rumeurs qui naissent et courent à travers le pays. Et parmi le carnaval de monstres défilant durant ces nuits d'été, l'ancestrale figure du lycanthrope domine. On jure avoir vu rôder la bête immonde. On atteste son corps velu, sa taille gigantesque, ses doigts griffus, ses yeux jaunes comme les flammes de l'enfer, ses yeux rouges comme des tisons ardents. On redoute la pleine lune. Les femmes prient, s'en remettent aux mains du Sauveur. Les maris n'en pensent pas moins mais se taisent, ils serrent les lèvres et préparent la chevrotine et laissent la carabine pendue au montant du lit. On soulage sa vessie dans les vases pour éviter de traverser la cour à découvert. Allongé dans le noir on veille. On jauge le moindre bruit. On soupèse le silence. On pressent sa présence. Il arrive. Il approche. Il est là. Jésus-Marie-Joseph. La preuve en est que les chiens le sentent aussi. On dit qu'ils deviennent fous. Ils se terrent, se rencognent tremblants dans l'angle le plus reculé de la maison, ou bien ils enragent au contraire et montrent les dents et tirent à s'en étrangler sur la corde qui les entrave. Les chiens qui aboient ou qui hurlent à la mort que c'en est pitié.

On parle de sacrifices. On parle de battues.

Bien sûr le garçon n'a aucune idée du trouble qu'il sème. Les fables se tissent à son insu. Et par un tour ironique du sort plus il s'évertue à rallier ses congénères plus ceux-ci lui dénient sa part d'humanité.

Ses pas l'ont ramené vers le sud. À la mi-août il se retrouve à moins de dix kilomètres à vol d'oiseau de son point de départ. Depuis trois jours il a élu domicile dans un four à cade à l'abandon. La garrigue s'étale partout autour. Le four n'a pas chauffé depuis des lustres mais la construction est entière, inaltérée. Un modèle de maçonnerie en pierre sèche. L'édifice est placé sous la protection non de la Vierge mais d'une tarente, qui en garde l'accès, immobile, immuable, pareille à un bas-relief sculpté sur le linteau de l'entrée. De petits scorpions noir et or sommeillent entre les lauzes en attendant le soir.

Le garçon dort aussi. Il s'est assoupi dans la niche

du four au retour d'une de ses expéditions. Lorsqu'il émerge de sa sieste il est six heures de l'après-midi. Son corps est verni de haut en bas d'une couche de sueur. Il boit. Après quoi il range l'outre dans la sacoche, qu'il referme et passe en bandoulière, puis il se dresse sur ses jambes et sort.

À peine le seuil franchi il doit faire face au double canon d'un fusil pointé sur son front. Deux sombres orifices, si près qu'ils le font loucher – et le refroidissent d'un coup.

L'homme qui le tient en joue est pratiquement de sa taille. Il a une barbe de trois jours et des cheveux couleur cuivre à moins que ce ne soient les rayons du soleil déclinant qui lui infligent ces reflets roux. Un lièvre mort pend à sa ceinture, l'œil ouvert et vitreux. Une coulure de sang séché sort de l'oreille de l'animal et souille sa fourrure.

Le garçon ne bouge pas. Il regarde le fusil et il regarde le lièvre mort et il se souvient du bruit terrible qui avait éclaté au cœur de la nuit et qui avait failli décrocher le sien. Il regarde l'homme. Et l'homme lui rend son regard. Il fixe le garçon avec des yeux qui à cet instant sont plus noirs que bleus.

— C'est quoi ? demande la gamine.

— T'occupe, dit sa mère.

— Vagabond, dit son père.

— Moi j'dirais que ça r'semble à un d'ces roma-nichels, dit Eugène.

— Mauvais augure, siffle Eugénie.

— C'est quoi, un roanichel ? demande la gamine.

— Rien de fameux, dit son père.

— La peste et le choléra, siffle Eugénie.

— Y a pas un cirque qu'est passé dans l'coin ?

— Pas qu'on sache.

— C'est un gars ou une fille ? demande le vieux Blaise. Je vois pas bien d'ici.

— Pourtant, peut pas dire qu'y reste grand-chose à cacher. Ça fait combien qu'vous avez pas vu une dame, Blaise ? Vous vous rapp'lez comment qu'c'est fait, au moins ?

— Tais-toi, Eugène, siffle Eugénie.

— Et lui, alors, qu'est-ce qu'il dit ? demande Napoléon.

— Rien, répond le père de la gamine.

— Vous lui avez demandé ?

— Non.

— Il ne comprend peut-être pas notre langue, suggère Marie-Aimée de sa voix douce.

— Un étranger, tu veux dire ?

— Il en arrive de partout, dit la mère de la gamine. En ville on en a même vu débarquer des colonies le mois dernier.

— Des moricauds, tu veux dire ?

— Toute une famille au complet à ce qu'y paraît.

— On est envahis.

— La huitième plaie, siffle Eugénie. « Elles couvrirent la surface de toute la terre et la terre fut dans l'obscurité… »

— Toi comprendre l'français ? beugle Eugène.

— « … Elles dévorèrent toutes les plantes de la terre et tous les fruits des arbres… »

— Pourquoi vous criez comme ça ? dit Napoléon. Il n'est pas sourd.

— On sait pas, si ça s'trouve.

— C'est vrai qu'il va manger tous les fruits ? demande la gamine.

— Je crois que vous lui faites peur avec vos grosses voix, suggère Marie-Aimée de sa voix douce.

— J'suis sûr qu'y s'est échappé, dit Pierre.

— Échappé ?

— L'fils a pas tort, dit Eugène. Maint'nant qu'il l'dit, j'trouve qu'il a bien une tête d'évadé.

— Évadé ?

— Évadé de quoi ? demande le père de la gamine.

— Est-ce que j'sais, moi ? D'la prison. Du bagne. N'importe. Peut-être bien d'chez les fous, pourquoi pas ?

— Il a pas l'air toqué.

— L'a pas l'air bien d'aplomb non plus.

— Il serait comme le Gazou ? dit la vieille Honorine.

— On n'en a pas besoin d'deux.

— Çui-là, il bave pas, dit la mère de la gamine. C'est déjà ça.

— Où c'est que vous l'avez trouvé, Lucien ? demande Napoléon.

— Au four de Borel. Il dormait dedans.

— Il dormait ? Dans le four ?

— Ouais. Je l'ai cueilli au réveil.

— Et toi, dit Eugène, qu'est-ce t'allais foutre par là-bas ?

— Moi ? Je vais bien où ça me chante, non ?

— Pour sûr, pour sûr. C'était juste histoire d'dire.

— Je guignais cette bestiole, tu vois.

— Dis donc, tu l'as pas loupée, la garce.

— Eugène, siffle Eugénie.

— Quelle bestiole ? demande le vieux Blaise. De quelle bestiole il parle ? Je vois rien d'ici.

— Un lièvre, dit la vieille Honorine. Un beau.

— Faut qu'vous achetez des besicles, Blaise. Bientôt vous verrez plus vot'nez pour vous moucher.

— S'il dormait dans le four, c'est qu'il ne doit pas avoir de toit, suggère Marie-Aimée de sa voix douce. Ce doit être un pauvre orphelin qu'on a chassé, ou qui s'est perdu.

— On va le manger ? demande la gamine.

— Le manger ? dit sa mère. Qu'est-ce que tu racontes encore ?

— Le lièvre, on va le manger ? dit la gamine.

C'est un hameau. Quatre fermes, quatre familles, treize habitants en tout dont onze à cet instant qui forment un demi-cercle face à lui. Manquent celui qu'on nomme Joseph et son fils Louis-Paul qu'on appelle le Gazou.

L'homme qui l'a mené jusqu'ici au bout de son fusil a bel et bien le poil roux quelle que soit l'heure du jour ou de la nuit. C'est l'homme-renard. Il exhale une forte odeur d'épices qui pique les narines du garçon. En arrivant ils ont fait halte sur une petite aire dégagée au carrefour des bâtisses. Une sorte de place commune. Il était un peu plus de sept heures. L'homme n'a appelé personne, il s'est contenté de rester là, le fusil calé sous l'aisselle, la mine rusée, satisfaite, comme s'il attendait la venue d'un photographe censé immortaliser son exploit. Il s'est passé deux ou trois longues minutes, après quoi les portes une à une se sont ouvertes et ils sont sortis un à un sur les seuils des maisons. Pendant un moment ils ont observé le garçon à distance, puis ils ont convergé vers le centre de la place et ils se sont arrêtés à cinq ou six pas et ce n'est qu'au bout d'une autre longue minute que la gamine la première a ouvert la bouche et elle a dit : C'est quoi ?

Depuis, ils délibèrent.

Le garçon les regarde à travers les mèches poisseuses qui dégoulinent de son front. Ses yeux vont et viennent suivant celui ou celle qui prend la parole. Il écoute. Des mots lui font défaut. Il se concentre sur le timbre et les intonations. Il perçoit la méfiance, l'hostilité, la compassion, l'indifférence. Il y a ceux qui parlent avec la langue et il y a ceux qui parlent avec le cœur, il est capable de les distinguer. C'est curieux peut-être mais la peur l'a quitté.

L'homme-renard l'a délesté de sa sacoche dès la sortie du four. Il en a exploré le contenu en chemin. Il l'a gardée avec lui, pendue à son épaule. Et voici qu'à présent il la brandit vers le ciel, l'expose au regard de tous comme s'il s'agissait du scalp de leur pire ennemi. Mais aucun triomphe ne lui est fait. Il tend la sacoche à sa femme, qui l'ouvre et l'explore à son tour avant de la passer à son voisin et ainsi de suite. Le garçon regarde son bien circuler de main en main. Chacun fouille, chacun exhume. Le couteau, l'outre, la boîte d'allumettes, les morceaux de silex. La jeune femme à la voix douce refuse d'y toucher. Elle bat des cils, qu'elle a longs. Ses gestes flottent dans l'air. C'est la femme-papillon. D'un regard elle en dissuade aussi son frère, Napoléon, qui soupire mais s'incline et fait suivre la sacoche sans l'ouvrir. La gamine la lui arrache des doigts. Elle la renverse d'un coup, la vide, puis s'accroupit devant les objets étalés sur le sol et parmi ceux-ci elle choisit la boîte d'allumettes et la porte à son oreille et la secoue. Puis elle ouvre la boîte et la retourne également d'un rapide mouvement du poignet. Les

perles tombent. La griffe d'aigle. Les dentales. Le dé
en ivoire. Toutes les offrandes aux morts. Ils sont là
autour qui les regardent tomber.

— Qu'est-ce que c'est ? demande la vieille Honorine.

Elle fronce son nez long et pointu sous lequel
se hérissent quatre poils blancs. C'est la femme-
musaraigne.

— Fais voir un peu ça, dit Eugène.

Il se penche et pioche quelques perles qu'il dépose
dans sa paume et les examine comme il examine
les grains pour juger de leur maturité. Il hausse les
épaules.

— Des babioles, dit-il. M'est avis qu'ça vaut pas
un clou.

— Qu'est-ce qui vaut pas un clou ? demande le
vieux Blaise.

— Vos mirettes, rigole Eugène.

Il laisse s'écouler les perles par l'entonnoir de son
poing puis se frotte les mains comme pour les dépous-
siérer. Et alors tout le monde se désintéresse du trésor.
Sauf la gamine. Sauf son petit frère, Victor, un bambin de onze mois que sa mère porte aux bras. Il se
tortille et grogne pour qu'elle le libère. Et sitôt qu'elle
le pose à terre il se traîne sur les genoux, sur le ventre,
il rampe en direction de sa sœur. C'est l'enfant-ver.

— Bon, dit Eugène. Ça nous dit pas c'qu'on va
bien pouvoir faire de lui.

— On f'rait mieux de prévenir les gendarmes, dit
Pierre.

— Sainte Vierge, siffle Eugénie.

— Les gendarmes ? Pourquoi les gendarmes ?
demande la vieille Honorine. Jusqu'à preuve du
contraire il n'a rien fait de mal.

— L'était dans l'four de Borel, dit Pierre.

— C'est un crime, ça ?

— Y s'cachait. Et si y s'cache, c'est qu'y veut pas qu'on l'trouve.

— Encore ton histoire d'évadé, dit la mère de la gamine.

— Vous verrez c'que j'vous dis. Et v'nez pas vous plaindre après ça.

— Ce garçon est libre, dit Marie-Aimée. Ce n'est pas à nous de décider de son sort.

— C'est vrai, dit Napoléon. Il a tout de même son mot à dire.

— Ben, l'a qu'à l'dire, son mot, dit Eugène. Y reste muet comme une carpe.

— Il cherche peut-être de l'ouvrage, dit la vieille Honorine.

— De l'ouvrage ?

— Il est pas bien gras, mais il a l'air solide.

— Et alors ?

— On a toujours besoin de bras.

— Qui dit bras dit bouche, dit le père de la gamine. J'ai pas les moyens.

— Qu'est-ce qu'il a dans le clapet ? demande le vieux Blaise.

— Hein ?

— Le p'tit, qu'est-ce qu'il s'est fourré dans le gosier ? Je vois pas d'ici.

— Bon Dieu, l'est rouge comme un gratte-cul, dit Eugène.

— Victor ? fait la mère.

— Ne jure pas, Eugène, siffle Eugénie.

— On dirait qu'il s'étouffe, dit Napoléon.

— Victor ! crie la mère.

L'enfant-ver, en effet, a changé de couleur. Il

est assis les jambes écartées, le buste plié en avant comme dans une parodie de gymnastique. Sa bouche bée et le son qui s'en échappe rappelle le râle d'un bronchiteux. Sa mère l'attrape, elle lui relève le front et lui enfonce un doigt dans la gorge, puis un second, aussi profond qu'elle peut.

— Bon sang, qu'est-ce que t'as encore fichu ?

C'est à sa fille que l'invective s'adresse.

— J'ai rien fait, geint la gamine. C'est pas moi, c'est lui tout seul.

— Tais-toi, dit sa mère.

Elle retire ses doigts. Ils luisent. Elle soulève l'enfant et le retourne la tête en bas et le secoue comme un sac de farine.

— Crache. Crache-moi ça, nom de nom.

C'est une femme tout en angles. Taillée à coups d'équerre. Haute et plate et large d'épaules. Plus haute et plus large que son mari. C'est la femme-mante.

— Tape-z'y dans l'dos, dit Eugène. Faut qu'ça r'sorte.

— J'ai rien fait du tout, répète la gamine.

— Tais-toi, répète sa mère. Tu vas voir si t'as rien fait. Moi je vais te faire, en tout cas, tu peux compter dessus.

Et tandis qu'elle coince le bambin sous son bras et se met à lui assener de grandes claques entre les omoplates, le visage de la gamine se plisse, se froisse, puis se ramasse tout entier en une hideuse grimace qui n'est pas sans évoquer le masque d'un vieux mandarin atrabilaire, et bientôt les larmes suintent par les fentes de ses paupières et la morve par les fosses de son nez.

Elle s'appelle Blanche. Elle a huit ans. On a

rarement vu plus laide enfant. Ses yeux énormes, disproportionnés, visent chacun un pôle opposé. Elle possède au moins trois mentons et ses cuisses maigres et son ventre bombé sont ceux d'un batracien. C'est l'enfant-crapaud.

Elle et le bambin sont la seule jeunesse du hameau – le Gazou ne compte pas : il est au-delà des âges. Blanche et son frère Victor représentent l'avenir. Et pour l'heure une bonne partie de cet avenir est bouché.

— Tape, dit Eugène. Vas-y, aie pas peur d'y aller.

— Elle va finir par l'esquinter, oui, dit la vieille Honorine.

— Qu'est-ce que j'disais, dit Pierre. Y a pas une heure qu'il est là et déjà les malheurs arrivent.

— La peste et le choléra, siffle Eugénie.

— Plus fort, dit Eugène.

La mère continue de marteler le dos de l'enfant, lequel se débat comme un cochon de lait qu'on s'apprête à saigner, ses jambes pédalant dans le vide, ses courts cuissots roses et leurs plis et leurs bourrelets.

Le garçon observe la scène. Il pense à la mère assommant les chèvres. Il se demande s'ils vont tuer l'enfant-ver, s'ils vont le dépecer et dévorer son foie. Il n'a jamais reçu de coups. Chacun de ceux que porte la femme-mante provoque une brève contraction dans les profondeurs de son ventre.

Et puis soudain l'enfant éructe. De sa bouche jaillit une bouillie visqueuse et blanchâtre : des glaires, des grumeaux de lait caillé. Et noyé là-dedans le dé en ivoire de l'époque Tène. Deux mille cinq cents ans d'histoire.

— C'est bien, dit la mère.

Elle frappe encore mais plus rien ne sort. L'enfant

hoquette. Il tousse. Puis il engouffre une large gou-
lée d'air qu'il expulse aussi vite dans un hurlement
où se mêlent la colère et la frayeur et le soulagement.
Ses pleurs ont tôt fait de couvrir ceux de sa sœur.

— V'là le clairon débouché, dit Eugène.

Lorsqu'il rit la peau rose et flasque de son goitre
tremblote. C'est l'homme-dindon.

L'assemblée respire. La mère retourne le bambin
dont le menton s'orne d'un filament de salive. Elle
le cale au creux d'un bras, après quoi elle se penche
puis écarte son autre bras comme la branche d'un
compas et fauche l'air et porte à la gamine accroupie
une gifle qui la couche sur le flanc.

Les paupières du garçon se ferment au son du
claquement. Quand il les rouvre il voit la gamine
vautrée par terre, inerte, la robe retroussée sur sa
chair pâle : il la croit morte. Il ressent comme un
picotement, une infime brûlure sur sa propre joue.

— C'est ta faute, dit la mère. Qui c'est qui t'a
demandé de tout renverser ? Maintenant tu ramasses,
et vite, m'oblige pas à t'en flanquer une autre.

Alors devant les yeux du garçon la morte se
redresse et s'exécute. Les larmes brouillent sa vue.
Son nez coule, qu'elle ne songe pas à moucher. Elle
attrape les modestes possessions du garçon et les
fourre dans la sacoche. Il suit chacun de ses gestes
et c'est ainsi qu'il la voit escamoter l'une des perles
translucides en aragonite qui n'est autre qu'une
goutte de la lumière du jour et l'une des perles en
schiste noir qui est son pendant recueilli à la source
des ténèbres. La gamine les tient dans son poing
puis les glisse subrepticement dans une poche entre
les plis de sa robe et ceci sans cesser une seconde de
pleurer. Puis elle referme la sacoche.

Elle oublie le dé à jouer façonné par les hommes du second âge de fer – mais lequel parmi ces hommes aurait parié au moment du lancer que le dé terminerait sa course vingt-cinq siècles plus tard englué dans une flaque de vomi dégorgée par un enfant-ver ?

Elle oublie l'os de grenouille qui s'est perdu quelque part dans la poussière et ne sera pas retrouvé.

Qu'y a-t-il de précieux en ce monde ?

Qu'y a-t-il de sacré ?

Eux savent, pas lui.

Ce sont les deux joues du garçon qui le cuisent à présent et la brûlure est plus forte.

— Voilà Joseph, dit alors la vieille Honorine.

Toutes les têtes se sont tournées d'un seul mouvement. Tous les regards se portent dans la direction du soleil qui est en train de basculer derrière l'une des bâtisses et bien au-delà certainement afin d'éclairer des Indes et des Amériques et d'autres quartiers de la terre qu'aucun d'entre eux n'a jamais conquis ni même visités ni ne le fera jamais.

Le garçon regarde aussi. Ce qu'il voit ce sont deux ombres verticales et leurs reflets dégingandés sur le sol qui leur ouvrent la voie. Celui qu'on nomme Joseph marche d'un pas égal. Il est grand. Il est sec. Le crâne couvert d'une toison lisse et blanche comme le plumage d'un cygne. Il tient une courte faucille dans la main droite. Sur ses reins balle une giberne de toile aussi décatie que la sacoche du garçon. Elle contient des herbes et des plantes dont ils sont peu nombreux à connaître les vertus secrètes. Moins nombreux encore à savoir en extraire les essences et les marier. Celui qu'on appelle le Gazou évolue à l'arrière, selon une chorégraphie toute personnelle, improvisée ou en tout cas impossible à anticiper y compris par lui-même. Un ballet de grâce et de chaos. Il est aussi grand que son père. Il est beau, de cette beauté réservée aux jeunes dieux et aux poètes maudits. Il sourit. De petites bulles éclosent aux coins de ses lèvres. Il garde une main levée à l'horizontale devant lui, bien à plat, sur le dos de laquelle repose un splendide insecte comparable à une pièce d'orfèvrerie. C'est un carabe aux élytres d'ambre et d'émeraude, aux mandibules ciselées comme la couronne de toute dynastie impériale qui se respecte. Et tout aussi mort que le premier des empereurs chinois, aussi dénué de vie que la broche jadis piquée sur le cœur de sa concubine. Mais c'est là une notion que l'esprit du Gazou ne peut appréhender. Il ne quitte pas l'insecte du regard, attendant qu'il bouge, qu'il marche, qu'il lui chatouille l'épiderme. Il l'encourage parfois d'un léger coup d'ongle, davantage par camaraderie que par impatience car le temps est une autre de ces lois dont le Gazou s'est affranchi dès la naissance. Il gazouille. Il a l'air heureux.

Insensiblement l'assemblée s'est écartée. Le demi-cercle se scinde en son milieu, créant une brèche, un passage à l'orée duquel Joseph fait halte. Son ombre trace un rayon parfait entre ses pieds et ceux du garçon. Il n'y a plus un bruit. Le bambin a cessé de brailler et sa sœur de geindre. Et l'on a tout à coup le sentiment que ce qui s'est déroulé jusqu'ici n'était qu'un simulacre de procès, une comédie où de simples figurants s'étaient permis d'endosser des rôles trop grands pour eux. Mais à présent on ne joue plus. Le juge est arrivé. Peut-être la Justice même.

Le garçon fixe cette silhouette plantée face à lui, haute et droite comme un totem. L'homme vient de paraître et pourtant c'est comme s'il avait toujours été là, à sa place, entre la terre et le ciel. C'est l'homme-chêne. Ses racines sont profondes, innombrables ses ramifications. Il a vu passer les saisons. Il a vu passer les siècles. Ses branches ont autant servi de refuge à des compagnies d'oiseaux que de potence aux pendus.

Le Gazou les rejoint à son tour. Au terme de ses pirouettes et arabesques il s'immobilise, les deux pieds au sol et cependant toujours en suspens, toujours dans le précaire équilibre du funambule sur son fil. Son regard erre sur l'assemblée, survole les figures familières, puis se pose sur le garçon. Aussitôt son sourire s'élargit, dévoile toutes ses dents et celles qui manquent. Le Gazou se remet en mouvement, balançant allègrement ses membres, oubliant dans la seconde la présence du carabe, son compagnon coléoptère, qui glisse et choit et s'en va rejoindre le misérable cimetière où gisent déjà les os des grenouilles mortes et les dés du destin et des dynasties entières d'empereurs chinois. Pour le Gazou il n'est pas de frontière : il traverse l'hémicycle sans hésiter et pénètre dans ce qui est peut-être à ses yeux une clairière ou un bout de banquise, qui sait ?

Le garçon se raidit en le voyant approcher à si grands pas. Il amorce un mouvement de recul mais le Gazou est déjà sur lui, qui se jette à genoux et l'entoure de ses bras et blottit sa joue au creux de sa poitrine et le serre fort, fort, fort. Le garçon a levé les mains. Il n'ose plus bouger. Il sent sur sa peau le souffle du géant. Il sent sa bave, une bave de chien fidèle, qui déborde de sa bouche et s'écoule en un long filet luisant comme le chrême au front des baptisés. C'est de l'amour qui s'exprime, le plus pur et le plus entier qui soit, ça le garçon le sent aussi. Et il faudra s'en souvenir.

C'est un beau soir d'été. Le Gazou ferme les yeux. Hormis son gazouillis un profond silence règne sur le hameau, sur les champs alentour, sur les collines, sur les vignes et les oliveraies. Il semble que tout soit dit et la sentence rendue.

Il va demeurer près de dix mois au sein de cette société. Tout l'univers est là. S'il avait l'intention de découvrir ou tout au moins de mieux cerner quelle y était sa place, quel rôle lui était dévolu, alors il faut bien constater que cette place et ce rôle s'apparentent fort en ces débuts à ceux d'un valet de ferme. Et dans cette expression n'est-ce pas le terme « valet » qui prime ? Trois décennies plus tard, quelque part dans les confins de la jungle amazonienne, un vieil Amérindien clairvoyant et désabusé lui dira en substance ceci : Votre peuple (et là-dedans il comprendra l'ensemble de l'humanité hors les quelques tribus voisines de la sienne), votre peuple n'est constitué que de valets et de maîtres, d'une grande quantité de valets et d'une petite poignée de maîtres, d'une infinité de valets, insistera-t-il, pour un unique maître au final, chaque valet aspirant de tout son cœur et de toute son âme à passer maître à son tour, mais chaque maître étant en réalité le valet d'un autre maître encore plus important que lui, et cela valant aussi pour vos dieux qui servent à n'en pas douter les desseins d'une puissance qui leur est bien supérieure, et non point bonne et charitable celle-ci, mais malveillante, maléfique, il n'y a qu'à ouvrir les yeux pour s'en convaincre, il n'y a qu'à voir ce que l'on vous impose, ce que vous endurez, ce que vous acceptez, il n'y a qu'à vous regarder agir et vous regarder vivre, ça crève les yeux, vos dieux sont des valets comme les autres, ni plus ni moins, si bien que si l'on fait le compte il ne reste que des milliers, des millions de valets pour ce seul maître, le maître suprême, vraisemblablement cruel, vraisemblablement dément, et si tant est encore que l'on ne considère pas ce maître comme étant lui-même soumis à sa propre cruauté, subordonné à sa folie, c'est-à-dire qu'il soit en somme son propre valet. Mais comment s'en affranchir ? demandera le vieil Amérindien. Comment votre peuple, le tien, dira-t-il au garçon, pourrait-il recouvrer sa liberté ? Tuer le maître ne fera pas de vous des hommes libres. Éliminer le maître ne permettra pas d'éliminer les valets que vous êtes. Pourquoi ? Parce qu'un autre aussitôt prendra sa place, et un autre après lui, et encore un autre. Sans fin. Le cycle se poursuivra et la cohorte des valets se perpétuera. Parce que ce qui fait un valet ce n'est pas son maître, ce qui fait un valet c'est son désir de devenir maître. Cela et rien d'autre. Tuer le maître ne serait donc d'aucune utilité, ce qu'il faut c'est tuer, c'est éradiquer le désir de l'être. Cette ambition-là, cette envie, ce besoin, il faut s'en délivrer. C'est l'unique solution. Mais il ne me paraît pas, conclura-t-il, que votre peuple soit près d'y parvenir, ni même qu'il soit près de le souhaiter. Voilà la teneur du discours que lui adressera bien des années plus tard le vieil Amérindien clairvoyant et désabusé. Un discours étayé par une expérience au cours de laquelle il aura accepté, par curiosité, de quitter pour la première et dernière fois sa chère forêt et ses palmiers géants et ses tamarins dorés pour suivre une équipe d'ethnologues britanniques qui l'aura emmené à Londres et à Cambridge et à Édimbourg et dans diverses capitales d'Europe et des États-Unis et dans des villes de moindre importance où il aura eu l'occasion de rencontrer nos plus grands chefs et nos plus grands sorciers et des chefs plus petits et des sorciers moins fameux et toute une théorie de charlatans et des foules d'indigents et de souffreteux et de ce qu'il ne pourrait qualifier autrement que de sauvages et quand bien même son périple n'aura pas duré plus d'un an cela lui aura été amplement suffisant pour démonter les rouages et comprendre le fonctionnement de notre civilisation et s'en faire une opinion d'où découleraient des sentiments à notre égard qui, pour être franc, oscilleraient entre le mépris, le dégoût et la compassion. Un discours que le garçon écoutera avec attention, jusqu'au bout, sur lequel cependant il n'aura pas la possibilité de méditer, étant prononcé dans un de ces dialectes aborigènes absolument inintelligible pour lui. Sera-ce la raison pour laquelle le vieil Amérindien, au terme de son laïus, se départira soudain de son air désabusé pour éclater d'un rire énorme ? Comme s'il venait de jouer un bon tour au garçon. Comme si tout cela n'était qu'une blague, une farce, un gag de plus dans la vaste comédie, tragique et grotesque, de la vie. Et son rire extravagant ne manquera pas de faire décoller quelque ara planqué dans la canopée ni de faire tressauter la tête humaine réduite à la taille d'un pamplemousse qu'il porte à son cou.

Mais nous n'en sommes pas là.

Le garçon fauche. Il bat. Il manie la fourche et le sarcloir et le fléau et la pierre à aiguiser et tous les outils qu'un commis se doit de savoir maîtriser. La méthode d'apprentissage ne varie pas : il observe, il reproduit. Il a pour atouts sa bonne volonté et son courage. Aucune corvée ne l'effraie, jamais il ne renâcle à la tâche, et certains soirs si on ne l'arrêtait pas sans doute continuerait-il à s'escrimer à la lueur des étoiles jusqu'à tomber.

C'est qu'il n'a plus de temps à perdre. Il n'est plus question de s'étendre à tout bout de champ pour contempler le ciel et laisser les nuages lui conter leur geste lente et muette. Il a abandonné les courses de scarabées. Il a cessé de dessiner des soleils. Il dédaigne les pluies d'aigrettes, ces tempêtes de poupée, ces duveteux feux d'artifice qu'un souffle sur les têtes de pissenlit suffit à déclencher. Le garçon ne joue plus. Vétilles, futilités : il laisse cela au Gazou, l'imbécile, à Victor, l'enfant-ver. Lui bêche. Lui défriche et laboure. Lui se rend utile. Sa soif d'apprendre est immense et décuplée par une soif plus immense encore qui est celle de reconnaissance. Pas tant pour ce qu'il fait que pour ce qu'il est, pour ce qu'il aspire à être : l'un des leurs.

Outre sa volonté et son ardeur, outre sa malléabilité, il a encore pour atout, non négligeable, de ne demander aucun salaire. Il ne se loue pas. Ne se vend pas. Il se donne.

Eux se le partagent.

Il niche d'abord dans le fenil de Joseph, sous les combles. Dans l'étable en dessous il y a une paire de bœufs et une mule sans âge au pelage râpé. Joseph a possédé naguère un percheron de près d'une tonne mais il est mort et aucun de ceux qui l'ont remplacé n'a jamais fait le poids. Il a possédé mille six cents têtes de moutons et huit bergers et douze chiens de berger dont un ancêtre des border collie importé directement des landes écossaises – le premier et le seul à ce jour jamais vu dans le pays. Quand le troupeau transhumait par la plaine on l'entendait à des lieues à la ronde et l'on pouvait dès lors annoncer que l'été commençait ou que l'été s'achevait. C'était au temps de sa splendeur. Joseph Antoine Félicien Peyre arpentait son domaine dans un long manteau de renard, vissé sur son crâne un Borsalino orné d'une plume de tétras aux reflets bleutés. Un accoutrement dont nul n'aurait songé à se gausser, car le mulot n'a pas le cœur à rire de l'aigle qui le tient entre ses serres. En ce temps-là tout ici appartenait à monsieur Joseph : le hameau entier, les bâtiments et les terres, chaque pierre, chaque arbre, chaque grain de blé, chaque goutte de pluie ou de sueur écoulée.

Parmi les trois autres familles peuplant les lieux il n'est pas un homme qui n'ait un jour été son serf, et si ce n'est lui ce fut son père.

Mais tout cela ne tenait qu'à un fil et ce fil était l'amour. Qui l'aurait cru ?

Du Mexique où il était parti en 1862 avec le corps expéditionnaire français, Joseph était revenu cinq ans plus tard sans titre de gloire ni blessure mais avec une jeune épouse aux yeux de biche et à l'allure de jaguar. Il avait vingt-six ans, elle en avait vingt. Elle était native d'Oaxaca, du sang zapotèque coulait dans ses veines. À part eux les autochtones l'appelaient l'Indienne et l'admiraient pour sa beauté exotique et les pouvoirs magiques qu'ils lui prêtaient et ils la craignaient pour les mêmes raisons. À juste titre peut-être. Elle apparaissait parfois sans que personne ne l'eût vue ni entendue approcher. Elle n'était pas là et l'instant d'après elle y était, devant eux, en plein milieu d'un champ ou entre deux rangées de ceps. Après avoir sursauté leur premier réflexe était de porter la main à leur couvre-chef pour l'ôter. En signe de politesse. Ou d'allégeance. Elle-même allait nu-tête, sa cascade de cheveux d'un noir de jais circonscrite en deux longues nattes pareilles à deux fouets de cuir tressé quand elle n'était pas retenue par un épais mais élégant chignon corbeille dans lequel était piqué au gré des saisons et de son humeur un bleuet, une aphyllanthe, un hélianthème, une cardamine des prés, toute fleur dont l'éclat et la couleur mettaient plus encore en valeur la beauté de la plante qui la supportait. Le vieux Blaise était persuadé d'avoir aperçu l'Indienne s'ébattant dans la rivière par une douce nuit de printemps seulement vêtue d'un voile de lune. Hélas, bien que plus jeune le vieux Blaise était déjà bigrement myope à l'époque et l'on ne pouvait se fier à ce que lui rapportaient ses yeux. Mais qu'elle fût vraie ou fausse il conserverait à jamais cette vision au fond de ses rétines défectueuses ainsi que dans un compartiment à part de son cœur et elle serait la cause de ses rêves les plus fiévreux et de ses plus délicieux tourments.

Voilà la femme qu'aimait Joseph. Dieu qu'il l'aimait. Il ignorait que l'on pouvait aimer autant. Lui seul comprenait sa langue. Elle la lui avait enseignée. Elle lui avait appris des chants de son enfance. Elle lui avait confié les mots choisis qui servent à invoquer le dieu de la pluie et le dieu de la lumière. Cocijo. Coquihani. Il était prêt à tout croire pourvu que ce fût elle qui l'affirmât. Il ne regardait plus le ciel de la même façon. Joseph aimait sa femme plus que tout et s'étonnait chaque jour qu'elle pût l'aimer aussi en retour. Qu'avait-il à lui offrir ? Quelles richesses ? Ses terres, ses fermes, ses bêtes, ses gens : cela était pour elle. Les récoltes et les moissons. Le vin de la vigne. Tout. Mais si peu pourtant. Mais rien. Il trouvait bien misérable le royaume qu'il mettait à ses pieds. Aucun empire, il est vrai, ne lui eût paru digne d'elle.

Leur amour avait duré deux décennies sans faiblir. De quoi commencer à le croire éternel. Puis l'Indienne était morte en donnant naissance à cet enfant, à ce fils qu'elle lui avait promis et qu'il n'attendait plus. Elle avait quarante ans, il en avait quarante-six. Rien n'y avait fait. Ni les dieux, ni les prières, ni l'expérience d'Honorine, ni la science du docteur que Joseph était allé quérir en ville et qu'il avait arraché à son lit et ramené la nuit au grand galop à même la croupe du percheron. On avait pu sauver l'enfant, pas la mère. Après vingt-huit heures de supplice elle avait tourné son regard vers Joseph et jeté ses dernières forces dans un frêle sourire à lui adressé, dans un lent battement de cils, puis elle avait lâché prise.

Les Zapotèques sont le peuple des nuages : elle s'en était allée les rejoindre.

Joseph avait hurlé. Joseph avait pleuré. Joseph avait eu envie de tuer le docteur. Il avait eu envie de tuer l'enfant, cette affreuse chose violacée issue du ventre adoré et qui en avait aspiré tout le souffle, qui l'avait dévoré aussi sûrement qu'une tumeur. Joseph avait eu envie de se tuer.

Le jour se levait à peine quand il avait soulevé le corps encore tiède de sa bien-aimée. On l'avait vu partir, marcher droit devant lui en la portant dans ses bras comme au soir de leurs noces. Personne n'avait tenté de le retenir.

Une semaine après il était de retour. Seul. On n'a jamais su où il était allé ni ce qu'il avait fait. S'il avait donné une sépulture à son amour – et c'est une chose que chacun veut croire – il en a toujours tenu l'emplacement secret. Au premier regard il avait paru évident à tous que ce n'était pas le même homme qui revenait.

Pendant son absence Honorine avait gardé le nouveau-né. Elle pensait qu'il ne tiendrait pas, qu'il s'éteindrait de lui-même avant la prochaine pleine lune. D'un vieux panier tressé dans lequel elle transportait ses bûches elle avait fait un couffin. L'enfant avait tenu. Sa nourrice était une chèvre naine, aucune femelle humaine à la ronde n'ayant à cette époque le sein fertile. Honorine faisait bouil-lir le lait de l'animal, elle en imbibait un mouchoir qu'elle pressait ensuite patiemment entre les lèvres du nourrisson. Cela lui rappelait un merle qu'elle avait ramassé à moitié mort un demi-siècle plus tôt. Elle l'avait soigné et nourri, elle l'avait sauvé, puis l'oiseau s'était envolé. Chaque matin et chaque soir pendant près d'une année elle avait attendu à sa fenêtre qu'il revînt la voir mais il n'était jamais revenu. Cinquante ans après son cœur marquait encore un temps d'arrêt toutes les fois qu'elle apercevait un merle dans le ciel.

À son retour Joseph était resté un long moment debout devant le panier à regarder l'enfant. Son fils. Il n'avait pas ouvert la bouche. En premier lieu Honorine avait été soulagée de le trouver à sa porte, mais peu à peu, au fil de ces longues et silencieuses minutes, elle s'était mise à espérer qu'il repartirait comme il était venu : seul. L'enfant ne dormait pas. Ses yeux étaient de petites billes d'améthyste qui semblaient fixer l'homme au-dessus de lui. Son père. Il ne pleurait pas. Il pleurait rarement. Il gazouillait déjà. Quand Joseph avait finalement saisi le panier pour l'emporter, Honorine avait cru percevoir un battement d'ailes à travers la pièce. Elle était restée clouée à sa chaise. Je l'appelle Louis-Paul, avait-elle eu seulement la force de murmurer avant que Joseph eût franchi le seuil. Elle n'était pas certaine d'avoir été entendue.

Après la mort de sa femme Joseph Antoine Félicien Peyre s'était départi de ses biens et de ses richesses. Il avait brûlé son manteau de renard. Il avait vendu son troupeau. Il avait conservé pour lui et l'enfant une des fermes du hameau et un hectare de terre. Le reste il l'avait distribué. Il en avait fait don aux autres familles. Chacune s'était soudain retrouvée propriétaire du toit qui l'abritait et des terrains qu'elle cultivait. Des lettres en faisaient foi, des actes de notaire l'attestaient, que ces paysans tenaient entre leurs doigts épais et sur lesquels ils posaient un œil incrédule, sceptique, méfiant. La plupart ne savaient pas lire. Il avait fallu les convaincre. C'est écrit là. La preuve de leur affranchissement. Les anciens employés possédaient à présent autant sinon plus que leur ancien patron. Il n'y avait plus de monsieur Joseph. Joseph le seigneur s'était transformé en Joseph le cénobite ou quelque chose d'approchant. Les habitants du hameau avaient mis beaucoup de temps à intégrer leur nouveau statut. Et malgré cela ils n'avaient jamais pu, ils ne peuvent toujours pas considérer Joseph comme tout à fait leur égal. Quelque part subsiste, profondément ancré, le sentiment qu'ils sont ses éternels débiteurs. Demeure la crainte que tout ce qui leur a été donné puisse leur être repris du jour au lendemain. Et en cela sans doute Joseph leur est supérieur : ayant perdu son amour il n'a plus rien à perdre. Plus rien ne peut lui être retiré.

Ainsi l'homme-chêne et la femme-nuage avaient donné naissance à l'enfant-ruisseau qui était devenu l'enfant-rivière puis l'enfant-torrent. De même l'homme-renard et la femme-mante ont engendré l'enfant-crapaud et l'enfant-ver. C'est une chose étrange. C'est une notion parmi les plus délicates à saisir pour le garçon : ascendance et descendance. Fratrie. Les liens du sang. Difficiles à démêler pour qui n'a pas idée de leur existence, ou si vague.

Il n'a pas encore songé à sa propre origine. Il ne sait pas qu'il est issu du ventre de sa mère. (Comme dans tout bon conte cruel elle avait accouché seule sous la lune, toutefois elle n'avait pas coupé le cordon avec ses dents mais avec ce même petit couteau à la lame aujourd'hui ébréchée que le garçon transporte dans sa sacoche.) Il est là. Il a toujours été là. Avant lui le monde n'existait pas. Il n'a pas souvenir d'avoir été nourri au sein maternel et le lui rappellerait-on qu'il froncerait les narines et cracherait par terre de dégoût. Mère, fils, qu'est-ce que cela veut dire ? Était-il attaché à cette femme parce qu'il était de sa chair ou simplement parce qu'elle était le seul être qu'il côtoyait ? Parce qu'ils avaient partagé le froid et la faim et les heures de silence à regarder tomber la pluie dans le rectangle gris découpé à l'entrée de la cabane. Parce qu'ils avaient mis en commun le presque rien qu'ils possédaient. Aurait-il éprouvé le même sentiment pour une louve, pour une femelle ours qui l'aurait recueilli dans sa grotte ?

Le garçon ne s'est pas davantage interrogé au sujet de son géniteur car il ignore que la vie se donne à deux. Il n'a aucune idée de ce qu'est l'acte reproducteur. Il a vu des lapins se chevaucher et les coqs sur les poules mais comment établir une relation de cause à effet entre ces brèves convulsions d'épileptique et le miracle de la création ? Il n'a pas de père et ne s'en cherche pas.

Dans la société du hameau il observe les individus et les clans formés. Ceux qui mangent à la même table, dorment sous le même toit. Il n'appartient à aucun groupe. Il va de celui-ci à celui-là au gré des travaux à réaliser comme une sorte de journalier. Joseph ne demande rien mais entre les trois autres familles se sont mis en place des accords plus ou moins tacites pour se répartir équitablement l'usage du garçon. Ses heures, ses bras. Un jour il épierre un champ en friche des Janicot, le jour d'après il laboure la terre des Siffre, le suivant il moissonne aux côtés des Tonelli. Ceux qui profitent de ses services se chargent de sa pitance. Le septième jour est celui du Seigneur. On Lui rend grâces ou pour le moins on respecte Son repos. Voilà encore un fait que le garçon n'a pas les moyens de comprendre : dimanche n'a pas de sens à ses yeux. Ni lundi ni jeudi. Il connaît les levers et les couchers du soleil, la lumière et l'obscurité, les saisons, il sent au plus profond de lui quand arrivent les premiers

gels ou quand la sève revivifiée recommence à circuler, mais il ne peut concevoir que tout cela ait
été pesé, mesuré, rationalisé, que tous ces phénomènes aient fait l'objet de calculs astronomiques et
infinitésimaux, il lui est impossible d'imaginer que
des savants aient songé à disséquer le temps, à le
découper, à le fractionner et à donner à chacune
de ses parcelles, aussi infime soit-elle, un nom ou
un numéro, un matricule destiné aux horloges et
aux calendriers. Le diviser pour quoi ? Pour mieux
régner ?

Et tout à l'avenant. Ils avaient sous leurs yeux
l'œuvre de Dieu, ou l'œuvre de la Nature, l'œuvre
du Grand Hasard, et ils l'ont réduite à des formules mathématiques. Qui avait besoin de savoir ?
Le magicien ne dévoile pas ses tours. Vois-tu, mon
garçon, le soleil n'est pas le soleil, les nuages ne sont
pas des nuages, l'arc-en-ciel n'est pas un arc-en-ciel.
Ce ne sont que des combinaisons chimiques. Ne ris
pas, ce n'est pas drôle. L'air que tu respires est une
combinaison. Tu es une combinaison. C'est à peine
si quelques trous noirs réfugiés dans les galaxies les
plus reculées échappent encore à leurs équations. Ils
finiront par les avoir. Demain l'immémoriale cos-
mogonie sera tout entière contenue entre les pages
d'une éphéméride.

Comment pourrait-il appréhender cela ?

Eux savent, pas lui.

Seul le Gazou s'est affranchi de nombre de ces
conventions. Il n'est pas tout à fait libre sans doute
mais sa cage est d'une autre ampleur. Le dimanche
comme n'importe quel jour il va à la rencontre du
garçon. L'affection qu'il lui porte n'a pas diminué.
Elle est aveugle et sans bornes, sans attente, sans

même idée de réciprocité. C'est un don. L'enfant-torrent a le corps d'un homme et l'âme d'autre chose. D'un elfe peut-être. D'un sylphe. Il accompagne le garçon partout non comme une ombre rigide et disciplinée mais comme un jeune chien sans laisse gravitant autour de son maître et flairant chaque odeur, explorant chaque piste, curieux de redécouvrir le monde à chaque instant mais qui s'en revient toujours, ravi de rapporter avec lui et d'offrir en partage les fruits de ses investigations : fleurs, insectes (morts ou vifs), mues et carapaces, cosses, coques, cailloux, un jour une couleuvre enroulée autour de son poignet que le garçon prend pour une vipère et qu'il jette violemment à terre et écrabouille à grands coups de talon.

Au début cette présence permanente l'indispose. Cela le met mal à l'aise, l'inquiète vaguement. Après tout le Gazou fait trois têtes de plus que lui et qui peut prévoir ses réactions ? Mais peu à peu il s'y habitue, et surtout il perçoit que celui des deux qui domine n'est pas celui qu'on croit.

Un jour il échappe à l'attention du Gazou et se perche sur la haute fourche d'un platane. Il l'observe en dessous qui tourne et vire à sa recherche, éperdu, désemparé, stupide, la panique agrandissant ses pupilles où brille d'ordinaire cette joie que rien ne semble pouvoir corrompre. Il le voit qui trotte d'un côté et de l'autre, se cabre, revient, repart, dans une espèce de quadrille arythmique et solitaire. C'est la danse de la mouche sous le globe de verre. C'est le cours de l'enfant-torrent qui se fracasse contre la roche. Son doux gazouillis se mue en un lugubre hululement. Le garçon ne bouge pas, ne se manifeste pas, laisse se dérouler, non sans plaisir, le pathétique spectacle auquel il assiste, et qui lui est dédié. Elles ont beau être invisibles il sent bien qu'il y a des ficelles et que c'est lui qui les tire. Et lorsque enfin il daigne sauter de sa cachette et se montrer, il reçoit, non sans plaisir, les exubérantes caresses qui lui sont prodiguées, et la joie retrouvée dans les yeux clairs de l'enfant-torrent, et sa reconnaissance qui l'éclabousse.

Un jour, un jour qu'il veut faire ses besoins sans témoin, il repousse le Gazou à grand renfort de gesticulations. En vain. Il ramasse une grosse pierre. Il menace. Puis lance. Il est adroit, à ce jeu il peut toucher un moineau sur sa branche à dix mètres, en plein vol une fois sur trois. La pierre frappe la poitrine puis s'échoue aux pieds de l'idiot, lequel baisse les yeux et la contemple un moment comme si c'était un aérolithe tombé du ciel. Puis il oublie et se met à nouveau en marche vers le garçon. Il faudra recommencer à cinq reprises, cinq projectiles pour qu'il cesse d'avancer. Tandis que le garçon se soulage hors de sa vue la haute silhouette du Gazou reste plantée seule au milieu du champ tel un épouvantail. Il attend. Il tourne le cou et regarde autour de lui comme s'il ne connaissait pas les lieux, comme s'il se demandait sur quelle planète entre toutes il avait atterri.

Et le jour suivant le garçon lance à nouveau, sans raison cette fois. Pour voir. Il vise à la tête. L'arcade se fend. Le Gazou chancelle mais se maintient debout. Le garçon se rapproche. Il ne ressent ni crainte ni remords. Il a fait couler le sang, une étroite rigole le long de la joue. Il y passe deux doigts, lentement, laissant deux sillons obliques et pourpres sur la peau, des signes que l'Indienne aurait pu interpréter si elle avait vécu. Le garçon considère un instant le bout de ses doigts, puis il les porte à sa bouche et communie.

Car à ce stade et parmi tous les habitants l'enfant-torrent est encore celui qu'il est le mieux à même de comprendre. La créature dont la nature est la plus proche de la sienne. Et souvent lorsqu'il s'assoit contre le tronc d'un arbre pour manger un bout de pain et de fromage il laisse le géant s'allonger à ses côtés et poser la tête sur ses cuisses et lui baver gentiment dessus.

Deux mois environ après son arrivée il est pris d'un mal qui dissocie son corps de son esprit. Son corps refuse de bouger. Chaque effort qu'il fait pour le soulever l'enfonce davantage. Ses dents claquent. La sueur l'inonde par vagues et imprègne sa litière. Et tandis qu'il gît, lourd, paralysé, son esprit à l'inverse lui échappe. Il flotte. Il erre en des lieux que sa mémoire ne reconnaît pas, si tant est qu'elle les connaisse.

C'est un fleuve qu'il traverse, un fleuve de temps qu'il ne peut évaluer. Jours et nuits se confondent. Règne l'obscurité. De loin en loin seule une lueur incertaine transparaît derrière la tenture de ses paupières : c'est peut-être un phare, peut-être la lanterne de quelque nocher debout dans sa barque et qui l'attend sur l'un des affluents de l'enfer. Mais ce n'est pas lui qui décide, il va gémissant où le courant l'entraîne. À peine a-t-il conscience qu'une main le repêche quelquefois sous la surface au moment où il sombre, elle l'attrape et le ramène à l'air et lui fait boire une autre sorte de tasse, un breuvage amer qui lui coule dans la gorge.

Lorsque enfin il atteint une rive tout a changé. Il

cligne des yeux, les ouvre. La première chose qu'il voit est un sorcier nègre au masque d'épouvante noir ébène et rouge vermillon. Puis sa vue s'accommode et le sorcier redevient un simple gendarme marchant sur le drap à quelques centimètres de son nez. Ce qui n'est pas moins étrange. Tout ceci : l'insecte, le drap, l'édredon, le lit étroit sur lequel il repose. Les ombres qui se balancent imperceptiblement sur les murs comme des palmes sous l'absence de vent. Les odeurs.

Son esprit et son corps commencent à se rassembler. Il tourne la tête. Sur la table de chevet brûle une haute et fine chandelle au pied de laquelle sont exposés divers objets : un fragment de quartz, un long clou rouillé, une mue de cigale, quatre pétales incarnats, une coquille d'œuf de caille, un bout de ruban doré. Si ce n'est un autel ça y ressemble. Un peu plus loin au centre de la pièce trône un billot de cinquante centimètres de haut et de près d'un mètre de diamètre découpé dans un tronc de chêne. Et dessus six bougies, épaisses et courtes celles-ci, figées dans leur propre cire. Leurs flammes chauffent une espèce de cassolette que supporte un petit trépied en métal et dans laquelle infusent des feuilles décolorées. Une vapeur plus fine que de l'encens monte du récipient. Le garçon la suit du regard. Et voici qu'à travers ce filtre il aperçoit le visage d'une femme qui le fixe en retour de ses grands yeux noirs. Il tressaille. Ses doigts se crispent sur le drap. Il ferme un instant les paupières puis les rouvre. Elle est toujours là. Elle est belle. Un mince sourire étire ses lèvres. Deux longues nattes tressées coulent sur ses épaules et son front est ceint d'un diadème de fleurs. Elle tient à la main un sceptre fait d'une tige de maïs.

102

Il faut encore une poignée de secondes au garçon pour admettre qu'elle n'est pas de chair. C'est de la peau de laine, des cheveux et des yeux de la même étoffe. C'est une tapisserie sur un canevas suspendu par deux fils à la poutre du plafond. Une représentation. Une icône. Le garçon la contemple un long moment. Il devine, il pressent qu'il ne s'agit pas d'un être ordinaire, cependant il n'a jamais croisé de reine ni de divinité et parmi le modeste vocabulaire qu'il a engrangé il ne trouve aucun mot pour la définir. Il est content qu'elle soit là. Sa présence lui fait du bien. Elle l'apaise. Mais voilà que tout à coup le visage se métamorphose et c'est maintenant sa mère qu'il voit. L'image précise de sa mère. Lorsqu'elle posait les yeux sur lui. Lorsque, plus rare encore, elle posait la main sur son épaule ou sur son bras. Et il sent, il peut réellement sentir à cet instant le contact des doigts maternels sur sa peau, et alors sa gorge se serre et des larmes débordent de ses paupières.

Il n'y a rien qu'il puisse faire pour la retenir. Le garçon sait cela. C'est l'une des vérités premières, c'est l'un des premiers enseignements. Bientôt l'image de la mère s'efface : les yeux, la main, les doigts, tout. L'idole seule demeure. Et les larmes du garçon continuent de s'écouler le long de ses tempes, formant un minuscule lac salé dans le pavillon de son oreille.

L'un des murs est percé d'une fenêtre, à peine plus large qu'une meurtrière. Dehors il fait jour. Une pâle lumière automnale strie le volet clos. C'est assez pour lui donner envie. Il a soudain grand-soif de ciel. D'air sur sa figure et de terre sous la plante de ses pieds. Il voudrait boire la pluie. Boire le soleil. Il voudrait courir comme volent les martinets.

Puis il entend la poignée de la porte qu'on tourne. Le panneau s'entrebâille et une silhouette longiligne se faufile dans la pièce. Le Gazou. Il s'avance vers le lit. Il porte une liquette blanche qui a dû être boutonnée par un aveugle endormi ou facétieux. Il s'arrête au chevet du garçon, se penche, étire le cou. Ainsi vêtu on pourrait le prendre aussi bien pour l'infirmier d'un asile effectuant sa tournée que pour l'un des pensionnaires ayant échappé à sa vigilance. Quand il constate que le garçon est éveillé un large sourire illumine sa face. Il exécute deux petits bonds, entre la ruade et le saut de cabri, puis repart en trottinant. Une minute après il est de retour. Il a un poing fermé, brandi devant lui. Il s'agenouille au pied du lit, allonge le bras sur le drap et présente son poing au garçon. Il déplie les doigts. Sa main s'ouvre comme certaines corolles au lever du jour, découvrant, nichées au creux de sa paume, deux minuscules plumes de duvet. Le Gazou en approche sa bouche et souffle doucement dessus : sous ce vent ténu les plumes frémissent, s'ébouriffent, et c'est pure vérité que de dire qu'il ne s'est jamais rien produit de plus féerique de toute éternité.

Le garçon regarde les plumes. Puis il regarde l'œuvre de perfection qu'est le visage de l'enfant-torrent et le foyer ardent de ses yeux. C'est ce souvenir qu'il conservera de lui – ces traits, ce feu, cet instant – et qui ressurgira quelquefois sans prévenir au détour du temps.

Joseph, le père, pénètre à son tour dans la pièce. Il fait halte à hauteur du billot et considère le garçon en silence. Puis il va jusqu'à l'étroite fenêtre et l'ouvre et repousse le volet et referme la fenêtre. Sous ce bref courant d'air les flammes des bougies se contorsionnent et le canevas se balance doucement comme une enseigne au fronton d'une auberge. La clarté est trop forte pour le garçon. Il serre les paupières. Lorsqu'il parvient à les rouvrir il voit l'homme-chêne qui se dresse à présent à côté du lit auprès de son fils toujours à genoux. Joseph paraît d'autant plus immense que le plafond est bas, sa toison blanche luisant telles les neiges éternelles au sommet de son crâne. À nouveau il demeure un moment silencieux à observer le garçon. Puis sa voix descend des cimes.

— Día de los Muertos, dit-il.

Il hoche le menton.

— C'est aujourd'hui le Jour des Morts. Tu pourras t'en souvenir comme celui de ta seconde naissance.

C'est tout ce qu'il dit.

Alors le Gazou se relève. Une par une, délicatement, il cueille les plumes dans sa paume et les dispose sur la table de chevet avec les autres offrandes.

Une semaine durant il garde la chambre et continue de se plier, docile, au régime que Joseph lui concocte. Des remèdes de sa composition. Joseph puise dans ses bocaux ou bien il va cueillir les ingrédients à la source même des collines. Saule, plantain, gentiane, sureau noir. Le garçon avale et inhale les potions, les décoctions, les élixirs. Il mâche des racines crues qui ont encore le goût de la terre à laquelle elles ont été arrachées. Il supporte sans ciller les cataplasmes brûlants sur la poitrine. Il dort beaucoup et d'un sommeil profond, paisible. Car toujours, à toute heure, quelqu'un veille : diosa Centéotl. C'est elle, l'idole, la souveraine du canevas. Joseph l'a nommée. Déesse du maïs. Son regard est un havre et le garçon s'y abandonne. Jamais on ne lui a consacré autant d'attention.

Le huitième jour au matin Joseph souffle toutes les bougies. On peut dire que c'est terminé. On peut dire aussi que ça commence. Le Gazou arrive les bras chargés d'un tas de vêtements qu'il dépose sur l'édredon. Ce sont des habits qu'il portait dans sa douzième année. Un assortiment complet : caleçon, tricot, chemise, pantalon, chandail et bas de laine, ainsi qu'une veste en peau de mouton. Le Gazou soulève chaque pièce d'un geste ample à l'instar d'un prestidigitateur tirant des foulards d'un chapeau claque. Puis il s'éclipse un court instant et réapparaît plus gazouillant que jamais avec dans les mains une paire d'épais brodequins en cuir qu'il frappe l'un contre l'autre tel le joueur de flûte de la légende ayant troqué son instrument contre des cymbales et entraînant dans son sillage non une procession de rats mais une fanfare de cirque.

Le garçon s'est dressé sur son séant. Il considère ces frusques de paysan qui sont du luxe le plus grand qu'il puisse se représenter. Puis il lève vers l'homme-chêne des yeux écarquillés qui disent à la fois l'espoir de comprendre et la crainte de se leurrer.

Joseph hoche la tête.

— Habille-toi, dit-il.

Dix minutes plus tard c'est un nouvel avatar qui franchit la porte de la maison et entre dans l'arène du jour. Un prince pastoral. Un mannequin endimanché. Il avance à pas comptés. Ses jambes sont raides. On dirait bien, en réalité, que ce ne sont pas ses jambes mais des échasses, et qui plus est celles d'un étranger. Elles ne lui appartiennent pas. Elles le portent tandis que lui baisse le front et les regarde, l'une, puis l'autre, étonné, ébahi à chaque foulée. Les lourdes chaussures sont de deux ou trois pointures trop grandes.

Le garçon fait halte au milieu de la cour, déjà essoufflé. Des fumerolles s'échappent par sa bouche et son nez. Il tangue un peu, comme un homme pris de boisson. C'est le plaisir et l'effort. C'est l'air frais qui l'enivre et la lumière du matin pourtant voilée, parcimonieuse. Mais l'ivresse est exquise. Et pour ajouter à son vertige il relève la tête et la tourne vers l'orient où derrière la brume se devine le vaste disque de platine, il ferme les yeux et ses narines se dilatent et il respire à pleins poumons comme s'il voulait absorber d'un coup tout l'air compris entre lui et l'horizon.

Le Gazou cesse de virevolter et l'imite.

Derrière eux Joseph surveille depuis l'embrasure de la porte. Sur ses lèvres un sourire esquissé qui n'est pas sans rappeler celui de diosa Centéotl.

Le garçon ne retournera pas dormir dans le fenil. Il reste ici, sous ce toit. La pièce basse et sombre qui fut sans doute jadis une soue devient sa chambre. De même une place à table lui est acquise. Le soir il soupe avec ses hôtes. Il s'assoit face au Gazou et tous deux encadrent Joseph qui préside. Ils mangent d'ordinaire dans les seuls bruits de couverts et de déglutition. Joseph parle peu. Lorsqu'il s'exprime c'est par des sortes d'apologues qu'il délivre d'une voix grave, sans inflexions, et fixant devant lui quelque chose qui ne se trouve pas là mais ailleurs, dans un autre cercle du temps. Et le garçon écoute. Si le sens de ces paroles lui demeure souvent inaccessible, leur sobre mélodie en revanche lui va droit au cœur. Elle le pénètre, elle le charge, elle le nourrit, et son cœur devient si plein et si gros que le garçon est souvent contraint d'élargir sa poitrine d'une vaste inspiration. Est-ce seulement le flux sonore qui lui cause cet effet ? Le rythme ? Les vibrations ? Il a déjà connu semblable sensation : quand au crépuscule parfois il surprenait sa mère dans ses conversations solitaires. Il la connaîtra à nouveau plus tard à la faveur d'une mélodie particulière issue du pavillon d'un hautbois. Mais quoi ? Qu'est-ce exactement ? On l'ignore. Et de grâce faites que le mystère perdure. L'indéchiffrable et l'indicible. Que nul ne sache jamais d'où provient l'émotion qui nous étreint devant la beauté d'un chant, d'un récit, d'un vers.

Après souper il aide à débarrasser.

Ils se couchent tôt.

Diosa Centéotl n'est pas seule à veiller. Avant de s'en aller l'Indienne avait pris soin de placer toute la maison sous haute protection. Dans la pièce principale règne la princesse Donaji, son portrait en tapisserie apposé sur le mur face à la cheminée. Et sur la cheminée trône la statuette grossièrement taillée d'un quetzal. Et celle d'un jaguar sur le pétrin. Et celle d'un coati sur le plateau du buffet. La faune sacrée de la Sierra Madre del Sur. On trouve aussi disséminés ici et là une douzaine de galets peints à la main qui rappellent de minuscules tortues luth et qui sont autant d'amulettes, et l'on trouve suspendus aux fuseaux de la panetière et au tuyau du poêle des colliers faits de glands de chêne et de dents de lièvre percés. Au-dessus du lit de Joseph, qui fut le lit nuptial, irradie le doux et lumineux visage de la Vierge de la Solitude – Virgen de la Soledad – avec sa tiare d'or et sa perle au front. (La foi peut nous quitter, a dit Joseph, la solitude reste.) On trouve dans la chambre de Louis-Paul, posé sur un lutrin, un fabuleux codex en peau de chagrin commandé au temps du bonheur au plus grand artisan relieur de la région. Pendant les neuf mois de sa grossesse, comme d'autres tricotent en prévision le trousseau de l'enfant à naître, l'Indienne s'était appliquée à couvrir de dessins et de peintures, de glyphes et de symboles, les pages encore vierges de cet ouvrage qu'elle destinait à sa progéniture. Elle l'avait achevé la veille du jour où elle donna la vie et qui était aussi celui où elle rendit l'âme. Nul, pas même Joseph, n'est aujourd'hui en mesure de le déchiffrer. Peut-être y est-il justement conté des histoires de naissances et de morts, de luttes et de mariages, de conquêtes, de victoires, de défaites, de trahisons, de miracles : ce qui depuis toujours compose les aventures des seuls héros que nous connaissons et qui sont les dieux et les hommes. Mais peut-être pas. Le Gazou a reçu le livre en héritage, et lui qui ne saurait reconnaître la première lettre de son nom il n'est pas rare de le voir consulter ces pages, se plonger dedans, s'y absorber, comme si étaient transcrites et révélées dans ce langage complexe, pour lui seul inventé, par lui seul intelligible, les lois secrètes qui régissent le monde passé, présent et à venir.

L'hiver s'est installé.

Le soir de Noël le garçon a l'insigne honneur de prendre part à la crèche vivante. Une représentation incarnée de la Nativité. C'est Eugénie, la femme Janicot, qui a instauré cette pratique. Eugénie Janicot n'aime guère son prochain mais elle aime Dieu, ce qui n'est pas incompatible semble-t-il et même plus répandu qu'on ne pourrait le penser.

Par trois fois la femme-vipère avait enfanté. Deux filles pour commencer, qui s'étaient dépêchées de pousser puis de convoler avec des gars de la ville où aussi vite elles étaient allées s'établir. Eugénie Janicot avait placé beaucoup d'espoir en son dernier-né. Un mâle, enfin. Tout au long de ses premiers mois et même de ses premières années maintes fois elle avait vu l'enfant marcher sur les eaux. En songes et en pensées. Bien qu'elle sût que c'était péché d'orgueil elle ne pouvait s'ôter de l'esprit que le fruit de ses entrailles avait été désigné entre tous pour être le nouvel émissaire. Le digne successeur de l'Autre. Et si son fils était l'Élu, elle, la mère, de fait l'était aussi. Les nuits de grande exaltation elle se refaisait une virginité, persuadée que son mari Eugène n'était pour rien dans la conception de l'enfant et qu'elle s'était retrouvée grosse par la seule grâce du Tout-Puissant.

La première fois qu'Eugénie avait soumis cette idée de crèche à ses voisins elle s'était attendue à plus de réticence de leur part. Elle tenait à ce que le hameau entier participât. Que chacun des habitants en fût acteur – mais aussi, surtout, qu'il fût le spectateur privilégié, le témoin ébloui de l'avènement de son divin enfant. Il faut croire que sa foi et sa ferveur lui avaient dicté les mots justes pour convaincre. Ou bien il faut croire que les distractions n'étaient pas si nombreuses qu'on pût se priver d'une. Tous avaient accepté de se prêter au jeu.

Ainsi Pierre Janicot, porté aux nues par sa mère, avait été l'enfant Jésus pendant les cinq premières années de son existence. Au terme desquelles il fallait une imagination hypertrophiée pour voir un nouveau-né à la place de ce gaillard de vingt-cinq kilos dont les quatre membres débordaient du berceau. La sixième année le berceau avait cédé sous le poids du Christ au moment crucial où les Rois mages venaient l'honorer. Eugénie avait manqué défaillir. Elle avait éprouvé d'abord une immense honte, puis très vite un autre sentiment rien moins que charitable : la haine. Refuserait-elle toujours de se l'avouer mais à cet instant précis, en le voyant vautré dans la paille les quatre fers en l'air, de toutes ses forces elle avait haï son enfant. Et elle avait dû se rendre à l'évidence : il était bien le fils de son père.

Au fil du temps il avait donc été nécessaire d'accorder la distribution avec la courbe de croissance de la population, mais la tradition était solidement établie et personne n'aurait songé à la remettre en cause.

Ce soir à nouveau tous se préparent pour la venue du Sauveur. Dehors il fait nuit noire. La troupe se rassemble dans la grange des Siffre. Lanternes et quinquets sont disposés aux endroits stratégiques définis par Eugénie. Elle n'est peut-être plus aujourd'hui la Sainte Vierge mais elle demeure la grande prêtresse, la maîtresse incontestée de la cérémonie. C'est elle qui distribue les rôles. Elle se réserve désormais celui de la récitante. Légèrement à l'écart, raide comme un cierge, elle présente. Elle raconte l'histoire. Elle psalmodie ou elle chante.

Comme à l'accoutumée tous les habitants ont été réquisitionnés excepté Joseph qui décline l'invitation depuis la mort de sa femme. Mais Joseph a des représentants : son bœuf et sa mule. Le bœuf joue le bœuf et la mule joue l'âne, et ce sont certainement les interprètes les plus fiables du lot.

Le garçon assiste aux ultimes préparatifs. Affublé d'un informe bonnet rouge qui sera son seul accessoire. Pour sa première participation il serait faux de prétendre qu'il a saisi la nature de ce qui doit se dérouler, néanmoins il connaît sa partie. Elle est simple et concise. On lui a assigné un rôle qu'on aurait pensé dévolu au Gazou : celui du Ravi. Car il s'agit d'une Nativité qui tient à la fois du mystère et de la pastorale, où se mêlent la Provence et la Judée, les personnages bibliques et les figures typiques du village. Dans l'après-midi la femme-vipère l'a fait répéter. Tout ce qu'il devra faire à son signal sera de s'avancer vers le berceau et lever bien haut les bras en exhibant un large sourire afin de manifester la joie extatique qui l'envahit à la naissance du Christ. Il a compris cela.

Quant au Gazou, on lui confie la meule. L'expérience a prouvé que c'était la seule façon d'éviter qu'il n'aille piétiner les plates-bandes de Marie. Il est le Rémouleur. On lui fournit l'outil ainsi que de vieilles lames hors d'usage et pour l'unique fois de l'année et pour son plus grand bonheur il a le droit d'aiguiser à volonté.

Minuit approche. Le silence se fait. On a beau dire, les cœurs battent plus vite, plus fort. Car nous voici en Terre sainte.

— Il y a bien longtemps de cela... commence Eugénie.

Mais sitôt a-t-elle ouvert la bouche que le Gazou actionne sa meule. L'essieu grince, le métal crisse contre la pierre de grès. Il faut imaginer les stridulations de monstrueux grillons dans les collines arides de Galilée.

— Il y a bien longtemps de cela, reprend Eugénie en élevant la voix, dans la petite ville de Nazareth, vivait Marie.

Depuis la stalle qui sert de coulisse s'avance Marie-Aimée. C'est elle qui a repris le flambeau de la virginité. Elle marche à pas menus en battant des cils.

— Marie demeurait chez elle, récite Eugénie, lorsque tout à coup survint un ange.

Et voici Pierre qui sort de l'ombre. Lui l'ancien Jésus, déchu, relégué au rang de simple commissionnaire. Il est vêtu d'une chasuble taillée dans un drap d'où dépassent ses godillots usés. On sent que le chemin fut long et difficile pour en arriver là.

Pierre se racle la gorge, il crache dans la paille et dit :

— J'te salue Marie, pleine de grâce. J'suis Gabriel et Dieu m'a confié un message pour toi.

Il ne parle pas, il grommelle, ses paroles sont couvertes par la meule du Gazou.

Marie-Aimée s'agenouille à ses pieds.

— T'as été choisie pour un grand service, dit Pierre. C'est toi qui vas mettre au monde l'fils du Très-Haut.

— On n'entend rien, se plaint le vieux Blaise en coulisse.

Lucien, à ses côtés, hoche le menton.

— La connaissez pas encore, l'histoire ?

— Marie ne comprenait pas, récite Eugénie. Elle rappela à l'ange qu'elle n'avait point encore connu l'homme. Mais l'ange, afin de lui prouver qu'il disait vrai, lui annonça une bonne surprise : sa cousine Élisabeth, malgré son grand âge, attendait un fils.

La vieille Honorine se présente à son tour, soutenant son ventre de parturiente constitué d'une baudruche remplie de foin qui tremblote sous sa robe à chacun de ses pas. Elle adore ce rôle qui ressuscite en elle des sensations mortes depuis une éternité.

— Mon cœur est plein de joie, dit alors Marie-Aimée en écartant largement les bras.

L'âne remue la queue.

Le Gazou entame sa deuxième lame et la vieille Honorine se retire pour aller accoucher de Jean le Baptiste.

Le garçon ne perd pas une miette de tout cela. Ses yeux vont et viennent entre les personnages et la récitante. Il se tient prêt, guettait le signe convenu pour son intervention.

Joseph arrive. Le Charpentier. Il a en l'occurrence les traits de Napoléon, le frère jumeau de Marie-Aimée. On le voit qui tourne en rond en se frottant ostensiblement la barbiche d'un air soucieux.

— Joseph était inquiet, récite Eugénie. Marie et lui n'habitaient pas encore sous le même toit et il était gêné qu'elle attende un enfant. Mais l'ange le rassura en lui disant que l'enfant était engendré par Dieu. Et l'ange ajouta : C'est toi qui lui donneras son nom.

— Tu l'appelleras Jésus, dit Pierre.

— Jésus, répète Eugénie.

— Il sauv'ra son peuple d'toutes ses fautes, dit Pierre, et son règne n'aura pas d'fin.

— Son règne sera éternel, répète Eugénie.

Napoléon pose une main sur son cœur.

— Alors Joseph fut comblé de bonheur, récite Eugénie, et il épousa Marie pour prendre soin d'elle et de l'enfant à venir.

Et tandis que le frère et la sœur s'avancent l'un vers l'autre et s'enlacent, des regards entendus s'échangent tout autour. Car il se murmure depuis longtemps que l'amour entre ces deux-là ne serait pas que fraternel. Qu'il s'en passerait de belles la nuit sous leur toit. Que la Marie serait aimée plutôt deux fois qu'une et que le Napoléon n'aurait pas attendu la venue d'un ange pour trouver sa voie.

Pierre retourne vers le fond de la grange en traînant les pieds. Il n'est pas au bout de sa déchéance : pour le tableau suivant il doit troquer son costume d'archange contre la peau de bête d'un modeste berger.

— Les époux, récite Eugénie, se mirent bientôt en route pour la ville de Bethléem. Lorsqu'ils arrivèrent, personne ne leur fit de place. Ils trouvèrent refuge dans une grotte.

Elle ponctue ces paroles d'un léger mouvement

116

de la main comme pour désigner au couple le piètre emplacement qui leur est réservé.

Le signal. C'est ainsi que le garçon interprète ce geste. Aussitôt il se met en branle, paré de son bonnet rouge et conscient que toutes les têtes, d'un coup, pivotent dans sa direction. À cet instant il semble être le personnage central du drame. Tout repose sur ses épaules. Malgré ce poids il continue d'avancer bravement jusqu'à l'endroit indiqué, entre le bœuf et l'âne. Puis il se renverse et lève les bras au ciel, aussi haut qu'il peut, et il sourit de toutes ses dents au-dessus du berceau vide.

S'ensuit un moment de muette consternation durant lequel les stridulations métalliques des grillons paraissent doubler d'intensité.

— Qu'est-ce qui se passe ? demande le vieux Blaise.

Personne ne lui répond.

Joseph et Marie regardent le Ravi d'un air médusé. Puis ils se regardent. Puis ils regardent Eugénie qui elle-même darde sur le garçon un œil noir, saturé de venin. Pourquoi ? se demande-t-elle. Pourquoi le Très-Haut lui inflige-t-Il de pareilles épreuves, avec tout ce qu'elle fait pour Lui ? Pourquoi ?

Elle ferme les yeux, inspire, expire longuement.

Ainsi soit-il.

— Le temps, reprend-elle, le temps était venu pour Marie d'enfanter.

À ces mots Marie-Aimée tressaille, baisse les yeux sur son ventre, l'espace d'une seconde croyant réellement perdre les eaux. Puis elle comprend, soulagée, et se dirige vers un coin de pénombre où l'attend Gabrielle, non pas une archange femelle mais la mère de Victor, l'enfant-ver, qu'elle porte justement aux bras.

Le nouveau Messie, c'est lui.

Marie-Aimée récupère le bambin. Il mâchouille un sucre d'orge qu'on a pris la précaution de lui donner afin qu'il se tienne tranquille. Il en a déjà partout. La bouche, le menton, les mains de Jésus luisent d'une salive gluante comme du sirop.

Marie dépose l'enfant dans le berceau.

— Le Seigneur est né, récite Eugénie, les mains jointes. Alléluia !

— Alléluia ! reprend le chœur.

Et chacun peut enfin s'associer légitimement à la joie du Ravi.

— C'est à nous ? demande le vieux Blaise.

— Pas encore, dit Lucien. D'abord les bergers.

Ils sont là. Pierre, jadis fils de Dieu, naguère archange, à présent pauvre pâtre, accompagné de la gamine Blanche. Tous deux armés d'un long bâton noueux.

— Les bergers, récite Eugénie, se dépêchèrent d'aller à Bethléem reconnaître Joseph et Marie et l'enfant couché dans la crèche.

Ils marchent, ils marchent, c'est une longue route et la fatigue les accable. En arrivant ils se penchent à leur tour sur le berceau, et ce que voit la gamine en vérité ce n'est pas Jésus mais uniquement le sucre d'orge qu'il a dans la bouche. Elle louche dessus. Elle en bave aussi, mais d'envie.

Le garçon a toujours les bras en l'air. Il n'ose pas bouger car on ne lui a pas précisé combien de temps il devrait garder la pose.

Le Gazou entame sa troisième lame.

— Après cela, récite Eugénie, des mages venus de l'Orient arrivèrent en Judée, guidés par l'étoile.

Lucien donne un coup de coude au vieux Blaise,

ils se mettent en route, Eugène leur emboîte le pas et bientôt tous trois arpentent la grange en une procession d'iconoclastes bédouins. Blaise est un Melchior plus vieux qu'Hérode, le crâne ceint d'un turban mauve qui le démange. Lucien s'est passé la face au brou de noix afin de représenter le noir Balthazar, toutefois des mèches rousses s'échappent du mouchoir qui lui tient lieu de keffieh et davantage qu'au roi d'Afrique c'est au petit ramoneur qu'il fait penser. Quant à Eugène, il reste Eugène quelle que soit sa tenue, et c'est sans doute le Gaspard le plus goguenard qu'on ait jamais croisé dans toute la chrétienté.

— Les mages reconnurent l'enfant Roi, récite Eugénie, et ils lui offrirent en présents l'or, la myrrhe et l'encens.

Eugène s'exécute le premier, se prosternant et déposant son paquet et gratifiant en sus le fils de Dieu de quelques gouzi-gouzi et chatouilles dans les plis du cou où le jus s'insinue maintenant comme un filet de mélasse. Après quoi il s'éclipse promptement afin d'endosser un nouveau costume et un nouveau rôle à sa mesure. Lucien prend sa place. Quand vient le tour du vieux Blaise sa mauvaise vue encore une fois le trahit : il bute contre le berceau et manque le renverser. Dans le choc le sucre d'orge glisse des mains du bambin et choit par terre dans la paille. L'aubaine est trop belle pour la gamine, qui lâche son bâton de berger et se jette sur la friandise et se l'enfourne dans la bouche, paille comprise. Voyant cela Jésus se fige, saisi. Puis ses traits se contractent et la colère divine éclate dans un puissant braillement.

— Alors, récite Eugénie, ils accoururent de partout,

des gens de toutes les nations, pour célébrer la naissance de Notre Seigneur.

Accourt en effet Gabrielle, en costume d'Arlésienne, alertée par les cris de son fils. Accourt la vieille Honorine changée en lavandière. Accourt Eugène métamorphosé en tambourinaire, frappant sur son tambourin et soufflant gaiement dans un galoubet duquel il tire des sons non moins mélodieux que celui des freins d'une locomotive.

— Alléluia ! s'exalte Eugénie. Alléluia !

Le divin enfant s'est dressé dans son berceau, en pleurs. À défaut de récupérer son bien il réussit à agripper les cheveux de sa sœur, et il tire dessus, et la gamine ôte le bâtonnet de sa bouche afin de laisser libre cours à son propre vagissement.

— La terre entière et tous ses habitants baignent dans l'allégresse et la félicité, récite Eugénie. Ô allégresse. Ô félicité. Alléluia !

— Alléluia ! reprennent en chœur tous ceux qui ne brament ni ne pleurent.

L'Arlésienne de Bethléem en profite pour se faufiler jusqu'au berceau. Elle considère un instant son fils suspendu à la tignasse de sa sœur, après quoi elle assène une grande claque sur la nuque de celle-ci.

— Alléluia !

Les cris de la gamine redoublent. Le sucre d'orge lui échappe et retombe sur le sol de la grange où Melchior, ce vieux miro, l'écrase sous sa semelle et le réduit en poudre.

— Alléluia !

Le Christ braille de plus belle. Sa bouille prend la teinte écarlate des grenades d'Israël.

— Gloire à Dieu, gloire à Dieu, chante Eugénie, gloire à Dieu et paix à tous les hommes qu'Il aime.

Le sang reflue dans les bras toujours dressés du garçon. La crampe le guette. Son sourire d'extase se mue peu à peu en une sorte de rictus démoniaque.

— Gloire à Dieu, gloire à Dieu, chante Eugénie.

L'âne brait.

Eugène souffle et martèle.

Le Gazou entame sa quatrième lame et les grillons de Judée se déchaînent.

Et soudain, dans cette apothéose, une odeur épouvantable monte du berceau de l'enfant Jésus : si grand est son courroux qu'il en a souillé ses langes.

Le garçon fronce le nez, parachevant ainsi son affreuse grimace. Et l'on pourrait penser qu'il a enfin conquis sa place parmi les hommes, car rien à cet instant ne le distingue de ceux qui l'entourent.

Qu'y a-t-il de précieux ?

Qu'y a-t-il de sacré ?

Eux savent.

1909-1910

À deux heures de l'après-midi les serpents sortirent de leurs nids et se mirent à ramper ventre à terre comme si les flammes de l'enfer leur léchaient les écailles au bout de la queue. Tous autant qu'ils étaient, couleuvres et vipères sans distinction. Traçant d'éphémères et sinueux sillons sur des hectares et des hectares de champs, de broussaille, de pierre – certains couvrirent des distances de plus de quinze lieues, quelques-uns périrent d'épuisement (leur langue bifide encore pointée, racornie, leurs yeux sans paupières vitrifiés), la plupart ne retournèrent jamais à leur point de départ.

Il n'y avait pourtant aucun incendie à l'horizon.

À quatre heures jaillirent du sol un peu partout de nouvelles sources. Des ruisselets pas plus épais qu'un doigt, noirs comme le pétrole, et qui n'étaient rien d'autre que des colonies entières de fourmis s'écoulant de leurs abris en flux ininterrompu et emportant leurs œufs avec elles.

Les vers suivirent. Les cloportes, les courtilières, les bousiers, les mille-pattes, les perce-oreilles. La macrofaune fouisseuse dont quelques individus, nocturnes et lucifuges, voyaient le jour pour la première fois.

Puis on passa directement à la huitième plaie. Des vagues de ces fameuses sauterelles, chères à Eugénie Janicot, déferlèrent sur les collines et les prés, sans toutefois prendre le temps de dévorer les fruits ni les plantes ni quoi que ce fût.

À cinq heures les abeilles désertèrent leurs ruches, et tout un pan de ciel fut momentanément assombri par un énorme nuage aux contours fluctuants constitué de dizaines ou de centaines de milliers de frelons, lesquels furent bientôt rejoints puis dépassés à tire-d'aile par des escadrilles d'oiseaux de toutes tailles et de toutes espèces volant bas et lançant des cris perçants.

Puis ce fut le tour des rats, mulots, souris, musaraignes.

Il n'y avait plus de chien au hameau, Lucien Siffre ayant tué le dernier, le sien, l'année précédente, en le prenant par mégarde pour un lapin, si bien que d'ici on ne perçut qu'un vague écho du concert d'aboiements et de hurlements qui éclata dans le pays aux alentours de sept heures du soir. En revanche on eut droit au tintamarre dont les poules et les oies emplirent la basse-cour à peu près au même moment.

Puis les deux cochons des Janicot commencèrent à se battre, et quand Eugène, avec l'aide de son fils Pierre, réussit à les séparer, l'une des bêtes avait une oreille à moitié arrachée.

Même la vieille mule paisible de Joseph se mit à s'agiter dans l'étable, renâclant et roulant des yeux exorbités.

Il n'y avait toujours ni feu ni fumée en vue.

Beaucoup diraient après coup que c'était à prévoir. Ils diraient que le comportement des animaux n'était pas tout ce qui leur avait paru bizarre : le temps aussi. Lourd, étouffant. Une chaleur précoce accompagnée de brusques orages. Quelque chose comme le mois d'août au mois de mai. Et les premiers jours de juin avaient été pires encore. Les plus anciens diraient qu'ils n'avaient pas connu ça depuis le terrible printemps 1853 où il avait fait si chaud que les figues déjà trop mûres éclataient sur l'arbre comme des grenades.

Le garçon ne dirait rien.

Il est neuf heures à présent. Le jour persiste. Un ruban de ciel clair s'étend jusqu'aux collines. L'air est transparent. Le garçon se tient debout dans la cour. Il lance des regards inquiets sur tout ce qu'il croit voir bouger mais tout est immobile en vérité. Tout est figé. Tout est suspendu. Il écoute mais tout est silencieux. Les chiens, les porcs, les poules se sont tus. Seul le Gazou continue de vivre sa vie propre. Le Gazou est un insecte démesuré pris dans la gelée de ce crépuscule, qui remue et qui bruisse.

Le garçon a changé. Il n'a pas beaucoup grandi mais il a pris en volume. Son corps est plus épais, plus dense. Au fil des semaines, le mercure grimpant, il avait dû ôter couche après couche les précieux vêtements qu'on lui avait offerts. Avec réticence il avait remisé la veste en peau de mouton, le chandail, le tricot, les bas. Aujourd'hui il ne porte plus sur lui que la chemise et le pantalon de velours, et les lourds brodequins qu'il enfile à même la peau. Ses pieds nus baignent dans un jus de sueur et de cuir mais il refuse absolument de se départir des chaussures. Il ne lui reste qu'une pointure à rattraper.

À Pâques Marie-Aimée lui avait coupé les cheveux. Il en garde une marque un peu plus pâle sur la nuque et au pourtour des oreilles, là où le soleil n'a pas encore eu le temps d'étaler son hâle. Le fait est qu'il a davantage visage humain.

Le manège du Gazou l'exaspère. Il voudrait le faire taire. Il brûle de le battre. De le mordre. Il le ferait peut-être sans la présence de Joseph, assis sous la tonnelle à l'ombre de laquelle l'Indienne aimait à s'installer pour trier ses herbes et ses plantes. De temps en temps le garçon se tourne vers l'homme, le sonde, en quête d'une réponse. Mais le regard de Joseph est un puits sans fond.

Ils sont sortis le soir après souper pour chercher la fraîcheur. Ils ne l'ont pas trouvée. Le garçon transpire. Quelque chose pèse sur sa poitrine et l'oppresse. À défaut de rien voir ni de rien entendre il essaie de sentir. Ses narines palpitent. Aucune odeur étrangère ne filtre.

Pourtant ça se prépare. Il le sait, mais il ne sait pas quoi.

Ça arrive.

Ça approche.

C'est là.

Ça commence par un grondement sourd issu des profondeurs de la lithosphère, qui prend force et ampleur à mesure qu'il monte et perfore et fracasse au passage la roche, la silice, le mica, le quartz, puis éclate en un formidable et effroyable rugissement lorsque la dernière couche de la croûte terrestre cède et le libère.

Le tonnerre n'est qu'un rot feutré en comparaison. C'est mille tonnerres dont on parle. C'est cent mille chevaux lancés au grand galop avec des sabots de plomb.

La terre exulte.

Le garçon se bouche les oreilles. Puis il perd l'équilibre et choit à quatre pattes. Le sol vibre et son corps avec. Ses membres, ses mâchoires. Ses dents claquent à se briser. Quand il redresse la tête il a au premier plan dans son champ de vision le Gazou, debout, bras levés, gorge renversée, tel un apprenti sorcier en transe, tel un jeune prédicateur illuminé louant le ciel pour l'accomplissement de ses prédictions. Le Gazou sautille d'un pied léger au rythme des convulsions comme si de tout temps il avait connu et pratiqué cette danse. Serait-ce sa mère l'Indienne qui lui aurait transmis le secret ? Serait-ce notre mère la Terre elle-même ? Dans ses yeux irradient la reconnaissance et l'émerveillement.

Derrière lui tombe une pluie de feuilles et de fleurs de tilleul. L'arbre séculaire, hiératique, mais rien, rien du tout, un fétu, une paille, une misère dans le poing de ce qui maintenant le secoue. De longs frissons parcourent son tronc. Son écorce se fend. Ses branches pèlent. Et plus loin encore, en arrière-plan, le garçon aperçoit les blés qui s'agitent, un arpent entier épousseté comme un vulgaire paillasson. Les épis s'entrechoquent en produisant un bruit qui n'est ni celui du vent ni celui de la faux.

Il ferme les yeux. Il se couche. Les vibrations se répercutent dans son ventre, les ondes se propagent et résonnent jusque dans ses os. Tout autour les murs s'ébranlent, se lézardent, des pierres de cinq kilos se déchaussent comme des chicots, le bois craque, les vitres explosent, à l'intérieur les buffets tanguent, chavirent, se renversent, les vaisseliers s'écrasent sur leur vaisselle. Juste avant de mourir le garçon pense à diosa Centéotl. Sur l'écran de ses paupières closes s'inscrit le beau visage de la déesse, son doux sourire, serein, bienveillant.

Mais il ne meurt pas.

C'est fini.

C'est passé.

Il lui faut un certain temps pour en prendre conscience car son corps continue de trembler. Ce n'est qu'un reliquat : les répercussions de la grande secousse, le contrecoup de la peur et de la commotion. De même le vacarme sous la voûte de son crâne n'est déjà plus qu'un écho. Ses tympans bourdonnent. Ses oreilles sifflent. Puis tout cesse.

Une brume couleur cendre flotte dans l'air. Lorsqu'elle retombe le monde retourne à la poussière et la première étoile apparaît dans le ciel. Là-bas le tilleul pleure encore quelques feuilles esseulées. Le garçon se relève. Ses jambes flageolent. Le silence est de ceux qui règnent sur les champs de bataille, après l'assaut, avant les mouches. Le Gazou est toujours debout mais il ne danse plus. D'infimes flocons se posent doucement sur lui, sur ses cils, sur ses joues, dans sa bouche : sa face d'ange saupoudrée de paillettes d'apocalypse. Le garçon se tourne vers la tonnelle où dans la pénombre se découpe la silhouette de Joseph. S'il y a quelque chose ou quelqu'un qui n'a pas bougé, c'est lui. L'homme-chêne. Son esprit est ailleurs, son cœur est ailleurs, depuis longtemps son esprit et son cœur résident là-haut auprès de son épouse, la femme-nuage, mais ses racines sont ici-bas, qui le retiennent, si profondément enfouies qu'il faudra davantage qu'un séisme pour les arracher.

Joseph lui rend son regard. Dans ce monde au moins c'est le dernier qu'ils échangent.

Un cri déchire soudain le silence et fait tressaillir le garçon. Il reconnaît l'organe de Lucien Siffre. Il attend. Il guette. Il n'y a pas d'autre cri. Il traverse la cour et va voir.

Sur son passage les portes s'ouvrent et les autres sortent aussi. Le petit peuple du hameau. Ils s'aventurent prudemment hors de leurs abris, avancent à pas comptés, le cou rentré, de cette démarche de poule sur le qui-vive et roulant le même œil rond, inquiet, tantôt vers le ciel qui pourrait tomber, tantôt vers la terre qui pourrait s'ouvrir. La vieille Honorine est en chemise de nuit, les pieds nus. Eugène serre le manche d'un coupe-chou dans son poing. Le côté gauche de sa figure est blanc de savon, le droit, glabre, est rouge de sang. Le filet suinte d'une entaille à la joue et s'écoule jusque sur les poils de sa poitrine qui débordent du tricot. Il n'a pas l'air de s'en apercevoir. Son fils Pierre le suit. Napoléon les précède, qui marche en éclaireur sans lâcher la main de sa sœur Marie-Aimée. Son autre main tient une lampe-tempête au verre brisé qu'il balance devant lui à bout de bras comme s'il s'apprêtait à affronter des ténèbres autrement plus profondes. Sans se concerter ils se dirigent vers la grange des Siffre. Ce qu'il en reste.

Un amas de décombres. Un tas informe devant lequel se dressent déjà trois silhouettes, raides, monolithiques, et noires dans le contre-jour crépusculaire. Il y a là Lucien appuyé au manche d'une pelle. Il y a sa femme Gabrielle portant le petit Victor dans ses bras. Il y a Eugénie.

Les autres les rejoignent. Ils font halte à leurs côtés et baissent les yeux et laissent errer leur regard sur les ruines. Et c'est là qu'ils découvrent à leur tour, gisant sous ce fatras de poutres et de planches, le corps de la gamine Blanche. Ce qu'il en reste.

Deux moitiés. Le tronc, les jambes. Séparés non par magie mais par le tranchant d'une plaque de tôle tombée de toute la hauteur du toit. Les intestins se répandent. Les boyaux, les viscères, une bouillie de matières et d'humeurs indéfinies, fétides. Ajouté à cela une grosse pièce de bois de la charpente s'est écrasée sur son crâne. Sous le choc un œil a giclé de son orbite. Il pend, seulement tenu par un nerf ou quelque autre filament. Dans la main de la fillette, entre ses doigts légèrement écartés, on peut apercevoir un œuf dont la coquille est intacte.

Marie-Aimée détourne le regard. Elle enfouit son visage contre la poitrine de son frère. Des spasmes la secouent. Napoléon, lui, emploie toutes ses forces à tenter de maîtriser les tremblements qui agitent son bras et font vaciller la flamme de sa lampe. Il ne veut pas qu'elle s'éteigne. Il ne veut pas car alors, pense-t-il, ils entreraient dans la nuit des temps et jamais plus ne pourraient en ressortir.

Lucien pleure. Des larmes qui débordent et s'écoulent lentement comme le trop-plein d'une fontaine. Il ne fait rien pour les retenir. Il ne fait rien pour les essuyer. Et cependant les yeux de sa femme restent secs. Gabrielle Siffre fixe les ruines sans ciller. Elle fixe cette chose. C'est sa fille. C'est son enfant. Elle a beau se le dire et se le répéter. Elle se demande comment ils vont pouvoir la ramasser sans que tout ne s'éparpille. Elle se dit que la robe est fichue, qu'elle ne pourra pas la ravoir.

Les lèvres d'Eugénie remuent sans bruit. Des prières. Toujours des prières. Jésus Jésus Jésus et Notre Très Saint Père et la Vierge Marie. Dieu bon et miséricordieux. Des chapelets, des litanies de prières. Ici même hier on célébrait la Nativité. Hier la grange était un berceau et aujourd'hui c'est un tombeau. Mais non. Au contraire. Souviens-toi : Matthieu ne l'a-t-il pas dit ? « Et voici, il y eut un grand tremblement de terre ; car un ange du Seigneur descendit du ciel, vint rouler la pierre et s'assit dessus... » Soudain Eugénie se rappelle les paroles de l'apôtre et alors l'évidence la frappe. C'est le signe. C'est la confirmation. C'est la preuve, s'il en fallait une. Jésus est vivant ! Il est ici, parmi eux ! Le cœur d'Eugénie s'embrase, elle en tombe à genoux. Ce que le reste de la troupe prend pour de l'affliction n'est que l'effet d'une joie trop lourde à porter.

— Qu'est-ce que c'est ? demande le vieux Blaise.

Il vient tout juste d'arriver. Hirsute. Débraillé. Il survole les gravats du regard, paupières plissées et retenant des deux mains un pantalon dont les bretelles pendouillent dans son dos.

— Qu'est-ce que c'est ? répète-t-il.

Alors Pierre se retourne d'un coup.

— C'est lui !

Le garçon sursaute. Il voit ce bras tendu et ce doigt au bout qui le vise. Cette flèche empoisonnée dont il est la cible. Et les autres se tournent et le voient aussi, excepté Eugénie que la lumière divine achève d'aveugler.

— C'est lui, dit Pierre. J'vous avais prévenus. J'vous l'avais dit qu'il apporterait qu'du malheur.

La voix ne trompe pas : le garçon y entend la rage, les accents d'une haine très ancienne, primitive, héréditaire. Il perçoit le danger qu'elle recèle. C'est la voix de la bile et du sang.

— C'est sa faute. Tout ça, c'est sa faute à lui. Vous pouvez pas dire que j'vous l'avais pas dit.

Le doigt vibre, pointé sur son front. Sans le lâcher des yeux le garçon recule d'un pas. Pierre avance d'autant.

— C'est lui !

Il recule, l'autre avance, hormis cette chorégraphie élémentaire il n'y a aucun mouvement. Ils sont là autour qui siègent comme au jour de son arrivée. Les mêmes jurés, les mêmes délibérations mais muettes cette fois-ci. Chacun en son âme et conscience. Mais quelle âme ? Quelle conscience ? La peur est de retour dans le cœur du garçon. Son

134

pouls bat plus vite. Maintenant ses yeux quittent le doigt accusateur pour effectuer le tour de l'assemblée. L'homme-renard, la femme-mante, l'homme-dindon, l'homme-chevreuil, la femme-papillon, l'homme-taupe, l'enfant-ver, la femme-musaraigne, la femme-vipère, l'homme-bouc, l'enfant-crapaud éviscéré. Manquent Joseph et son fils Louis-Paul qu'on appelle le Gazou. Ce soir ils ne se présenteront pas. Il n'y aura personne pour intercéder en sa faveur. De toute façon le verdict est déjà tombé.

— C'est lui !

Le garçon ne recule plus. Il fait une brusque volte et détale.

Il court.

— Retourne au diable !

Il court.

Il court.

Il court droit devant dans la nuit.

Les ténèbres l'ont déjà absorbé quand la vieille Honorine, prise peut-être de remords ou de pitié, ouvre la bouche pour le rappeler. Mais comment le pourrait-elle lors qu'elle ignore son nom ?

Il ne reviendra pas.

Dans les deux jours qui suivent il se produit cinq répliques du séisme, chacune plus faible que la précédente mais chacune le poussant toujours plus avant dans sa fuite. Il ne sait quelle faute il a commise. Ce qu'il a fait ou ce qu'il n'a pas fait pour provoquer la colère des hommes et de la Terre. Il emporte avec lui son désarroi et sa culpabilité. Il marche nuit et jour sans s'arrêter et lorsque d'un coup ses forces l'abandonnent il s'écroule sur place tel un pantin aux fils coupés et il reste posé là sur son séant. Un témoin avisant sa lèvre qui pend et son air hébété pencherait pour un ivrogne cuvant son vin. Mais c'est la fatigue qui le soûle, et davantage encore l'essence du chagrin que son cœur distille.

Il s'endort assis contre une souche.

Il se réveille quatre heures plus tard sous le regard d'une biche. Elle se tient immobile sur ses jambes fines et le contemple avec les yeux d'une mère pour son enfant. Le garçon ose à peine respirer. Ce regard l'émeut. Sa gorge se noue. Des larmes finissent par couler. Lorsqu'il renifle le bruit fait courir un frisson sur le pelage de l'animal. La biche s'enfuit. Quelques bonds et un froissement soyeux et c'est comme si elle n'avait jamais été là. Une fougère se balance dans la trouée. Le garçon écrase ses larmes, laissant une traînée sale sur sa joue. Puis il se remet debout et repart.

Et c'est à nouveau les chemins solitaires, les champs vierges, l'errance, la belle étoile, le tête-à-tête avec son ombre, l'âpre et sublime dénuement. C'est à nouveau la faim et la chasse.

Il traverse deux départements. Il franchit des ponts, des rivières. Il dépasse des villages et des bourgs, les contourne sans y pénétrer – le temps que le temps fasse son œuvre et que ses craintes s'apaisent. Il avance toujours, il va comme si le haut bout du monde l'attendait derrière la prochaine colline, la prochaine montagne, comme si la ligne d'horizon était le bord du précipice qui marque la frontière avec l'au-delà.

Il maraude quelquefois dans les jardins et les vergers. Attendant pour agir que la nuit soit close et se dépêchant de cueillir ou d'arracher, le cœur battant, le front couvert d'une sueur aussi froide que le givre. Car il sait désormais que cela est interdit. La Terre n'est pas à tous. C'est l'une des vérités que son séjour au hameau lui a apprises. Si insensé que ce soit la Terre n'appartient pas à tous et à chacun. Non plus que ses fruits. Il n'y a pas une Terre, mais des terres. (Combien d'illusions s'évanouiront ainsi ? Combien de promesses informulées auxquelles il lui faudra renoncer ?) À présent le garçon est prévenu, il ne peut plus prétendre à l'innocence.

Un soir il est coursé par une paire de molosses et ne doit son salut qu'à son agilité. Accroché aux branches d'un noyer tandis que les chiens hurlent au pied de l'arbre, écument, enragent, lacèrent le fût de leurs griffes. Des chiens sans race. Des cerbères dégénérés. Près d'une heure se passe avant qu'ils s'en retournent, la gorge enrouée, vers le néant d'où ils s'étaient extraits.

À la Saint-Jean on le trouve perché cette fois de son plein gré au sommet d'un éperon rocheux où il se tient accroupi tel un aigle aux ailes ployées. Depuis cette loge il assiste au spectacle des feux de joie qui brûlent dans la plaine. C'est fête ce soir-là. Les gens se rassemblent. On frappe sur des caisses. On nourrit les bûchers et on danse, on fait des rondes et des sarabandes. À cette distance ce qu'il voit n'est guère plus qu'un ballet de phalènes autour d'une lampe. La lueur des flammes est bien loin de l'atteindre, cependant il y a quelque chose de cette chaleur qui monte jusqu'à lui et le réchauffe. Au petit matin les brasiers sont éteints mais ses pupilles continuent de briller.

L'été devient fournaise. C'est midi de l'aube au crépuscule. L'herbe jaunit. Tout ce qui est minéral cuit et dans le vaporeux halo qui s'en dégage les mirages se multiplient. Le garçon recherche l'ombre des forêts. Le havre moite d'un sous-bois vaut pour lui la fraîcheur bénie d'une église. Souvent il emprunte le lit d'un ruisseau, ses chaussures à la main. L'eau manque, c'est miracle si elle lui arrive aux chevilles.

Et c'est une autre sorte de miracle lorsque dans les méandres d'un de ces cours d'eau il tombe sur l'ogre des Carpates.

Il est assis dans l'onde, sur une large pierre plate. Nu comme au premier jour. Il trône. Il barbote. Le garçon n'est pas encore certain qu'il s'agisse d'une créature humaine car il n'en a jamais vu de semblable – et n'en verra jamais plus.

Sa tête est gigantesque. L'arrière de son crâne se présente sous la forme d'un vaste hémisphère parfaitement glabre et miroitant au soleil comme la peau d'un phoque, tandis que sur le devant son front saille, s'incline en pente bosselée avant de venir buter contre la ligne de ses arcades, laquelle est une corniche, un promontoire osseux abritant les cavernes de ses yeux. Sa mâchoire est énorme, proéminente, on ne peut plus prognathe. Entre les deux, pris en tenaille, on trouve un nez de la taille d'une poire ainsi qu'une bouche en revanche étonnamment délicate et féminine.

Tel est son portrait – une esquisse qui ne peut être que grossière.

Lorsqu'il découvre la présence du garçon il n'a pas l'air surpris. Ses lèvres s'étirent d'une oreille à l'autre et ce sourire éclaire et adoucit la rude architecture de sa figure. En guise de salut il lève une main capable de soutenir la lune.

Le garçon n'y répond pas. Il observe.

L'homme reste un moment à tremper dans le courant. Puis il s'asperge le corps et se frotte la peau avec vigueur, il se gargarise, il crache, enfin il se redresse.

Il n'est pas aussi grand qu'on pouvait l'imaginer. Un mètre quatre-vingts au plus. Mais son buste est presque aussi large que haut. Un poitrail de buffle. Des jambes arquées. Il regagne la berge et décroche une pièce de drap blanc suspendue à un arbuste. C'est une sorte de tunique rudimentaire avec trois ouvertures pour la tête et les bras. L'homme l'enfile. Le tissu flotte, lui tombe aux genoux. Ainsi paré il se retourne et pose les mains sur ses hanches. On songe à un tribun s'apprêtant à discourir devant toute une assemblée. Mais il n'a que le garçon pour auditoire.

— L'hygiène, dit-il.

Le mot vibre dans l'air.

— L'hygiène. Voilà une chose qu'on néglige trop souvent.

Sa voix est forte et sonore comme il se doit. Il n'a pas besoin de la pousser pour qu'elle porte jusqu'au garçon.

— As-tu remarqué comme les gens puent ? Dans notre pays tout particulièrement. Je sais de quoi je parle, j'ai pas mal roulé ma bosse. Pas le tour du monde mais presque. Et l'honnêteté m'oblige à le dire : pour ce qui est de la pestilence, les Français sont les champions.

Il secoue la tête comme si ce constat l'affligeait. Puis il tapote son nez monumental du bout de l'index.

— Je ne sais pas si c'est à cause de ça, mais j'y suis très sensible.

Il sourit à nouveau.

Le garçon n'a pas bougé d'un pouce, les pieds comme englués dans l'eau.

— Un bain par semaine, dit l'homme. C'est la moyenne nationale. Je l'ai lu quelque part et je peux le confirmer, hélas. C'est la triste réalité. Ça se passe en général le dimanche, avant la messe. Jour de grand ménage : on se lave les fesses avant d'aller se laver l'âme. Plus de crasse, plus de péchés. Récuré à fond. Par la bonde et le bénitier, je t'absous. Ah ! Ah !

Son rire éclate en deux brèves détonations, effrayant une libellule qui survolait le dôme de son crâne.

— Et ça vaut pour tous, dit-il. Les bourgeois comme les autres, ne va pas croire. Du beau linge mais faut voir ce qu'il y a dessous. Moi je dis que les bourgeois sont les pires. Aucune excuse. Baignoire à demeure, grand luxe – j'en ai vu qui étaient en porcelaine de Chine, en marbre de Carrare, de vrais petits palais de sultan – et qu'est-ce qu'ils en font ? Rien. Ces beaux messieurs se contentent de changer leurs faux cols et leurs poignets de chemise pour préserver les apparences. C'est là toute leur lessive. Honte à eux. Pour ma part, j'estime qu'il n'y a pas de dimanche qui tienne. Qu'est-ce qu'ils croient ? Que Dieu va passer le restant de la semaine à se boucher les narines ?

La question demeure en suspens. Bien qu'il donne l'impression de pouvoir disserter encore des heures sur le sujet, l'homme se tait. Il met une main en visière et considère un long moment le garçon. Comme on étudie un cas à part. Des deux lequel est le phénomène ?

— Je ne voudrais pas avoir l'air d'insister, dit-il,

mais ce que j'essaie de te dire c'est que tu as déjà les pieds qui trempent et que tu ferais bien d'en profiter pour tremper le reste aussi. Quel que soit le jour que nous sommes. À ce que je vois, ça ne pourra pas te faire de mal... Tu saisis, fiston ?

D'un geste il indique la rivière, le rocher plat où il se tenait précédemment.

— La place est libre, dit-il.

Le soir venu on les trouve tous deux assis de part et d'autre d'un petit feu de bivouac à manger des cailles rôties avec les doigts. Derrière le garçon stationne une roulotte sur les flancs de laquelle on peut voir écrit en lettres d'or tarabiscotées : *Brabek l'ogre des Carpates*. L'or est défraîchi, de même que la roulotte. Le garçon n'a aucune idée de ce qu'est un ogre ni de ce que sont les Carpates et quoi qu'il en soit il ne sait pas lire. L'homme a dû déchiffrer pour lui. C'est sous ce nom qu'il s'est présenté : Brabek. Il y avait une once d'orgueil dans sa voix lorsqu'il l'a prononcé.

En réalité il se nomme Ernest Bieule mais la dernière à l'avoir appelé ainsi était une vieille femme à présent et depuis longtemps morte et enterrée. Cela fait partie de ces choses dont il préfère ne pas se souvenir. Que la postérité retienne seulement le nom qu'il s'est lui-même forgé et ce sera sa plus grande victoire. Ce sera la plus vaine et ce sera la plus belle.

Le troisième larron est un hongre bai. Une bête qui ne paraîtrait pas ridicule à l'avant d'une charrue. Trapue, solide. Une curieuse barbiche blonde sous la lèvre, peut-être en compensation de la perte de ses attributs mâles. Brabek l'avait soutirée à un maquignon suite à un pari dans une foire du côté de Meyrueis. Sans doute sa meilleure acquisition. L'animal est attaché au rayon d'une roue. Pas un de ses muscles ne frémit : une statue de bronze dans la lueur du couchant.

À cette heure la chaleur s'est atténuée. On entend les soupirs de la braise et le murmure de la rivière qui serpente quelque part en retrait. De temps en temps la crécelle d'un grillon. Mais ce qu'on entend surtout c'est la voix de Brabek.

— Mon arrière-grand-père luttait, dit-il. Mon grand-père luttait. Mon père luttait. Je lutte. À croire que ça coule dans nos veines, cette histoire. Qu'est-ce qu'on peut y faire ? Des fois je me dis que la seule chose contre laquelle aucun d'entre nous n'a essayé de lutter, c'est son propre destin. À bien y réfléchir, c'est peut-être seulement ça… Mais d'un autre côté, pourquoi l'aurait-on fait ? Trouve-moi une raison valable. Tu connais un homme qui n'aurait pas à se battre d'une manière ou d'une autre ? Est-ce que tu pourrais m'en citer un seul ? Non. Parce qu'il n'y en a pas. Pas dans ce monde. Alors, quitte à lutter, autant le faire dans les règles de l'art. De cette façon, tu vois, on peut dire qu'on a été gâtés.

Il a fini sa part. Il se suce les doigts et en dresse quatre vers le ciel.

— Quatre générations. Qui dit mieux ? Et si j'ai un fils un jour, je te parie qu'il saura faire une ceinture arrière avant de savoir marcher.

Face à lui le garçon s'acharne à rogner le moindre lambeau de chair sur des os pas plus gros que des aiguilles à coudre. Une scène vieille de plusieurs millénaires.

— Mais je n'aurai pas de fils, dit Brabek.

Sa voix a fléchi. Il regarde le garçon par-dessus les flammes. Ses yeux sont trop enfoncés pour qu'on puisse discerner quelle sorte de lueur les anime.

Puis tout à coup il se lève et contourne le foyer et va se planter devant son invité. Il est toujours vêtu de son drap de bain spartiate. Il en soulève un pan et dévoile sa cuisse et dit :

— Touche ici.

Le garçon cesse de mastiquer. Une petite moustache de graisse luit au-dessus de sa lèvre. Il fixe le colosse qui se tient devant lui, tunique troussée, telle la plus cauchemardesque des courtisanes. Il fixe le quartier de chair dénudé et velu qu'il lui présente.

— Touche, insiste Brabek.

Le garçon déglutit. Il pointe l'index puis l'avance lentement vers la cuisse et le pose dessus. Ainsi indiquerait-on sur une mappemonde une île perdue, un continent inexploré.

Brabek laisse retomber le tissu. Il se penche et remonte sa manche et montre son biceps.

— Touche ici.

Le garçon touche.

— Et maintenant touche ici, dit Brabek en présentant son front.

Le garçon touche.

— Alors ? interroge Brabek.

Il ferme le poing et se donne de petits coups sur le crâne avec la crête de ses jointures.

— Pas de muscle plus dur, dit-il, comme tu peux le constater. C'est là-dedans qu'est la force. La véritable force. Ne cherche pas ailleurs, elle est là. C'est avec la tête qu'on gagne les combats.

À son tour il pointe un doigt sur le garçon.

— Retiens ça, fiston.

Il retourne s'asseoir, apparemment satisfait de sa démonstration. Mais il n'en a pas terminé. Juste le temps de porter une timbale à ses lèvres et de se rincer la gorge et il reprend.

— J'ai battu Raymond Favre. J'ai battu Émile Poitevin. J'ai battu Louis Deglane, surnommé le Lion de Carpentras. J'ai battu le Grec Kallikratis et le Bulgare Letchkov. En 1879, à Vienne, je suis devenu vice-champion d'Europe. Seulement vice, tu me diras. C'est vrai. Me croiras-tu si je te dis que j'ai raté le titre à cause d'une terrine de porc ? Du pâté avarié. Rien de plus traître que le cochon. Ça ne pardonne pas. Je t'épargne les détails mais cette saloperie m'a dézingué les entrailles. Une courante de tous les diables. Va lutter dans ces conditions, le trou de balle crispé comme celui d'une nonne prisonnière d'une bande de corsaires. Je peux te dire que j'ai passé la demi-finale en serrant les fesses comme jamais. L'arbitre n'a pas eu le temps de me désigner vainqueur que déjà je cavalais sur le trône. Misère…

Il hoche plusieurs fois sa lourde tête. Puis il vide la timbale cul sec et fait claquer sa langue.

— Pour la finale, y a rien eu à faire. Le type en face, c'était un Danois. Ari Rytkönen. Ari le Barbare. Blond comme les blés, une longue natte dans le dos. Le bruit courait qu'il était le descendant d'un grand chef viking. Que ses ancêtres étaient capables de marcher pieds nus sur la banquise. Que sa propre mère s'était fait engrosser par un ours polaire. Tu vois le genre ? Un tas de légendes pour impressionner le pékin. Des bouffonneries. Des inventions sorties du chapeau. Ari ne faisait rien pour les démentir. Il avait raison. À l'époque j'étais jeune, je n'avais pas encore compris que c'était justement ça que les gens aimaient. Les légendes, les histoires qui donnent le frisson. C'est ça qu'elle veut, la foule. C'est ça qui l'attire. Maintenant je le sais... Bref. Un bon lutteur, le viking. Mais pas meilleur que moi. J'avais toutes mes chances. Sauf que ce jour-là je n'ai pas pu les défendre. Barbare ou pas, mon plus redoutable adversaire c'était mon propre bide. Au moment où le combat aurait dû commencer, j'étais toujours en train de me vider les boyaux. Impossible de me présenter sur le tapis. Les juges m'ont déclaré forfait. À quoi ça tient, hein ?

Le soleil a sombré pour de bon dans les confins. Les vampires le savent et sortent. Le garçon suit du regard un couple de pipistrelles croisant au-dessus du foyer. Il ne les aime pas. Il se souvient d'une qui s'était introduite pendant la nuit dans la cabane où ils dormaient la mère et lui. Ils l'avaient trouvée au réveil suspendue à la voûte dans sa cape noire, avec sa trogne de gnome maléfique et ses petits yeux grands ouverts, impavides. Si l'enfer existe, les anges y sont des chauves-souris. La mère l'avait tuée d'un coup de gourdin. Elle avait frappé si fort qu'elle l'avait presque décapitée.

— Ça m'a dégoûté, dit Brabek. Après ça, je n'ai plus jamais bouffé de porc. Et je n'ai plus jamais participé au championnat.

Il hoche à nouveau la tête.

— Après ça, dit-il, j'ai découvert l'Amérique.

Et il raconte, il raconte encore, tandis que dans les strates supérieures les astres renaissent de leurs cendres.

Il raconte comment, par un soir pluvieux du siècle

passé, au sortir d'un tournoi remporté haut la main, un homme l'avait soudain abordé et l'avait invité à monter dans un somptueux carrosse que tiraient quatre alezans empanachés. Et comment, le temps de le raccompagner jusqu'à la misérable chambre du misérable garni où il logeait alors, cet homme lui avait décrit le mirifique destin qui l'attendait de l'autre côté de l'Atlantique.

Il raconte combien il avait été impressionné par la pelisse en poil de loutre que l'homme portait, par son haut-de-forme, par sa chevalière, par l'énorme cigare qu'il mâchouillait et dont les fragrances s'accordaient à merveille avec le subtil fumet du cuir de vachette couvrant banquettes et portières.

L'homme était américain. Son accent était à couper au couteau, néanmoins le sens de ses paroles était facilement accessible à qui voulait l'entendre. L'avenir qu'il lui proposait se résumait en deux mots : gloire et fortune. Autrement dit le beurre et l'argent du beurre. Money, dans sa langue. A lot of money. Garanti. Avec un geste de prestidigitateur l'homme avait produit pour conclure une carte de visite sur laquelle était sobrement écrit : *William C. Harding – Manager*. Sobrement, certes, n'était que les caractères semblaient ciselés à l'or fin et dans cette sorte d'arabesques que lui-même avait tenté, bien des années plus tard et avec maladresse, de reproduire sur les pans de sa modeste roulotte.

Qui aurait pu résister à ça ?

Pas lui.

Il raconte son voyage. Il refait la traversée. Trois mille milles marins. Pas un lopin de terre, pas une colline, pas un arbre en vue pendant des jours et des jours et des nuits. L'océan, fiston. C'est là que tu te rends compte qu'on est bien peu de chose. Qu'on n'est rien. Une goutte d'eau dans un désert de flotte. Et puis un matin le brouillard se déchire à la proue du navire et toutes ces petites loupiotes que tu vois clignoter là-bas ce sont celles du paradis. Autrement dit du grand cirque.

William C. Harding n'avait pas menti, il avait juste une conception différente du céleste.

Son art était celui du maquillage, qu'il poussait jusqu'à l'illusion. Mets une couronne sur la tête d'un singe et ça devient un roi. Mets des grelots sur la couronne du roi et ça devient un bouffon. W. C. Harding, manager, ne manageait pas des lutteurs, mais des artistes. Il n'organisait pas des combats, mais des représentations. Show, dans sa langue. Nuance.

Il raconte les tournées d'une côte à l'autre, d'un océan à l'autre, dans ce pays qui est un monde à lui seul. New York, Boston, Philadelphie, Washington, Baltimore, Cincinnati, Atlanta, Nashville, Springfield, Chicago, Milwaukee, Des Moines, Kansas City, Dallas, Houston, Denver, Salt Lake City, Phoenix, San Diego, Los Angeles, San Francisco, Portland, Seattle. Une caravane de dix-huit chariots et cinquante-six personnes dont une vingtaine d'artistes, une dizaine de monteurs de chapiteau, un orchestre de huit musiciens, une demi-douzaine d'hôtesses, trois colleurs d'affiches, deux rabatteurs, deux cuisiniers, un nain à tout faire, une costumière, un palefrenier et un bookmaker : telle était la troupe en marche de la Wild World Wrestling Company. Sans compter Sheerpa, la panthère noire apprivoisée, qui en était l'emblème et la vivante publicité.

W. C. Harding voyait grand. W. C. Harding ratissait large.

Il raconte la foule, les galas à guichets fermés. Quatre mille, cinq mille spectateurs par soir. Obligés parfois de doubler en matinée. Des empoignades dans les files d'attente. Des fanatiques qui campaient sur place pour avoir une chance d'obtenir un billet. Des familles qui débarquaient au complet, du nouveau-né à l'aïeule. Tous ces gens qui ne venaient pas pour voir du sport. Qui ne venaient pas pour voir de la lutte. Non. Qui venaient pour voir du spectacle. Du guignol en chair et en os.

Il raconte comment, par la grâce d'une paire de sandales et d'un glaive en fer-blanc, il s'était retrouvé gladiateur. The French Gladiator, dans la langue de W. C. Comment il combattait non pas sur un tapis ni même sur un ring mais dans les arènes de l'Antiquité. Comment il affrontait tantôt un Peau-Rouge, tantôt un pirate borgne, tantôt un esclave nègre, tantôt un cruel pygmée cannibale joué par le nain à tout faire, tantôt les quatre à la fois dans un final orgiaque et débridé au milieu duquel on n'hésitait pas à lâcher la panthère. Why not ? Chacun avait son rôle et l'issue était connue de tous. Car tout était écrit. Tout était truqué. Tout était faux. Les légendes, fiston. Les fameuses histoires. Le noble art on s'en fout, ce que le public voulait c'était du rêve, et W. C. Harding était là pour lui en offrir. Ou plutôt pour lui en vendre. Compte : quatre à cinq mille pigeons par soir à vingt-cinq cents l'entrée, ça en fait des dollars à la sortie. In God We Trust sur chaque pièce et sur chaque billet. Estampille officielle. Parole d'évangile. La seule et unique religion de l'Amérique.

Il raconte comment son heure de gloire avait duré deux ans. Comment elle avait brusquement pris fin un matin dans le comté de Macon en Alabama lorsqu'on avait constaté que le sieur W. C. s'était bel et bien volatilisé en même temps que le coffre-fort en acier contenant les recettes de la tournée ainsi que les économies personnelles d'une bonne partie des employés de la Wild World Wrestling. Hop là ! Disparus dans la nature. Le beurre et l'argent du beurre fondus d'un coup et toute la troupe roulée dans la farine, essorée, ruinée. Fucked, dans sa maudite langue de chiottes. Bien sûr ça aussi c'était écrit et pourtant personne n'avait su le déchiffrer. In God We Trust tant que tu veux mais ne fais jamais confiance à un type habillé en loutre, conseil d'ami.

Il raconte comment en moins d'une semaine la compagnie avait été démantelée. Avant de se séparer les cinquante-cinq membres floués avaient vendu chevaux et chariots et tout ce qu'il était possible de vendre et la somme ainsi réalisée ils l'avaient partagée équitablement entre eux, y compris le nain qui avait reçu une part entière. Ce qui restait à chacun ne représentait pas grand-chose et ce pas-grand-chose n'avait pas fait long feu.

Il raconte comment Sheerpa la panthère s'était laissée mourir de faim après l'abandon de son maître.

Il raconte comment lui, pour ne pas mourir de faim, s'était mis d'accord avec le pirate borgne et avec l'esclave nègre pour continuer à faire la seule chose qu'au fond ils savaient faire : lutter. Finalement le nain s'était joint à eux et pendant des semaines et des mois tous les quatre avaient écumé le territoire en long en large et en travers comme un carré de mercenaires apatrides et déguenillés. Comme les derniers fantassins d'un bataillon décimé au cours d'une guerre dont nul ne se rappellerait même avoir entendu parler.

Mais qu'étaient-ils d'autre ?

C'était fini les grandes villes. Fini la réclame et les affiches et les arrivées en fanfare et les guichets pris d'assaut. Désormais ils faisaient halte dans des patelins dont certains n'avaient jamais figuré sur aucune carte et ils combattaient dans la boue ou dans la poussière, dans la paille ou le foin, l'un contre l'autre ou contre n'importe quel fier-à-bras qui se tenait là parmi cette maigre population d'épiciers et de marchands de grains et de fermiers édentés. C'était fini le gladiateur, le pirate borgne, l'esclave nègre, le pygmée cannibale, fini les arènes romaines, il n'y avait plus ni costumes ni décors ni la moindre trace de cette splendeur révolue, il y avait juste trois costauds loqueteux qui se battaient et une demi-portion qui passait dans les rangs clairsemés avec un chapeau.

Tout a une fin, fiston. Et elle est rarement heureuse.

Un à un ils avaient quitté la piste. L'ancien esclave s'était fait lyncher au cours d'une kermesse de fantômes encagoulés dans l'état du Tennessee. L'ancien pirate s'était noyé en tentant de traverser les eaux de la Pocomoke River dans l'état du Maryland. L'ancien pygmée s'était fait enrôler comme boulet de canon par un cirque itinérant.

Et voilà comment au bout de ce périple il était revenu à son point de départ seul et sans un dollar en poche et avec vingt-deux kilos en moins. New York City. Big Apple. Et voilà encore comment en traînant au hasard sur les quais il avait vu débarquer la Liberté en pièces détachées. Et comment jour après jour il l'avait vue se reconstituer et s'ériger et grandir mètre après mètre, et comment il avait pleuré lorsqu'à terme elle avait brandi fièrement sa torche vers le ciel et porté son beau et grave regard par-delà les mers vers la vieille Europe où elle était née, et comment ce jour-là il s'était juré de se montrer digne d'elle et de ne pas demeurer prisonnier de cette terre étrangère et de ce peuple cupide et sans pitié et comment dans la semaine qui avait suivi il s'était embarqué en toute clandestinité dans la soute d'un transatlantique en partance pour Bordeaux non sans avoir au préalable propulsé un crachat à la face de Manhattan en guise d'au revoir et même d'adieu à jamais. Bye-bye. So long.

Ainsi se terminait cette aventure.

Le garçon dort, le menton sur la poitrine. Il s'est assoupi quand les choses ont commencé à mal tourner mais Brabek a feint de ne pas s'en apercevoir et il a poursuivi son récit. À présent le silence retombe. Le feu n'est plus que braises. Brabek reste un instant assis à contempler le garçon. Puis il pousse un soupir et se lève et le prend dans ses bras et le porte jusqu'à la roulotte. Dans le fond du véhicule se trouve un lit en alcôve : c'est ici que Brabek dépose son hôte. Après quoi il se retire et referme la porte derrière lui et retourne s'asseoir auprès du foyer.

Rien ne s'oppose à ce qu'ils fassent un bout de route ensemble.

Veynes, Eyguians, Orpierre, Saléon, Le Poët, Trescléoux, Sainte-Colombe, Esparron, Serres, Embrun, Buissard, Crévoux, Arvieux, Saint-Crépin, Les Orres, Rosans, Tallard. Ils vont de place en place. Brabek connaît toutes les dates et tous les lieux de foires et de marchés et il semble qu'en chacun de ces lieux il soit connu de tous. Résultat de vingt années et plus de pratique – sans compter que sa gueule ne s'oublie pas. Des liens ont été tissés. Il est passé hier, il repasse aujourd'hui, il repassera demain et ceci jusqu'à ce qu'un mauvais vent l'emporte et qu'on puisse affirmer avec certitude : Brabek n'est plus. Ce jour viendra.

Roybon, Vinay, Biol, Saint-Ismier, La Verpillière. Ils décampent avant l'aube. Somnolant côte à côte sur le banc du coche, cahotant, dodelinant du chef. Le toit fait auvent et deux falots y pendent, qui n'éclairent guère plus loin que la croupe du hongre. Les guides sont lâches entre les doigts de Brabek. Le cheval sait où il va. Lui aussi est déjà passé par là et s'en souvient. Par les chemins obscurs il suit ses propres traces. Son pas est lourd mais non dépourvu d'élégance – son côté féminin sans doute. Un nom tombe de la bouche de l'ogre : leur prochaine étape.

Châbons, La Tour-du-Pin, Le Gua, Tullins, Échirolles, Pontcharra, Billieu, Crolles. Il a la carte dans la tête. Il refait son Amérique à moindre échelle.

Beaurepaire, Voiron, Charavines, Chanas, Bully, Condrieu. Ils entrent dans la ville quand les étals sont en place. Il ne manquait qu'eux. D'abord Brabek effectue le tour complet avec la roulotte, un bras levé et le sourire aux lèvres comme à la parade. Puis il arrête son char sur une aire libre et entame un second tour, à pied cette fois, distribuant au passage tout ce qu'il a, c'est-à-dire beaucoup de cœur et pas mal d'esprit. Il échange une poignée de main, donne une accolade, interpelle chaque marchand, complimente celui-ci pour la tenue de ses volailles, moque celui-là pour la taille ridicule de ses pourceaux. C'est charmant ou c'est drôle, et ça ne fait jamais mal. Il tutoie le maire et le garde champêtre. Il faut le voir ensuite pousser la porte du café et saluer la compagnie et traverser la salle à grands pas pour se fendre d'une profonde révérence devant la patronne, s'incliner sur le coton de son tablier comme on le ferait sur la robe satinée d'une altesse. La dame le relève d'un coup de torchon. Elle en a vu d'autres mais ses pommettes ont rosi, elle est aux anges. La petite serveuse pouffe. Brabek l'attrape à la taille et la décolle du sol et la fait tournoyer dans les airs. Elle crie et elle rit. Tout le monde rit. Brabek est un ogre qui enchante. Ils sont nombreux à croire que les Carpates sont des îles merveilleuses où il pleut du cidre et du miel.

Vourles, Marennes, Lentilly, Lucenay, Chassagny, Courzieu, Villechenève. Le garçon suit. Les

155

premières fois il était au bord du vertige. Tant de gens et tant de bruit d'un coup. Mais il s'habitue vite. Il y prend goût. Brabek le présente comme son assistant. Les commères chuchotent qu'il est son bâtard caché. Les pervers chuchotent de pires choses mais on ne leur prête guère l'oreille. Après leurs tours de chauffe l'ogre et le garçon retournent à la roulotte. Le premier va se changer à l'intérieur tandis que le second déblaie le terrain devant, balaie le parterre et y trace un cercle de sept mètres de diamètre ainsi que Brabek lui a appris. La surface de combat. Tout est prêt lorsque l'ogre ressurgit. Il porte une culotte noire moulante et de souples chaussures à lacets qui lui montent à mi-mollet. Debout sur le marchepied il commence à haranguer. Il hèle, il apostrophe, il rugit, et pendant l'attroupement qui s'ensuit il descend les marches et entre dans le cercle et l'arpente comme un fauve sa cage. Il prend des poses. Il fait jouer ses muscles. Il amuse la galerie. Il provoque. Il défie. Il a l'œil pour choisir sa cible : la brute du village, le champion local, bûcheron, charron, tonnelier, charpentier, celui qui a le torse bombé et une réputation à défendre. Ou encore celui qui a une fiancée pendue à son bras et ne pourra se défiler sous les yeux de la belle. L'honneur, fiston, c'est comme les bretelles : aucun homme n'a envie de les perdre et de se retrouver le pantalon aux chevilles. Brabek pique, Brabek titille. Où sont les mâles ? Du pouce il indique le hongre derrière lui et insinue que c'est le seul qu'il voit ici : personne dans l'assistance ne lui semble mieux pourvu… Houuu ! La banderille fait mouche. Les femmes se poussent du coude et gloussent. Elles ont les yeux qui pétillent. Ces messieurs ont le sourire qui grince. Il en est toujours un qui finit par relever le gant. Le gaillard sort du rang et s'avance en roulant des épaules et il entre à son tour dans le cercle. Les cris fusent. On l'encourage, on le siffle, on l'applaudit tandis qu'il quitte sa veste et retrousse les manches de sa chemise.

Anse, Lozanne, Bron, Aveize, Le Perréon. La suite est à l'avenant. Affaire de dosage. Il n'est pas de plus fin alchimiste que l'ogre des Carpates. En moins d'une minute il a jaugé l'adversaire, pris sa mesure : taille, poids, force, adresse, technique, ruse et le reste. Il pourrait, en moins de temps encore, lui faire mordre la poussière. Mais à quoi bon ? Qui s'en trouverait satisfait ? Brabek distille. Des vils ingrédients d'une rixe à mains nues il obtient l'essence d'un moment, sinon de grâce, du moins de plaisir. Il fait durer. Il sait ce qu'il peut donner et ce qu'il peut prendre. Ce qu'il doit concéder et ce qu'il doit infliger. Jouer avec les nerfs, les tendre, les faire vibrer, les relâcher. Alterner les fanfaronnades et les tremblements. Il sait aussi quand il faut conclure. Sans humilier. Il vaincra, certes – on a soi-même honneur et réputation – mais sur le fil. Que l'autre puisse sortir la tête haute. Qu'il puisse s'imaginer qu'il s'en est fallu d'un cheveu et que la prochaine fois, la prochaine fois... C'est une affaire qui tient du respect et du commerce. Blesser, non. Ravir, oui. On paie pour ce que l'ogre donne et on en a pour son argent. Que l'on procède à la pesée en partant et l'on verra que sa bourse s'est alourdie d'autant que s'est allégé le cœur des chalands.

Ils remballent.

Brullioles, Marcy, L'Arbresle. Le garçon efface le cercle sur le sol. La lutte fut éphémère, la joie aussi. Ne doit subsister de leur passage que cette impression qui découle d'un rêve heureux mais volatil, insaisissable au réveil, et pour certains quelques bleus ou quelques côtes endolories.

Ils s'en vont.

Cogny, Tarare, Châtillon. La roulotte démarre, s'éloigne sous l'escorte d'une bande de gamins piaillant tout leur soûl, demi-Sioux sur le sentier d'une guerre en carton-pâte. C'est l'engeance de Brabek. Tous ces enfants que l'ogre n'a pas dévorés.

Et puis ils sortent de la ville et c'est à nouveau la route pour eux seuls, l'ample horizon, le temps poussivement décompté à l'amble du hongre.

Villars-les-Dombes, Virieu-le-Grand, Miribel, Sermoyer, Trévoux, Poncin, Ferney-Voltaire, Belley.

Ils font halte à mi-chemin. Rien ne presse. La lumière est belle en ces soirs d'été. Brabek choisit les abords d'un cours d'eau. Ils dressent leur camp, sèment quelques pierres de manière à circonscrire un foyer. Le garçon s'occupe du cheval. Brabek lui a appris. Ce n'est pas une corvée, c'est un privilège. Peut-être le moment entre tous qu'il préfère. Il dételle, il déharnache, il brosse, il étrille, il cure, il abreuve et nourrit. C'est un bonheur pour lui que d'enfouir sa figure dans l'encolure de l'animal et de respirer son odeur. C'est un bonheur pour Brabek que d'être témoin de ce bonheur.

Thoiry, Thoissey, Manziat, Saint-Pierre-la-Palud, Dagneux, Ambronay.

Ils s'empoignent. Ils s'embrassent. C'est qu'à présent le jour décline et que débute l'entraînement. On parle toujours de la même chose : la lutte. (Connais-tu un homme, un seul, qui n'aurait pas à se battre ?) Le garçon voulait savoir, Brabek lui enseigne. Les règles et les rudiments, les positions, les prises. Brabek lui explique et lui montre. L'art du croisillon. L'art du bras roulé. L'art de la liane. L'art du décalage avant. Ils répètent et l'on assiste, près du point d'eau, au simulacre de combat entre le disciple et son maître – ou dirait-on plutôt, vu les proportions, entre la grenouille et l'hippopotame ? L'art du pont. De la ceinture en pont. De la sortie de pont. Il arrive quelquefois que Brabek ferme le poing et en assène trois coups brefs sur le crâne du garçon. Rappel. La tête, fiston, c'est avec la tête qu'on gagne. L'art de la roublardise. Indispensable. L'art de la projection. Et le plus important de tous : l'art du tombé. Car c'est ainsi, toujours, que tout s'achève – Brabek insiste là-dessus.

Puis le garçon se lave. Lhuis, Seyssel, Fareins, Seillonnaz. Tous les jours de la semaine – Brabek n'insiste pas moins. L'hygiène. Tant que dure la bonne saison il fait ses ablutions dans la rivière ou le ruisseau. Plus tard, quand le froid descendra sur la terre, il aura pour baignoire un ancien tonneau de deux cents litres en bois de chêne que Brabek a récupéré naguère dans un vignoble de Pauillac dans le Médoc et qu'il a scié au tiers afin de le convertir à cet usage. Le fût est accroché sous le plancher de la roulotte. Chaque soir d'automne et chaque soir d'hiver Brabek le décrochera, il fera chauffer de l'eau, il l'en emplira, il y ajoutera parfois une goutte d'extrait de lavande ou de lilas, et tour à tour le garçon puis l'ogre y plongeront, et tandis que les humeurs et la crasse se détacheront d'eux, tandis que leurs corps se purifieront, le ciel peu à peu leur sera dévoilé, derrière la vapeur, derrière la buée leur apparaîtront, par milliers, les astres incrustés dans le noir profond.

Cormoz, Massieux, Nantua, Argis, Saint-Paul-de-Varax.

Mais à ce jour il fait encore bon. Le garçon sort de l'eau ruisselant et laisse l'air sécher sa peau. Ils dînent de ce qu'ils ont. Lentement la roue tourne et l'ombre les recouvre. Ils ne sont plus bientôt que deux silhouettes autour des flammes, l'une expansive et l'autre muette. Durant les heures qui suivent Brabek se livre : c'est un nouvel épisode de ce qu'a été son existence, qui a été riche et pleine. Il relit à voix haute son histoire. Sa propre épopée. Sans doute a-t-il conscience que ce qui fut a désormais bien plus de poids que ce qui sera. Il y a des signes qui ne le trompent pas : son règne va s'achever. Il ne croit pas au royaume des cieux. C'est ici et maintenant que ça se passe. Et c'est pourquoi il requiert la présence d'un témoin, dépositaire et légataire. Souviens-toi, fiston. Sa vie est son grand œuvre et la part majeure de l'héritage qu'il espère lui transmettre. Que le garçon conserve non ses cendres mais son flambeau.

Chauffailles, Écuisses, Pierre-de-Bresse, Simandre, Louhans, Vonnas, Perrecy-les-Forges, Dommartin-lès-Cuiseaux.

Jusque tard dans la nuit Brabek déroule son récit. Dans sa bouche le monde est vaste, les plaines immenses. Et les montagnes et les collines et les vallons.

Partout où brûle un feu c'est chez eux.

De plus en plus souvent le garçon prend les guides. Brabek lui a appris. Il n'y a pas grand-chose à faire mais il s'y applique. Il est fier. Buste raide, regard au loin, à croire qu'il mène grand train, cortège princier. Il invente un singulier idiome fait de bruits de bouche et de claquements de langue dont il est seul à connaître la clé. Le hongre l'ignore royalement.

Aux abords de Cluny, Saône-et-Loire, il croise sa première automobile. Une Delaunay-Belleville rutilante. 6 cylindres, 40 chevaux. On dit que c'est le carrosse favori du tsar Nicolas II – et d'ici peu celui d'un dénommé Jules Bonnot et de sa bande. Ce matin-là l'engin est conduit par un baronnet du coin féru de mécanique et pourvu d'un masque de protection qui lui donne la touche d'une grosse mouche aux yeux globuleux. En somme une sorte de diptère monté sur un coléoptère vrombissant. Le garçon en perd de sa superbe. Par réflexe il a tendu la bride, le hongre s'est arrêté. La roulotte reste plantée sur le chemin et la bouche du garçon bée comme s'il comptait aspirer toute la poussière qui déjà retombe dans le sillage de la Delaunay. Brabek sourit à part lui.

— Les machines, dit-il.

Il laisse s'évanouir le bruit des cylindres et des chevaux puis du haut de son siège il ajoute :

— L'homme peut tout inventer. Il peut tout créer et il peut tout détruire. Au choix. C'est lui, c'est lui seul qui a la boule d'argile au creux de sa main. Que va-t-il en faire ? Faut voir…

Son sourire affleure, se creuse – une fissure dans le relief tourmenté de sa figure.

— Tout dépend, en fait, de la sorte d'homme à qui appartient la main. Si c'est un savant. Si c'est un soldat. Et si c'est un poète ? Tu comprends bien que le résultat ne sera pas le même, selon. Et toi ? dit-il. Qu'est-ce que tu en ferais, toi, de cette argile ?

Le garçon regarde la grosse patte que l'ogre est en train de hisser devant lui.

— N'hésite pas à voir grand, dit Brabek. On peut toujours rêver, qu'est-ce que ça coûte ?

L'un de ses doigts, l'index, se dresse vers le firmament.

— Moi je dis qu'un jour, la lune sera notre potager.

Le garçon lève les yeux. Au ciel il ne voit ni lune ni légumes, juste une frêle cordillère de nuages dans le flou de l'horizon.

Il faut du temps, parfois, pour assimiler.

Ils repartent.

La route défile. La saison change. C'est l'automne qui vient et sa chape de plomb que transpercent ici ou là un chevron de bernaches, des grives, des râles des genêts. Tout migre. Les feuilles tombent et pourrissent. La pluie s'en mêle. Le crachin. Il est des aubes grises qui n'en finissent pas, des trajets qui frisent l'immobile et s'éternisent. Malgré tout ils avancent. Le hongre appose le sceau de ses sabots dans la boue molle. Les roues s'enfoncent, créent des ornières pareilles aux rails d'un antique tortillard sillonnant l'arrière-arrière-pays, et révèlent ainsi leurs lignes de fuite. D'une étape à l'autre on pourrait les suivre à la trace.

Les humeurs de la météo les contraignent parfois à se produire sous un préau, ou dans une grange, une étable. On pousse les bottes et les ballots, les outils et le bétail. On s'entasse. Ça sent le foin, le cuir, la pierre, la peau, tout cela gorgé d'eau et vaguement rance et tout cela diffus, soumis aux relents impérieux du fumier. Avant le combat le garçon étale sur les épaules de Brabek et sur son torse une pommade grasse, une espèce d'onguent dégageant une forte odeur de camphre et qui a pour double avantage de soulager le sensible odorat de l'ogre en même temps que de rendre moins aisée la prise de l'adversaire.

Le rôle du garçon s'est étoffé. L'assistant ne se contente plus de balayer l'aire et d'y inscrire le cercle, il fait aussi office de soigneur ou tout comme. Entre deux rounds il s'empresse de passer un linge humide sur la face de son champion, lui masse la nuque, les omoplates, les mollets. Ça impressionne. À partir d'un vieux pavillon qui pendait jusqu'ici à l'un des montants de la roulotte Brabek lui a confectionné une cape. C'est le costume du garçon. Sa tenue de scène. Et plus encore : c'est l'emblème de son intronisation. Désormais on peut dire qu'il fait partie intégrante de la troupe. Partenaire officiel de l'ogre. Complice. Sans compter que cet artifice ajoute une touche d'exotisme à la composition d'ensemble (paillettes, poudre aux yeux : réminiscences des leçons de W. C. Harding) et exacerbe le patriotisme des challengers. Qu'importe si l'on ignore que ces trois bandes – bleu, rouge, jaune – représentent les couleurs fanées de la modeste et défunte principauté de Transylvanie, on sait du moins qu'il s'agit d'une bannière étrangère, soit un possible ennemi, un envahisseur en puissance : par principe il faut en découdre.

À l'issue du combat le garçon fait la planche et l'ogre victorieux le soulève d'un bloc, le porte à bout de bras comme un trophée, comme cette ceinture en or qu'il ne portera jamais. (Maudit cochon !) C'est une autre tradition nouvellement instaurée. Une manière de parade finale. Ils tournent et tournent à l'intérieur du cercle. Rotation, révolution. La cape flotte, le garçon plane. À quinze années de là il aura l'occasion d'observer le ventre blanc des albatros dans l'azur, et il saura.

L'hiver les prend brutalement dans les lacets du col du Lancier, à mille mètres d'altitude. Haut-Jura. Un raccourci, avait dit Brabek. Il est midi lorsque la nuit s'abat sur eux. Le ciel est si bas qu'il cache le toit de la roulotte. Ils étaient presque parvenus au sommet. Presque. Cernés par un déluge de neige, piégés, assiégés. Ils ne voient plus rien mais il n'y a plus rien à voir, ni sentier, ni crevasse, ni pic, ni forêt d'épicéas, en une heure de temps tout disparaît, tout s'étouffe et s'abolit, les formes comme les sons. C'est la mort blanche. Le grand silence immaculé.

Ils se calfeutrent à l'intérieur en attendant que ça se tasse. Le soir se lève une espèce de blizzard qui fait vibrer les planches et s'infiltre par les plus infimes interstices. Le mercure descend jusqu'à quinze degrés sous le zéro. Le poêle siffle. La faible lueur qu'il produit ne réchauffe guère que le cœur, et encore. Brabek est allongé sur son lit. Il ne dort pas. Il pense au cheval, dehors. Au bout d'un moment il se relève et s'enveloppe dans sa couverture et sort. Tout colosse qu'il est la gifle du vent le fait vaciller. Il porte son regard entre les brancards, scrute à travers les bourrasques et l'obscurité. D'abord il ne voit pas le hongre. Ne le reconnaît pas. Ensuite il le croit mort sur pied. L'animal est caparaçonné d'une épaisse couche de neige et de givre. Une congère parmi les autres. L'ogre s'approche. Les paupières de la bête sont closes, comme scellées, des embryons de stalactites s'accrochent à sa barbiche. Brabek lui frotte le front avec la couverture, il lui souffle dans les naseaux. Puis il entreprend de le détacher et ses doigts gourds s'escriment sur les boucles du harnais. Le métal est glacé, le cuir raide comme de l'écorce. Il délivre le hongre et le tire vers l'avant. Le cheval ébranle les sept cents kilos de sa carcasse et dans le mouvement sa gangue de gel cède avec un craquement semblable à celui du verre sous la semelle. Quelques minutes après le garçon croit rêver en voyant s'encadrer la tête de l'animal à l'entrée de la roulotte. La porte est grande ouverte. Des gerbes de poudreuse l'accompagnent. Des tourbillons, des spirales. Les rideaux volent. Le cheval continue d'avancer. Il passe l'encolure à l'intérieur, il passe les épaules, le garrot, mais sa panse coince dans l'embrasure. Derrière lui Brabek pousse, arc-bouté contre la croupe. Son crâne chauve rougit sous l'effort. Ses oreilles le brûlent. Nul ne peut savoir la nature des mots qu'il crache entre ses dents car la tourmente les arrache et les emporte. Il pousse, il force. À cette heure l'hiver est son Tartare et le hongre son rocher. Moitié dedans moitié dehors l'animal a l'air de rejouer l'acte de sa naissance à l'envers. C'est toujours affaire de vie ou de mort. Ses antérieurs dérapent sur le plancher, ses fers cognent, ses flancs raclent les montants. Cependant il gagne, pouce après pouce il grignote et dans une ultime traction finit par s'engouffrer de tout son long. Du fond de la roulotte le garçon le regarde venir, les yeux écarquillés. Peut-être repense-t-il alors au cheval d'argent, le premier qui lui était apparu, né du vent et de l'écume : la propre licorne de sa propre légende.

— Faudra faire avec, fiston, dit Brabek en refermant la porte.

Ils demeurent ici cloîtrés quatre jours et autant de nuits. L'ogre, le hongre, le garçon. Au mieux c'est un igloo, au pire un cercueil capitonné. La neige est partout, telle l'ouate invisible qui nimbe certains songes. Elle fait tampon, elle les isole et les protège à sa façon. Mais ne les nourrit pas. Leurs maigres provisions s'épuisent. Faute de bois le poêle s'est tu. Des volutes sortent de leurs bouches. Leurs haleines se confondent. Ils ont froid. Il faut plus de vingt-quatre heures avant que le cheval ne retrouve sa robe baie. L'eau s'écoule goutte à goutte et forme aux pieds de l'animal de petites flaques qui sitôt sur le sol se remettent à geler. De minuscules lacs de glace que le garçon casse à coups de manche de couteau. Il y a une trappe dans le plancher que les anciens propriétaires avaient aménagée afin de pouvoir prestement se soustraire à la maréchaussée : c'est par cette bonde qu'ils évacuent tout ce qui doit l'être.

Dans le courant de la quatrième nuit la tempête faiblit. À l'aube elle cesse. Le soleil pourrait bien être le premier qui se soit jamais levé. C'est un monde vierge qu'il irradie. Un monde qui serait un océan. Blanc. Houleux. Une houle qui serait immobile. Brabek donne un grand coup d'épaule pour débloquer la porte, puis il se glisse dans la lumière. Debout sur la butte enneigée du marchepied il promène son regard alentour. Malgré le saillant de ses arcades il doit mettre une main en visière pour ne pas être ébloui. Sa première pensée va au paradis. Sa seconde à l'enfer. Ce n'est ni l'un ni l'autre et il le sait. Au bout d'un moment il soupire et laisse retomber sa main. Là où hier encore sur sa face aurait fleuri un large sourire c'est une simple esquisse qui se dessine aujourd'hui. Presque une ombre. Presque. Le garçon émerge à son tour, clignant des paupières comme au sortir d'une année de cachot. Il se poste aux côtés de Brabek et de longues minutes durant ils contemplent à nouveau ensemble. Ce ne sont pas non plus les réverbères d'Ellis Island. Ce n'est pas la Terre promise. Brabek se tourne vers le garçon. Il pose les doigts sur sa nuque, l'enveloppe doucement de sa paume. Il ne dit rien.

Ils mettent une journée de plus pour se dégager et encore deux pour venir à bout de la route. Ils poussent au cul dans ce qui reste de la montée, retiennent dans les derniers lacets de la descente. Hormis de la neige fondue ils n'ont rien avalé depuis près d'une semaine. Quand enfin ils aperçoivent au loin la fumée d'une cheminée le plus atteint des trois n'est pas celui qu'on croit.

Était-ce l'hiver de trop ?

Après l'épisode de la tempête Brabek n'est plus tout à fait le même. Il a laissé là-haut dans le col une ou deux choses qui ne lui seront jamais restituées. Qu'il ne récupérera pas. Appelons ça sa boussole. Appelons ça sa grandeur. Depuis lors il se perd et se réduit.

Il a maigri mais son corps paraît plus lourd à porter. Ses propres os lui pèsent. Il se voûte. Ses articulations enflent et se grippent. Si l'on pensait que ses orbites ne pouvaient se creuser davantage, on se trompait – et ses yeux s'enfoncent au plus sombre de ces cavités, à l'instar des jeunes animaux apeurés qui se rencognent au fond des grottes ou des vieux qui s'y retirent pour mourir.

Le soir il raconte moins. Sa parole se tarit plus vite. Il la retient, dirait-on. L'économise. Thésaurise sa salive et son souffle comme des ressources qui se raréfient, conscient de devoir bientôt les réserver au seul usage de son commerce. A-t-on jamais vu bateleur muet ? On en a vu en revanche qui crevaient de faim. Il sait qu'il ne peut pas compter sur le garçon pour le suppléer dans cet exercice. Alors il se tait. Il est las de toute façon et aspire au repos.

Il se couche tôt. S'éveille au milieu de la nuit en frissonnant dans des sous-vêtements à essorer. Sur sa poitrine de buffle un buffle est assis. Sa respiration siffle. Son lit semble plus étroit mais l'alcôve qui l'abrite a pris les proportions d'une galaxie. Il y cherche des étoiles qui n'y sont pas. La nuit est sans phare, sans balises. Au matin le garçon le trouve les yeux ouverts et l'air d'un voyageur épuisé.

L'âge ? Non. Ce ne peut être uniquement ça. Ce qui se trame serait plutôt de l'ordre d'un changement de statut. D'ogre il redevient homme. De brasier il se fait bougie. Veilleuse.

À Besançon dans le Doubs on le traite de Quasimodo. C'est inédit. Cela advient dès leur entrée dans un estaminet où ils ont fait halte pour se réchauffer. On a beau se trouver sur les terres natales du père Hugo, tout de même le mot est fort. Celui qui l'a lancé est appuyé au comptoir. Il est jeune et fluet. Un lettré sans doute. Fils cadet et décadent d'un notable local. Il transpire son aigreur de provincial et ses huit ans de pensionnat chez les Jésuites et les six verres d'absinthe qu'il vient de s'envoyer. (Le dernier, vide, est toujours dans sa main.) S'ensuit un court silence. L'ange qui passe est cornu, ses ailes sont noires. Le garçon regarde tour à tour Brabek et l'autre. Il ne sait que penser. Comme la plupart des autochtones présents dans la salle il ressent le malaise mais en ignore la cause. Aucun n'a lu l'œuvre du poète. Brabek, si. Au stade où il en est il pourrait encore écraser a gueule du freluquet contre le zinc et lui briser la totalité des dents, cependant ce n'est pas ce qu'il fait. Il commande deux vins chauds. Et quand il est servi il tend l'un des verres au garçon puis lève l'autre, le sien, à l'adresse de l'insolent, et son geste tient plus de l'absolution que du toast.

— Je présume que c'est un compliment, dit-il. Lorsque l'on sait que dans ce corps disgracieux se cache l'âme la plus pure qui soit...

Puis il sourit. Puis il boit, et dans la salle on respire à nouveau et ceux qui ont encore de quoi l'accompagnent.

Le soir même il répond aux questions que le garçon n'a pas formulées. Il parle du sonneur de cloches. Des gargouilles de la cathédrale. Des apparences. Du dedans et du dehors. Il parle de la laideur et de la beauté. Il dit qu'il aimerait bien voir la trombine de ce dieu qui l'a soi-disant créé à son image. Il dit qu'il aurait mieux fait, le Vieux, de s'attacher en premier lieu à créer un miroir – tu ne crois pas ?... Blague à part, fiston, est-ce qu'on a le choix ? Non. Pas pour ça. Il dit qu'il ne faut pas espérer trouver de l'équité en tout et pour tout. Il dit que c'est peut-être une question de chance, ou de destin. Pour les uns c'est pile ou face, pour les autres c'est inscrit dans le dessin des astres au-dessus du berceau. Pour lui c'était joué dès le départ. Bien avant qu'il ait son mot à dire, avant même qu'il ait poussé son premier braillement. Il parle de petite graine et de semence. Il cite des termes savants tels que « tératogène », « acromégalie ». Croissance excessive des extrémités. Mais qui sont ces serpents... ? C'est simplement ce que tu as en face de toi, fiston. Et disant cela il montre le dôme de son crâne, énorme, il agite dans l'air ses mains immenses, il soulève un par un ses panards gargantuesques qui sont en train de tremper dans un baquet empli d'eau tiède et de gros sel. Ses membres de titan. Les attributs de l'ogre. Il dit que c'était son lot. Sa dot à la naissance. Sa fortune et son malheur. Il dit qu'il faut prendre en considération la puissance que cela lui a donnée, l'ampleur, l'aura, et il faut prendre tout autant la crainte et le dégoût et le rejet que cela engendrait. Il y avait dans cette démesure une bonne part de souffrance et de douleur et il y avait une part à peu près égale d'orgueil et de fierté. Mais avec le temps, dit-il, force est de constater que la première s'étend et la seconde s'amenuise. Qui sait pourquoi ? Qui peut nommer avec précision les causes du désastre ? Il dit qu'il a aujourd'hui l'impression que ses os vont transpercer sa peau. Qu'il doit porter dix fois son poids à chaque foulée. Que le ciel prend de la hauteur tandis que lui rapetisse, et que ces deux prémisses une fois énoncées il n'est pas sorcier d'en déduire que la lune est de plus en plus difficile à décrocher. C'est mathématique, fiston.

L'ironie veut que l'astre en question s'extirpe à cet instant d'un amas de nuages, cependant ils ne peuvent le voir car ils se tiennent à l'intérieur de la roulotte. Une petite lampe est posée sur la table amovible, c'est la seule source de lumière. Brabek respire. Les pieds dans la bassine, les coudes sur les cuisses. L'orbe de son crâne ceint d'un nimbe doré. Il y a des semaines qu'il n'a discouru aussi longtemps. Le garçon est assis en tailleur sur sa couche à l'orée de la pénombre et ne le quitte pas des yeux.

L'ogre se pince le lobe de l'oreille entre le pouce et l'index. Il murmure pour lui seul quelque chose qui ne dépasse pas le seuil de ses lèvres. Après quoi il soupire, puis redresse la tête.

Il dit que ça, c'est le dehors. Ce qui se voit. La laideur, dans son cas. L'horrible et le difforme, n'ayons pas peur des mots. Mais par bonheur ce n'est pas tout. Et la beauté alors ? Où est-elle ? Où se cache-t-elle ? Il rappelle la créature de Notre-Dame, le monstre, la semi-bête hideuse, et il convoque à sa suite la gitane, la saltimbanque aux yeux d'onyx. Celle qui danse. Qui ensorcelle. Celle qui lit dans les lignes de la main et qui parfois les fait dévier. Celle qui est à elle seule l'étincelle et la flamme et la cendre. L'origine et la fin. Mais il n'y a pas que dans les contes, fiston. Dans la vie aussi. Tu verras. La vie a au moins ceci de bien c'est qu'elle déborde quelquefois de son lit. Elle emporte. Elle charrie. L'amour, il parle de l'amour. Et il parle de la lutte parce qu'il ne peut s'en empêcher. Tout s'y rapporte et il y revient. La lutte et l'amour qui en bien des points se recoupent. N'est-on pas deux à se tourner autour ? À se chercher ? À s'étreindre ? À s'embrasser ? N'y a-t-il pas face-à-face ? N'y a-t-il pas corps-à-corps ? Tant de traits communs, dit-il, entre la lutte et l'amour, mais une différence pourtant, et de taille : en amour, ce n'est pas avec la tête qu'on gagne, c'est avec ça. Et disant cela il montre son poitrail, énorme, appose l'une de ses mains immenses à l'emplacement de son sein. Le cœur. Il parle du cœur. Il dit que c'est ici qu'elle repose, la beauté. À l'intérieur. C'est ici qu'elle palpite et irradie. Il dit qu'il est toujours étonnant de découvrir sur quel immonde terreau s'épanouissent les fleurs les plus resplendissantes. Dans quels écrins ignobles se nichent les plus précieux joyaux. Pense à la rose sur le fumier. Pense à la pépite d'or pur qu'il faut arracher à ses scories. Il dit que ce sont des images usées jusqu'à la trame mais qui néanmoins expriment une vérité vraie. Le cœur, fiston. Pas de muscle plus tendre. Une éponge. Il pourrait tout absorber. Il pourrait tout contenir. Et cependant, dit-il, ce qui est plus étonnant encore, c'est que les hommes passent l'essentiel de leur existence à l'endurcir et à l'assécher.

Et là-dessus la lune se perd à nouveau et Brabek va chercher tout au fond du regard du garçon et il dit :

— C'est peut-être une chose nécessaire pour survivre.

Pour ce qui est des combats il puise dans ses réserves. La part de ruse gagne sur celle de la force brute. Tactique et technique comblent ses faiblesses. L'expérience. On aurait pu croire qu'avec le printemps reviendrait la vigueur, dans ses veines une sève nouvelle, régénérée. Il n'en est rien. Mars, avril, le cercle continue de se resserrer, les adversaires de s'alourdir, et plus les jours s'allongent plus sa marge de manœuvre s'étrécit. À deux ou trois reprises il triche. Nul ne s'en aperçoit mais la honte lui ronge l'estomac. La victoire a un goût de fiel.

Où est l'art ? Où est la noblesse ? L'allégresse, où s'en est-elle allée ?

Et puis cela arrive.

C'est dans l'Aube qu'il se couche. Dans la cour d'une auberge du côté de Chaource. Après tout pourquoi pas ici ? C'est une belle et claire journée. Le combat dure moins d'une minute. Moins d'une demi-minute. Le temps de jauger l'homme qui pénètre dans le cercle : du genre taureau fougueux. Massif, court sur pattes. Une race qu'il connaît sur le bout des doigts pour en avoir affronté des troupeaux entiers. Il sait que celui-là va foncer d'emblée, droit devant. Et c'est exactement ce que l'homme fait. Moins d'un quart de minute. Le temps de dire ouf. Brabek aurait pu s'effacer. Il aurait pu amortir. Il aurait pu contrer. Peut-être. Il prend la charge en plein buffet et bascule en arrière. Le temps de voir la terre et le ciel se renverser. Le soleil est au zénith. L'autre est déjà sur lui, qui le chevauche. Il sent sa moustache picoter son front, il sent son odeur de tourbe brûlée. Pour la première fois depuis plus de trente-cinq années ses deux épaules touchent le sol. Clouées. Il aurait pu se dégager. Il aurait pu tenter. Peut-être. Il ne fait pas un geste. Le temps de compter jusqu'à trois. Le taureau se relève en meuglant son triomphe, mais c'est un poids autrement plus grand qui libère la poitrine de Brabek à ce moment-là. Un poids qu'il ne soupçonnait pas. Douze coups s'égrènent à un clocher. Il demeure étendu à terre. Il regarde le soleil en face.

Lorsque le garçon se penche sur son visage il y découvre un sourire d'une qualité qu'il n'a encore jamais vue. Un sourire de bouddha, ou de madone, qui ne lui est pas adressé, qui le transperce.

Le sourire est toujours là quand plus tard ils cheminent au pas le long des rives de l'Armance. De moulin en moulin. L'eau coule et les roues tournent, pales et aubes.

Il est toujours là quand ils s'arrêtent pour bivouaquer sur un parterre de trèfles aussi épais et tendre qu'un tapis de Perse. Un petit étang s'étale à proximité. Il est cinq heures et des poussières. Ils détellent le hongre et font ce qu'ils ont à faire.

Il est là et toujours là le soir quand Brabek se glisse nu dans l'étuve du tonneau. Il y reste longtemps.

La nuque en appui sur le rebord il regarde la nuit descendre.

Il n'a pas ouvert la bouche depuis qu'ils ont quitté l'auberge et maintenant il l'ouvre et dit :

— C'est un endroit sacré.

Le garçon suit du regard la direction qu'indique le doigt de l'ogre.

— La roulotte, dit Brabek. Ceux à qui elle appartenait avant moi disaient qu'une femme n'a pas le droit d'y accoucher. On ne doit pas non plus y mourir. Ceci sous peine de la rendre impure. C'est ce qu'ils disaient et ils y croyaient. Ils croyaient à ces choses. Aux présages et aux sortilèges. À la foudre divine. Pourquoi pas ? À chacun ses bornes… Ce qui est sûr, c'est qu'aucun gitan ne rachètera une roulotte dans laquelle il y a eu un mort.

Entre les joncs un premier crapaud ouvre le bal. Ils tournent la tête vers l'étang. Ils écoutent. C'est un prélude discret mais déjà lancinant.

— Imagine, dit Brabek. Une histoire différente. Une histoire dans laquelle la sublime gitane, ô surprise, aurait partagé l'amour de l'affreux bossu. Ils s'aiment, ils se marient. Et les voilà partis ensemble sur la route, dans leur jolie roulotte toute pimpante. Mais c'est justement là que le problème se pose. Car aussi jolie et pimpante soit-elle, jamais la belle ne pourra y donner la vie. Et jamais le monstre ne pourra y trouver la mort. Sous peine de la rendre impure…

Il regarde le garçon.

— Alors, dit-il, comment faire ? As-tu une solution à ça ?

Il attend une réponse. Le garçon remue la tête.

— Non, dit Brabek. Ni toi ni moi. Ni personne.

Ce qui me fait dire qu'il y a certaines histoires qui ne peuvent tout simplement pas être racontées.

Ils sont deux à présent. Puis cinq, dix, cent, un orchestre au complet qui coasse dans la fosse.

L'eau tiédit dans le tonneau, la peau se fripe et se flétrit.

— Les gens du voyage, dit Brabek. C'est ainsi qu'on les nomme. Mais au bout du compte, est-ce que nous ne sommes pas tous du voyage ?

Cette fois il n'attend pas de réponse. Il se dresse, nu et pâle et ruisselant à la lueur des flammes, et le garçon s'empresse de lui tendre sa sortie de bain.

Il est toujours là, le sourire de madone, ou de bouddha, quand Brabek va se coucher dans l'alcôve, quand il ferme les yeux, quand il s'endort.

Toute la nuit les crapauds mâles se rengorgent. Ils appellent, ils promettent. Exaltent l'amour par leur chant, avec l'espoir que les femelles reconnaîtront dans leur voix celle du prince qu'ils recèlent.

Le garçon trouve le sommeil au petit jour.

Il s'éveille en sursaut une paire d'heures plus tard. Son cœur bat vite et fort. La roulotte est déserte. Le silence règne. Ils devraient être partis, ils devraient être sur la route depuis un bon moment déjà, or ils n'y sont pas. Il se lève et sort. Sur le seuil les rayons du soleil le frappent en pleine face. Il regarde sur sa droite, vers l'étang. Un voile de brume ondoie à la surface, sur ses reflets de nacre un pli iridescent. Rien ne bouge à part ça. Il regarde sur sa gauche. À cent mètres se dresse un vieil orme solitaire. Il repère deux silhouettes presque à contre-jour. L'une est celle du hongre qui broute au pied de l'arbre, l'autre est celle de l'ogre qui pend sous le feuillage. Il y a dans ce tableau une paix et une harmonie rares.

Comme si chaque élément y avait enfin trouvé la place qui de longue date lui était réservée. Composition parfaite. En sautant du marchepied le garçon la fait voler en éclats. Il court jusqu'à l'orme, la bouche ouverte et dans la gorge un cri qui ne sort pas. Le cheval relève la tête et l'observe sans cesser de broyer des tiges entre ses dents. Ses babines se retroussent, un jus jaunâtre coule sur ses gencives. Le garçon s'arrête net dans son élan à cinq ou six pas de Brabek. Il cherche son visage. Jamais il n'a dû lever les yeux si haut. L'ombre de l'ogre s'étire infiniment. Il s'est servi de la longe du hongre. Il a dû se servir aussi de son échine, se tenir en équilibre dessus pour atteindre la branche. Ses pieds lévitent à plus de deux mètres. Brabek est un ogre qui vole.

À l'inverse le garçon choit. Ses jambes se dérobent, il se reçoit à quatre pattes et se met à griffer la terre avec rage, avec fureur, à arracher de pleines poignées d'herbe et de trèfle et de tout ce qui pousse là. Les pleurs sourdent et le cri jaillit sous la forme d'un son rauque, guttural, inarticulé, qui évoque le râle d'une bête blessée et qui fait se coucher les oreilles du cheval et se hérisser son poil.

Lorsqu'il cesse le garçon est vidé. Il reste un long moment sans bouger, le front au sol. Puis il redresse lentement le buste, avec sa manche essuie ses yeux et le bas de son visage maculé de terre et de morve. À genoux il regarde à nouveau l'ogre. Brabek porte sa tenue de lutte : culotte moulante, chaussures hautes. Un papillon volette autour de son crâne puis se pose sur sa paupière, lui butine les cils. Ses ailes céruléennes s'ouvrent et se ferment tel un minuscule soufflet de forge. C'est une chance que les corbeaux ne soient pas encore passés.

Un demi-siècle plus tard une maison sera bâtie à cet endroit, agrémentée d'un jardin dont l'orme sera le centre et l'orgueil. Un homme, quel qu'il soit, se tiendra à la place du garçon. Il couvera du regard des enfants jouant sur une balançoire accrochée à la branche même où ce matin Brabek pend. L'homme aussi bien que les enfants ignoreront tout du destin de l'ogre des Carpates, et c'est une bonne chose certainement.

Il s'écoule encore plus d'une heure avant que le garçon ne sorte de sa prostration. Il retourne à la roulotte et en revient armé d'un couteau qu'il glisse entre ses mâchoires pour escalader l'arbre. Il rampe le long de la branche et coupe la longe. Il n'a pas assez de force pour porter le corps ni même pour le traîner : la tâche est confiée au hongre. Le garçon guide le cheval et son fardeau jusqu'au milieu du pré. Après quoi en écrasant le trèfle avec la plante de ses pieds il trace autour de la dépouille un cercle de sept mètres de diamètre. Puis il dépose sur le corps les effets personnels de l'ogre. Ses vêtements, sa tunique, ses draps. Dans la roulotte il tire de dessous le lit un coffre en bois long et plat et lourd qui n'a jamais été ouvert devant lui. Il hésite un instant puis en soulève le couvercle. Le coffre est rempli de livres. Des dizaines, peut-être des centaines. Du bout des doigts il en effleure les couvertures. Puis il saisit le premier d'une pile et le feuillette précautionneusement. Aucune image, que des signes. Il referme l'ouvrage et le repose. Avec la même délicatesse il inspecte les quelques objets qui complètent l'inventaire des richesses de Brabek. Il y a, lié par un lacet beige, un mince paquet de lettres dans leurs enveloppes décachetées. Il ne les ouvre pas. Il y a un lot d'une douzaine de médailles suspendues à un ruban et sur lesquelles se détachent en relief des silhouettes de lutteurs en pleine action. Il y a une pipe taillée dans un bois noir, au fourneau fissuré. Il y a un éventail aux couleurs naguère chatoyantes. En le dépliant il découvre le dessin très réaliste d'une jeune femme penchée en avant dont les jupons relevés ne dissimulent rien de sa croupe rose et joufflue. Cette vision, associée au coup d'œil canaille que la demoiselle semble lui jeter acrobatiquement par-dessus l'épaule, est cause d'un trouble qu'il ne saurait ni ne cherche à expliquer. Il demeure une bonne minute à détailler l'éventail avant de le replier. Il y a une gourmette de baptême sur laquelle un prénom est gravé. Il y a une layette de nouveau-né en coton bordé de dentelles, à moins que ce ne soit celle d'une poupée. Il y a un document frappé d'un tampon qui fait penser à un diplôme ou à un brevet. Il y a pour finir une affiche roulée d'environ soixante centimètres sur quatre-vingts, qu'il déroule. On y voit en gros plan et au centre l'illustration d'une panthère rugissante, sa gueule noire, ses crocs blancs, ses yeux jaunes. Disséminés autour et de moindre taille se trouvent différents personnages en posture de combat : un pirate affublé d'un bandeau sur l'œil, un nègre aux chevilles entravées, un nain brandissant un fémur plus long que son bras. En examinant de près une figure située dans le bas de l'affiche et représentant un homme en toge, un glaive à la main, le garçon est certain de reconnaître la stature et les traits de Brabek. Sur cette image il était jeune et il était presque beau et on peut se demander dans quelles proportions y sont distribuées l'illusion et la vérité.

Une fois l'inventaire terminé le garçon referme le coffre et le traîne dehors jusqu'au milieu du cercle, puis il l'ouvre à nouveau et il en extrait chaque pièce et les ajoute au bûcher. Il laisse sur place le coffre vide. La dernière chose qu'il va chercher est sa propre cape, le drapeau aux couleurs du pays oublié de Transylvanie, qu'il déploie et étale au sommet du monticule funéraire. Après cela il craque une demi-douzaine d'allumettes et les dispose en divers endroits et souffle dessus pour que le feu prenne.

C'était ce que la mère lui avait dit qu'il faudrait faire.

Tandis que les flammes se nourrissent et croissent il se retire du cercle à reculons.

Aujourd'hui comme hier c'est une belle et claire journée.

Le garçon n'attend pas. Il ne reste pas. Il attelle le hongre et grimpe sur le banc et prend les guides ainsi que Brabek lui a appris, puis il fait claquer sa langue et s'éloigne avec la roulotte.

Cette année-là le Japon annexe la Corée.

Cette année-là est créée l'Afrique-Équatoriale française (AEF), regroupant plusieurs colonies et s'étendant du désert du Sahara au fleuve Congo et de l'océan Atlantique aux monts du Darfour, sur une superficie totale de deux millions cinq cent mille kilomètres carrés, soit environ cinq fois la France.

Cette année-là à Genève, Suisse, Luigi Lucheni, anarchiste, est retrouvé pendu dans son cachot. Arrêté douze ans plus tôt pour avoir assassiné Sissi, impératrice d'Autriche, il avait été condamné à la réclusion à perpétuité.

À Washington DC, États-Unis, Victor L. Berger est le premier membre du parti socialiste à être élu au Congrès.

À Los Angeles Alice Stebbins Wells est la première femme à devenir officier de police.

À Chicago un ingénieur du nom d'Alva J. Fisher met au point la première machine à laver électrique.

À Paris, France, la première enseigne publicitaire lumineuse fait son apparition grâce à la magie du tube au néon. Son inventeur, Georges Claude, chimiste et physicien, sera élu membre de l'Académie des sciences en 1924. Il sera également membre du comité d'honneur du groupe Collaboration en 1940 et membre du conseil national consultatif, nommé par Vichy, en 1941. Condamné à la réclusion à perpétuité, il sera libéré cinq ans plus tard.

Cette année-là dans le XVᵉ arrondissement est inaugurée la grande enceinte sportive du Vélodrome d'Hiver, communément appelée Vél' d'Hiv'.

Cette année-là à Munich, Allemagne, a lieu la première de la « Huitième Symphonie » de Gustav Mahler, interprétée par huit cent cinquante choristes, cent cinquante-sept musiciens, huit solistes vocaux, et dirigée par le compositeur en personne.

Cette année-là dans une verdine stationnée sur un terrain vague de Liberchies, Belgique, naît Jean Reinhardt, lequel sera bientôt doté du surnom Django qui signifie « Je réveille ».

Cette année-là le Parlement belge rejette la proposition du socialiste Émile Vandervelde sur l'introduction du suffrage universel.

Au Mexique débute une révolution initiée par Francisco I. Madero et propagée par les guérilleros Emiliano Zapata et José Doroteao Arango Arámbula, plus connu sous le pseudonyme de Pancho Villa. Tous trois seront trahis et assassinés au cours des quelques années qui suivront.

En Angleterre le duc d'York, George Frederick Ernest Albert, succède à son père et devient George V, roi du Royaume-Uni et empereur des Indes. Au cours des quelques années qui suivront, la puissance de l'Empire britannique atteindra son apogée et le roi George régnera sur près du quart de la population et le quart des terres émergées de la planète.

Au Portugal la République est proclamée et le roi Manuel II contraint de s'exiler.

En Espagne on recense soixante pour cent d'analphabètes.

Cette année-là le président de la République française promulgue une loi pour la retraite à soixante-cinq ans. L'espérance de vie étant alors de quarante-neuf ans pour les hommes et de cinquante-deux ans pour les femmes, la CGT parle d'une « retraite pour les morts ».

Cette année-là la loi pour l'abolition de l'esclavage est pleinement entérinée en Chine.

Cette année-là aux États-Unis un rapport sur l'enseignement médical révèle que quatre-vingt-dix-huit pour cent des facultés de médecine américaines sont loin d'être conformes aux normes des facultés européennes. La très grande majorité des médecins américains en exercice ont reçu une formation aussi aléatoire qu'approximative.

Cette année-là aux États-Unis l'industrie du tabac produit neuf milliards de cigarettes.

Cette année-là aux États-Unis est mise en place la loi fédérale connue sous le nom de Mann Act, stipulant l'interdiction de transporter entre états toute femme ou fille dans un but de prostitution ou de débauche ou dans tout autre but contraire à la morale, et donnant par conséquent à la police le droit d'arrêter sur simple soupçon ou présomption n'importe quel homme voyageant avec une personne du sexe opposé. Le boxeur Jack Johnson, premier Noir champion du monde dans la catégorie poids lourd, sera aussi le premier à être condamné sous le couvert de cette nouvelle loi après avoir été surpris en voiture avec une femme blanche, le jury n'ayant pas tenu compte du fait que cette dernière était en l'occurrence sa compagne et future épouse.

Cette année-là en Afrique du Sud entre en vigueur le South African Act, le principe d'inégalité raciale étant dûment inscrit dans la loi.

Cette année-là le Tournoi des quatre nations devient le Tournoi des cinq nations, la France rejoignant l'Irlande, l'Écosse, le Pays de Galles et l'Angleterre pour la plus prestigieuse des compétitions de rugby. L'équipe de France perd ses quatre premiers matchs.

Cette année-là la Seine déborde. C'est la crue du siècle. On se déplace en barque dans les rues de la capitale. Paris est une cité lacustre. Paris est Venise.

Cette année-là un vent de panique souffle sur la foule, celle-ci croyant la fin du monde arrivée lorsqu'elle voit surgir à travers les cieux une immense flèche de feu. Il s'avère que ce n'est que la comète de Halley effectuant son trente-quatrième passage répertorié dans les parages de la Terre. Pour ce qui est de la fin du monde, elle se présentera sous une autre forme au cours des quelques années qui suivront.

Tout lui manque assurément mais ceci plus encore : la parole. Celle de l'ogre. Ses récits, ses laïus, ses formules et ses maximes. (Regarde, fiston, parce qu'un jour tu ne verras plus. Écoute, parce que tu n'entendras plus. Sens, touche, goûte, étreins, respire. Qu'au moins tu puisses affirmer, le moment venu, que cette vie qu'on te retire, tu l'as vécue.) Ou ne serait-ce que le son de sa voix.

Les soirées sont longues. La nuit peine à venir, peine à repartir. Il faut dire que le monde se fait chaque jour un peu plus vieux. C'est un temps où l'on peut voir le garçon accroupi près du feu, le regard fixe, perdu dans les flammes. Rien ne trouble le silence sinon parfois un froissement d'ailes ou quelque autre furtif craquement révélant une chasse nocturne. Ces sons-là le garçon les connaît, il ne relève pas les yeux. Pas plus que le hongre. Mais qui raconte ? Qui déchiffre et commente pour lui ? Personne. Si l'on se penchait davantage on pourrait aussi voir, à l'ombre de sa moustache à présent moins clairsemée, ses lèvres remuer. Cela lui arrive. Des mots et des phrases, des tirades complètes demeurent dans sa mémoire, qui résonnent, qu'il ressasse, qu'il répète et reformule à sa façon – muette, incertaine : un pauvre mime approximatif. Le garçon parle seul et sans bruit.

Il s'interroge. C'est un temps où sa conscience émerge peu à peu des eaux dormantes, opaques, de l'âge tendre. Elle crève la surface. Elle voit le jour. Mais ce qui est troublant c'est que ce jour qu'elle voit ne semble guère moins glauque que le marécage qu'elle quitte. Il y a les doutes. Il y a les questions, plus nombreuses et pressantes et précises. La mort ? Oui, la mort est au centre de tout. La mort est le siphon, la spirale, le mystérieux maelström où tout se précipite. Comment pourrait-il en être autrement ? En l'espace de deux années il a vu la mère se faire grignoter, il a vu l'ogre se faire dévorer – Brabek, grand et fort comme une montagne, aplati au sol comme rien de plus qu'un fruit blet. Comment ne pas s'interroger ? En des termes qui lui sont propres il se demande, le garçon, si c'est là un sort absolument inéluctable. Si tout un chacun est voué à disparaître et lui de même. À partir en flammes et en fumée. Si les liens qui l'attachent aux autres seront systématiquement dénoués, tranchés. Et si tel est le cas alors dans quelle mesure est-ce sa faute (la culpabilité toujours) ? Et s'il n'y est pour rien alors qui en décide ? Qui s'arroge ce droit, et pourquoi, pourquoi ? C'est un temps où il commence à tâtonner, où son esprit se lance à l'aveuglette dans la quête des causes, des raisons et des buts. Il se demande, le garçon, si malgré tout il n'existerait pas ici ou là un endroit où l'on pourrait vivre et demeurer à jamais avec les êtres qui sont chers à notre cœur. Que ce soit une cabane ou une solide maison de pierre ou un bout de champ au bord d'une rivière ou une simple roulotte. N'importe. Quelque chose quelque part. Un refuge où les heures ne seraient pas comptées, où rien ne pourrait séparer ceux qui souhaitent ne pas l'être. Il se demande si en marchant longtemps, en couvrant une distance assez grande il pourrait atteindre un tel endroit. Il se demande si ce n'était pas cela au fond que la mère essayait de lui indiquer en pointant le doigt vers l'horizon. Mer, mer. La rive opposée. Quelle autre perspective que ce parfait asile aurait pu faire naître la lueur qu'il apercevait dans le noir de ses yeux ? Mais si c'est vraiment là-bas que se trouve ce lieu alors comment le rejoindre ? Il se demande, le garçon, si le foyer de la vie paisible et éternelle n'est accessible qu'à celui qui saurait marcher sur les eaux. Et puis comment la mère l'aurait-elle su ? Elle n'y était jamais allée. Brabek, si. Brabek s'était rendu de l'autre côté de la mer et il en était revenu et s'il avait découvert ce lieu alors sûrement il le lui aurait dit. Sûrement il l'y aurait emmené, il les y aurait conduits, le hongre et lui, plutôt que de se suspendre à une branche et s'écraser comme un coing trop mûr. (Regarde, parce que tu ne verras plus.) C'est un temps de mue. Corps et âme. Les poils chassent le duvet et la lucidité déchire de ses griffes acérées le voile de l'innocence – et la voilà qui pointe à travers les lambeaux son triste museau d'huissier. On peut en prendre le pari. Assis le soir le regard dans le feu et les lèvres qui ânonnent en silence. C'est un temps où le garçon commence à entrevoir de quoi pourrait bien être, hélas, constituée l'existence : nombre de ravages et quelques ravissements.

Il y a encore des nuits où il est tiré du sommeil par des ronflements en provenance de l'alcôve. Il lui faut se lever et tâter le vide de ses mains pour être certain. Pourtant il n'a pas rêvé. Il est rare qu'il se rendorme ces nuits-là.

Il conserve quelques-unes des habitudes acquises, tel le bain quotidien – quoique parfois réduit à un rapide débarbouillage. Aussi le départ aux aurores, alors qu'il n'a plus ni horaire à respecter ni destination précise. Il ignore le calendrier des foires et des marchés, il ignore jusqu'aux noms des villes et des villages. Qu'est-ce qui gouverne sa trajectoire ? Le hasard. Le hongre. Certaine étoile, qui sait.

Il longe des champs où l'on sème, d'autres où l'on cueille ou ramasse. De loin en loin un vieux se redresse entre deux sillons et lève son chapeau pour le saluer, une fillette agite le bras à son passage. Il répond à ces signes. Il ne s'arrête pas.

Il dérive vers l'ouest, suivant les rivières. Des jours durant il remonte le cours de l'Orge, puis celui de l'Yvette, souvent le nez en l'air afin de repérer au faîte des arbres les larges nids des hérons cendrés. Il peut grimper jusqu'à des douze mètres pour voler leurs œufs. Les eaux et les berges le nourrissent. Il prend des écrevisses, des anguilles, des petits poissons de friture grâce à une espèce de nasse bricolée à partir de toile de jute et des restes d'un panier.

Un après-midi il fait halte pour boire et remplir ses bidons à la bouche d'un lavoir. Sur les tuiles chaudes de l'auvent un chat noir et borgne le fixe. Au moment de repartir le chat a pris place sur le banc de la roulotte. Le garçon va pour le chasser mais suspend son geste. Il y a dans la posture altière du greffier quelque chose de celle d'un capitaine, fameux pirate, lançant l'ordre à l'équipage de hisser les voiles. Ils voyagent ensemble jusqu'au soir. Ils partagent le repas auprès du feu. Le poil sombre de l'animal se fond dans le décor, seul ressort son œil unique, luisant dans la nuit comme l'exacte réplique de la lune en miniature – mais satellite de quoi ? À l'heure du coucher le chat suit le garçon à l'intérieur de la roulotte et se love à ses pieds. À l'heure du lever il n'est plus là. Le garçon le cherche partout, fouille chaque recoin de l'habitacle. Toutes les issues sont closes. Il ne le trouve pas. Pourtant il n'a pas rêvé.

Mais déjà un autre été s'installe et sans doute tiendra-t-il ses promesses. Car l'univers n'a cure de nos maux. Ni nos peines ni nos tourments n'arrêteront le temps. Et si la nature se recueille, plus florissante encore, sur les tombes de nos morts, c'est qu'il n'est pas de plus fertile terreau que celui des larmes versées et des chairs pourrissantes.

Nous sommes le 14 juillet et le peuple de France s'apprête à célébrer pour la trentième année sa fête nationale. Les bals se préparent. Les places se parent de cocardes et de fanions. On astique les accordéons. L'air est léger, où se mêlent un parfum de réjouissance et des effluves de boissons fermentées. La république est belle. La liberté sent bon. On ne songe pas encore qu'il faudra les défendre, et le prix qu'il en coûtera on ne pourrait même pas l'imaginer. Dansez, jeunes gens. Dansez, tant que vous avez des jambes. Riez, tant que vous avez des dents et autre chose dans la bouche que de la boue.

Les pas du hongre les ont conduits aux abords d'un village nommé Toussus-le-Noble. C'est le milieu de l'après-midi. La roulotte longe le haut mur d'enceinte d'une propriété derrière lequel on ne distingue, entre les feuilles de marronniers, que l'ardoise grise d'un toit. Soudain une sorte de pétarade se fait entendre, dans laquelle le garçon finit par reconnaître le moteur d'une automobile. À une trentaine de mètres devant lui le chemin se courbe : il ne peut voir ce qui se rapproche. Mais il l'entend. Le bruit s'accroît. De lui-même le cheval s'immobilise, ses oreilles sont couchées. Le garçon fixe l'entrée du virage. Le temps d'une inspiration le vacarme s'atténue, avant de reprendre de plus belle. C'est le moment où l'auto débouche : un double phaéton jaune vif nimbé d'une gaze de poussière et de fumée. L'engin oscille. Les roues tressautent sur la terre, la tôle vibre. Quand bien même sa trajectoire serait stable, la voie est trop étroite pour deux véhicules de front. La voiture se déporte, elle serre sur sa droite contre le mur et le fer racle la pierre dans un long crissement et des crépitements d'étincelles. En trois secondes la distance qui les sépare est abolie. Un grand rire éclate : c'est le hennissement du hongre affolé, et c'est la première fois que le garçon l'entend. L'auto évite de justesse le cheval mais percute la roue de la roulotte. L'essieu cède. Par réflexe le garçon s'est à demi dressé sur ses jambes, dans le choc il bascule et tombe tête la première du côté de l'automobile. Son crâne s'écrase contre la carrosserie. La dernière chose qu'il perçoit est une voix d'homme et un prénom : « Emma ! » lancé comme une supplique ou une injonction. Après quoi les ténèbres le happent.

… Son œil s'égare et luit, sa chevelure traîne,
Sa tête pend ; son sang rougit la jaune arène…

Elle joue depuis plus de trois heures, bien que l'on ait scrupule à appeler ça jouer. Elle répète. Elle s'acharne. Davantage qu'en mélomane c'est en croisé qu'elle paraît agir. C'est sa foi, sa guerre, c'est sa manière de les concevoir et c'est ce qui fait courir ses mains sur le clavier. Sa pénitence aussi. Quand d'aucuns parcourent à genoux leur chemin de croix, elle laboure le sien à la force du poignet. Elle martèle. Il se peut qu'elle n'en soit pas pleinement consciente, mais le serait-elle que même sous la torture elle ne l'avouerait pas.

Fenêtres et volets sont clos. Le jour décline. Flotte encore dans la pièce un terne halo de lumière, qui se retire graduellement comme l'écume sur la grève. La chaleur reste. La moiteur. Une mince pellicule de sueur couvre ses bras et son front. Les plus fins de ses cheveux collent à sa tempe. Une perle unique, translucide, est prise dans cet écheveau de soie noire telle une goutte de rosée, tôt matin, sur la toile des arachnides. Ses doigts glissent, dérapent sur les touches d'ivoire. Le piano est un Gaveau.

... Voilà l'infortuné, gisant, nu, misérable,
Tout tacheté de sang, plus rouge que l'érable
Dans la saison des fleurs...

Il y a longtemps que le pendule du métronome a cessé de battre. Elle n'a pas remonté le mécanisme. Elle ne lâche l'instrument que pour s'essuyer les paumes sur ses cuisses, sans façon, d'un geste d'ouvrier ou d'artisan. Aussi sec elle repart à l'assaut, toutes griffes en avant, qu'elle plante rageusement dans la large gueule béante comme pour lui arracher ce sourire plein de dents et de chicots qui la défie. Ses propres mâchoires sont serrées. Les ailes de son nez se pincent, se creusent. Une partition s'étale sur le pupitre mais elle ne la regarde pas. La pénombre confond notes et portées. Elle n'en a pas besoin. Ce qu'elle voit est au-delà. Ce qui défile devant ses yeux est un cheval au galop portant sur son dos un homme nu, ensanglanté, lié dans son supplice à sa monture et lancé avec elle dans une course folle à travers les steppes et les nues.

... Il traverse d'un vol, sur tes ailes de flamme,
Tous les champs du possible, et les mondes de l'âme...

Elle les voit, l'homme, le cheval, le cavalier au désespoir et l'animal qui fume sous l'effort, et ce qu'elle entend d'abord c'est la cavalcade des mots jaillis sous la plume de Victor le Magnifique (Hugo, encore lui, est-ce un hasard ?), c'est la terrible et fantastique chevauchée de Mazeppa.

… Dans la nuit orageuse ou la nuit étoilée,
Sa chevelure, aux crins des comètes mêlée,
Flamboie au front du ciel…

Et Liszt. Liszt bien sûr. Uniquement Liszt. Parce que c'est Liszt qu'il faut pour ranimer les morts. Elle s'attaque à l'os et à l'âme, elle pioche dans le dur et le sublime. « Étude d'exécution transcendante n° 4. » Directement inspirée des vers du poète. Il y a de par le monde tout au plus quarante virtuoses capables d'interpréter cette pièce. Elle n'en fait pas partie. Pas tant par manque de vélocité que par manque d'amplitude : ses mains sont trop petites. Elles sont musclées, racées, mais de taille réduite. Des menottes de fillette de douze ans – ne dirait-on pas que leur croissance a cessé à cet âge ? Elle les abhorre. Dès les premières mesures on trouve des accords nécessitant un empan qu'elle n'a pas. Trop d'écart. Liszt, sale génie égoïste. Liszt et ses pattes gigantesques. Une musique de dieu écrite pour des battoirs de titan. Que reste-t-il aux simples mortels ? Par le passé elle a eu l'occasion d'assister à un récital de Rachmaninov, prince des pianistes s'il en est. Lorsqu'il était venu saluer sur le devant de la scène elle avait pu observer ses mains de près : le double des siennes. La nature est injuste. La nature est chienne. Et ce n'est pas tout : une fois franchies ces mesures initiales tant d'autres écueils se présentent, tant de pièges et d'obstacles. Le pauvre cheval harassé est contraint à une cadence infernale, il s'emballe, et le calvaire du cavalier se poursuit dans des cascades d'octaves, dans des déferlements de tierces et de quartes, et son martyre augmente à l'aune de la beauté qu'il engendre.

... Qui peut savoir, hormis les démons et les anges,
Ce qu'il souffre à te suivre, et quels éclairs étranges
À ses yeux reluiront...

S'il souffre elle doit souffrir aussi. Elle doit, pour
tenter d'accomplir ces prodiges d'acrobatie digitale,
harceler ses muscles, malmener ses articulations,
s'infliger une gymnastique éprouvante, des torsions,
des extensions extrêmes. Elle le fait, le diable en est
témoin. Elle ne s'épargne pas. Elle s'escrime sans
répit. Elle force, elle écartèle, quitte à se rompre les
tendons.

Car c'est elle qui les porte, et la bête et l'homme.
Au bout de ses bras. C'est à elle qu'il revient de les
garder dans la course, de maintenir leur allure, de
faire sonner encore le fer des sabots et les râles du
supplicié, oui, encore, encore, le plus loin, le plus
longtemps possible. Dût-elle pour ça voir saigner
la pulpe de ses doigts. Dût-elle s'en briser les phalanges. Leur sort est entre ses mains. Si elle cède, le
cheval cédera. Si le cavalier meurt, elle mourra. Elle
boit au même calice qu'eux et seul l'avenir dira si
c'est élixir ou poison.

... Comme il sera brûlé d'ardentes étincelles,
Hélas ! et dans la nuit combien de froides ailes
Viendront battre son front ?...

Le jour n'est plus. Absorbées les dernières traces
de sa substance. Dans l'ombre les contours du
Gaveau s'évanouissent, devant les yeux de la pianiste, devant son regard fixe aux pupilles dilatées
le haut du cadre disparaît – cette crête arasée qui

constituait son horizon. Plus de rire non plus dans la bouche béante. Plus de dents. Le trou est aussi sombre qu'un tombeau. Cela ne l'arrête pas. Elle y plonge toujours. Elle enchaîne. C'est à l'aveugle que se poursuit la fuite en avant. La sueur ruisselle à présent en un étroit filet le long de son cou, jusqu'au creuset de sa clavicule. Elle a mal, aux doigts, aux mains, aux poignets, aux épaules. La douleur monte et irradie. L'étau se resserre sur ses muscles. Un début de crampe aux avant-bras, qui la lancine. Le point de rupture se précise.

Elle sait qu'elle n'y arrivera pas. Ni ce soir ni plus tard ni jamais. C'est un morceau trop gros pour elle – simple mortelle – un sommet trop élevé. Hors d'atteinte. Mais le savoir ne change rien. Pour chaque pièce il y a une monnaie à rendre. Elle ira au bout de ses forces, aussi loin, aussi haut qu'elle peut, et après ça que le diable les emporte, elle et l'homme et la bête, tous ensemble s'il doit en être ainsi. Et qu'il emporte aussi tant qu'à faire tous ces maudits génies : compositeurs et poètes.

D'ailleurs n'est-ce pas lui, le Malin, qui frappe soudain à la porte ?

Deux coups nets, dans son dos.

— Emma !

Elle sursaute. Le cheval trébuche.

Mais ça ne dure qu'une seconde, aussitôt elle se reprend. Ses mains se plantent à nouveau et ses doigts fouillent encore plus vite, plus fort. L'animal repart, ses quatre fers laminent le sol.

— Emma, tu m'entends ?

Elle ne répond pas. Elle continue. C'est l'un des passages les plus ardus : des rapides, un torrent de triples croches dévalant entre les rochers. La

violence du courant l'entraîne. Au bout les chutes :
ou ils passent ou ils se fracassent.

Deux autres coups résonnent contre le battant.
Le bouton tourne, en vain : elle a pris soin de s'en-
fermer à clé.

— Emma, sors de là, s'il te plaît. Il s'est réveillé.
Tu entends ce que je dis ? Il a repris conscience,
Emma. Il a ouvert les yeux.

À ces mots les siens se ferment. Un brusque flux
de larmes les remplit, qu'elle retient. Elle serre les
paupières.

— Nom de nom, veux-tu bien ouvrir cette porte,
à la fin !

Et alors tout d'un coup le cheval se cabre. Elle
lâche le clavier. Le silence éclate. Ses mains restent
en suspens au-dessus des touches. Sa poitrine se soulève. Est-ce sa respiration, est-ce son propre souffle
qu'elle entend ou le halètement de la bête ou celui
du cavalier ?

— Emma ?

Enfin le terme arrive... il court, il vole, il tombe,
Et se relève roi !

Elle se dresse d'un bond, renversant le siège. Un
léger vertige la saisit. Elle chancelle sur ses jambes
dans l'obscurité. Puis elle se retourne et se précipite
vers la porte. Elle fait jouer la clé et ouvre à la volée.
À l'homme qui se tient dans l'encadrement elle jette
un regard fébrile, pénétrant.

— Je le savais, dit-elle.

Puis elle passe devant lui et traverse le couloir en
courant et se lance dans l'escalier.

La voici. Elle qui porte ce prénom d'amour déchu, celui d'une héroïne qui cherchait l'or et trouva le plomb. Elle a vingt-six ans. Un visage ovale. Un nez charnu. Des lèvres pleines donnant l'idée d'un fruit qui n'a pas son pendant dans la nature, qui reste à créer. Son épaisse chevelure ondule, s'écoule, libre, en longues volutes brunes. Il semble bien que ses iris aient la couleur des grains de café torréfié. Un portrait digne d'un médaillon. Peut-être eût-il été trop parfait si quelque artiste cruel ou jaloux n'y avait apposé sa griffe : un trait pâle, une cicatrice qui descend depuis le coin de l'œil jusqu'au coin de la bouche. C'est à peu de chose près le trajet d'une larme, gravé dans la chair à jamais.

Elle se tient immobile au pied du lit et le regarde.

Il fait un piètre Mazeppa, le crâne serré dans un bandage de crêpe qui lui tient lieu de turban. On a du mal à voir en lui le futur chef des Cosaques, le guerrier fougueux, impitoyable, qui tranchera des têtes à coups de sabre. Pourtant c'est ce qu'il fera. Mais à cette heure il gît sous un drap blanc bordé d'un liseré rose fané. Il ignore ce qu'il a traversé. Il y a ce décor qu'il ne connaît pas et au centre il y a ce visage, cette bouche, ces yeux. Les limbes ne sont pas si loin, il n'a pas recouvré assez d'esprit pour essayer de comprendre. Il prend l'apparition comme elle vient.

Un homme également est présent dans la pièce. Vieillard étique et voûté, aux yeux limpides. Amédée Théoux. Docteur en médecine depuis cinquante ans, ami de la famille depuis trente. Il finit de ranger ses instruments dans un gros sac en cuir qui doit dater de sa première consultation. Puis il se tourne vers le blessé, mais ce n'est pas à lui qu'il s'adresse.

— Traumatisme crânien… Je dois dire que c'est ce qui me préoccupait le plus. Toujours difficile d'évaluer le type de lésions que cela risque d'entraîner. Heureusement, ce garçon a l'air d'avoir la tête dure. Le reste aussi, d'ailleurs. Deux côtes fêlées, l'auriculaire brisé, quelques contusions par-ci par-là : le bilan aurait pu être beaucoup plus lourd…

Il observe la jeune femme par en dessous, du coin de l'œil. Une poignée de secondes s'écoule avant que celle-ci ne s'ébranle. Elle s'avance et pénètre dans le halo de la lampe posée sur le chevet. La lueur fauve donne à sa peau le velouté d'un abricot, fait ressortir en revanche la blême couture qui lui barre la joue. Elle se penche vers le garçon.

— Au moins, j'ai évité le cheval !

Elle chuchote, comme pour un conciliabule, un secret qui ne concernerait qu'elle et lui.

L'autre homme entre à son tour. Son père. Rouge, essoufflé. Derrière ses besicles, sous ses paupières lourdes, de bons yeux de saint-bernard. Il se tamponne le front avec un mouchoir, ouvre la bouche pour parler mais soudain une détonation éclate, le laissant coi. Une autre suit. Des pétards.

La jeune femme se redresse. Elle contourne le lit et passe devant le médecin et va jusqu'à la fenêtre tandis que le garçon fait pivoter doucement sa tête sur le coussin pour ne pas la perdre de vue. Qu'a-t-elle encore à lui offrir ? Elle l'a plongé dans les ténèbres, elle l'a arraché aux ténèbres, et après ?

Elle ouvre les deux battants vitrés et repousse les volets, découpant dans le mur de la chambre un grand rectangle de nuit.

— Emma... soupire le père dans sa barbe.

La jeune femme l'ignore. D'un pas chassé elle s'écarte du cadre et fait volte-face et regarde à nouveau le garçon. Puis elle lui sourit. Et c'est à ce moment précis qu'une fusée s'élève dans le ciel. Le garçon peut la voir par la fenêtre. Il peut la voir monter, avec un sifflement aigu, jusqu'au firmament. Il peut la voir exploser et se métamorphoser en un vaste bouquet qui éclot et fleurit l'espace d'un instant dans le champ étoilé puis aussi vite fane, s'étiole, et retombe en fine bruine d'or.

Nombre de ravages et quelques ravissements, ainsi qu'il a été dit.

Elle s'appelle Emma Van Ecke.

C'est une époque où l'on prête au vin toutes les vertus, thérapeutiques et médicinales comprises. Le vin tue le ver. Il est naturel. Il prolonge la vie. Pas de meilleur remède, dit-on, en cas de fièvre ou d'anémie. On en prescrit aux enfants. On devrait l'imposer au biberon, au sein même de la mère. Du vin, du vin, du début à la fin. Son apologie ne connaît guère de limites. Sa consommation non plus. Dans les cabarets en ville le petit peuple s'assomme au gros rouge, au jaja à six sous, dans les cafés les bourgeois déboursent pour des nectars plus subtils, plus rares, s'engourdissent avec des millésimes plus civilisés, dans les campagnes les paysans se trouent l'estomac avec l'aigre piquette qu'ils fabriquent eux-mêmes au détour d'une récolte. Du vin, du vin, de haut en bas, dans chaque strate de la société. Nul n'y échappe. C'est l'esprit commun. L'union sacrée. S'il y a une chose qui fait le liant dans la recette de la nation, c'est bien le pinard. Car en plus de tout soigner, de tout guérir, le vin est un breuvage patriotique. On méprise les Germains buveurs de bière. On se défie des buveurs d'eau d'où qu'ils sortent. Le vin seul, seul le vin. Exquise humeur de notre terre prodigue, sel et sang de notre beau et grand pays. Le vin, monsieur, c'est la France. Lever le coude, c'est saluer le drapeau. Dès lors vous conviendrez qu'il n'est plus question ici de mœurs ou de goût, mais simplement de devoir !

Les Van Ecke sont belges. Est-ce pour cette raison que le docteur Théoux se permet, au sein de leur foyer, de légers écarts ? Les potions qu'il administre ne proviennent pas toujours de chez nous. Pour le garçon, c'est du madère. Un demi-verre, matin et soir : tel est l'essentiel de son traitement.

Officiellement le docteur n'exerce plus. Gustave Van Ecke et sa fille sont ses seuls patients, de juin à septembre et à titre gracieux. La fille n'est jamais malade mais le père subit les avaries ordinaires de son âge. Les cures que lui prescrit son ami et médecin vont du vin de quinquina au vin de noix de kola en passant par le fameux vin tonique Mariani à base de coca. Gustave Van Ecke suit l'ordonnance à la lettre.

Les deux hommes s'entendent. Dix années les séparent mais la mort les a liés. À l'un avait jadis été confiée l'impossible mission de sauver l'épouse de l'autre. Une phtisie la rongeait. Il avait échoué. Emma n'était alors qu'une enfant. Autant cette épreuve avait rapproché Gustave et Amédée (veuf lui-même), autant aujourd'hui encore ce dernier ne peut se défaire de l'impression que la jeune femme le considère comme l'assassin de sa maman.

Chaque jour après la sieste le docteur grimpe dans son boghei et se rend chez les Van Ecke pour visiter le convalescent. Pure formalité. Il prend son pouls, vérifie le bandage à la tête et l'attelle au petit doigt, demande si ça va – à quoi le garçon acquiesce – et lui donne deux tapes sur l'omoplate en signe de contentement. C'est bien.

Du madère, matin et soir. Un demi-verre.

Les soins, Emma s'en charge. Elle passe l'arnica sur les ecchymoses. Elle change le pansement. Le garçon se laisse faire. À vrai dire il aime ça. Lorsqu'elle s'assoit au bord du lit, tout près, et se penche sur son crâne qu'on a rasé. Il peut sentir son odeur. Il peut sentir l'infime brise de son souffle. Il observe à la dérobée la longue cicatrice qui suit la courbe douce de sa joue. C'est un paysage qu'il ne connaît pas, qui l'attire. Il se retient de le parcourir avec les doigts. Il y a des moments où la jeune femme parle beaucoup, sans cesse, il y en a où elle demeure silencieuse et alors il a l'impression d'entendre battre son propre cœur. Étrangement cela ressemble au souvenir d'une scène qui n'aurait pas encore eu lieu. Un souvenir en même temps qu'une promesse.

Des blessures il en aura d'autres, mais ceci est unique et le restera.

Sa consultation expédiée, le docteur Théoux retourne au rez-de-chaussée. Gustave le guette, anxieux, au pied des marches. On dirait le mari dans le couloir de la maternité.

— Alors ?

Le vieux médecin affiche une mine sereine. Il descend l'escalier en papillonnant des cils telle une jeune première, une actrice en herbe, cependant que sa main osseuse, veinée de bleu, s'agrippe prudemment à la rampe.

— Ça suit son cours...

Il parle de repos, de robustesse, de constitution solide.

— A-t-il enfin prononcé un mot ? demande Gustave. A-t-il dit son nom ?

Amédée concède une moue du bout des lèvres, secoue de droite à gauche sa tête chenue.

— Patience, mon ami. Patience...

Il parle, d'un ton toujours tranquille, de commotion cérébrale, d'amnésie, d'aphasie. Il a l'air d'énoncer des vérités premières à un écolier. Ce sont des complications possibles. Possibles mais pas systématiques, loin s'en faut. Il dit qu'il n'y a pas lieu de s'alarmer. Rien là d'irrémédiable ni de définitif. Il est encore trop tôt pour juger. Il donne à Gustave, de même qu'au garçon, deux tapes sur l'omoplate, avant de conclure :

— Laissons le temps au temps... Que diriez-vous d'une petite partie, histoire de nous changer les idées ?

Gustave pousse un soupir de bœuf. Le mutisme du garçon est source d'inquiétude. Il craint que le choc ne lui ait fait perdre l'usage de la parole. Le médecin affirme que d'un point de vue strictement physiologique nul rouage ne manque : langue, palais, larynx, cordes vocales, tout l'attirail est en place et au complet. Ce qui n'est pas fait pour rassurer Gustave. Ainsi le mal aurait des racines plus profondes. Il a été question une fois d'envoyer le garçon à l'hôpital pour des examens plus poussés. Un seul regard d'Emma avait suffi à clore le sujet.

« Il ne parle pas, et puis ? avait-elle argumenté plus tard. Est-ce qu'on n'entend pas débiter assez de niaiseries et de sottises comme ça ? Pour ma part, mon cher papa, je pense que beaucoup gagneraient à l'imiter. Le monde ne s'en porterait que mieux. »

La désinvolture de sa fille le navre. Le désarme aussi.

— Et cette petite partie, alors ?...

Amédée insiste. Dans ses yeux humides et délavés perce un éclat concupiscent. Insensiblement il entraîne Gustave au salon. Ils s'installent dans des fauteuils, face à face, une table basse entre eux. Le docteur a déjà sorti la boîte. La sienne. C'est son propre jeu qu'il apporte et qu'il déverse avec une hâte enfantine que seule son arthrite réfrène. À cet instant Amédée a dix ans dans l'âme. Les plaques qui s'étalent sur la table ont presque, elles, l'âge réel de ses artères. Elles sont en os de baleine et bois d'ébène. Son oncle, trublion de la famille, lui en avait fait cadeau le jour de sa profession de foi – soulignant son geste d'un blasphématoire « In domino sancti » proféré d'un ton hilare. Cher mécréant, qu'il repose en paix. Depuis sa communion la foi du docteur s'est quelque peu émoussée, à l'inverse sa passion pour ce jeu n'a fait que croître. À ce rythme il pourrait bien finir par l'emporter au paradis – une petite partie, Seigneur ?

Les dominos.

Sa friandise. Son vice non caché. Son péché mignon.

Un être moins naïf que Gustave Van Ecke aurait aisément deviné que cet intermède ludique est le véritable but de la visite du médecin. Mais on peut aussi se dire que Gustave est plus généreux que naïf. Il participe, toutefois sa concentration laisse à désirer. Posant ses plaques comme on lance, d'une pichenette, des cailloux dans un ruisseau. Son esprit vaque. Amédée veille et corrige :

— Permettez. Il me semble que ce n'est pas un quatre, ici, mon ami...

Le docteur est moins sourcilleux lorsqu'il est lui-même contraint (contraint, oui, c'est le terme qu'il emploierait) de substituer un deux à un trois, un cinq à un six. Cela se produit quelquefois. Ça passe. Son adversaire n'y voit que du feu.

— C'est de ma faute… souffle ce dernier.

— Pardon ?

— Je n'aurais jamais dû céder.

Gustave agite la tête, ses bajoues tremblotent. Ses pensées vont encore au blessé, là-haut dans la chambre. À l'accident. Il rumine. Il se reproche d'avoir laissé Emma conduire l'auto. Rien ne serait arrivé s'il s'était montré moins faible avec elle.

Amédée dépose un bout d'os sur la table et se recule au fond du siège, satisfait. Ne lui en reste que deux à placer. Il compatit :

— Ah, les enfants…

Il sait ce que c'est. Il en a eu quatre. Des filles aussi. En théorie il les a toujours. Toutes mariées et envolées. La plus proche est établie à Reims. Chaque premier du mois le docteur reçoit une carte postale représentant en alternance une vue de la cathédrale ou la statue de Jeanne d'Arc. (La Pucelle en armure sur son destrier, le bronze qui s'oxyde déjà.) *Pensées affectueuses* ou *Tendres baisers* griffonné au dos, d'une écriture qu'il ne reconnaît pas. Deux fois l'an c'est une lettre en provenance de Fort-Lamy où sont exilés la benjamine et son mari. Des contrées qui dépassent de loin son imagination. Le vieil homme serait bien en peine de citer les prénoms de tous ses petits-enfants. Voire leur nombre exact. Au final, la femme avec qui il aura vécu le plus longtemps est sa bonne, Séraphine. À son service depuis des lustres. Elle tient propre sa maison, fait sa lessive, ses courses, sa cuisine. La vie domestique. Le pouls de l'existence. Levée le matin avant lui elle prépare son lait, le soir elle éteint les lampes derrière lui. Il y a même eu quelques nuits d'hiver où elle lui a servi de chauffe-pieds. Souvent Amédée a projeté de la coucher sur son testament. Qu'une part lui revienne, celle qu'elle mérite. Il y songe sérieusement mais il repousse, remet à plus tard. Plus tard sera jamais. Lorsqu'il mourra, à l'âge canonique de cent deux ans, Séraphine en aura près de quatre-vingts et rien d'autre que ses yeux pour le pleurer. Une dernière fois elle récurera la maison, la briquera de fond en comble afin que les héritiers la récupèrent impeccable. Des quatre filles du docteur une seule arrivera à temps pour l'enterrement. Séraphine donnera de sa poche pour la messe.

Ah, les enfants, les enfants… Amédée envie Gustave d'avoir Emma, aimante Emma, à ses côtés. Son bâton de vieillesse.

— Allons, cessez de vous faire de la bile, Gustave. Votre foie travaille déjà assez comme ça. Puisque je vous dis que le garçon est un gaillard. Croyez-moi, il sera bientôt sur pied et en pleine forme. Vous resterait-il un six, par hasard ?

Ils font deux parties. Amédée remporte la première, toujours. Il remporte la seconde, toujours – se privant ainsi, mais c'est plus fort que lui, des délices d'une belle. Quand la messe est dite il range ses précieuses plaquettes avec une lenteur mélancolique, comme on balaie des confettis après la fête. Son œil s'éteint. Il a de nouveau son âge.

— Savez-vous, dit Gustave, que j'ai fait paraître un avis ?

— Un avis ?

— Dans la presse. Une demi-douzaine de journaux que j'ai sélectionnés, de toutes les tendances et parmi les plus lus. Résultat ? Rien ! Pas une seule réponse à ce jour. Pas le moindre signe.

— Hmm, hmm… fait Amédée.

— C'est tout bonnement incompréhensible.

— Et… à quel sujet, au juste, cet avis ?

— Eh bien, au sujet de notre blessé, voyons !

— Ah ! Nous y revoilà…

— J'ai donné son signalement, celui de la roulotte, du cheval, j'ai précisé le jour et l'heure de l'accident. Bien entendu, j'ai laissé notre adresse. Pour tout renseignement, prière de nous contacter, et cætera. Et avec tout ça : rien. Personne ne s'est présenté. Personne n'a écrit.

— Peut-être qu'avec une petite récompense à la clé… suggère le docteur.

Mais Gustave n'entend pas la plaisanterie. À ses tympans ne résonnent que les battements sourds du mauvais sang.

— Cela fait plus d'une semaine qu'il est ici, Amédée. Vous imaginez l'inquiétude de ses proches ?

— J'en ai autant pour votre foie, Gustave. Pour votre pauvre vésicule.

— Ses parents, sa famille, mettez-vous à leur place. Ils ne savent pas où le garçon se trouve. Ils ignorent tout de son sort.

— Qui vous dit qu'il en a ?

— Pardon ?

— Des parents, une famille. Il est fort possible qu'il en soit dépourvu.

Gustave Van Ecke se fige. Sourcils circonflexes, mâchoire pendante : l'ahuri dans une scène de vaudeville.

— Mais…

— Vous dites vous-même que nul ne semble se

préoccuper de sa disparition. Et je confirme n'en avoir point entendu parler, au village ou dans les environs. Or vous savez comme les nouvelles vont vite : si quelqu'un avait réclamé après ce garçon, à l'heure qu'il est tout le pays serait au courant.

— Mais enfin…

— Par ailleurs, vous avez fouillé son véhicule, n'est-ce pas ? Y avez-vous déniché un quelconque indice qui pourrait donner à croire que le garçon n'en était pas le seul occupant ?

La mine d'ahuri se mue en air penaud.

— Non… confesse Gustave.

— Non, répète le médecin. Cela nous fait donc un certain nombre de symptômes à prendre en considération. Quel diagnostic peut-on en tirer ? De trois choses l'une : soit le bonhomme n'a effectivement personne au monde. Triste, sans doute, mais il ne serait ni le premier ni le dernier dans cette situation. Soit il s'agit d'un étranger. Un voyageur, venu d'on ne sait où. Ses proches sont loin, si l'on peut dire. N'étant pas au courant de son aventure, ils n'ont pas de raison de s'inquiéter. Soit enfin, troisième possibilité, et je pencherais davantage pour celle-ci : ce garçon est un bohémien.

— Un bohémien ?

— Je n'exclus pas non plus qu'il puisse être les trois à la fois. Mais déjà cette dernière option expliquerait la roulotte. Elle expliquerait également l'absence de réaction à l'annonce que vous avez fait paraître, car ces gens, mon ami, n'ont pas l'heur de connaître leur alphabet. Et elle expliquerait de surcroît le silence général qui entoure cette affaire.

— Comment ça ?

— Vous savez la réputation qu'on fait à tous ces

Tsiganes et consorts : elle est exécrable. À tort ou à raison, on ne les apprécie guère. On s'en méfie, quand encore on ne les chasse pas tout de go à coups de pierre ou de gros plomb. Et ils le savent aussi. Ils ont donc tout intérêt à se tenir à carreau, à faire le moins de vagues possible. À demeurer invisibles, en un mot. Allons ! Vous voyez un de ces bougres aller s'enquérir auprès des gendarmes parce que l'un d'entre eux manque à l'appel ? Autant demander à une poule d'aller se plaindre au renard !

— C'est injuste, dit Gustave.

— Certainement, dit Amédée.

— C'est indigne.

— Si vous voulez. Mais c'est ainsi. Et je n'ai pas encore fait état de leur taux de reproduction.

— Leur taux de… ?

— Largement au-dessus de la moyenne. Autre fait établi. Statistiquement et scientifiquement avéré. Des études ont été publiées à ce sujet. J'avoue n'avoir pas suivi cela de trop près, mais il me semble que des confrères sont en passe de prouver l'existence d'une cellule qui serait à l'origine de cette particularité.

— Une cellule ? Quelle cellule ? Je n'entends absolument rien à ce que vous me dites, Amédée. De quoi parlez-vous ?

Le vieillard plisse ses yeux clairs. Un sourire de chat se glisse parmi ses rides.

— Pardonnez-moi, dit-il. Le jargon des hommes de l'art… En réalité, c'est très simple. On a pu constater que certains groupes de population se reproduisaient plus et plus vite que les autres.

— Tiens donc ! Et quels groupes ?

— C'est précisément là qu'est l'anomalie. Car on les trouve parmi les couches les plus modestes.

Pour aller vite, disons : chez les miséreux. Ce qui, convenez-en, va à l'encontre de toute logique. En effet, moins on dispose de ressources, moins, en principe, on souhaiterait avoir de bouches à nourrir. Là où l'on s'attendrait à de l'abstinence dans le domaine de la procréation, ou pour le moins à de la mesure, à une parcimonieuse activité, c'est au contraire le règne de la profusion et de la libéralité ! Aussi insensé que ce soit, les pauvres prolifèrent comme des mouches ! La science, naturellement, se devait d'étudier un tel phénomène. Des recherches ont été menées afin de lui trouver une explication rationnelle. Et, comme je vous l'annonçais, cela ne saurait tarder, notamment avec la découverte de cette fameuse cellule, une sorte de bactérie enfouie dans l'organisme, qui serait propre aux plus démunis. En somme, le microbe de la pauvreté.

— Un microbe, maintenant !

— Rassurez-vous, dit le docteur, c'est héréditaire mais non contagieux. On l'a dans le sang ou on ne l'a pas. J'en veux pour preuve que la pandémie reste circonscrite à cette frange de la population. À priori, aucun risque d'être contaminé. À moins, bien sûr, d'une union contre nature avec un spécimen de condition inférieure. Dans ce cas, on ne peut répondre de rien.

Le vieillard soupire d'aise.

— Vous voyez, dit-il, la science a ceci de merveilleux, mon cher Gustave, qu'elle explique tout !

Gustave Van Ecke émet un grognement. Sa figure s'est renfrognée. Il soulève d'un coup son corps râblé et commence à arpenter la pièce, à labourer le plancher, les mains dans le dos, le front bas, le pas lourd. Il peut prendre quelquefois cette allure de sanglier.

— Loin de moi l'idée de dénigrer vos compétences, Amédée, ni celles de vos confrères, mais j'ai pourtant quelques difficultés, pour ne pas dire quelques réticences, à accepter cette théorie. Et quand bien même elle serait vraie, je ne vois toujours pas le rapport avec notre garçon.

— Le rapport, dit le docteur, c'est justement le taux de reproduction. Les bohémiens font partie de ces groupes à taux élevé. Diantre ! C'est peu de le dire. Il suffit d'observer une de leurs caravanes : ça grouille de marmaille. Et si vous voulez mon avis, tous ces petits va-nu-pieds sont autant de petits poucets en puissance. Vous vous souvenez de la fable ? Les parents qui n'ont plus de quoi nourrir leurs rejetons…

— Vous voulez dire que les bohémiens abandonneraient volontairement leurs enfants ?

— Je n'irais pas jusque-là. Les abandonner, non. Mais si le hasard fait qu'il s'en perd un en chemin, iront-ils remuer ciel et terre pour le retrouver ? Un ventre en moins à remplir : est-ce le mauvais sort ou est-ce la providence ? Après tout, une brebis s'égare, mais le troupeau est si nombreux…

— Non, dit Gustave avec force. Non. Excusez-moi, mais ce ne sont que supputations. Et quoi qu'il en soit, ce n'est pas ma façon de concevoir les choses. Si le garçon a une famille, nous devons la retrouver. La seule question est : comment ? Je ne peux tout de même pas aller battre le tambour à tous les carrefours et sur toutes les places de tous les villages !

Il s'arrête soudain. Ses bras, déployés dans un mouvement d'impuissance, retombent le long de son corps. Ses épaules s'affaissent. Silence. C'est un homme désemparé qui se tourne à présent vers le médecin, et le regard qu'il lui adresse est de ceux qu'on réserve d'ordinaire aux sages, aux oracles, aux statues de saints. Amédée le reçoit parfaitement.

— Dans tous les cas, dit le docteur d'une voix douce, il n'y a rien à faire. Lorsque le garçon sera remis, il s'en ira. C'est aussi bête que ça, mon ami. Il reprendra la route. Si des parents l'attendent quelque part, il saura les rejoindre. Et s'il n'en a pas, eh bien...

De sa main frêle, décharnée, le vieillard ponctue ses paroles par une virgule esquissée dans l'air et la lumière du soir. Un geste qui écorche le cœur de Gustave Van Ecke.

Mais comme souvent le sage s'est fourvoyé, l'oracle s'est fourré un vénérable doigt dans l'œil, car juillet s'en est allé et le garçon demeure.

Il est vrai qu'il n'est pas totalement rétabli, des séquelles subsistent – une gêne au niveau des côtes, l'auriculaire qui plie mal et non sans douleur – cependant on l'a débarrassé du bandage et de l'attelle et depuis plusieurs jours déjà il se lève et se meut. S'il avait hâte de partir, et pour peu qu'on répare l'essieu de la roulotte, il serait à même de le faire. Il n'a pas manifesté ce désir. Personne non plus dans la maison ne semble pressé de le voir quitter les lieux. Qui le souhaite ? Emma moins que quiconque. Un matin la jeune femme a surpris son père en lui révélant qu'elle avait toujours rêvé d'avoir un frère. « Plusieurs, même. Une ribambelle de frères et sœurs. Des mioches partout ! Qui courent et piaillent dans tous les coins comme des poussins dans une basse-cour : Pii ! Pii ! Pii ! Pii ! Pii !... (Elle rit.) Une famille nombreuse, oui, j'aurais adoré ça ! »

Gustave n'a su que répondre. Lui a d'abord traîtreusement sauté à l'esprit la fumeuse théorie du docteur sur le taux de reproduction – le bacille du

214

pauvre. Foutaises. Vite balayées, vite remplacées par l'émotion. Il s'est raclé la gorge mais il est resté muet, s'est détourné pour cacher sa confusion. La confidence de sa fille le remuait. Il n'y avait pas un soupçon de reproche dans la voix d'Emma, simplement il n'avait jamais pensé à ça. Cet aspect des choses. Sa tendre, sa chère, sa précieuse Laure (ô l'or de ma vie !) était partie trop tôt pour lui donner d'autres enfants (ô mon or, mon aurore, pourquoi toi ?). S'il se doutait que la présence d'une mère avait manqué à Emma, il n'avait jamais songé à celle d'un frère ou d'une sœur. Aurait-il dû ? Aurait-il fallu, au moins dans ce but, qu'il se remariât ? Qu'il reprît quand il en était encore temps une épouse fraîche et neuve – une bonne pondeuse pour des couvées à foison ? S'était-il montré trop égoïste ?

Mais c'est une chose qui ne se commande pas. À quoi il est difficile, impossible de se contraindre. Du moins pour un homme. Sans doute les femmes, suppose Gustave, sont-elles capables de prendre leur parti d'un mariage qui leur est imposé, mais c'est une aptitude que le sexe fort ne possède pas. On ne choisit pas sa moitié comme on acquiert une génisse à la foire – regardez-moi celle-ci : elle promet son beau petit veau chaque année et ses vingt litres de lait quotidiens. Non, seul l'amour, seul l'élan du cœur et de l'âme pouvait le pousser, lui, Gustave Van Ecke, à convoler. Et l'élan s'est brisé définitivement avec le dernier soupir de Laure (ô ma seule et unique et véritable pépite !).

Pardon, ma fille, mais c'était au-dessus de mes forces.

Néanmoins, depuis l'aveu d'Emma une idée s'est insinuée. Qui creuse. Tenace. Qui trace son chemin.

Et s'il devait le suivre, ce chemin, à quoi, à qui le mènerait-il ?

Au garçon, évidemment.

Serait-ce un signe du destin ? Serait-ce une offrande tardive ? Cet inconnu atterri sous leurs roues serait-il le fils qu'il n'a pas eu ? Le frère qu'il n'a pu donner à sa fille ?

C'est une folie, se semonce Gustave. N'y pensons plus.

C'est une folie bien douce et bien plaisante, se cajole Gustave. N'y pensons pas. Laissons faire.

Emma fait.

Emma agit, avance, sans s'encombrer d'un fardeau de conscience superflu. La jeune femme ne s'est pas métamorphosée depuis la brutale irruption du garçon dans leur existence, mais on ne peut nier qu'un changement s'est produit. Il n'y a qu'à voir : hier elle luisait, aujourd'hui elle rayonne. Elle irradie. Elle attire la lumière et la renvoie au centuple par tous les pores de sa peau, par les phares de ses yeux, par l'ardente blancheur de ses dents lorsqu'elle sourit, par son rire même qui illumine qui l'entend. La lumière, le souffle aussi. Car si ce n'est pas le vent, le vent du large, qui emplit ses poumons et fait voler les mèches autour de son visage, alors qu'est-ce ? Elle était, Emma, cette splendide goélette, toute parée, prête au voyage, mais condamnée pourtant à demeurer à quai, et pour cause, l'essentiel lui manquait : des voiles. Le garçon l'en a pourvue. Les a déployées. Hier Emma flottait, aujourd'hui elle vogue.

Avec lui elle essaie toutes les langues – anglais, allemand (Sprechen Sie Deutsch ?), italien – dont elle possède quelques rudiments. Sans succès. Nous n'en sommes alors qu'au début, trois jours, quatre jours après l'accident. Lui est alité, le dos calé contre un coussin, elle assise en amazone sur le bord de la couche. À chacune de ses tentatives linguistiques il répond par un large sourire, comme s'il s'agissait des répliques d'une comédie qu'elle contreferait à son intention. Un rôle comique, pour le distraire. Et son sourire à lui entraîne son sourire à elle. Et ne serait-ce que pour cela elle poursuit, répète : Come ti chiami, giovane ? en forçant sur le ton, en exagérant la mimique. Jusqu'à ce que, au bout d'une demi-heure de ce jeu, elle finisse par lancer : Très bien, puisque tu n'as pas de langue, moi je donne la mienne au chat ! et lui plante joyeusement un doigt entre les côtes endolories.

Le garçon tressaute, laisse échapper un cri, une plainte étouffée, tandis qu'une main sur la bouche elle se confond déjà en excuses, en regrets, puis dans un réflexe tire le drap et découvre le flanc nu et meurtri du blessé et se penche pour y déposer un baiser qui soulagerait sa douleur, mais au dernier moment s'arrête, saisie, stupéfiée par son propre geste, puis se relève d'un bond comme si soudain le lit brûlait.

Le feu est à son front – c'est rare. Elle le regarde, debout, dans le silence qui s'étale. Ses yeux à lui disent l'étonnement. Une inquiétude vague. Si brusque a été la réaction de la jeune femme qu'il craint que ce soit elle qui ait mal. Elle amorce un sourire, qui ne prend pas. Alors elle se détourne et s'empresse de quitter la chambre dans un chuintement d'étoffe et un claquement de talons.

Elle est partie. Le garçon pose la main sur l'empreinte encore tiède que son corps a laissée sur le matelas.

Le lendemain elle lui apporte crayon et cahier. Nouvel essai. Elle lui montre comment faire usage de ces objets en inscrivant son prénom au milieu d'une page : *Emma*. Elle souligne le mot de l'index avant de porter ce même index au creux de son plexus en répétant à voix haute : Emma. Il la fixe avec des yeux ronds. Elle soupire. Elle se doute bien qu'il ne va pas écrire, qu'il ne sait pas, aussi dessine-t-elle sous le prénom, en quelques traits, un visage féminin qui pourrait être le sien. Voici ce qu'elle attend, ce qu'elle espère : un dessin, plusieurs, susceptibles de dévoiler un ou deux pans de son mystère. Qui il est, d'où il vient. Elle lui tend le crayon. À toi.

Cela dure une dizaine de minutes, pendant lesquelles elle se tient debout à la fenêtre. Elle lui tourne le dos. Elle ne veut pas voir avant que ce soit terminé. Elle entend le léger frottement de la mine sur le papier. Elle ne peut s'empêcher d'imaginer des choses. Ça enfle doucement dans sa poitrine. Une sensation voluptueuse autant qu'exaspérante. Ça demande délivrance. Comme la lettre de l'être aimé, longtemps attendue, enfin arrivée, qu'on décachette.

Lorsque le bruit cesse elle prend une vaste inspiration puis se retourne. Le garçon lui remet le cahier. Dans le mouvement les pages ouvertes battent pesamment comme les ailes d'un grand oiseau des mers. Son cœur cogne quand elle le saisit. Elle y jette un premier coup d'œil et relève aussitôt les yeux sur lui. (C'est un lac, à cet instant, le regard du garçon. C'est une eau pure qui prend source au plus profond, dans le monde d'avant ce monde, le monde perdu. Elle peut y voir son reflet. Mais pourra-t-elle y boire ? Pourra-t-elle s'y baigner sans la polluer ?)

Puis elle engrange une autre bouffée d'air et plonge à nouveau les yeux sur le dessin.

Un enfant de six ans aurait pu l'exécuter, ou un enfant de l'âge de pierre. Des figures naïves, des traits grossiers. Elle reconnaît une maison à la façade carrée, une porte, deux fenêtres, un toit triangulaire. À côté un arbre à moins que ce ne soit une plante géante, disproportionnée. Au centre un personnage, fille, femme, au visage indistinct mais dont elle se persuade sans hésiter qu'il est le sien : Emma. Au-dessus un soleil déploie quelques rayons. Et puis il y a une autre forme dans le ciel, qu'elle ne peut identifier. Est-ce un aigle, une étoile, une comète, une fusée ? Elle ne saura jamais.

Voilà toute l'œuvre. Elle la contemple un long moment. Elle ne s'attendait pas à ça. Le mystère reste entier, cependant elle n'est pas déçue, oh non, certainement pas. Ses yeux reviennent au garçon. Elle ne sait quoi dire. Elle dit merci dans un murmure.

Plus tard elle détachera soigneusement la feuille du cahier. Elle fera mettre le dessin sous verre, dans un cadre de bois, puis l'accrochera au mur de la pièce à musique de leur appartement du boulevard du Temple, à Paris, où il demeurera jusqu'à sa mort.

Entre-temps combien de romances auront-ils vécues ?

Il faut considérer Mendelssohn.

Il faut considérer Verlaine.

Il faut considérer le bleu du ciel, l'exceptionnelle clémence de cet été.

Il faut considérer les pommes.

Crues, cuites, au four, au sirop, en tarte, en gâteau, en jus, en marmelade, en compote : le garçon en ingurgite sous toutes les formes. Il en est gavé. Derrière la maison s'étend un champ de deux hectares planté de quatre-vingt-six arbres, uniquement des pommiers et chacun d'une espèce différente. C'est peu. Il en existe des milliers recensées et des milliers attendant encore de l'être. Gustave Van Ecke en a possédé jusqu'à six cent trente-quatre variétés dans ses vergers de la province de Liège. C'était en les années fastes. Gustave avait alors trois passions :

La première était la pomologie. Plus précisément les pommes. Il avait consacré la majeure partie de sa vie à l'étude et à la culture de ces fruits. Éminent spécialiste, membre de plusieurs sociétés d'arboriculture et d'agronomie, on lui devait une multitude d'articles sur le sujet ainsi qu'un catalogue, un traité et une fameuse *Histoire de la pomme brabançonne* qui fait autorité aujourd'hui encore. Dans la pratique on lui reconnaissait aussi la paternité d'un certain nombre de cultivars (magnifiques bâtards) réalisés à force de greffes et de semis, de patience et d'habileté. La plus grande fierté de Gustave avait sans doute été la création de variétés originales. Il était l'obtenteur patenté de trois nouvelles pommes qu'il avait chacune baptisée d'après une figure féminine qui lui était chère. Qui sait que c'est grâce à lui en effet si l'on peut trouver sur les étals de quelques marchés des *Douce Marie-Anne* (sa mère) ? Si l'on peut déguster une *Yolande d'automne* (sa grand-mère) juteuse à souhait. Si l'on peut croquer sans vergogne dans une *Adélaïde parfumée* (sa sœur aînée) dont il est toutefois conseillé d'ôter au préalable la peau épaisse et d'un jaune légèrement grisâtre. Un régal. Pour cela au moins Gustave Van Ecke a gagné sa place parmi la pléiade de ces discrets bienfaiteurs de l'humanité que nul manuel d'histoire jamais ne mentionne.

La deuxième de ses passions était la musique. Plus précisément le hautbois. S'il n'avait rien composé, en revanche il avait transcrit pour cet instrument un nombre considérable de pièces, de Bach à Mozart, de Schubert à Schumann, Haendel, Haydn, Brahms, Couperin, Vivaldi, puisant dans son répertoire favori et n'hésitant pas à prendre, au besoin, quelques libertés sur les œuvres d'origine. Il avait également écrit une méthode d'apprentissage et un ouvrage très instructif sur la taille et le grattage des anches – qui n'était pas sans rappeler ses préoccupations arboricoles. Pendant un temps il s'était même essayé à donner des leçons particulières. Bien que médiocre instrumentiste il possédait un réel talent de

pédagogue et (surtout, auraient dit certains) il ne faisait pas payer ses élèves. Gustave Van Ecke jouait,
transcrivait, enseignait, transmettait la musique seulement par goût et par plaisir.

Sa troisième passion était sa femme. Plus précisément Laure. Plus précisément l'amour de sa vie.
Troisième par ordre chronologique mais non par
l'importance et l'intensité. Il avait déjà et de loin
dépassé le cap de la trentaine quand elle s'était jetée,
par quelque sinueux affluent, dans le cours de son
existence, et dès lors l'avait comblé. Dans le cœur
et l'esprit de Gustave elle avait supplanté tous les
arbres et tous les fruits, tous les Mozart et tous les
Telemann. *Lauro,* l'*aura,* l'*aureo,* tout cela en un
seul être réuni – et l'homme subjugué n'avait plus
eu qu'un mot à la bouche : Laure ! Laure ! Laure !

Mais sa beauté méritait-elle vraiment ces lauriers
qu'il lui tressait ? Son haleine était-elle, ainsi qu'il le
lui susurrait, aussi exquise que la plus exquise des
brises du printemps ? L'éclat doré de ses iris aurait-il
fait pâlir jusqu'aux rayons de l'astre solaire ?

En réalité…

En réalité, pourquoi pas ?

N'est-ce pas le propre de l'amour que d'éblouir
et d'émerveiller ? De rendre divin ce qui ne serait
qu'humain ?

(Il fallait en ce temps-là considérer Pétrarque.)

Le jour de son apparition Laure Koslowski portait encore le nom de son premier et défunt mari
– un diplomate d'ascendance polonaise. Elle était
veuve depuis trois ans. Le noir rehaussait son teint.
Sa prime jeunesse était passée. Elle avait vécu. Elle
avait voyagé, franchi des frontières, vu l'Europe,
fréquenté le monde et les salons. Elle s'en était

lassée. Elle se faisait rare. Elle jouait très bien du piano, en particulier Chopin – un lien avec l'ascendance polonaise ? Jamais au grand jamais Gustave Van Ecke n'aurait osé imaginer une femme comme elle avec un homme comme lui.

Six mois plus tard elle l'épousait.

Un avant, un après.

Durant leurs trop brèves années communes, Laure avait sincèrement, tendrement, paisiblement aimé Gustave, et elle avait été en retour l'unique objet de son adoration.

Qu'en reste-t-il à ce jour ?

Une fille. Emma. Pur miracle, selon Gustave. En tout cas un événement de nature à ébranler son athéisme d'acier, le faire pencher vers un agnosticisme prudent. Si Dieu a une chance d'exister c'est à la naissance de cette enfant qu'il le doit.

Il reste des souvenirs qui ressurgissent impromptu au détour d'une rue jadis arpentée à deux, d'une place, d'un paysage, d'une église visitée, au détour d'un certain timbre de voix ou d'un simple bout de phrase. Il suffit d'un rien et telle image, d'une absolue netteté, d'une précision mortelle, lui revient en pleine face : terrible et fulgurant reflet des jours heureux. Il sait, Gustave, il sait. L'éblouissement subit, les noirs phosphènes maculant la rétine, et l'atroce brûlure que seules les larmes apaisent.

Il reste le vertige. Rouvrir les yeux et se voir si près du gouffre si profond. L'hébétude qui suit.

Et des regrets. Oui, des regrets. Celui de n'avoir su composer pour elle une symphonie ou une sonate. Pas même une petite ariette oubliée. Celui de n'avoir pas eu le temps de créer un fruit qui porterait son nom. Une pomme parfaite.

Laure Van Ecke était morte à trente-huit ans et avec elle toute passion. Aujourd'hui Gustave n'embouche plus son hautbois. Il a confié à un paysan et son fils le soin d'entretenir le champ derrière la maison. Quelle importance tout ça ? Quelle saveur ?

Emma et le garçon cueillent les pommes ensemble. Ils en remplissent des paniers. Elle lui a défendu de grimper aux arbres dans son état, c'est elle qui monte à l'échelle si nécessaire et lui lance les fruits qu'il rattrape au vol. En cette saison mûrissent les Bough, les Serinka, les Perkins, les Stettson, les Pierre le Grand et les Reinette de Wormsley, les Caroline-Auguste et les Comte Orloff – dont la chair, nous décrit l'illustre André Leroy, est blanche et tendre, et l'eau « faiblement parfumée, possédant une saveur acide des plus rafraîchissantes ».

C'est également Emma qui les accommode, les transforme en compote, en tatin ou autre. Elle fait la cuisine. Le reste aussi. Emma a pris en charge à peu près toute l'intendance et toutes les tâches du foyer depuis qu'elle avait décrété, à l'âge de seize ans, que la domesticité n'était qu'une forme plus hypocrite et plus perverse du servage, créée par les classes dominantes afin de se donner un semblant de bonne conscience – en définitive un des pires meilleurs exemples de ce que pouvait engendrer la société capitaliste – et qu'il n'était simplement pas question qu'une telle abomination perdurât sous son propre toit. (Elle avait carrément cessé de lire ce philosophe, Karl Marx – elle l'appelait Karl tout court – quand elle avait appris avec stupéfaction que ce dernier avait une bonniche à son service – et encore ignorait-elle la rumeur selon laquelle il la rétribuait avec une insatiable ardeur...)

— Mais… Est-ce que nous ne faisons pas nous-mêmes partie de ces… « classes dominantes » ? avait demandé son père.

— Raison de plus, avait rétorqué la fille. À nous de donner l'exemple.

À ce moment-là Gustave s'était levé, il avait commencé à faire les cent pas, le front bas, le cou rentré – son allure et sa hure de sanglier, un vieux sanglier aux abois.

— Enfin, Emma… Enfin… Tu n'es tout de même pas en train de me demander de congédier cette brave Magda ?… Si ?… Magda ? Ta Magdouchka ?…

— Je te demande, papa, de lui laisser une chance de s'émanciper.

— S'émanciper ?… Mais tu l'adores ! Et elle t'adore aussi. Tu vas lui briser le cœur !

— Non. Ce sont ses chaînes que je vais briser !

La jeune fille était-elle debout sur la table du salon, le poing brandi ? Non. Toutefois sa voix vibrait, ses yeux brillaient, où se mêlaient la ferveur et la détermination d'une pasionaria et sans doute déjà ces larmes qu'elle ne manquerait pas de verser abondamment, plus tard, dans sa chambre, lorsque, malgré la plaidoirie de son père, elle serait demeurée sûre du bien-fondé de ses convictions et inflexible quant à sa décision, et qu'elle verrait alors par la croisée la vieille Magda, sa fidèle gouvernante, sa dévouée Magdouchka, quitter pour toujours la maison, une petite valise à la main et sa sempiternelle robe noire sur le dos et un chapeau à voilette passé de mode dissimulant ses cheveux gris.

Qu'il était rude, le chemin du grand soir.

Ce qu'Emma n'a jamais su, c'est que Gustave avait continué à verser régulièrement des émoluments à leur ancienne employée, ceci en toute discrétion et des années durant – jusqu'à ce que la mort la cueillît, comme une fleur, dans son lit, en un prompt et délicat mouvement de faucille.

Hormis pour quelques tâches trop lourdes, ponctuelles, Emma se débrouillait donc seule. Cela aussi est en train de changer. En cet été prodigue quelqu'un l'assiste. Mais un frère – un frère, n'est-ce pas – ne peut être tenu pour un domestique.

Il faut considérer la pâte à tarte.

Elle fait le chef et il fait le mitron. Ils sont dans la cuisine, la matinée touche à sa fin, le soleil verse à l'oblique par la fenêtre – une lumière de cathédrale – reproduisant six carreaux blancs et nets sur les tommettes lie-de-vin. Ils se tiennent debout, côte à côte. Devant eux, sur la table, des quartiers de pommes découpés dans une assiette, des épluchures et des pépins sur une feuille de journal. Elle a noué un tablier à sa taille. Ses manches remontées découvrent ses avant-bras. Une longue mèche de cheveux a échappé à l'épingle et tombe sur son front, de temps en temps elle souffle dessus en avançant la lèvre dans une grimace joliment simiesque. Elle lui montre comment mélanger la farine, le beurre, le lait. Elle lui laisse pétrir la pâte. Le garçon y enfonce ses doigts, malaxe. Il en aime la texture, c'est doux et souple, c'est tendre, plus tendre encore que les boules de boue qu'il façonnait dans son royaume d'enfance. Il voudrait que ça dure longtemps.

Il faut considérer la rivière et le saule.

Au plus chaud de l'après-midi, quand le reste des habitants de la planète somnole derrière les volets clos, ils s'en vont tous deux rejoindre leur île déserte. Mille huit cents mètres à travers les prés.

Ensuite il faut franchir une petite jungle d'aulnes et de peupliers. Au-delà apparaît un minuscule arpent tapissé de cresson d'un vert sombre, presque bleu. S'y dresse et s'y déploie un gigantesque saule, dont les pointes trempent indolemment dans l'onde. Ce n'est une île que dans la tête d'Emma car le garçon pour sa part n'a jamais parcouru d'atlas ni de cartes, il n'a jamais entendu parler de naufragés. (S'il savait serait-il Robinson ? serait-il Vendredi ?) L'eau coule sans le moindre bruit. Juste un ruisseau en vérité. C'est assez. Ils transpirent en arrivant. Bénie soit la fraîcheur qui les accueille. Leurs chaussures volent. Le garçon a compris qu'il ne doit pas ôter tous ses vêtements. Il roule le bas de son pantalon, retrousse les manches de sa chemise. Elle porte des robes légères qu'elle soulève à deux mains jusqu'à la lisière de ses cuisses, dévoilant la blanche faïence des mollets, les bosses dodues et roses des genoux. Il la laisse entrer la première. Il adore le cri qu'elle pousse, ou plutôt qu'elle aspire. Un frisson la parcourt. La peau se hérisse – sa peau à elle et sa peau à lui. Il la rejoindra au milieu. Il attend pour cela qu'elle se retourne et que son sourire l'invite : ses dents, ses yeux. S'ensuivent les jeux d'eau. Ils s'arrosent, s'éclaboussent. Elle lâche sa robe et l'étoffe, au gré du courant, se plaque à sa peau, l'épouse, ou bien s'étale en corolle autour de ses jambes, ondoie, et l'on songe à la membrane gracile et translucide d'une méduse géante.

Quand les jeux sont finis ils écartent les branches du saule et se glissent à quatre pattes dans l'ombre. Ils s'étendent l'un à côté de l'autre. C'est une hutte. C'est un cloître. Ce sont les antipodes : le temps et le ciel se sont renversés et pour eux, pour eux deux seulement, dans cette partie du monde une nuit est tombée, piquée de mille étoiles, de gemmes, d'étincelles – une Voie lactée en plein soleil. Emma soupire. Elle est bien. On entend parfois le léger bourdon d'une mélodie dans le fond de sa gorge (un lied de Schubert ? peut-être « Auf dem Wasser zu singen » ?) puis le silence s'impose. Elle ferme les yeux et s'abandonne au sommeil, sa poitrine monte et descend, sans à-coups, tranquillement, et alors le garçon se penche sur elle, sur son visage, au plus près, jusqu'à sentir le souffle tiède, subtil, qu'exhalent ses narines, et il observe, il détaille, chaque pli, chaque grain, chaque courbe, qui ne laissent pas de l'étonner, il sait qu'il ne doit pas toucher, il sait qu'il ne peut ni lécher ni mordre, il regarde c'est tout. Mais voilà qu'il se recule soudain : il a cru voir frémir ses cils, ses longs cils bruns, il a cru voir le fil d'un sourire sur ses lèvres. Se jouerait-elle de lui ? Feindrait-elle ? Il n'ose plus remuer. Il est tendu, tendu à rompre. Il n'y a pas de douleur plus suave. Il voudrait que ça dure toujours.

La vie.

Il faut considérer la vie.

La paix.

Et toutes ces choses dont on peine à croire qu'elles ne seront pas éternelles.

Il faut considérer la félicité.

— Félix, dit Emma.

— Félix ? dit Gustave.

— C'est évident, dit la fille.

— Pas pour moi, dit le père.

— Mais si, dit-elle. Les romances. Les romances sans paroles.

— Emma, dit-il, est-ce un nouveau jeu ? Une énigme que je suis censé résoudre ?

Elle sourit. Elle est radieuse.

— Tu sais, quelquefois je me demande, mon très cher papa, si ton cerveau ne serait pas en train de ramollir.

Tout, hélas. Tout ramollit et ça ne date pas d'aujourd'hui : ceci il le pense mais ne le dit pas. Il s'en voudrait d'assombrir sa mine. Il se contente d'un grognement de circonstance.

Bien qu'elle soit de sa taille elle se hisse sur la pointe des pieds pour faire claquer un baiser sur son front.

— Père sénile et adoré, dit-elle.

Puis viennent les explications.

Depuis que le garçon allait mieux elle s'était remise à jouer du piano – à jouer vraiment, il ne s'agissait plus de guerroyer. Une heure ou deux, le soir, avant le dîner. Un de ces soirs elle avait entendu toquer à la porte : c'était lui. Elle en avait déduit qu'il était sensible à la musique. Elle ne soupçonnait pas à quel point. Elle l'avait invité à s'asseoir sur l'unique fauteuil de la pièce et il était resté là à l'écouter – religieusement, on peut le dire. Elle se tournait de temps en temps pour lui jeter un coup d'œil, il n'avait pas bougé, pas un geste, ses yeux n'étaient pas fermés, son regard était fixe : le masque d'une intense concentration, ou plus encore, une transe profonde, quelque chose de quasi mystique. Elle en avait été impressionnée. Le soir suivant il était revenu, et les autres soirs. Elle jouait, il écoutait. Sans trop savoir pourquoi elle privilégiait les Slaves, Moussorgski, Balakirev, Dvořák, les préludes de Scriabine, une pincée de Tchaïkovski (« Sa berceuse », murmure Gustave, « Sa berceuse », confirme Emma), avec tout de même quelques incartades du côté de Beethoven ou de ce bon Schumann. Et puis soudain – par quelle ineffable inspiration ? par quel charme étrange, inexorable ? – ses mains s'étaient mises à dérouler sur le clavier une autre partition que celle ouverte sur le pupitre. Ses mains, ses mains seules, car son cerveau n'avait aucune idée de ce qui se passait, il cherchait vainement quel pouvait être ce morceau qu'elle était en train d'exécuter (et avec brio !), il ignorait que les notes étaient inscrites, gravées dans la mémoire propre des os, carpe, métacarpe, phalanges, comme des sillons dans la cire. Il pédalait dans le vide, son pauvre cervelet, tandis que ses doigts couraient, volaient avec grâce, suivant les mouvements fluides de ses poignets – ah ! les réminiscences du radius et du cubitus !

Une fois ses doigts au repos la lumière était revenue dans l'antre de sa conscience et elle avait enfin pu donner un nom à ce qu'elle venait d'entendre : la première des quarante-huit « Romances sans paroles » de Mendelssohn. « Lieder ohne Worte », opus 19 n° 1. (« Doux souvenirs », murmure Gustave, « Doux souvenirs », confirme Emma.) Une éternité qu'elle n'avait pas joué ça. Qui ou quoi ce soir-là le lui avait dicté ? D'où avait jailli cette intuition ? L'ultime accord résonnait encore (un mi majeur d'une grande plénitude, d'une grande sérénité) quand elle avait perçu un bruit incongru dans son dos. Elle s'était retournée : le garçon était par terre, à genoux.

— Tombé en extase, dit-elle. En extase, oui ! On ne peut pas appeler ça autrement. J'ai même eu peur, sur le coup. J'ai cru qu'il se trouvait mal. Tu aurais dû le voir. Son expression, son visage… La Vierge lui serait apparue qu'il n'aurait pas été plus béat. C'était… c'était magnifique !

Par la suite elle avait testé d'autres opus du recueil : l'effet était sensiblement le même à chaque fois. Il y avait un lien, une étroite connivence entre le cœur du garçon et l'œuvre de Mendelssohn. Ces pièces en particulier : les « Romances…

— … sans paroles », dit-elle. Tu comprends, maintenant ? Le garçon ne parle pas : cette musique, c'est sa voix. Il la reconnaît. Elle le comble. Elle le transporte. Liszt l'a sauvé, mais c'est Mendelssohn qui le rend heureux !

C'est pourquoi elle a décidé de le baptiser Félix. Prénom du compositeur. Une évidence, la jeune femme en semble tout à fait persuadée. Elle n'est pas loin de parler de métempsycose.

— De toute façon, dit-elle, nous ne pouvons pas continuer à ne pas le nommer. C'est nier son existence même – car ce qui n'a pas de nom existe-t-il réellement ?… Et puis « Félix » lui sied à merveille !

Gustave objecte, parlemente un peu, par principe, puis se rend. Franz, Robert, Ludwig, Amadeus ou Félix : au fond qu'est-ce que ça change ?

Et c'est ainsi que le garçon se retrouve pourvu d'un début d'identité. Une appellation, une marque de reconnaissance. Au moins sait-il désormais à quel saint se vouer.

Gustave Van Ecke contemple sa fille : elle sourit, elle est radieuse. Elle dépose un second baiser sur son front avant de s'éclipser. Un subtil parfum de caramel flottera encore dans la pièce longtemps après qu'elle l'aura quittée.

Le vieil homme s'approche de la fenêtre et regarde sans le voir le ciel immaculé.

Que fait-elle là ? Sa fille, sa merveille. Son fruit le plus parfait. Son miracle accompli. Pourquoi est-elle toujours auprès de lui ?… Et voilà Gustave lancé dans sa sempiternelle tirade (muette, tout dans la tête), son antienne, sa vaine rengaine mille fois ressassée… Ne devrait-elle pas, Emma, à son âge, s'être déjà mise en ménage, trousseau au chaud et ronronnant doucement près des braises d'un bon foyer conjugal, un nid, une niche, un mari à favoris sur le dos et deux ou trois enfants blonds comme les blés, bruns comme le charbon, accrochés à ses jupons ? Elle devrait, oui. Assurément. Cependant elle est encore là, fidèle, elle n'a pas quitté son brave petit papa. Jusqu'où va l'amour filial ? se demande Gustave. Ou serait-il plus juste de parler de « pitié » filiale ? Elle n'est certes pas d'un caractère facile mais elle ne manque ni de beauté ni d'intelligence, elle a de l'esprit à revendre, elle est brillante, généreuse, « la chair ferme, l'eau agréablement acidulée et savoureuse » aurait dit l'illustre André Leroy, et tout ça pour qui ? À qui profite cette pléthore de qualités dont la nature l'a dotée ? Ce n'est pas faute de prétendants. Combien de demandes, timides ou franches, a-t-il reçues pour elle ? Au long des années la demoiselle a essuyé des cours assidues dont quelques-unes tenaient presque de l'assaut. Mais elle sait se défendre. Elle sait esquiver. Ferrailler au besoin. Il se souvient d'un lieutenant de vaisseau, sûr de lui, plastronnant, qu'elle avait coulé à pic à coups de pointes ironiques et acérées. Il se souvient d'un clerc, d'un pharmacien, d'un comte roumain, d'un organiste, d'un professeur de rhétorique, d'un fils de député bonapartiste. Autant de partis plus ou moins beaux, plus ou moins bons, autant d'éconduits. Il avait cru l'affaire enfin entendue lorsqu'elle avait supporté tout un hiver un comédien de renom qui lui versait du Lamartine à l'envi, les yeux à demi révulsés. Mais au retour du printemps elle l'avait renvoyé à ses planches en le traitant de « perroquet sans tige ». Le mot s'était rapidement propagé dans ce milieu où sarcasme et jalousie sont de mise, en salle comme en coulisse, un célèbre critique l'avait même repris à son compte pour démolir une prestation du malheureux soupirant dans le rôle de Dom Juan. (Perroquet d'accord, se disait Gustave, mais qu'est-ce que sa fille entendait exactement par « sans tige » ?) Toutes les avances elle les avait repoussées. Toutes les opportunités. Sainte Catherine elle s'en moque, et celui qui lui fera porter ce chapeau ridicule n'est pas encore né. Mais qu'attend-elle ? Qu'espère-t-elle ?

Gustave pousse un long soupir. Une fine fleur de buée se forme sur la vitre devant son nez. Aussitôt évanouie.

— Félix... murmure-t-il.

Hochement de tête.

Un frère, c'est bien beau, mais ça ne remplace pas. À quand le fiancé ? L'époux ? À quand l'anneau d'or et les liens sacrés et les noces solennelles ? Le sujet ne fâche pas Emma, elle s'en amuse plutôt. Ils l'abordent quelquefois. C'est lui que cela angoisse. Ce qu'il craint et redoute c'est que sous couvert d'un choix se cache en vérité un sacrifice. Qu'elle renonce à se donner parce qu'elle se refuse à l'abandonner. Elle jure que non, mais il l'en sait capable. Il ne le veut pas. À aucun prix. Un père, c'est bien beau, mais ça ne remplace pas. Rien ni personne ne remplace. Il souhaite à sa fille de connaître un jour ce que lui a connu avec Laure. De vivre ce que lui a vécu. Il souhaite à sa fille d'avoir une fille comme lui en a eu. Il ne peut pas lui souhaiter mieux.

De la pièce au bout du couloir lui parviennent les premières notes du soir. Andante sostenuto. Étouffées et pourtant claires, proches et lointaines, comme jaillies d'une petite boîte à musique d'un autre siècle. À travers les cloisons. À travers les saisons.

— « Élégie »... murmure Gustave Van Ecke.

Avec septembre viennent les Ramsdell, les Blinkbonny, les Rose de Saint-Florian. Les jours s'écourtent. Le soleil se voile. Ces fruits cueillis ou tombés, d'autres prendront leur place.

Emma continue à jouer. Le garçon à écouter. Dans la vaste palette des romances il y a des soupirs, des silences, des appogiatures, celles-ci aussi légères, aussi lestes que des frôlements d'ailes, il y a des trilles qui chatouillent et des accords pleins et graves qui se posent à plat sur le cœur comme une paume ouverte.

Le garçon est guéri.

Dans la maison on ne parle plus de départ, il n'est plus fait mention d'annonce dans la presse, de recherche d'éventuels parents. S'il advient qu'on y songe, on le garde pour soi.

Lorsqu'elle ne joue pas, Emma lit. Elle lui fait la lecture. Elle n'a pas transporté ici sa bibliothèque complète, toutefois elle ne voyage jamais sans ses ouvrages de chevet. Bien sûr elle n'a pas manqué la correspondance Mendelssohn-Verlaine (elle l'appelle Paul tout court). Les romances, toujours. De la musique avant toute chose. Ils s'assoient dans le salon, ou dans l'herbe adossés à un tronc, ou bien sur un muret les jambes ballantes. Peu importe le lieu pourvu qu'ils soient deux, pourvu qu'ils soient seuls. Le rituel veut qu'elle lui tende d'abord le volume choisi. Il le prend. Il en effleure, en caresse les deux faces, dessus, dessous, et la tranche au milieu qui les sépare et qui les lie. Ses gestes ont la douceur des prémices et la solennité des sacrements. Elle ne le quitte pas des yeux. Ensuite il y plonge le nez. Pour mieux dire, il le porte à l'orée de ses narines et l'ouvre, l'évente délicatement et respire, hume, s'imprègne des senteurs d'encre et de papier et peut-être, qui sait, du parfum même des mots. Ses paupières se plissent. Il referme le livre et le tient encore un moment dans ses mains, serré. Puis le lui rend. Elle s'en saisit.

Elle s'éclaircit la gorge. Elle tourne les pages. Elle s'accorde.

Voici des fruits, des fleurs, des feuilles et des branches
Et puis voici mon cœur qui ne bat que pour vous.
Ne le déchirez pas avec vos deux mains blanches
Et qu'à vos yeux si beaux l'humble présent soit doux.

Cela pourrait durer des heures, il ne broncherait pas. À peine cille-t-il. Elle ignore ce qu'il comprend, ce qui le pénètre, à quelle profondeur, dans quelles proportions. Le son, certes, mais le sens ? L'essence ? Elle a confiance pourtant. Il ne fait pas qu'écouter, il entend. C'est une chose dont elle est sûre. Et c'est beau, c'est rare, cette attention, cette intégrité, aucune pose, aucun artifice là-dedans, aucune forme de rouerie, irait-elle jusqu'à dire que c'est inespéré ? En tout cas, à le côtoyer elle se rend compte qu'elle ne l'attendait plus, l'espoir elle ne l'entretenait plus, l'avait abandonné, sans adieux, sans éclats, l'avait laissé s'éteindre à petit feu, sans même y songer : un de ces nombreux et discrets renoncements dont la vie se charge à notre insu – sans quoi elle serait invivable. Mais à présent elle s'en souvient. Elle redécouvre son existence. Tout est là : dans les yeux noirs du garçon, dans son regard neuf, dans son cœur béant, dans son innocence, dans son absolue sincérité. Elle aime, elle adore lire pour lui. Cela pourrait durer des heures, elle ne s'en lasserait pas. Elle espère être la première. La seule.

J'arrive tout couvert encore de rosée
Que le vent du matin vient glacer à mon front.
Souffrez que ma fatigue à vos pieds reposée
Rêve des chers instants qui la délasseront.

Peu à peu ils désertent leur île. Le temps n'est plus assez chaud. Ils investissent la roulotte que l'on a tirée dans la remise. La roue n'est pas réparée, le rafiot penche, verse à bâbord. De l'extérieur ça ressemble en effet à une singulière embarcation tanguant sur des flots figés. De l'intérieur Emma la voit comme une maison de poupée à l'échelle d'un Gulliver. Elle ignore que c'était l'antre même du géant – ici vivait un ogre – mais comment lui dire ? Elle farfouille. Les coins et recoins, les niches, elle découvre, sourire aux lèvres, un brin d'émerveillement devant tous ces rangements astucieux, il ne faudrait guère la pousser pour qu'elle fasse la dînette sur la table amovible. Elle tire les rideaux et s'allonge sous l'alcôve dans la pose d'une belle au bois dormant. En la voyant ainsi les larmes montent aux yeux du garçon en même temps que dans sa tête les inflexions d'une voix (de celles, chères, qui se sont tues) lui rappelant une autre histoire, d'un bossu et d'une gitane, d'un crapaud et d'une princesse, pour qui nulle demeure commune n'était admise, une histoire, disait la voix, qui ne pouvait être contée.

Sur votre jeune sein laissez rouler ma tête
Toute sonore encor de vos derniers baisers ;
Laissez-la s'apaiser de la bonne tempête.
Et que je dorme un peu puisque vous reposez.

Ils rendent visite au hongre. Il est en pension dans une ferme voisine. Deux juments lui tiennent compagnie. Large stalle, bon fourrage. Placide eunuque en son harem. Les retrouvailles avec le garçon furent un modèle du genre. Elle a aimé son départ en trombe sitôt qu'il avait aperçu l'animal. Cet élan. Cette joie irradiant ses traits. On aurait dit que dix interminables années les avaient tenus à l'écart. Elle a aimé (envié ?) leur longue étreinte, les bras autour du cou du cheval et la joue contre sa robe. Les yeux du garçon étaient clos mais dans ceux du hongre elle jurerait avoir lu de l'affection, réelle, profonde. Elle s'était presque sentie de trop.

Ils lui donnent les soins d'usage. Comme Brabek lui a enseigné, le garçon enseigne à Emma. Elle n'avait pour ainsi dire jamais touché de bêtes. Elle est frappée par la force, la puissance qu'elle sent sous ses doigts. C'est comme embrasser le tronc d'un arbre séculaire. Créatures enracinées, superbe et légitime engeance de la nature. Elle aime aussi.

Ils l'emmènent en balade. On peut les croiser tous trois par les chemins et les prés, elle et lui marchant devant, de front, et le cheval qui suit tel un énorme et débonnaire chaperon, l'air jouant doucement avec sa barbiche blonde.

Quoi encore ? Des bêtises. Fantaisie puérile. Le garçon montre ce qu'il sait faire. Il s'introduit dans les poulaillers et dérobe des fournées d'œufs et ils s'enfuient en courant sous les cris des fermiers et les hurlements des chiens. Ils s'arrêtent essoufflés cinq cents mètres plus loin. Ils rient. Les œufs sont cassés et dégoulinent entre ses doigts. Il fait mine de vouloir s'essuyer sur elle et elle détale à nouveau en piaillant et il la poursuit jusqu'à ce qu'elle tombe et roule dans l'herbe. Ils rient.

Un jour, malgré ses injonctions, il se lance à l'assaut d'un marronnier et grimpe, agile, preste, parmi les branches, de plus en plus haut, tandis qu'elle le regarde, tête renversée, souffle court, son pouls s'emballant à mesure qu'il s'élève, et ne pouvant s'empêcher de l'admirer, de vouloir qu'il poursuive, qu'il achève, qu'il réussisse son ascension et atteigne les sommets, le firmament (quel autre être connaît-elle capable d'échapper à l'emprise de la gravité ?) et lorsque la silhouette du garçon se dresse, bras levés, à la cime de l'arbre, lorsqu'elle se détache, minuscule et immense, sur l'éther, quelque chose se dénoue dans le ventre de la jeune femme, quelque chose explose et se libère, et c'est elle qui est prise de vertige.

Il fait pleuvoir des météorites. Jaunes, vertes, hérissées de pics. Il les arrache aux branches, de là-haut il vise et les lance vers elle et les projectiles fusent, la frôlent sans la toucher, et la voilà qui exécute, en bas, une drôle de danse : c'est la gigue des bogues. Dos rond, mains sur la tête, on sautille sur place en poussant des cris de souris, hiii ! hiii !

Ils rient.

Ils font provision de ces marrons d'Inde, les débarrassent de leur coque et les emportent comme autant de munitions dans leurs coupables pérégrinations. Ils font le tour des églises. Des clochers. Se postent à un endroit stratégique. Pendant qu'elle tient la besace, tel un servant d'artillerie, il y puise les marrons et les projette à toute volée sur les cloches. Ding dong dong fait le bronze. Les vêpres sonnent à midi, les matines au goûter. Cela tombe parfois en plein office, un bedeau se précipite, il sort et scrute les alentours, circonspect, mais ils sont déjà cachés ou ils ont déjà filé, alors l'homme lève le nez vers le faîte de l'édifice ou peut-être au-delà, vers les cieux, et il s'interroge sur les voies du Seigneur pendant qu'à l'intérieur, sur les bancs, les grenouilles s'agitent, frétillent, chuchotent, pupilles dilatées et brillantes, toujours promptes à s'exciter à l'idée qu'un signe leur serait adressé, fût-il un bruit de gong ou de carillon, et pourquoi ne serait-ce pas les célestes coups de semonce d'un miracle annoncé ?

Ils rient. Ils rient beaucoup. Si toutefois mademoiselle Emma Van Ecke était sortie de l'adolescence, elle y replonge.

Félix, mon frère. Mon âme sœur.

Un soir, avant de s'endormir, et sans rire cette fois, elle se dit que la vie ne vaut que par l'amour et par l'art. Cela ne lui était pas encore apparu avec une telle évidence. Une vérité qui sonne comme un coup de cymbales et illumine comme l'éclair. Elle est heureuse de l'avoir saisie. Elle ne la lâchera plus, et sa lueur la guidera dans le noir des nuits et le noir des jours futurs. Jusqu'au bout.

L'été se retire. Il va falloir rentrer.

Par un maussade après-midi a lieu la dernière partie avec Amédée. Un double-six la clôt, qui n'adoucit guère la saveur amère de cette victoire. Son plus vieux et plus cher adversaire s'en va. Le docteur est tristounet. Il remballe ses os. Il échange avec Gustave une longue et silencieuse poignée de main. Une forme de superstition les empêche de se dire à l'été prochain – à leur âge est-on jamais certain de se revoir ? Emma l'embrasse sur la joue. Une petite satisfaction, tout de même, lorsqu'il donne les deux tapes sur l'omoplate du garçon : à voir le gaillard, nul ne peut mettre en doute l'efficacité de son traitement. L'œil du médecin frise. Est-ce qu'il ne l'a pas toujours dit ? Le madère, rien de tel !

Le vieillard s'éloigne dans son boghei sous un ciel fuligineux.

Le lendemain c'est leur tour.

Emma a parlé de Paris au garçon. La ville, la grande ville, la ville-lumière. Y es-tu déjà allé ? Non. Veux-tu venir avec nous ? Oui. Ce qu'il veut c'est ne pas les quitter, ni elle ni son père. Gustave n'émet aucune objection.

Le plus dur a été de se séparer du hongre. Emma, avec patience, lui en a démontré les avantages : la campagne, l'espace, l'herbe grasse, la quiétude, le confort, aucun doute qu'il sera beaucoup mieux ici. Et puis on le reverra. Ce n'est que pour quelques mois, quelques mois seulement. Le garçon se tassait contre l'encolure. L'animal ne bougeait pas. Est-ce qu'un cheval pleure ? s'est-elle demandé.

On a fermé fenêtres et volets. On a ressorti l'infernale machine (De Dion-Bouton, type AW, pour les connaisseurs). Le moteur gronde dans la cour. On charge les bagages. Gustave s'installe au volant, sa fille à ses côtés. Le garçon prend place sur le siège arrière, il a peur et il a hâte.

En cette matinée de fin septembre ils partent, laissent derrière eux la Seine-et-Oise et se dirigent vers la capitale à la vitesse faramineuse de trente-cinq kilomètres à l'heure.

1910-1914

Quatre ans ou presque. Quatre années à venir dans la vie du garçon, et qui seront les plus belles, les plus merveilleuses. Les arbres ce n'était pas grand-chose. Les ormes et platanes et autres marronniers : simple grimpette, escalade d'échauffement. Ce qu'il va gravir maintenant n'est rien de moins que la montagne de la civilisation. Versant sud de son existence. Là-haut sera le point culminant de sa condition d'homme. Et le bonheur en sus, à son paroxysme.

Après ça… Non, ne parlons pas de ce qui viendra après. Profitons.

Boulevard du Temple. Vois ce qu'il en est : un charmant tableau. Une jolie petite famille. Emma est au piano, Gustave au hautbois, et ce jeune homme, là, assis sur une chauffeuse, jambes croisées, chemise en soie, col empesé, gilet moiré, pantalon étroit retroussé à l'anglaise, chaussures derby en cuir de chevreau glacé (ses propres habits, neufs, à sa taille, sur mesure) et même, oui, des boutons de manchette en forme de lyre à ses poignets, c'est lui. C'est le garçon.

On l'appelle Félix.

Père et fille jouent l'opus 30 n° 6, l'une des trois « Chansons de gondolier vénitiennes », ainsi que les a nommées Mendelssohn. Gustave l'a transcrit pour son instrument. Emma avait dû insister mais il avait fini par s'y remettre. Exhumé le hautbois. Ressuscité. Gustave avait taillé, gratté, ligaturé les fines lamelles de roseau jusqu'à ce que l'anche fût parfaite. Il l'avait pincée entre ses lèvres. Il avait soufflé. La tête lui avait un peu tourné – il y avait si longtemps. Reprise fastidieuse : des couacs, des couics, des dérapages et déraillements intempestifs. À sa décharge n'oublions pas que le hautbois est l'un des deux instruments les plus difficiles à maîtriser – le second étant le cor d'harmonie. Les bons yeux de Gustave imploraient sa fille. (Laisse, laisse le vieil éléphant et sa vieille trompe s'en aller vers le cimetière…) Elle n'avait pas cédé. Avec la pratique et après moult répétitions c'était revenu. Le son, le plaisir. Quand le garçon avait entendu ce chant issu du pavillon il en avait été transporté. Oh ! les vannes qui s'ouvraient, les flots, les vagues qui pénétraient son cœur, la houle qui à la fois le submergeait et le berçait. Tumulte et douceur. C'était la voix de sa mère, le rare et précieux filet de paroles qu'elle laissait soudain s'écouler devant la cabane et dont il s'abreuvait avant que le vent l'emportât vers d'autres sphères. C'étaient les paraboles crépusculaires que Joseph dévidait parfois à la table du souper en manière de bénédicité. Tout cela s'accordait, s'harmonisait, par une mystérieuse alchimie sonore, et le faisait littéralement chavirer.

Parmi les quarante-huit romances ce sont ces trois chansons de gondolier qui lui font le plus d'effet.

Une nouvelle année commence. La nuit tombe.

Dehors il fait froid. Quelques flocons volent, épars, qui semblent ne jamais toucher le sol. Dedans il fait bon. Tous trois réunis dans la pièce à musique. Trinité d'un nouveau genre – « Père, Fille, et Simple d'esprit », persiflerait l'un de leurs faux amis. Ils fêtent les Rois à leur façon. Le piano est un Érard, quart de queue. Le hautbois un Buffet-Crampon, non d'ébène mais de grenadille. Le bois brille comme de la laque noire à la lueur de quatre grands chandeliers à quatre branches. La chauffeuse est en velours bleu.

Cela tend à devenir une habitude. Pas seulement Mendelssohn, le répertoire est vaste et s'agrandit encore de semaine en semaine. Des études, des préludes, des nocturnes, des fugues, des ballades, des sonates, des scherzos : tout y passe. Tout est bon. L'essentiel est dans la communion. L'osmose. Dans ces moments-là les liens entre eux se resserrent jusqu'à ne laisser plus filtrer que l'affection et la grâce.

Quand ils ne jouent pas eux-mêmes ils vont au concert, à l'opéra. La première fois le garçon avait été soufflé, plaqué au fond de son siège. Il s'accrochait. En y regardant de près on aurait pu voir l'empreinte que ses doigts avaient creusée dans le gras des accoudoirs.

L'amour et l'art, dixit Emma.

Elle avait voulu lui apprendre. Le piano, la musique. Elle comptait une demi-douzaine d'élèves, des demoiselles de six à seize ans, à qui elle prodiguait des leçons hebdomadaires. Elle avait demandé au garçon d'y assister. Puis elle avait commencé à lui donner ses propres leçons. Mais cela ne fonctionnait pas. Devant le clavier s'opérait un blocage. Le garçon comprenait les conseils et consignes, il assimilait intellectuellement les exercices, mais lorsqu'il s'agissait de les reproduire il s'en révélait incapable. Paralysie totale. Comme pour la parole : cela ne sortait pas. Et ce n'était certes pas de la mauvaise volonté de sa part, il goûtait ces leçons et faisait de son mieux – même si en vérité c'était surtout pour complaire à son professeur (et en vérité de vérité parce qu'une petite décharge le secouait chaque fois que la jeune femme touchait sa main, ses doigts, son dos, son menton, afin d'en rectifier la position). Au bout de peu Emma avait abandonné.

Idem pour la lecture et l'écriture. Après quelques heures passées à jouer à la maîtresse elle avait dû admettre l'échec de ses tentatives. Et leur vanité. Car au fond, si elle n'avait pas davantage insisté, c'était qu'elle sentait que tout cela risquait de dénaturer le garçon, de fausser sa personnalité. Fatalement cela aurait une influence sur son esprit, sur sa façon d'appréhender le monde et les choses – corruption douce mais corruption tout de même – et c'était justement cette façon et cet esprit, personnels, singuliers, qui la fascinaient et qu'elle voulait à tout prix préserver. L'enseignement qu'ils avaient reçu, elle et ses semblables, l'éducation qu'on leur avait donnée étaient sans doute une fenêtre ouverte sur la liberté, mais n'était-ce pas également une cage ? N'était-ce pas un moule, rigide et fonctionnel, à partir duquel tous étaient créés, façonnés à l'identique ? Un modèle unique – dessiné par qui, destiné à quoi ?

Jusqu'ici le garçon avait évolué à la marge, hors les préceptes et les règles. Eh bien, qu'il continue ! s'était, en substance, dit Emma. Quand elle

observait, autour d'elle, les êtres constituant la pré-
tendue bonne société, que voyait-elle ?

La civilisation est ailleurs.

Aux quelques amis qu'ils ont les Van Ecke avaient
tenu à présenter le garçon. Narrant par le menu
les circonstances de leur rencontre, l'accident, la
convalescence, le mystère de son identité et de ses
origines. On devine que ce récit engendrait toutes
sortes de réactions et commentaires. La mutité du
garçon, en particulier, intriguait, et, comble de l'ironie, déchaînait les langues. Chacun avait son avis
sur le sujet. Lorsqu'on l'abordait, Gustave n'était
pas fier, lui qui croyait toujours que le choc contre
l'auto était la cause première de ce trouble, et par
conséquent s'en jugeait en grande partie responsable
(intime conviction qui resterait à jamais fichée en lui,
pareille à un infime éclat de ferraille dans la chair).
En dehors de ce cercle restreint les présentations
se faisaient au fil des jours et du hasard. Croisant
telle connaissance, telle relation, ils en profitaient
pour introduire le garçon – Félix – sans expliquer
ni s'étendre. Aux questions ils répondaient évasi-
vement. Une attitude qui aurait dû faire passer la
présence de cet inconnu pour la chose la plus naturelle qui fût, au même titre que celle d'un lointain
filleul ou d'un petit-cousin fraîchement débarqué
de sa province. Or cela avait eu, dans un premier
temps, l'effet inverse. Loin d'apaiser la curiosité,
cette discrétion l'attisait. On causait, on jasait. On
brodait, on extrapolait. Le petit-cousin prenait des
allures de phénomène – *J'ai ouï dire que le veuf l'au-*
rait eu avec une fille de ferme… Un attardé mental…
Paraît-il que ce sont des chasseurs qui l'ont trouvé
en pleine forêt… Figurez-vous qu'il a été élevé par

une meute de loups… Avez-vous remarqué la taille de ses canines ?… C'est un missionnaire, oui, qui l'a ramené dans ses bagages… Il ne mange que de la viande crue… Moitié sauvage, moitié… On m'a assuré qu'il se nourrissait exclusivement de racines… D'une peuplade primitive, là-bas dans je ne sais quelle jungle… Et ses yeux, avez-vous remarqué ses yeux ?… Les Arrapaos ou les Parrareos, quelque chose comme ça… Il voit dans le noir aussi bien que vous et moi en plein midi… Je vous jure que ses hurlements font froid dans le dos… Moitié singe, moitié… Les Rapparaos, voilà ! Et tout à coup les curieux s'étaient mis à défiler, usant des plus spécieux prétextes, des stratagèmes les plus farfelus pour venir se rendre compte par eux-mêmes. Jamais Gustave et Emma n'avaient reçu autant de visites. On allait chez les Van Ecke comme on allait au parc zoologique ou au Muséum d'histoire naturelle – quand ce n'était pas plus crûment à la foire aux monstres – et souvent on s'en retournait déçu, car le garçon ne s'était pas perché sur le dossier d'un fauteuil ni n'avait grimpé aux rideaux, il n'avait pas montré les crocs ni essayé de mordre. (Devait-on exiger remboursement ? Au moins un dédommagement pour le temps perdu ?)

Père et fille avaient fini par prendre la mesure de ce qui se passait. Rien n'aurait pu les offusquer davantage, eux qui précisément avaient souci de ne pas exhiber leur protégé comme une vulgaire attraction.

— Vous avez vos billets ? avait, pour conclure, jeté Emma à la face d'une énième curieuse qui se tenait sur leur palier (sorte de grosse dame patronnesse flanquée de deux marmots habillés comme à la kermesse), avant de lui claquer la porte au nez.

Porte qui ne s'était plus ouverte qu'avec parcimonie.

Désormais ils écrémaient. La patte blanche que
les visiteurs devaient montrer était la pureté de
leurs intentions. Emma et Gustave se concertaient,
soupesaient, jugeaient, avant d'accorder ou non un
laissez-passer.

Malgré cette vigilance il leur était arrivé quelquefois encore de se leurrer. Ainsi avait-on assisté, un
après-midi, à une scène pénible au cours de laquelle
le courroux de Gustave avait éclaté avec force. Pourtant leur hôte ce jour-là paraissait au-dessus de tout
soupçon. Pierre-Henri Louhans-Mainaut n'était
qu'un adolescent lorsque Gustave avait fait sa
connaissance, quelque trente ans auparavant. Neveu
d'un confrère botaniste, il accompagnait alors régulièrement son oncle dans les congrès. Aujourd'hui
membre d'honneur et mécène de nombre de sociétés
d'agronomie, il y consacrait une partie de la fortune dont il avait hérité. S'étant mis en retrait de ce
milieu, Gustave ne le voyait plus que de loin en loin.

Tout s'était plutôt bien déroulé jusqu'au moment
de prendre congé. Deux heures durant ils avaient
bavardé au salon en buvant thé et café. Le garçon
était présent mais leur invité n'avait posé que peu
de questions à son sujet. Rares étaient les regards
qu'il lui accordait et pas une seule fois il ne lui avait
adressé la parole. Un vase, une lampe aurait davantage retenu son attention. En revanche les traits du
monsieur s'épanouissaient lorsque ses yeux s'arrê-
taient sur Emma, si bien que la jeune femme en était
venue à la conclusion que la visite n'avait d'autre
but en réalité qu'une approche de sa propre personne : un discret début de cour. Ce qui était vrai.

Sur le point de partir, Pierre-Henri Louhans-Mainaut s'était levé et, toujours sans un regard pour le garçon, s'était néanmoins et pour la première fois adressé à lui. Et pour quoi lui dire ? Simplement d'aller chercher son manteau. Parole d'autant plus humiliante qu'elle paraissait si naturelle dans sa bouche (ce ton, cet air). La délicate mâchoire d'Emma s'en était décrochée. Le garçon, pour sa part, dans son innocente affabilité, était déjà en train de s'exécuter, quand avait fusé la voix de Gustave.

— Félix, ne bouge pas !

Ce ton, cet air... Les trois autres, surpris, s'étaient tournés vers lui. L'œil du vieil homme avait l'éclat froid d'une lame de rasoir. De blême, son visage avait rapidement viré au pourpre. On pouvait voir, comme un vin aigre dans une carafe de verre, le sang le remplir, monter, depuis le cou jusqu'au front. Quand le niveau avait atteint la racine de ses cheveux, Gustave avait explosé.

— De quel droit ?... Co... comment osez-vous... ? Ce... ce... ce... (Il en balbutiait, en bégayait, en postillonnait.) Ce n'est pas un domestique ! Pour qui vous prenez-vous ? Nom d'un chien, ce garçon n'est pas votre valet !

Et Gustave le sanglier avait continué ainsi, grondant, fulminant, fustigeant, et avançant vers leur visiteur qui, effrayé, reculait sous la menace, reculait, reculait, jusqu'à buter contre un guéridon et basculer en arrière en brassant frénétiquement mais vainement l'air et finir par choir lourdement sur son postérieur, ce qui avait déclenché chez le garçon, dans son innocente spontanéité, une salve de son rire fracassant.

Ô combien Emma avait admiré son père à cet

instant. Combien elle était fière de son cher, très cher papa. Si elle s'était interposée entre lui et l'odieux personnage c'était surtout parce qu'elle craignait que Gustave succombât à quelque attaque de type apoplectique. Sans un mot elle avait reconduit Pierre-Henri Louhans-Mainaut vers la sortie, lui tendant au passage ce fameux manteau, dont il n'avait même pas pris le temps de se vêtir, s'enfuyant au plus tôt et drapé seulement dans son orgueil en lambeaux.

Adieu, triste sire.

Retrouvant son père au salon, Emma l'avait forcé à se rasseoir, avait desserré sa cravate, lui avait fait boire un grand verre d'eau, puis, rassurée, avait enfin pu à son tour laisser libre cours à son hilarité, mêlant la cascade de son rire à celui du garçon.

Cet épisode avait clos le chapitre des visites. De fait, l'intérêt pour le phénomène était retombé. La nouveauté ne dure pas, on se lasse comme on s'est embrasé : aussi vite. L'affaire avait à peine tenu un trimestre au sein de cette petite société. Aujourd'hui on leur fiche la paix. Ils sont libres, Gustave, Emma, Félix, de goûter à l'essentiel : l'amour, l'art, et Paris.

Qu'est-ce que Paris sinon la foire de Bar-le-Duc permanente et au centuple ? Grouillement, palabres, marchandises et marchands et flâneurs et traîne-savates et voleurs et mendiants, gens de peu et gentilshommes, bourgeoises, cocottes aux cuisses légères et ménagères aux lourds cabas et belles toilettes et hardes et dans l'air qu'on respire tous les parfums, toutes les odeurs. Et oui, d'accord, les monuments – temples, arches, obélisques, mausolées : énormes cerises sur le gâteau. Que l'on songe aux églises et cathédrales et basiliques, que l'on songe à ces centaines de milliers de tonnes de pierres cassées, taillées, sculptées, transportées, soulevées, assemblées par des centaines de milliers d'hommes, que l'on songe au temps et à la peine consacrés, à la sueur et au sang versés à la seule fin d'offrir une somptueuse demeure, un éternel abri à un être (un être ?) qui ne serait qu'esprit, pur esprit, parfaitement insensible aux intempéries, une immatérielle et imputrescible entité dont nul froid ne peut entamer la chair qu'elle n'a pas, dont nul vent d'hiver ne peut transpercer l'absence d'os, que l'on songe au faste des châteaux, à la magnificence des palais que se sont fait bâtir par les mêmes centaines de milliers d'hommes des dynasties entières, des olympes complets de demi-dieux, premier, deuxième, cinquième, dixième, quatorzième, seizième du nom, bien carnés ceux-là et dont l'unique mérite était d'être nés de qui de droit, une cuillère en argent à la bouche et l'or d'une couronne sur la tête, que l'on songe aux hectomètres de murs et de toits érigés autour d'un trône à la gloire de et en l'honneur de et dans l'intention de loger leur immodeste et néanmoins périssable personne, que l'on songe un instant à cela et l'on ne pourra que s'interroger quant à la nature profonde de notre espèce : ô peuple humain, est-ce la crédulité ou est-ce la servilité qui constitue le tout premier de tes atomes ?

La tour Eiffel se dresse. Le Sacré-Cœur commence à palpiter.

Elle veut tout lui montrer. Ils se promènent, ils marchent au long des rues et des boulevards et sur les berges du fleuve. Et tandis qu'il découvre elle surveille ses yeux, elle guette dans son regard les variations d'intensité qui trahissent la surprise, la stupéfaction, l'éblouissement – et la lumière sur elle rejaillit.

Un matin d'avril ils se retrouvent au pied de Notre-Dame. Elle lui parle de l'archidiacre Frollo, du poète Gringoire, de Quasimodo. Je te lirai cette histoire, dit-elle. Il est transi. Ainsi donc, c'était vrai. Il pénètre à l'intérieur et se perd. Il erre parmi la foule, il cherche, dans la nef, dans le chœur, dans les chapelles, dans l'ombre des arcades et des colonnes, il déambule nez en l'air, il scrute le plafond, les cieux, sous les voûtes, il cherche la créature, le bossu, il cherche le monstre – mais il n'y a que lui.

Longtemps après il ressort et ses paupières s'étrécissent sous l'éclat du jour et par cet interstice son regard balaie les badauds sur le parvis, il cherche à nouveau, parmi le nombre, parmi la multitude, il cherche la bohémienne, la danseuse, il cherche la princesse égyptienne de la cour des Miracles – mais il n'y a qu'elle. Elle l'aperçoit. Elle lui fait signe, elle agite la main au-dessus des crânes et se précipite. Sa jupe de faille fend, zigzague entre les grappes. Elle l'avait perdu, elle le retrouve. Elle revit. Le soulagement la jette dans ses bras, leurs fronts manquent se heurter, leurs lèvres, leurs joues se frôlent, il sent son souffle dans son oreille : Tu es là ! dit-elle. Et tout est dit.

Du haut des tours les chimères veillent, ricanent peut-être.

Quand Gustave les accompagne ils ralentissent le pas. L'homme fatigue. Sa canne (érable et ambre) n'est plus seulement d'apparat. Ils vont ensemble dans les jardins. Montsouris et Buttes-Chaumont, leurs lacs nains, leurs arbres géants. Gustave Van Ecke présente : kaki, hêtre, cèdre du Liban, févier d'Amérique, ginkgo biloba – une famille vieille de deux cent soixante-dix millions d'années, précise-t-il, une pointe d'émotion dans la voix. Ils vont au Luxembourg. Ils arpentent les allées où siègent les illustres (un corps de garde mort, statufié) et là Emma prend le relais, c'est son domaine, son panthéon. Voici Chopin, dit-elle. Et voici Stendhal. Et voici Flaubert. Ils assistent, en mai, à l'inauguration du monument à Paul Verlaine. Un signe, dit-elle. Le buste est dévoilé. C'est lui. Crâne rond, regard sévère, en dessous trois femmes en relief qui semblent vouloir s'arracher à leur gangue de pierre. Elles représentent, dit-elle, les trois âmes du poète : son âme religieuse, son âme sensuelle, son âme d'enfant. En prononçant ces mots un trouble la saisit, elle se demande soudain de qui elle parle. Elle regarde le garçon d'un drôle d'air. Une gerbe de passereaux jaillit des nuées. Et voici le Faune dansant (plus loin, plus tard). Et voici la Liberté éclairant le monde (mais le garçon ne fait pas le rapprochement avec celle que Brabek avait vu naître de l'autre côté de l'océan). Ils vont au parc Monceau. C'est celui qu'il préfère et c'est ici qu'un jour il devient un héros. Comment ? Voici : alors qu'ils viennent de franchir les grilles ils remarquent un attroupement sous l'ample frondaison d'un tulipier de Virginie. Au centre de cette assemblée un enfant pleure. Des bras se dressent, des doigts pointent pour désigner la source de ce chagrin : un cerf-volant coincé entre les branches. Que faire ? C'est trop haut. Il faudrait la grande échelle. Il faudrait un zeppelin. On lance tout ce qui tombe sous la main pour tenter de déloger l'objet, rien n'y fait. Et tout à coup quelqu'un s'exclame : « Oh ! Regardez ! » On regarde : c'est le garçon en train de se hisser le long du tronc. Il a ôté bas et souliers. Il s'élève. Cela paraît aussi facile que de gravir les échelons d'un escabeau. Quelle aisance ! Quelle souplesse ! Gustave lui-même ne peut s'empêcher de songer un bref instant – avant de se flageller mentalement – à un ouistiti, un gibbon, un chimpanzé ou quelque autre primate dans son milieu naturel. En trois minutes le garçon atteint la ramure. Il s'y enfonce. Il monte encore. Quarante pieds plus bas la foule murmure. Tous ces gens les yeux au ciel. Emma sourit. L'enfant ne chouine plus, larmes et morve luisent sur sa face poupine.

On devine maintenant la silhouette évoluant derrière l'épais feuillage, on suit ses mouvements de branche en branche. Le tulipier frissonne. Quelques fleurs tombent en gros flocons couleur d'aurore. Et puis c'est le tour du cerf-volant : décroché, libéré. Il plane dans l'atmosphère. Oiseau de paradis au plumage vert, rouge, bleu, jaune. Les applaudissements éclatent. Hourra ! Hourra ! Pour une fois qu'Icare l'emporte. Le garçon redescend. À peine a-t-il touché le sol qu'on l'acclame, on l'entoure, on le fête, c'est tout juste si on ne le porte pas en triomphe. Quel succès ! Quelle gloire ! La mère de l'enfant lui prodigue deux baisers sonores. Et pendant tout ce temps Emma est pendue ostensiblement à son bras, elle le serre, elle sourit – et la lumière sur elle rejaillit.

Ils vont dans les cimetières. Montparnasse. Montmartre. Ils cheminent entre les tombes. Au Père-Lachaise ils foulent le précieux terreau, l'inestimable humus – os, chair, poil, corne, poussière, poussière, poussière – poussière de nos étoiles mortes. Ci-gisent les plus grands, les plus admirables. Ici repose la crème des trépassés. Le néant en est rempli. L'éternité déborde. Parfois Emma ou Gustave se penche, ils montrent, ils lisent un nom, ils développent. Le garçon apprend. Ce sont de petites leçons sur le tas, improvisées. Brefs éloges, portraits, anecdotes, des histoires dans l'Histoire. Tous ces hommes, ces femmes, tous ces morts, ils furent et demeurent fragments, microscopiques pièces d'un puzzle unique et gigantesque dont nul n'a la moindre idée du modèle à reconstituer. À Emma, toujours, les artistes : là Molière, là Nerval, là Musset – chers poètes que les vers ont dévorés – là Bellini, là Bizet. À Gustave les hommes de science, les savants aux trois quarts oubliés. Qui se rappelle Casimir Davaine ? Et Louis Poinsot ? Pierre Flourens ? Georges Pouchet ? André Thouin ? Gaston Planté ? Michel Adanson ? Gustave pointe sa canne sur une stèle : Marie François Xavier Bichat. Celui-ci on le connaît. Remarquable médecin anatomiste. On le soupçonnait de hanter les cimetières, la nuit, de violer les sépultures, de voler ces cadavres qu'il disséqua par centaines afin de mener à bien ses recherches. Et celui-là : Philippe Pinel. Encore un médecin, aliéniste cette fois. L'ami des fous. Le premier à affirmer qu'ils étaient des êtres humains à part entière et qu'on devait les traiter en tant que tels, non par les saignées et les chaînes et autres médications barbares, mais par la parole. Ils furent nombreux en son temps à penser que ses patients avaient déteint sur lui ! Et puis il y a ceux et celles qui n'appartiennent à aucune catégorie. Les originaux. Les cas à part. Ainsi cette madame Saqui, fameuse acrobate et danseuse de corde. Ainsi cette Sophie Blanchard, première femme aéronaute. Ainsi cette demoiselle Marie-Anne Lenormand, nécromancienne, cartomancienne, pythonisse qui acquit une telle réputation que tous les plus célèbres représentants de son époque, des révolutionnaires aux têtes couronnées, défilèrent dans son cabinet pour s'enquérir de leur sort. On dit qu'elle prédit à Robespierre une fin nette et concise. On dit qu'elle déconseilla fortement à Marat de s'adonner aux bains. L'impératrice Joséphine était sa plus fidèle cliente : on dit que la sibylle vit Waterloo dans un œuf cassé et que la débâcle eût pu être évitée si l'empereur avait, pour une fois, écouté sa moitié. On dit que par le truchement d'un miroir elle prophétisa à Alexandre Ier de Russie qu'il trépasserait à deux reprises, la première dans la peau du tsar, la seconde dans les oripeaux d'un saint.

— Quant à son propre destin, ajoute Gustave avec malice, mademoiselle Lenormand avait lu dans le marc de café qu'il ne s'achèverait pas avant ses cent ans bien sonnés. Mais sans doute était-ce un café de médiocre qualité, car elle mourut, hélas, à seulement soixante-dix.

— En laissant derrière elle une fortune considérable… conclut Emma.

Père et fille se gaussent, complices.

C'est encore ici que par une chaude soirée de printemps, devant le mausolée d'Héloïse et Abélard (non, ce n'est pas le hasard), Emma dévoile au garçon l'histoire de sa cicatrice.

Ils sont seuls, Gustave, les sinus enflammés par un vilain rhume des foins, ayant décliné l'invitation à la balade. Emma termine le récit des hauts faits et tourments légendaires des deux amants. Regarde, dit-elle, ils dorment ensemble maintenant. Allongés côte à côte en leur petit jardin, hiver comme été. L'herbe y est tendre. (Soupir.) Qu'importe que l'on croie au ciel ou pas, c'est l'amour qui est éternel. L'amour. Rien ni personne ne pourra plus les séparer. Sa voix, jusque-là exaltée, s'étale lentement comme vague mourante. Regarde, dit-elle. Elle désigne la tombe, mais c'est vers elle, vers son visage à elle que se tournent les yeux du garçon. Puis se froncent. Qu'est-ce ? La chaleur ? Une simple perle de sueur, ou bien… Sans réfléchir davantage il tend le bras et cueille du bout des doigts la résine claire, transparente, qui coule sur la joue de la jeune femme. Et quand il veut retirer sa main d'un geste preste elle la retient, l'emprisonne, la pose à nouveau sur sa peau comme une compresse, un linge frais qui soulage. Ses paupières se ferment. (Soupir.) Le garçon ne remue ni ne respire. Son cœur bat dans sa gorge. Elle sait qu'il sent l'accroc sous sa paume – l'étroit sillon traversant la douce écorce. Elle a toujours les yeux clos lorsqu'elle dit : Tu veux savoir ?

Le silence lui répond. Puis une infime pression sur sa joue, pas plus forte que le pouls d'un oisillon.

— C'est le dieu de la musique, dit-elle. Il m'a frappée. Il m'a fouettée alors que je n'étais qu'une enfant.

Elle rouvre les yeux. Le soleil couchant mordore ses prunelles – café, miel, sucre roux. Ils se font face et dans le peu d'espace qui les sépare volettent quelques paillettes d'or, comme des comètes au sein d'un univers au microscope.

— C'était ma punition. Mon châtiment… Et pourquoi avais-je mérité ça ? À cause de ma mère. Ma mère était un être adorable, si j'en crois mon père. Et je le crois. C'était justement là mon malheur. Car moi je ne l'adorais pas. Moi, j'adorais mon père. Et j'étais jalouse, je souffrais de l'adoration qu'il lui vouait, à elle… Voilà. La petite fille qui ne voulait pas partager. Qui exigeait toute l'attention et tout le temps et tout l'amour de son papa pour elle seule. C'est tellement banal. Ma mère était ma rivale. Dans mon esprit et dans mon cœur d'enfant elle était celle qu'il me fallait surpasser. Mieux que ça : je devais, par mon intense éclat, ternir son image, la reléguer dans l'ombre, l'effacer, la soustraire ni plus ni moins au regard de mon père. Le rôle de la princesse ne me suffisait pas, moi je voulais être reine à la place de la reine ! (Soupir.) Un mauvais conte de fées, tu vois, c'est tout ce que j'ai à t'offrir…

261

Un triste sourire affleure à ses lèvres. Ses yeux se détournent vers le grand lit de pierre où gisent les amants : on les croirait moulés vifs, saisis dans leur sommeil par la lave en fusion – la lave bouillonnante de leur propre passion. Elle serre sa main un peu plus fort. Il ne bouge pas. Il est déjà prêt à tout pardonner.

— Ma mère était belle, je devais être plus belle encore. Ma mère était brillante, je devais briller plus encore. Ma mère jouait admirablement du piano… Chopin. Chopin par-dessus tout. Elle avait percé son secret – parce qu'il y en a toujours un. La « Ballade en fa mineur », le deuxième « Impromptu » : j'aurais aimé que tu les entendes sous ses doigts. Ou plutôt, non… Je ne sais pas… (Soupir.) Il me semblait que c'était ce que mon père aimait le plus chez elle. C'était le charme le plus puissant qu'elle exerçait sur lui. Par lequel elle le tenait. Un envoûtement. Il fallait voir son expression, le bonheur, la béatitude sur sa figure lorsqu'il l'écoutait jouer. Oh ! Seigneur, de grâce ! On touchait au divin. Par Chopin cette satanée reine accédait au statut de déesse !… Alors, bien sûr, je devais jouer mieux encore. Chaque jour je m'y attelais. J'y consacrais des heures. Gammes et exercices. Labeur acharné. La petite fille sur son tabouret accrochée de toutes ses griffes au dos du monstre. La sournoise, la machiavélique petite fille… Car voici le pire : c'était elle qui m'apprenait. La reine. Ma mère. Avec douceur et patience, avec rigueur, avec persévérance elle m'enseignait son art. Avec… avec amour, oui, elle fourbissait les armes par lesquelles j'étais bien décidée à l'anéantir ! Mon secret à moi, ce noir secret qui empoisonnait mon âme comme du venin, elle ne l'avait pas percé.

Comment l'aurait-elle pu ? Comment une mère pourrait-elle imaginer de si abominables desseins dans le cœur de son enfant ? Pendant des semaines, des mois, je suis restée vissée à mon siège. Gammes. Exercices. Je m'escrimais sur les touches. Je bouillais. J'enrageais. Et quand elle pensait calmer ma rage elle ne faisait que la décupler. Mais qu'est-ce que je croyais ? Stupide petite fille... (Soupir.) Sais-tu combien de temps il faut pour maîtriser Chopin ? Je ne parle même pas de perfection, juste le jouer sans buter, sans hésiter, juste le dérouler sans heurt. Juste ça. Le plus petit prélude. La moindre polonaise. Combien ? Cela ne se compte pas en semaines ni en mois... J'ai fini par le comprendre. La reine avait trop d'avance. Il m'aurait fallu des années et des années pour la rattraper, et des années encore pour la dépasser, si tant est qu'un jour j'y fusse parvenue. Je n'étais pas capable de patienter aussi longtemps. Alors que pouvais-je faire ? Qu'est-ce qu'il me restait ?... (Soupir.) J'ai souhaité sa mort. Simplement. Je l'ai souhaitée de tout mon cœur et de toute mon âme empoisonnée. Je l'ai souhaitée si fort... J'ai été exaucée.

À cet instant le doigt s'enfonce dans l'ivoire. Elle l'entend. Elle s'y attendait. C'est la première note, basse, grave, terrestre, du « Nocturne n° 13 ». À laquelle répond une voix cristalline et haut perchée qui ne peut appartenir qu'à une créature céleste. Terre et ciel dialoguent. Elle seule l'entend. Sa marche funèbre. Les mesures défilent à cette lente cadence et le cortège avance et c'est l'hiver.

— Pauvre papa. Je l'ai privé de ce qu'il avait de plus cher. Il ne le sait pas. Je ne lui ai jamais dit. Je ne l'avais encore jamais dit à personne...

Elle seule voit, de dos, la silhouette assise au piano. Le buste droit, le chignon lâche d'où s'échappent de brunes flammèches. Les épaules remuent à peine. De temps en temps les bras s'écartent de part et d'autre et l'on dirait des ailes qui poussent et se déploient. Elle seule la voit qui s'envole. La reine. Sa mère. Ce nocturne, le treizième, nul ne le jouera plus comme elle.

— J'avais huit ans quand elle est morte. J'avais gagné. Mais pour autant je n'étais pas satisfaite. Car je me rendais compte que je ne pourrais pas prendre sa place. Dans le cœur de mon père nous avions chacune la nôtre, une fois pour toutes, et il était impossible d'en changer. La place qu'elle occupait resterait vide à jamais. Un grand trou béant, un gouffre immense dans le cœur de mon père. Et cela était ma faute... (Soupir. Long, long soupir.) Une ou deux semaines plus tard, papa m'a emmenée visiter une fabrique de pianos. Sans doute cherchait-il à me distraire, à faire oublier à sa pauvre enfant le chagrin dont il la pensait accablée. Sa peine à lui, rien ne pouvait l'adoucir sinon le temps, beaucoup de temps... Il connaissait le patron de la fabrique. À la fin de la visite ils se sont mis à discuter entre eux. À l'autre bout de l'atelier deux ouvriers s'affairaient autour du squelette d'un demi-queue. Ils étaient en train d'effectuer la mise sous tension. Le pinçage. C'est une opération délicate. Sais-tu combien il y a de cordes dans un piano ? Deux cent vingt. Il faut bien ça pour Chopin. Deux cent vingt cordes, chacune d'elles exerçant une traction d'environ quatre-vingts kilos – nous venions tout juste de l'apprendre. Fais le calcul : près de dix-huit tonnes de tension au total. Les nerfs de la bête. À ce stade il suffit d'un défaut, le plus infime soit-il, une accroche défectueuse, une paille dans l'acier, et tout peut arriver. C'est-à-dire le pire. Surtout si les dieux s'en mêlent... (Soupir.) Je me suis approchée. La sournoise petite fille a échappé à la vigilance de son papa et s'est faufilée jusqu'aux deux ouvriers penchés sur l'instrument. Elle s'est hissée sur la pointe des pieds, pour voir... Je n'ai rien vu. Je me souviens seulement du son. Un sifflement. Une sorte de vrombissement aigu. L'air qui vibre. C'est la lanière du fouet, c'est la flèche qui fend les cieux à la vitesse de l'éclair. Cela ressemblait aussi au bruit que produisaient les poumons de ma mère aux derniers temps de son agonie...

Elle frotte doucement sa joue contre la paume du garçon. Mais rien ne s'efface, ni le souvenir ni le remords.

— Belle leçon, non ?... L'une des cordes a lâché. Une sur les deux cent vingt. Elle m'a flagellée, lacérée. Elle a entamé ma chair jusqu'à l'os. Et voilà la méchante petite fille marquée au fer. À l'acier. À vie.

Le nocturne s'achève.

— C'était, paraît-il, la corde d'un si.

Le cortège s'arrête.

— Et si... Et si... Et si...

Comment savoir ce qui aurait pu être ?

Elle darde à nouveau les yeux vers le mausolée. Pour bien faire il faudrait à présent que les amants se réveillent, qu'ils se relèvent et qu'on les voie marcher, bienheureux, au bras l'un de l'autre, qu'on les voie s'éloigner et franchir les portes et laisser les morts derrière eux.

— On récolte ce qu'on sème, dit-elle. Mais est-ce qu'on sème ce qu'on récolte ?

Il n'a pas de réponse à lui donner. Elle ôte la main de sa joue. Avant de la lui rendre elle y dépose, au creux, un baiser. Il frissonne.

Il va bientôt faire nuit. Les allées sont désertes. Il se peut qu'ils soient les derniers visiteurs. Les derniers debout.

Du regard le garçon balaie les tombes alentour. Tant et tant de tombes. Les plaques. Les inscriptions. Tout s'y résume : un nom, deux dates. Une parenthèse. Mais s'il n'y a pas de nom, pas de dates, qui nous prend dans ses bras, qui nous berce : l'oubli ?

— Rentrons, dit-elle.

Alors tous deux s'éloignent et franchissent les portes et laissent les morts derrière eux.

Cette année-là le Monténégro et ses alliés de la Ligue balkanique déclarent la guerre à l'Empire ottoman.

Cette année-là prend fin la guerre entre l'Empire ottoman et l'Italie.

Cette année-là le Nouveau-Mexique devient le 47e état des États-Unis d'Amérique.

Cette année-là à Fès, Maroc, est conclu le traité par lequel la majeure partie du territoire de l'Empire chérifien passe sous protectorat français.

Cette année-là à Bloemfontein, Afrique du Sud, est fondé le Congrès national indigène sud-africain (SANNC) qui deviendra bientôt le Congrès national africain (ANC), dont le but est de défendre les droits et les intérêts de la majorité noire au sein d'un pays dominé par la minorité blanche. Le parti sera déclaré hors la loi en 1960 durant l'apartheid et sera classé organisation terroriste par les États-Unis vingt-cinq ans plus tard sous le mandat du président Ronald Reagan.

Cette année-là Alfred Lothar Wegener, astronome et climatologue allemand, publie sa théorie sur la dérive des continents.

À Seattle, États-Unis, naît Minoru Yamasaki, fils de pauvres immigrants japonais et futur père des tours jumelles du World Trade Center de New York.

À Paris, France, la loi Bonnevay autorise la création des offices d'habitations à bon marché (HBM).

À Choisy-le-Roi une foule constituée de dizaines d'agents de police et de gendarmerie, de deux compagnies de la Garde républicaine, d'un régiment d'artillerie, de centaines de particuliers armés de carabines et de fusils et de trente mille spectateurs privilégiés, cerne le pavillon où s'est réfugié le dénommé Jules Bonnot, trente-cinq ans, anarchiste. Après des heures de siège, dans la haine et la liesse populaires, la bête est abattue.

Cette année-là en Sibérie, Russie, le tsar envoie ses troupes réprimer une manifestation d'ouvriers en grève dans les mines d'or de la Léna. Les soldats tirent sur la foule : le bilan est compris entre cent cinquante et deux cent soixante-dix morts selon les sources.

Cette année-là à Saint-Pétersbourg est créé le journal bolchevik *Pravda*, qui signifie « La Vérité ».

Aux jeux Olympiques de Stockholm, Suède, en demi-finale de lutte gréco-romaine, le Russe Martin Klein bat le Finlandais Alfred Asikainen après onze heures et quarante minutes de combat. Épuisé, il déclare forfait pour la finale.

À Montréal, Canada, disparaît Louis Cyr, l'homme le plus fort du monde, capable entre autres exploits de porter sur son dos une plateforme de mille neuf cent soixante-sept kilos ou encore un poids de deux cent quarante-deux kilos d'un seul doigt.

Cette année-là l'Arizona devient le 48e état des États-Unis d'Amérique.

À Los Angeles, Californie, Carl Laemmle, immigré

allemand, modeste aide-comptable, investit ses économies dans le cinématographe en créant les studios Universal.

À Lawrence, Massachusetts, les ouvrières des usines de textile de l'American Woolen Company manifestent, toutes leurs revendications condensées en un slogan inspiré d'un poème de James Oppenheim : « Bread and Roses ».

À Boulogne-Billancourt, France, les ouvriers de l'usine automobile Renault entament une grève du chronométrage, rouage d'un système de production tiré de la méthode mise au point par l'ingénieur américain Frederick Winslow Taylor.

À Divion, Pas-de-Calais, une explosion de grisou dans l'une des fosses de la Compagnie des mines de La Clarence fait soixante-dix-neuf morts et vingt-trois blessés. Douze des victimes ont moins de quinze ans, la plus jeune en a treize.

À Nogent-sur-Marne une foule constituée de dizaines d'agents de police et de gendarmerie, d'une compagnie de la Garde républicaine, de deux bataillons de zouaves, de centaines de particuliers armés de carabines et de fusils et de cent mille spectateurs accourus de tous les environs, à pied, à cheval, en vélo, en taxi, cerne le pavillon où se sont réfugiés les dénommés René Valet, vingt et un ans, et Octave Garnier, vingt-deux ans, anarchistes. Après dix heures de siège, dans la haine et la liesse populaires, les bêtes sont abattues. Les forces de l'ordre ne peuvent contenir la masse humaine qui se précipite : on frappe les cadavres encore chauds, on pille la maison, on collecte les douilles et les balles et les moindres débris pour les garder en souvenir ou les revendre au plus offrant. Les élégantes trempent leur mouchoir dans le sang. Dans la poche d'Octave Garnier on trouve ces mots :

Réfléchissons. Nos femmes et nos enfants s'entassent dans des galetas, tandis que des milliers de villas restent vides. Nous bâtissons les palais et nous vivons dans des chaumières. Ouvrier, développe ta vie, ton intelligence et ta force. Tu es un mouton : les sergots sont des chiens et les bourgeois sont des bergers. Notre sang paie le luxe des riches. Notre ennemi, c'est notre maître. Vive l'anarchie.

Cette année-là à Munich, Allemagne, vient au monde Eva Braun.

À Berlin les sociaux-démocrates du SPD remportent les élections au Reichstag avec 34,8 % des suffrages. Les libéraux, effrayés par cette poussée socialiste, refusent toute alliance. Les conservateurs radicaux, de leur côté, parlent d'« élections juives ».

Cette année-là le prix Nobel de médecine est attribué à Alexis Carrel, brillant médecin français capable entre autres exploits de maintenir vivant in vitro le cœur d'un poulet pendant une durée qui varie de vingt-huit à trente-sept années selon les sources. Plus tard, dans un célèbre essai, Alexis Carrel exposera et développera un modèle de société fondé sur l'eugénisme, prônant la sélection par la génétique, la rééducation par le fouet ou l'élimination pure et simple des handicapés, meurtriers et autres individus affligés d'une tare physique, intellectuelle ou sociale et susceptibles de ce fait de retarder l'avènement de la race humaine parfaite.

Cette année-là à Pyongyang, Corée, naît Kim

Il-sung, fondateur, dirigeant, Grand Leader et Président éternel de la Corée du Nord.

À Lyon, France, naît Henri Grouès, que la mémoire collective retiendra sous le nom de l'abbé Pierre.

Cette année-là Maurice Barrès, écrivain, député boulangiste, nationaliste, président de la Ligue des patriotes, antidreyfusard, antisémite et membre de l'Académie française, refuse de voter les crédits que le gouvernement veut allouer à la célébration du bicentenaire de la naissance de Jean-Jacques Rousseau, décrétant que l'on ne peut honorer un homme qu'il considère comme le père spirituel du dénommé Jules Bonnot et de sa bande.

Cette année-là Pierre Rousseau, quarante-huit ans, chef cuisinier, Auguste Coutin, vingt-huit ans, cuisinier des entrées, Claude Janin, vingt-neuf ans, cuisinier des potages, Pierre Villarlange, dix-neuf ans, assistant cuisinier des potages, Alphonse Vicat, dix-neuf ans, cuisinier des poissons, Louis Dornier, vingt ans, assistant cuisinier des poissons, Adrien Chaboisson, vingt-cinq ans, cuisinier des viandes rôties, Marcel Cornaire, dix-neuf ans, assistant cuisinier des viandes rôties, Georges Jouannault, vingt-quatre ans, assistant cuisinier à la préparation des sauces, Henri Jaillet, vingt-huit ans, pâtissier, Louis Desvernine, vingt ans, assistant pâtissier, Jean Pachéra, dix-neuf ans, assistant cuisinier aux provisions, Maurice Debreucq, dix-huit ans, assistant serveur, Jean Baptiste Blumet, vingt-six ans, garçon de vaisselle, périssent au large de Terre-Neuve, par 41° 46' N de latitude et 50° 14' W de longitude, au cours du naufrage du paquebot transatlantique insubmersible baptisé *Titanic*.

La Genèse ne précise pas de quelle espèce il s'agit. Entre les exégètes la bataille fait rage. Les pomologues, hommes sérieux et raisonnables, ne s'en mêlent pas (aucun d'entre eux ne s'aviserait de qualifier un fruit de « défendu »). On évoque la datte, le raisin, la figue, la grenade, quelquefois même la cerise. Curieusement jamais de pêche pour le péché. Le plus communément admis est la pomme. S'il en est ainsi, ils n'ont qu'à tendre le bras. Leur jardin n'est qu'un vaste verger. La tentation est grande.

Le siècle a douze ans, le garçon dix-huit. Il met sa main au feu. Cette main, celle-là même que la jeune femme apposa sur sa joue, un soir, au milieu des tombes. Aujourd'hui la vie l'emporte.

Entre-temps il y a eu un autre été et un automne et un hiver. Des saisons sans enfer. Pétales d'éphéméride. Des lunes pleines et des croissants. Il y a eu d'autres livres et d'autres lectures, face à face ou épaule contre épaule, leurs crânes penchés, leurs cheveux se frôlant, se frottant, se dressant soudain dans un bref crépitement électrique. Il y a eu d'autres éclats de rire. D'autres élans. D'autres pérégrinations. En ville, aux champs. Des ponts enjambés, des pique-niques et des siestes dans des havres de verdure. Des bains dans la rivière. Il y a eu d'autres tartes. Il y a eu d'autres recettes. Il y a eu d'autres messes basses. Il y a eu d'autres concerts, en public, dans des salles, des loges, sous les dorures, sous les hautes et larges coupoles où pendent de luxuriantes grappes de lustres, où scintillent leurs mille pampilles de cristal, et il y a eu leur propre petite musique de chambre, exclusive, intime, fusionnelle, distillée à la monacale mais chaleureuse lueur des chandelles dans la pièce consacrée, l'autel en quelque sorte, de leur appartement du boulevard du Temple.

On peut compter sur les doigts d'une main (cette main, celle-là même) les heures qu'ils n'ont pas passées ensemble.

Et la nuit n'y coupait pas. Les nuits. Une et plurielle. Passé le seuil de l'obscurité ils se retrouvaient encore. Sé rejoignaient. Chacun couché dans sa chambre, dans son lit, seul, ils ne se quittaient pas. Les songes sont poreux. Ils fermaient les yeux et c'était pire. La proie sitôt lâchée, l'ombre venait. L'ombre ? Dieu qu'elle était claire pourtant, lumineuse, et de chair, de chair, le succube ou l'incube, selon, qui les visitait. Tendres les griffes du mâle sillonnant des arpents entiers de la jeune femme, ses collines, ses vallées. Tendre et foisonnante la toison de la femelle dans laquelle le garçon se roulait, se vautrait, et dont l'odeur entêtante l'enivrait. Tout cela et davantage. Derrière la tenture de leurs paupières, dans l'enclave du rêve, sous couvert du secret, elle lui disait ce qu'elle ne pouvait lui dire, il lui faisait ce qu'il ne pouvait lui faire. N'était-ce vraiment qu'illusion ? Chimère ? Car les effets étaient bien réels. Les nerfs, les muscles tendus dans le sommeil.

273

Et les brusques contractions dans le ventre. Et les élancements au creux des reins. Les convulsions. Et la torpeur qui s'ensuivait.

Le matin les trouvait épuisés, le corps rompu et moite, l'esprit confus, tandis que sur les draps froissés s'étalaient les preuves d'une fiévreuse empoignade, d'un suave calvaire.

Frère Éros, sœur Oniris : couple infernal. Âmes divinement damnées.

On peut compter sur les doigts des pieds fourchus du démon les nuits qu'ils n'ont pas passées ensemble.

Mais qu'y faire ? Rappelle-toi les amants pétrifiés : on n'arrête pas la lave en fusion que charrient les artères. Pas plus que la nuée ardente. On ne dompte pas le volcan.

Ils ont lutté, ils ont perdu.

Ils n'ont plus qu'à savourer leur défaite.

Cela se passe la première fois dans la cuisine de l'appartement parisien. Un dimanche. L'après-midi débute. Le printemps s'épanouit. De jour en jour le soleil gagne, et la chaleur. Le bon Gustave est au salon, dans son fauteuil, où il s'est assoupi après le repas. Ses besicles en équilibre au bout du nez, un journal plié reposant sur son estomac. Il ronfle en sourdine.

Debout devant l'évier Emma et le garçon font la vaisselle. Un bac d'eau mousseuse, un autre d'eau claire. Elle lave et récure, il rince et essuie. Ils ont l'habitude. Le ballet est rodé, le cœur et les gestes légers. Rien ne pèse à qui partage. Comme souvent elle fredonne. C'est du Verdi, Giuseppe. Un air d'Italie. Entre le clapotis et les tintements du verre et les frottements de l'éponge on reconnaît des bribes de « Rigoletto ». La jeune femme porte une tunique de mousseline de soie blanche garnie d'un corsage en guipure (vient de guêpe ? piqûre ?). Noué par-dessus un court tablier de coton lui ceint la taille, blanc également. D'un blanc virginal. C'est tout ce qu'elle porte. Elle tient de la soubrette et de la mariée. Aussi de la communiante, de la novice touchée par la grâce. À cette heure elle pourrait être l'une ou l'autre, au choix. La donna è mobile. Le tissu fluide voile et dévoile son corps en transparence. Est-ce la cause de ce récent strabisme exotropique dont semble atteint le garçon ? La sueur perle à son front, qu'il torche régulièrement d'un coup d'avant-bras. Et comme ça les minutes passent. Verdi. L'aria. Un dimanche de printemps dans la péninsule, en Calabre ou Campanie, à Mantoue, Venise, Vérone, à Naples dans l'ombre sulfureuse du Vésuve. Le minuetto aquatique des couverts et des casseroles. Les bulles. Elle lave, il rince. Et cela pourrait se clore gentiment ainsi, mais non. Les choses basculent soudain et la vie s'emballe.

Il suffit d'un rien. Le garçon un peu fébrile, distrait. La mousseline qui prête sans doute à la maladresse. Toujours est-il qu'après la dernière assiette le torchon lui échappe et tombe dans le bac. Aussitôt il l'en retire, tout dégouttant, le tient en l'air entre le pouce et l'index comme s'il venait de repêcher une immondice dans la rivière, ou une sale bête, un rat crevé, et il se tourne vers elle avec une mine à la fois écœurée et contrite. Elle cesse de fredonner et pouffe. Puis lui sourit. Gros bêta. Elle soulève légèrement le pan de son tablier et le lui présente afin qu'il puisse s'y essuyer. Le garçon lâche le torchon trempé dans un coin de l'évier, il avance les mains vers elle et attrape le coton et c'est dans ce mouvement que tout à coup cela arrive. Ici. Maintenant.

C'est juste un effleurement en vérité mais le tissu est si fin qu'il le sent : sous le tablier la tunique et sous la tunique le mont secret, la butte, douce et fertile, et sous ses doigts la mousse qui y pousse. Elle l'a senti aussi, à preuve ce soubresaut et cette espèce de hoquet qu'elle n'a pu retenir. Et bien sûr dans la seconde qui suit ils se figent, pétrifiés (souviens-toi la lave, les veines, le volcan) et d'autres longues secondes défilent et s'étirent dans le silence à présent lourd, chargé, de la cuisine, tandis qu'ils demeurent tous deux absolument immobiles, tels deux chiens à l'arrêt, le souffle coupé, la gorge sèche, les yeux dans les yeux, confondus dans la même stupeur, la même exquise panique qui monte, saisis par le même désir et la même peur et la même envie d'y succomber, et que leurs oreilles se mettent à bourdonner, et que la température augmente, que la chaleur leur cuit les joues et leur enserre le front et les tempes.

Une date, deux noms. Tracés dans l'air du temps en lettres de feu.

Et c'est elle, Emma, qui y revient. Bella figlia dell'amore. C'est elle qui se remet en branle. Qui imprime à son bassin un nouvel élan (oh ! lent, très lent d'abord) vers l'avant. Qui le rapproche. Qui le tend. Le garçon tient toujours le tablier, serré, en boule, dans son poing gauche. Son autre main (cette main, celle-là même) est libre. Passée sous le coton. Il n'a qu'à l'ouvrir, il n'a qu'à déplier les doigts pour recevoir ce qu'elle lui offre. Ce qu'il fait. Et sa peau frôle l'étoffe, à nouveau. Mais déjà elle se retire. Elle recule, à nouveau. Puis elle revient. Elle repart. Elle revient. Comme on teste l'eau du bain avant de s'y glisser. Trop chaude, trop froide. Revient, repart. Balancelle dans le jardin, sous les branches de l'acacia. Pendule du sourcier. Marche à deux temps, deux battements par mesure, deux pulsations. Largo. C'est le cycle des lunes et des marées. Sac et ressac. La mer à boire, mais de miel, de sirop, un nectar. Et ce lent, ce très lent va-et-vient dure et dure encore.

Debout devant l'évier.

Est-ce un songe toujours ?

Le garçon ne bouge pas. Leurs regards restent rivés l'un à l'autre. Leurs lèvres sont serrées. Un son rauque sourd de la gorge d'Emma. Une sorte de grondement. Elle respire fort. L'air siffle, chuinte à travers ses narines comme un trop-plein de vapeur. Sa poitrine se soulève et avec elle le couvercle du ciel. Fermé, ouvert. Ténèbres, lumière. Repart, revient. Repart... Et puis soudain une poussée franche des hanches. Le pubis en saillie. Elle se plaque, elle s'écrase contre lui. Il la tient. Ça y est. Dans sa paume. Il l'enveloppe. Si ténue est la soie qu'elle compte pour rien. Il la sent sous ses doigts, sous la pulpe de ses doigts, tout entière, le mont et la mousse, et la source, le sillon, l'autre sillon, l'autre cicatrice, autrement plus profonde et plus tendre. Il la sent qui s'écarte, s'ouvre, se fend comme une figue mûre, ou une datte, une grenade, un abricot, ce fruit quel qu'il soit dont le jus coule d'abondance, tout ce jus qui baigne, imbibe, imprègne le tissu et sa peau à travers, qui ruisselle en un filet le long des jambes d'Emma, descend, lèche, caresse l'intérieur de ses cuisses, puis ses mollets, puis ses chevilles. Il ne bouge pas. C'est elle. C'est elle qui remue, qui se frotte, de bas en haut, de haut en bas, dans un mouvement qui se fait de plus en plus rapide, crescendo, allegro, un mouvement qui n'est plus de balancelle mais de lime, de papier d'émeri, de scie, une cadence de bûcheron à l'ouvrage – mais qui est la lame et qui est le tronc ? Il la regarde. Elle est belle. Il n'a jamais rien vu d'aussi beau. Emma la brune. Emma d'amour. Sa bouche, son front, ses yeux. Ses yeux sont fixes, un voile, quelque chose de plus fin, de plus translucide encore que la mousseline les fait luire, ses iris, ses rétines brillent comme le diamant. Elle frotte. Più mosso. Più moto. Au fond de sa gorge le grondement s'intensifie. À ses pieds la petite flaque s'étale. Elle frotte, elle lime, elle scie, prestissimo. Con fuoco. Et voilà que subitement la lame traverse le tronc, traverse l'écorce, la pulpe, la chair, tout, du ventre aux épaules une onde la secoue, la bouleverse, ses paupières se ferment, ses dents mordent sa lèvre jusqu'au sang, son cou se tend, son corps s'affaisse, par réflexe elle se raccroche au bord de l'évier pour ne pas s'écrouler tandis qu'au même instant la lave monte du tréfonds des entrailles du garçon et jaillit en une série de jets brûlants. A piacere. C'est le réveil. C'est l'éruption.

Un dimanche de printemps en Italie.

Mais ils n'ont guère le temps de reprendre pied. Quand leur sang reflue, quand se débouchent leurs tympans c'est pour entendre tout de suite un raclement de semelles, des pas traînants qui se rapprochent. Gustave. Il apparaît dans le couloir, cheveux en vrac, des épis blancs dressés sur sa couronne. Il s'avance jusqu'au seuil et s'arrête. Sa paupière est lourde, encore ensommeillée, son teint rubicond. Dans l'encadrement de la porte il les considère quelques secondes tout en s'éventant avec son journal. Puis d'une voix pâteuse il dit :

— C'est moi, ou on étouffe ici ?

Débute alors une activité que l'on peut qualifier sans hésiter de frénétique. On ne les tient plus. Partout, tout le temps. Elle donne et il prend et vice versa.

Ils s'aiment.

Car c'est de l'amour assurément.

Dans les heures mêmes qui prolongent ce dimanche entre tous béni ils perdent leur virginité. Au cœur de la nuit. La ville dort. Le garçon franchit le couloir qui les sépare sur la pointe des pieds. Aérien, silencieux. (Et voici le Faune dansant ! Et voici la Liberté !) Il gratte à sa porte. Elle ne demande pas qui c'est. Elle lui ouvre. Elle l'attendait. Entre, mon prince. Une bougie flambe sur la table de chevet. Par terre un tapis bicentenaire qui couvrit jadis le sol de la chambre à coucher d'une lointaine aïeule flamande. Lourd, épais, profond comme l'humus des forêts, aux motifs de roses et de feuilles d'acanthe, aux couleurs éteintes. C'est là-dessus, par crainte des grincements du sommier, que se joue l'hymne à l'hymen. Soupirs et point d'orgue. Non, ils ne rêvent plus. C'est vrai. Anges et démons sont incarnés et leurs ombres se meuvent, rampent, s'entremêlent au ras du sol dans toute leur splendide nudité. Au matin une fleur nouvelle, éclose, étale ses pétales écarlates au milieu des vieilles roses de l'aïeule.

Ce n'est qu'un début.

La suite est un déchaînement.

Toutes les occasions sont bonnes et l'on peut compter sur ces deux larrons pour les provoquer. Chaque pièce de l'appartement est ainsi baptisée. Aussi chaque recoin de la maison de Toussus-le-Noble. Et dans leur géographie intime il n'est pas un carré de peau, pas un pan de chair, pas une molécule ou un atome qui ne se transforme en zone érogène, incandescente. Pores, poils, pulpe alimentent le feu. L'esprit encense, le sang bouillonne et les humeurs coulent, s'expriment, diffusent à l'envi. Le décor varie mais c'est leur corps qui est le vrai théâtre de leur concupiscence.

Que de représentations ! Que d'actes !

Nulle censure, nulle entrave ne les freine sinon le regard de Gustave. Ils prennent soin de s'y soustraire. Gustave ne sait pas. Il ne se doute de rien et sa fille et son fils adoptif veillent à ce que cela perdure. Et au sujet de cette dissimulation quelques-uns seront susceptibles de s'interroger : tient-elle d'un réel souci moral, atavique ? ou n'est-elle que la pincée de piment qu'ajoute le secret ? À qui et à quoi l'on pourra rétorquer que la question même dénote une corruption certaine chez ceux qui la posent. (Et soit dit en passant, dans cette fameuse histoire, dont toutes sont censées découler, qui est le plus pervers : celui qui fait germer le fruit et l'expose à la gourmandise du profane en lui commandant de n'y point goûter – cruel édit – ou celui qui finit par y planter

les dents ? qui est le plus vicieux : le tentateur ou le
tenté ?) Qu'on le sache, ils sont purs ! Pur leur désir,
pur leur cœur, pure leur âme. Sans une profonde
et véritable innocence ils seraient incapables de se
livrer avec une telle ferveur, une telle liberté, incapables de faire preuve de cette absence quasi totale
de retenue. Bien terrestre est leur paradis et ils y sont
et ils y restent. Chasse gardée. Le temps n'est pas
encore venu où on les en exclura. La malédiction
n'est pas prononcée, le terrible et inique anathème.
Aucune instance suprême ne les montre du doigt,
aucun séraphin ne croise au-dessus de leurs têtes.
Ou alors c'est qu'ils ne les voient pas ? Aveugles aux
yeux des juges. Ils ne cherchent pas d'excuses, pas
de justification à leur conduite – l'oiseau devrait-il
se justifier de voler ? le lion de rugir ? Remords et
repentir leur sont étrangers. Ils ne s'amendent pas.
Ils n'ont rien à déclarer hormis une phénoménale
cargaison d'hormones en fond de cale. Et s'ils vont
à confesse c'est dans un autre sens qu'il faut l'entendre.

Ni dieu ni maître en définitive. C'est l'anarchisme
des sens. Un joyeux foutoir. Dès que le père a le dos
tourné ils s'y mettent. Ils rusent, ils inventent, ils
improvisent ou s'organisent afin de tirer le meilleur
parti de toutes les possibilités qui se présentent. Tous
les instants, toutes les précieuses minutes dérobées,
arrachées, et toutes ces heures royalement octroyées,
tout ce temps libre de leur existence désormais tendu
vers ce but unique, consacré à ce seul projet : le
plaisir.

Le faire naître. Le faire croître. Puis s'en repaître.

Leur appétit est féroce. Et la faim, chacun le sait,
justifie les moyens. Ainsi « faire la vaisselle » devient

dans la bouche d'Emma une sorte de mot de passe, un sésame ouvrant sur une perspective de délices. Sitôt l'a-t-elle prononcé qu'ils s'émoustillent. Jamais on n'a vu plus de hâte, plus d'enthousiasme que chez ces deux-là à se charger de cette corvée. Ce n'est qu'un exemple parmi tant.

Un autre : les leçons de piano. Comme par hasard elles ont repris. Et régulières et assidues – ah, pour ça, oui ! On se doute que la musique n'est qu'un prétexte. Il ne s'agit plus d'acquérir une formation dans ce domaine. Le garçon ne sera pas un virtuose ni même un honnête interprète. Mais au moins durant ces heures ont-ils le loisir de rester seuls, cloîtrés entre quatre murs. Une aubaine. Ils en profitent. Le garçon s'installe sur la banquette, Emma à ses côtés. Et tandis que, pataud, maladroit, il commence à maltraiter de ses dix doigts les touches du clavier, la voilà qui insinue, plus bas, une main habile et menue. Ce n'est plus le dos de l'élève ou ses poignets dont elle se charge de corriger la position, mais une autre partie de son anatomie. Et ça marche, cette fois ! La tenue est impeccable. La rectitude parfaite. Et que dire lorsqu'elle pousse plus avant l'exercice et se penche sur lui et abouche son instrument. Mélomanes, garez-vous ! Car le garçon, coudes arrondis, haut levés, dans la grossière posture d'un ours bien léché, s'acharne à écraser ses pattes sur l'ivoire, engendrant des grappes de notes agglomérées au grand hasard, des trombes d'accords répétitifs et discordants qui n'auront grâce que nombre d'années plus tard aux oreilles d'une poignée d'amateurs de musique sérielle. En attendant, c'est Mozart qu'on assassine ! C'est Beethoven qu'on rend sourd ! Mais c'est que là-dessous en contrepoint une mélodie toute différente se joue, de flûte à bec, de clarinette, de cornet à pistons, de trombone à coulisse, et aussi harmonieuse celle-ci que l'autre est dissonante, aussi exquise que l'autre est exécrable. Gammes et arpèges à volonté. Chromatismes. Quel doigté ! Quel velouté ! Quelle hardiesse dans l'exécution !

Voilà donc la célèbre Méthode Rose ? À l'usage des débutants, paraît-il. Efficace en diable. Chaque après-midi ou presque Emma et le garçon la suivent avec application. Jamais on n'a vu élève plus studieux, jamais professeur plus tatillon.

Mais c'est encore l'été, dans leur île, sous leur saule, que leur sensualité est la plus prompte à prendre son essor.

L'endroit est idéal et tout à la fois. Ici ce sont des enfants sous les jupes maternelles de l'arbre. Ce sont des princes régnants sous un dais majestueux. Un sultan et sa favorite sous les palmes d'une oasis. Ce sont des amants dans la pénombre d'une chambre close, stores baissés, à l'abri des yeux de fouine et des langues de vipère (seul le discret cancan des poules d'eau et des colverts).

En ce lieu privilégié ils s'abandonnent.

La douceur de l'air, le murmure de l'onde, le clair-obscur portent à la volupté. Et, n'en déplaise au poète, la langueur n'est pas monotone.

Aimer, la belle affaire.

Bien que plus avancée en âge Emma ne possède pas davantage d'expérience que le garçon. C'est ensemble qu'ils découvrent et explorent. Apprentissage empirique d'abord : touchant et goûtant et sentant – et le garçon comprend maintenant les conseils de l'ogre – et écoutant et observant et pratiquant souvent trois ou quatre ou cinq fois d'affilée et plus de cent, plus de mille au fil du temps. Point de réticence. Point de restriction. De concert ils apprennent et ils apprennent vite. Chercheurs résolus, cobayes volontaires. Maître et disciple tour à tour. Compagnons de fortune. Ils s'instruisent mutuellement et quelle joie ils ont à combler leurs lacunes et leurs trous. C'est de la bonne et noble matière qu'ils creusent, qu'ils façonnent, de la glaise souple et malléable, élastique à souhait. Ils font, défont, refont. Forts d'une curiosité sans bornes et de cette faim de loup, qui est aussi gourmandise, qui est aussi gloutonnerie, et qui semble insatiable. Et c'est là que quelques-uns, toujours les mêmes, pharisiens et pisse-froid, ne pourront s'empêcher de demander d'une voix aigrelette si cette quête n'est pas sans fin, vouée à une éternelle insatisfaction, un échec pour les siècles des siècles, du type Sisyphe et consorts, à qui et à quoi l'on objectera et alors ? tant pis, tant mieux, auraient-ils, foutredieu, quelque chose de plus exaltant à proposer que cette recherche éperdue de la jouissance pour remplir le vide insondable de leur misérable existence ? Si tel est le cas qu'ils le fassent savoir. Car s'il s'agit seulement de se préparer à mourir on ne peut croire que ce soit une entreprise sérieuse.

Les amants sont lancés, nul n'est de taille à les retenir. Le ciel même n'est pas en mesure d'inverser la tendance. À preuve cette averse qu'il leur envoie en plein mois d'août et en plein transport. Comme un seau d'eau sur des cabots en rut. Ils n'en ont cure. Ils en jouent.

Ils sont nus sous le saule. Debout. Elle penchée, buste en avant, croupe tendue, offrant la plus belle vue qui soit sur ses hémisphères, et lui derrière, arrimé aux hanches, ces courbes sublimes, apanage de la femme, baies des anges, ces plages, ces anses où l'on s'ancre, pirate comme flibustier, corsaire, contrebandier, pêcheur de perles ou voleur d'amphores, pour accoster et trouver refuge à l'intérieur des terres.

Le garçon s'y est profondément enfoncé.

De loin, à travers le rideau de branches effilées, ils ressemblent à un étrange minotaure. Elle se tient à l'arbre, elle embrasse le fût tandis qu'il embrasse son cou, elle mord l'écorce quand il mord sa nuque. Et c'est dans ce moment que se produit tout à coup un roulement de tonnerre. Les nues sont d'un gris de suif, une nuit diurne qui les surprend. Ils n'ont rien vu venir. La première goutte, lourde, traverse le toit ajouré qui les surplombe et s'écrase sur le dos d'Emma. Un long frisson la parcourt, depuis les épaules jusqu'à la naissance des cuisses, ajoutant une nuance nouvelle, une sensation inédite à toutes celles qui déjà font son miel. Puis une autre goutte suit, et d'autres, denses toujours, pareilles à des larmes de résine tombant du saule (pleure-t-il, leur cher arbre ? de joie ? d'allégresse ?) et frappant son échine avec un petit bruit de ventouse, de lèvres qui se décollent, et puis dans un sinistre craquement les cieux crèvent et c'est l'averse. Des trombes, des cataractes s'abattent sur eux. Mais loin de réfréner leur ardeur cela paraît au contraire la décupler. Elle pousse sur ses bras pour se tendre davantage. Il assure sa prise et pénètre plus avant, plus fort. Les éléments se déchaînent et eux avec. Ils sont l'orage. Ils sont la tempête. Les grondements du tonnerre remuent la terre jusque dans ses fondations. L'arbre branle sur ses racines. Le sol vibre sous leurs pieds. Des éclairs phosphorescents illuminent la chambre obscure où ils s'ébattent, les mitraillent, les immortalisent un court instant dans leurs postures bestiales, dans leurs rictus et leurs grimaces, comme les flashes au magnésium d'un photographe à scandale. Il grogne, elle halète, elle gémit, il râle, et tous ces sons se fondent dans le vacarme qui les environne. La pluie ruisselle sur leurs corps, elle dégouline sur leurs faces et sur leurs yeux et les aveugle. L'eau cascade entre les omoplates d'Emma, dévale le long de son épine dorsale avant d'être en partie retenue dans la cambrure de ses reins, formant un minuscule étang, un lagon miniature où le garçon se penche et trempe ses lèvres, et lèche et lape et s'abreuve. Sa soif est immense. Elle réclame. Il donne. Il accélère. Elle griffe le tronc. Il griffe sa chair. L'orage redouble. Les éclairs fulgurent. Elle exige. Elle ordonne. Il martèle. Il pilonne. Ils sont les chutes torrentielles. Ils sont le fracas et la lumière. Ils sont le tumulte. Ils sont la tourmente. Elle rayonne. Il irradie. Les nuages dégorgent. Le ciel se vide. Ils en veulent encore. Ils sont le déluge. Ils sont la nature même. Et c'est dans un ultime jaillissement de foudre, immaculé, que leur cri éclate et se perd.

Ô démiurges de toutes espèces, faites que cela se multiplie.

Jour après nuit, pierre après pierre, c'est une arche de volupté qu'ils construisent, un palais, un royaume qu'ils édifient. C'est un monde de passion. Leur monde. Un univers au sein duquel, de leur plein gré, ils se retirent et s'emprisonnent.

Félix, mon amour. Mon amant.

Elle dit Félix à toutes les sauces, sur tous les tons. Le garçon s'y retrouve. Au fond peu lui chaut, elle pourrait l'appeler Primevère ou Vinaigre ou Comédon tant que c'est à lui qu'elle s'adresse, tant que c'est lui qu'elle désigne.

Elle dit des choses comme Prends-moi. Écarte-moi. Fends-moi. Transperce-moi. Mange-moi. Inonde-moi. Et il prend et fend et mange, et il en rajoute à sa guise sans qu'elle le lui demande.

C'est que leur univers est en expansion. Et avec lui ils grandissent. Ils évoluent. Ils changent. Dans l'immense marmite qui bout, dans la recette mystérieuse, dans la nébuleuse potion qui conduit à la transe, ils jettent de nouveaux ingrédients. Avec le temps leur candeur s'évapore. Se sublime. Le goût s'aiguise. L'imagination se décante. Aux douceurs sucrées du début succède le feu des épices. Ils saupoudrent. Ils varient. Alternant les bons vieux plats populaires et rustiques (ceux qui bourrent, ceux qui calent) avec les raffinements d'une cuisine de gourmet. Tradition et gastronomie. La carte s'étoffe, et pour clore la métaphore culinaire disons qu'ils sont capables au bout de quelques mois de proposer, aux estomacs les plus solides comme aux papilles les plus exigeantes, un menu complet : de la mise en bouche au pousse-café en passant par les entremets et le trou normand – ah ! le trou normand !

Il y a là-dedans une part de jeu et de malice. Sales gosses que voilà, insolents, effrontés mais combien attachants, adorables vauriens pour qui jouissance et réjouissances vont de pair. Gavroches de leur révolution sexuelle. Leur bannière flotte au vent de l'allégresse. La luxure est une fête, c'est un manège, une grande roue, des montagnes russes, c'est un feu de Bengale éclaboussant la nuit. Ils rient toujours et de plus belle. Ils s'amusent. Précoces libertins qui ne connaissent d'autres règles, d'autres limites que celles qu'ils fixent au débotté.

Elle aime sa semence. Elle en aime la saveur et la texture. Elle aime la faire monter, l'extraire, la recueillir, la recevoir sur sa peau, salves lactées, impétueuses, et l'étaler de sa paume telle une crème, un riche onguent, en lubrifier son ventre, en lustrer la coupole de ses seins, la pointe de ses mamelons. Elle aime l'avoir en bouche et la garder sur sa langue, sous son palais, la déguster ainsi qu'une liqueur rare, onctueuse, un spiritueux d'exception. Elle aime l'avaler et la sentir glisser dans le conduit de son cou.

Et lui n'est pas en reste, qui adore s'allonger, se présenter en bissectrice parfaite de l'angle qu'elle forme avec le compas de ses jambes largement ouvertes, et pointer son mufle vers le sommet et profiter de la vue imprenable que sa position lui offre. Il détaille. Il se délecte. Il écarte en douceur la fine broussaille, ces fils de soie noire, enchevêtrés, qui masquent l'accès au temple de la déesse. Il fouille et met au jour avec la délicatesse d'un archéologue sur un site sacré – ou sacrilège. C'est ici que le monde est né. Berceau de l'humanité. Trésor dont jamais il ne se lasse de rechercher et redécouvrir les richesses. Son approche est lente et précise (elle n'a pas hésité, les premières fois, à le guider de la voix et du geste). Il effleure les lèvres de ses lèvres. Rose ton sur ton. Et dessous, d'une teinte à peine plus vive, ultime frise sur le pourtour, voici les nymphes, graciles, dentelées, ciselées, telles les ailes tout juste esquissées du futur papillon – sphinx demi-paon – à l'envol indéfiniment repoussé. Il les caresse, les agace à petits coups d'une langue qu'il fait leste et pointue : un chaton buvant son lait. Les jouvencelles frémissent. Il souffle dessus, un filet d'air tendu et frais qui arrache un soupir à la déesse et couvre la paroi de ses cuisses d'un délicieux crépi de chair. L'angle du compas s'agrandit. Les branches s'écartent. La corolle s'ouvre, rouge corail, humide, toute luisante d'une rosée qu'il recueille d'une langue qu'il fait maintenant plate et lisse. Remontant à la source il déniche le précieux bourgeon, l'unique, le bouton de rose mussé dans le calice et déjà gonflé, gorgé, rutilant, il l'encapuchonne de ses lèvres, le pince tendrement, le presse, le tète, l'aspire, il le chantourne de sa bouche, il le polit de sa salive tandis que son pouce s'insinue simultanément dans le sanctuaire et l'investit, le visite, du narthex à l'abside, de la voûte à la crypte, et quelle est cette voix que l'on entend soudain ? C'est elle. C'est la déesse en personne, qui psalmodie, qui loue, qui implore, qui adjure et conjure son serviteur de continuer, c'est dans son ventre que naissent ces primitives incantations, c'est de sa gorge que monte l'éternelle prière.

Et l'initiation se poursuit.

Il est un autre jeu qu'ils apprécient au plus haut point. Emma l'a baptisé : le sexique (dérive de sexe et de lexique). Un dictionnaire en somme. Tiens, tiens. Serait-ce son goût pour les mots ? Serait-ce sa vocation d'enseignante qui refait surface, frayant par des voies détournées et des chemins de traverse ? L'exercice de son invention consiste tout bonnement à nommer les choses. Si ce n'est qu'au nom commun qui les définit on doit adjoindre le maximum de synonymes. Si ce n'est que ce ne sont pas non plus n'importe quelles choses : exclusivement des parties du corps humain. Et parmi celles-ci uniquement celles qui marquent la différence entre le masculin et le féminin – anatomiquement parlant.

Ainsi ça se précise et ça se corse.

Chère maîtresse…

Cela se pratique en vis-à-vis. Ils se tiennent tout près, en miroir l'un de l'autre et en pied, avec leur peau pour seul vêtement. Une demi-minute de concentration, puis :

— À toi l'honneur, dit-elle.

Un petit air de défi arase ses traits. La partie s'engage. Après un coup d'œil sur le modèle qui lui fait face et la variété de son relief, le garçon choisit. Il pose une main (celle-là même ou sa jumelle, cela dépend), mettons, sur le sein de la jeune femme. Soit. Très bien. Elle relève le menton, prend une inspiration et commence – il est convenu qu'elle énonce pour lui :

— Ma poitrine, dit-elle. Ma gorge… Mes seins… Mes mamelles… (Comptant sur ses doigts chaque vocable ajouté.) Mes pis… Mes collines… Mes obus – pas de très gros calibre, c'est vrai !… Mes globes…

Et le garçon tentant de la perturber, de la distraire, essayant de lui faire perdre le fil (elle ne doit pas se répéter) par de vils procédés, par des moyens sournois tels que titiller subrepticement le téton, tels que frotter insidieusement la mauve et grenue aréole.

— … Mes sphères… Mes bouées… Mes baudruches… Mes ballons de montgolfière !

Elle s'arrête là. Assez fière et essoufflée comme au sortir d'une longue apnée.

— Douze, dit-elle. Douze à zéro… À moi !

Aucune hésitation de sa part : les caractéristiques masculines ne sont pas si nombreuses et il en est une qui déjà pointe sous son nez. Elle pare au plus pressé et l'empoigne. Puis recommence, jouant pour son propre compte cette fois.

— Ta verge, dit-elle. Ton pénis… Ton phallus… Ton rossignol – chante, rossignol, chante !… Ton mirliton… Ton sucre d'orge… Ta tige… Ton colibri – non, je retire : trop petit, le colibri !… Ton sceptre… Ta gaule… Ton gourdin… Ta hampe…

Mais ne triche-t-elle pas un peu, elle aussi, en accompagnant mine de rien chacun de ces termes par un subtil mouvement de traite, pis en main ? Le garçon en paraît tout décontenancé.

— … Ton vit… Ta pine… Ton dard… Ton épée – que dis-je, ton épée ? Ton sabre !… Ton glaive… Ton javelot… Ta sagaie… Ta lance à incendie… Ta trompe… Ton boa…

Des substantifs si hardis, si évocateurs parfois que la chose en rougit et s'enfle d'importance.

— … Ta tour… Ton braquemart… Ton manche à balai – que les sorcières l'enfourchent ! (Les commentaires sont en prime.) Ton mandrin… Ton mastroquet… Ton mât de cocagne !

Lorsqu'elle cesse, à court, l'objet en question, comme grossi de tous les affluents de ces dénominations, a doublé, a triplé de volume. La main d'Emma en est remplie. Son cristallin étincelle. D'un ton victorieux mais néanmoins altéré elle annonce :

— Trente ! Moins le colibri qui s'est envolé, ça fait vingt-neuf. Je mène, et de loin !

L'entend-il ? Paupières mi-closes, regard flou, lippe pendante, le garçon arbore cette expression symptomatique des idiots ou des déments. On s'attend à voir couler la bave sur son menton. Sans même s'en rendre compte il a pris la relève du mouvement qu'elle imprimait tantôt et qu'elle a suspendu au terme de son énumération. C'est lui à présent qui coulisse tout seul entre les doigts de son adversaire : une sorte d'irrumation manuelle qui le plonge dans une hébétude euphorique.

Mais brusquement elle le lâche, le laissant orphelin, perdu, vacillant au bord du précipice. C'est que le jeu n'est pas terminé.

— À ton tour, dit-elle. Tu as encore une chance de me rattraper.

D'une brève pâmoison elle accuse la paume du garçon qui se ventouse entre ses cuisses. Puis elle reprend son souffle et se lance à nouveau :

— Ma vulve, dit-elle. Mon vagin… Mon con… Ma motte… Mon pertuis… Ma tirelire – glisse un sou dans la fente, petit cochon !... Ma soute... Ma moniche... Mon buisson ardent...

Elle flanche au fur et à mesure, son buste inclinant lentement mais sûrement vers lui, et suivant une pente parallèle sa voix fléchit, se fait sourde, râpeuse, éraillée, jusqu'à n'être plus qu'un âpre murmure à l'oreille du garçon.

— ... Ma fissure... Ma faille vermeille... Ma cramouille... Mon berlingot – oh, tu l'aimes, mon berlingot, hein ! Tu aimes le sucer, pas vrai ?... Mon embrasure... Mon hiatus... Mon oralyre – à vérifier... Mon puits... Ma caverne... Mon antre – entre, c'est ça ! Oui, vas-y ! Entre dans mon antre, mon saligaud !...

C'est d'ordinaire la dernière manche. Il est rare qu'elle aille au bout. Les points se perdent dans la mêlée et au final tout le monde y gagne. La leçon est complète : biologie, anatomie, langage. Leurs connaissances s'accroissent. Leur vocabulaire s'enrichit. Indéniablement ils se cultivent. L'enseignement dans la liesse : formule hautement pédagogique dont nombre de doctes raseurs, excroissances de chaires, feraient bien de s'inspirer.

Il y a constamment de nouvelles entrées dans le dico des amants. Des termes choisis, des pièces rapportées qu'ignorent les caciques caducs et autres académiciens cacochymes. C'est un recueil original, fleuri, vivace, qu'ils sont en train de composer. Mais où vont-ils pêcher tous ces mots ? Là où ils sont : dans le ruisseau. Et dans les livres.

De tout temps des auteurs, et non des moindres, par dérision, par fantaisie, par défi, par goût, ont trempé leur plume dans le fondement de l'homme – et de la femme surtout.

Extrait :

Salut, grosse Putain, dont les larges gargouilles
Ont fait éjaculer trois générations,
Et dont la vieille main tripota plus de couilles
Qu'il n'est d'étoiles d'or aux constellations !

Qui l'a écrit ?

Monsieur Guy de Maupassant. Dans un poème sobrement intitulé : « 69 ».

La suite de la strophe, pour la bonne bouche :

J'aime tes gros tétons, ton gros cul, ton gros ventre,
Ton nombril au milieu, noir et creux comme un antre
Où s'emmagasina la poussière des temps,
Ta peau moite et gonflée, et qu'on dirait une outre,
Que des troupeaux de vits injectèrent de foutre
Dont la viscosité suinte à travers tes flancs !

Si ce n'est pas du naturalisme, ça ! On s'y croirait.
Et celui-ci alors :

Son con est sans secret, sa vulve est sans mystère,
Mais j'ai pris cette nuit, en un moment son cul.
Elle était endormie, aussi j'ai dû me taire,
Celle à qui je l'ai fait n'en a jamais rien su.

Qui donc ?
L'incontournable, l'indispensable, l'incomparable père des *Misérables*, le maître du Parnasse en personne : Victor Hugo. Dont on reconnaît le tempérament et l'implacable métrique, scandant ses coups de reins, dans ce premier quatrain d'un sonnet parodique : « Le sonnet d'Arvers... à revers ».
Non, ce ne sont pas que cacographes de second ordre qui se sont commis dans cet exercice. Rimbaud. Rimbaud, oui. Le jeune roi Arthur, prince illuminé, archange maudit, lui aussi a plusieurs fois tiré son irrévérence à la poésie dans des vers où se conjuguent obscénité et moquerie, décadence et farce bon enfant. Voir ses « Stupra ». Voir cette perle noire – si l'on ose – enchâssée dans l'*Album zutique*, qu'il façonna avec son compère Paul et qu'ils nommèrent « Sonnet du trou du cul » (*Obscur et froncé comme un œillet violet...*) et qu'Emma ne peut réciter au garçon sans un ravissant retroussement de narines exprimant et son dégoût et son excitation (*Des filaments pareils à des larmes de lait...*) ni sans moult pincements de lèvres pour réprimer un rire naissant (*Ont pleuré, sous le vent cruel qui les repousse...*). On les imagine bien, les deux potaches de génie, en train de composer, hilares, un verre d'absinthe ou de pinard en main, tournant autour

du pot et se renvoyant à la figure leurs alexandrins, leurs rejets, leurs césures, façonnant l'hémistiche au creux duquel se niche leur sujet (*Chanaan féminin dans les moiteurs enclos !*).

Il n'y a qu'à puiser. De ces pages licencieuses la littérature regorge. Lorsque les jeunes amants se retrouvent à Paris – et libres du chaperonnage de Gustave – la destination première de leurs promenades dévie : aux jardins et cimetières ils préfèrent désormais les quais de la Seine. Balades romantiques au fil de l'eau ? Que nenni. Chasse aux sorcières et aux monstres livresques, pêche aux bannis et aux excommuniés : voilà ce qui les attire. Ils écument les bouquinistes sur les berges, fouinent parmi les étals, fouillent dans ce limon de vieux papier en quête du volume que la morale a réprouvé et la loi censuré. De ces ouvrages dont le succès est souvent garanti par une condamnation officielle. Publication clandestine, circulation – et lecture – sous le manteau, sous la toge, sous la soutane. Emma en a les doigts sales à les laisser courir sur les couvertures et les tranches poussiéreuses, sur les feuilles sépia, toutes roides parfois et couvertes d'une encre qu'on dirait pulvérulente, le soir venu des traces anthracite maculent sa peau comme si elle y avait frotté les pétales vénéneux de quelque fleur du mal. Elle cherche. Le garçon ne peut guère l'aider dans cette tâche mais il est là, près d'elle, ne serait-ce que pour voir son expression, l'éclat de son visage quand elle trouve, quand elle découvre la pépite, l'extirpe du fatras, l'éclat de ses yeux quand elle les relève vers lui, livre en main – la promesse imprimée d'un moment délicieusement délictueux –, le regard qu'elle lui jette à cet instant et qui lui fait l'effet d'une flamme passée dans les régions les plus intimes de son être, pour rien au monde il ne voudrait manquer cela.

Lorsque la quête demeure infructueuse il est quelquefois nécessaire d'en préciser l'objet auprès du libraire, de l'interroger, de le mettre, à mots couverts, dans la confidence (« Vous voyez ? » « Oui, ma p'tite dame, je vois très bien… ») car c'est un genre d'articles qu'on n'expose pas à la légère, qu'on recèle souvent dans les arrière-boîtes et les arrière-boutiques, sous les piles, dans les doubles fonds secrets, et alors avec un peu de chance le bonhomme dégotte prestement le trésor caché et empoche aussi prestement son dû et ils s'en retournent, Emma et le garçon, le pas alerte et le cœur battant, vers le coin discret où ils pourront à loisir se pencher sur leur nouvelle acquisition.

Ainsi repartent-ils un jour avec en poche – ou plus exactement dans un panier, dissimulé sous une volumineuse botte de poireaux – un très joli in-8 ayant pour titre *Le Portier des Chartreux*, dont la sobre reliure en peau d'onagre ne laisse rien présager des bacchanales qui s'y déroulent et qu'a imaginées un certain Gervaise de Latouche. (« Latouche… Latouche… Rien que le nom me met l'eau à la bouche, dit-elle, la délurée. Et quand je dis la bouche… ») Un autre jour avec, tapi sous un lit d'asperges, l'exemplaire n° 14 des cent dix numérotés d'une édition de 1845 (CHEZ UN BOURGEOIS DE PARIS – Rue du Coq Hardi) de *Gamiani ou Deux nuits d'excès*, roman longtemps publié anonymement, finalement attribué à Alfred de Musset, et phénoménal succès (« L'ouvrage le plus réimprimé du siècle dernier ! » leur a glissé avec un clin d'œil appuyé la plantureuse bouquiniste du quai Saint-Michel) dont la lecture et la relecture et la re-relecture ont littéralement frappé le garçon de priapisme aigu et les ont tenus en haleine elle et lui une bonne quinzaine durant.

Peu fréquentes sont les déceptions. Ils ont trouvé Ovide bien fade et n'ont rien pris dans *L'Art d'aimer* qu'ils ne possédaient déjà. Sitôt lu Emma a revendu le volume, à perte – pas une grande perte, a-t-elle estimé. Les antiques, les classiques, Latins et Grecs en tête, et tous ceux qui ont plus de trois siècles d'âge, leur paraissent dépassés, sinon dans le fond au moins dans la forme. D'un érotisme trop allusif. Ce qu'ils souhaitent, ce qu'ils attendent maintenant c'est de la chair et du muscle. À vif. Des termes crus, des phrases sans fard et sans détour, des expositions en pleine lumière, des scènes détaillées, des illustrations qui illustrent. Pas de l'allégorique, du clinique – ou peu s'en faut.

Rive gauche, rive droite, les bouquinistes se passent le mot. On repère désormais la p'tite dame et son… (son quoi ? valet ? sigisbée ? portefaix ? étalon ?) arpentant les quais. À propos de celle-ci les conjectures vont bon train. Comtesse, parient certains. Ou duchesse ou baronne ou quelque autre pousse de noblesse qui tient à préserver l'anonymat. D'autres la verraient plutôt en épouse d'un représentant de la chambre. (« Et quelle chambre ! Ah ! Ah ! Ah ! ») La maîtresse peut-être. Une courtisane. Une demi-mondaine ou une tiers. Une Cléo, une Liane, une Otéro. Une riche héritière. Une nonne défroquée. Une névrosée. Une perverse. Une nymphomane. Une érotomane. Une prêtresse de messes noires. Mais qu'importe, commerce, commerce, c'est avant tout une cliente de choix. Elle paie rubis sur l'ongle et sans discutailler. On lui réserve les œuvres susceptibles de l'intéresser. On la harponne au passage pour lui montrer les dernières trouvailles. (« Unique, voyez donc ça ! Introuvable ! ») On prend des airs canailles ou des airs de conspirateur. On tente – une fois, pas deux – de lui vendre des vessies pour des lanternes. La p'tite dame n'est pas dupe. Elle sait aussi dire non.

Et puis un jour Emma a vent d'une adresse. Un collectionneur averti la lui a indiquée (la lui a soufflée, en catimini, telle une formule entre initiés). C'est une librairie, rue Chadenat. Livres rares. Avec le garçon ils s'y rendent sur-le-champ. Ils circonvolent une demi-heure avant de trouver. Aucune enseigne, seulement, sous un porche, une plaque métallique de la taille d'une carte de visite et dont les caractères vert-de-grisés sont illisibles. Il faut franchir ce porche. Il faut traverser une cour intérieure où le chiendent déchausse les pavés. Il faut gravir un perron constitué de trois larges marches en pierre fêlées. Il faut oser pousser la haute porte vitrée dont la couche de poussière sur les carreaux est plus épaisse que le verre et ne laisse pénétrer ni s'échapper la moindre clarté. Pas de sonnette, pas de carillon annonçant l'entrée du client, rien d'autre que le sinistre miaulement du battant autour des gonds. Puis le silence qui retombe à l'intérieur, avec l'obscurité.

Personne.

Ce qui se passe alors est de l'ordre du mystère.

Car vous restez là, sur place, figé. Incapable de faire un pas supplémentaire. Incapable de rebrousser chemin bien que l'envie vous en tenaille soudain.

Trop tard. Vous le savez. Le sort en est jeté. Le sortilège. Vous sentez votre volonté annihilée. Incapable d'ouvrir la bouche, de héler ou de tousser pour signaler votre présence – sacrilège, sacrilège tout bruit que vous produirez. Votre présence même vous paraît surnuméraire et d'une totale incongruité. Vous respirez à peine. Vous aimeriez suspendre le flux du sang dans vos veines, le tambour de votre cœur qui résonne si fort. Vous scrutez les ténèbres et vous êtes à la merci de ce que vous espérez et redoutez d'en voir surgir.

Puis les ténèbres s'entrouvrent. Elles pâlissent. Ou est-ce vous qui recouvrez la vue ? Peu à peu un halo terne, poudreux, l'aube d'un jour grisâtre se lève ou tombe – on ne sait pas, on ne comprend pas d'où provient cette lueur. La nuit se dilue et sous vos yeux le décor prend forme et relief. Vous pensez d'abord à une chapelle. Mais l'obscur pourtour continue de s'élargir, de s'estomper, les frontières de l'ombre sont encore repoussées et vous pensez alors à une cathédrale. Seigneur. Telles sont les dimensions du lieu. Telles sont ses proportions. Une pièce, une salle, unique et monumentale. Et des piliers, des colonnes de livres. Des bancs, des pupitres de livres. Des parterres, des couloirs, des traverses, des dédales de livres. Vous pensez à un capharnaüm. Vous pensez à un gigantesque cabinet de curiosités éditoriales. Et c'est ça, c'est tout ça. Vous levez la tête, suivant, escaladant du regard des rayons, des étagères, des strates successives de livres, et vous atteignez le triforium, la galerie bordant les trois cloisons et d'où s'élève un nouvel étage, une nouvelle falaise, un nouvel à-pic de livres qui se perd là-haut dans des sphères que le vertige vous interdit de mesurer. Sagement vous redescendez sur la corniche et la longez avec prudence et circonspection, mais malgré toutes vos précautions vous tressaillez et manquez choir lorsque vous y croisez au beau milieu deux billes de charbon – des yeux ! – noires et pourtant ardentes, qui vous observent.

Vous pensez au chat-huant dans la forêt.

Vous pensez au diable en chaire.

Le temps d'une palpitation, d'un battement de paupières, et les sombres braises disparaissent.

L'homme – car sans doute c'en est un, il le faut, il ne peut en être autrement – se déplace. Dans les méandres de papier vous ne le voyez pas. Vous ne l'entendez pas. C'est à l'odeur que vous finissez par le repérer. Des relents surs, doucereux, que vous associez à quelque champignon toxique ou à quelque tissu organique en décomposition. Mais trop tard encore. Il est là. Il est déjà là, face à vous. Vous aviez beau être sur vos gardes, vous sursautez à nouveau. Vous frémissez. Seigneur. L'horreur et le dégoût vous soulèvent le cœur. La fascination vous cloue.

Qu'est-ce ?

Vous pensez (Emma pense) à un satyre, à un gnome. Il a la trogne du premier, la stature du second.

Vous pensez (le garçon pense) à une chauve-souris, un vampire. Et instinctivement il ferme son poing comme autour d'un gourdin.

L'homme – car c'en est un, quoi que vous pensiez – est en noir de pied en cap. Un vêtement lâche, informe, le recouvre, blouse ou robe de bure ou sac de toile. Des bottines noires et des gants noirs cachent ses extrémités. Sa figure seule ressort : marron.

C'est un métis. Un mulâtre. Un croisement. Mais en songeant à cela vous ne songez pas à l'un de ces magnifiques spécimens le plus souvent obtenus par le mélange harmonieux des races et des pigments. Hélas non. Vous songez à un bâtard. Vous songez à une cruelle farce de la nature. À une expérience ratée. À un résidu. À la lie. Au vilain petit canard.

L'homme – oui, l'homme, rentrez-vous bien ça dans le crâne – est petit en effet. Il est vilain. Il est maigre, osseux, voûté, tordu et il pue.

Mais ce n'est pas tout.

Si vous regardez mieux. Si vous parvenez à ne pas détourner les yeux. Si vous prenez sur vous. Si vous réprimez votre nausée et osez le dévisager, vous ne manquerez pas de remarquer combien cette pauvre face est ravagée. Des plaies la flétrissent. Des plaques rosacées ou couleur cendre la dévastent. Des crevasses la déforment. Ici et là des squames pareilles à de vieilles écailles s'en détachent. De hideuses et reptiliennes mues.

Vous pensez (le garçon pense) à un brûlé.

Vous pensez (Emma pense) à un lépreux.

Partant, vous reconsidérez les gants, la pénombre, le silence du lieu. La solitude. Vous croyez comprendre, mais vous vous méprenez. Et probablement resterez-vous sans connaître jamais le fin mot de l'histoire, à savoir : lupus.

Le Grand Méchant Loup.

Mais ce n'est pas tout.

Regardez encore. Plus avant, plus loin. Ravalez ce regain de bile qui vous monte à la gorge et sondez ces yeux qui vous sondent. Derrière le charbon, derrière la braise, derrière la cendre, vous voyez ?

Il y a là quelque chose – une lueur infime, un

ultime éclat – exprimant à la fois la dérision et la détresse. Est-ce cela que l'on nomme l'ironie du désespoir ? C'est un triste et muet sarcasme. La preuve de la conscience d'une condition excessivement et inexorablement douloureuse. Le poignant sourire du clown qui meurt. C'est quelque chose de profondément humain. Quelque chose qui détermine l'humanité. Quelque chose qui est, oui – bien davantage que le rire – le propre de l'homme. Son essence même.

Maintenant vous n'en pouvez plus douter.

L'homme – trois fois l'homme – connaît manifestement les effets qu'engendrent son odeur et son aspect. Il se tient à deux mètres de distance. Il fixe Emma, ignorant le garçon. Son regard et ce qu'il contient n'autorisent pas la pitié. Il ne dit rien. Il attend.

Lentement Emma se reprend. La forte impression se décante, sa volonté se raffermit. Ce n'est plus tant le charme maléfique, la terreur sourde, irrationnelle, qui la maintient dans son état de mutisme et d'inertie, qu'une espèce de gêne, de honte, le sentiment d'une requête déplacée vis-à-vis de cet interlocuteur particulier. Va-t-elle évoquer devant lui des textes à la gloire du plaisir, va-t-elle parler d'odes à la jouissance et à la volupté à cet être que dévore le chancre ?

Soudain le garçon la saisit au coude : il voudrait partir. Ce contact la fait tressaillir une troisième fois. Mais la secoue, la décide aussi. Elle s'éclaircit la gorge et se lance, d'une seule traite elle expose, explique, décrit le type d'ouvrages qu'elle recherche. Les mots sont précis, le flux tendu. Cela ne lui demande pas plus d'une minute.

L'homme l'a écoutée, impassible. Lorsqu'elle en a terminé une autre minute s'écoule. Le garçon ne lâche pas son coude. Puis l'homme dit :

— Le divin Marquis.

Sa voix n'est pas la moindre des surprises. On l'attendait grêle, nasillarde, elle est pleine et grave, presque suave. Il est peut-être possédé. Il y a peut-être une seconde créature en son for.

La fine ligne des sourcils d'Emma se brise.

— Pardon ?

L'homme a alors — et c'est une chose à laquelle on était encore moins préparé — un imperceptible sourire. Juste un trait. Juste le liseré du soleil qui se lève à l'horizon — derrière les ruines de son visage.

— Sade, dit-il. Donatien Alphonse François de Sade. À vous entendre, c'est l'auteur qui me paraît le mieux correspondre à vos aspirations.

— Oui, dit Emma. Je connais.

Mensonge. Orgueil. Elle n'a jamais entendu prononcer ce nom.

— Sade, répète-t-elle.

— *Justine ou les Malheurs de la vertu*, dit l'homme.

— Parfait.

— L'exemplaire auquel je pense, dit l'homme, est une pièce exceptionnelle. Parution anonyme. À La Haye, chez Laurent Demuink, libraire. Faux nom, fausse adresse, naturellement. Petit in-12 illustré d'un frontispice et de dix-huit gravures en taille-douce. Reliure en plein veau blond. Dos à cinq nerfs orné de caissons et fleurons dorés. Plats entourés de triples filets dorés et de fleurons en écoinçons. Gardes et contre-plats de tabis rose, roulette géométrique en encadrement des contreplats. Toutes tranches dorées. Ex-libris à la plume sur une garde :

304

« Du Comte Charles Caissot de Chiusi. » Et le plus remarquable : un envoi autographe signé de l'auteur.

Emma acquiesce. Approuve du chef en connaisseuse. Elle ne lui dira pas qu'elle n'est pas bibliophile, que le flacon l'excite peu, seul le parfum, l'élixir, seule l'ivresse.

— Peut-on le voir ? demande-t-elle.

— Non, dit l'homme.

— Non ? Pourquoi cela ?

— Parce qu'il n'est pas en ma possession.

— Vous ne l'avez pas ?

— Je l'aurai, dit l'homme, soyez sans crainte. À la condition que vous-même soyez certaine de souhaiter en faire l'acquisition.

— Je le souhaite, dit Emma.

— Cela a un prix, dit l'homme.

— Je paierai.

— Un prix en rapport avec son caractère exceptionnel, dit l'homme.

— Ne vous inquiétez pas de ça, dit Emma. J'ai ce qu'il faut.

À nouveau le sourire – un fil, une lame. Après quoi pour la première fois les petits yeux noirs de l'homme se détachent de ceux d'Emma et entament une très lente et sinueuse descente le long du corps de la jeune femme. Son regard glisse, rampe, tel, sur sa proie, un boa, dont il semble posséder et l'indolence et la viscosité. Emma ne peut s'empêcher de serrer son adorable fessier, et le garçon serre son coude plus fort et serre de l'autre main l'illusion du gourdin.

— Repassez dans une huitaine, dit l'homme en arrivant aux pieds.

Il n'a pas menti. Il connaît son métier. Et pour sa part elle n'a pas reculé malgré son aversion. Cela lui coûte une petite fortune mais huit jours plus tard ils repartent (bien sûr le garçon l'accompagne) avec dans leurs filets le précieux volume. Auquel un second s'est ajouté à l'occasion. « Je me permets de vous proposer... » L'homme tenait déjà l'ouvrage grand ouvert devant elle. De derrière quelle sorte de fagots l'avait-il sorti ? À coup sûr les admirables et très explicites peintures reproduites sur la double page qu'il lui montrait avaient pour double dessein d'échauffer le sang de la jeune femme et de la délester d'une part plus conséquente de son pécule. « Il y en a quarante comme cela. Quarante tableaux de la même qualité... » La faire rougir et la faire payer : c'était ce qu'il voulait. Les deux buts furent atteints. Elle a acheté le deuxième livre sans tergiverser. L'homme aurait eu le droit de les regarder sortir en se frottant les mains – que les gants noirs protégeaient toujours – mais il ne l'a pas fait, soit par respect, soit plus vraisemblablement par crainte de voir se détacher par ce simple geste d'atroces pelures cutanées.

En s'éloignant de la librairie Emma se jure à voix haute qu'elle n'y mettra plus les pieds. Elle sait qu'à sa façon l'homme l'a possédée. Son orgueil est blessé et de la plaie suppure la colère. En marchant elle crache des « Nabot ! » entre ses dents. Des « Avorton ! », des « Vermisseau ! », des « Lombric ! », des « Embryon de cloporte ! », des « Furoncle ambulant ! », des « Verrue de goret ! », des « Pet de rat puant ! ». Tant et si bien qu'à mi-chemin un rire éclate sur son flanc. C'est le garçon. Elle s'arrête et le regarde – il s'en tient les côtes, le bougre – surprise en premier lieu, puis vexée, outrée, furieuse, puis soudain gagnée par cette contagieuse hilarité, vaincue, elle cède à son tour et son propre rire fuse à l'unisson. C'est bon.

Tout fiel évacué ils finissent le trajet dans la seule excitante perspective de se chauffer aux brûlots qu'ils transportent. Ils anticipent, ils fantasment (deux pyromanes avec des allumettes en poche). Cependant ce n'est qu'à la nuit bien avancée que leur projet se concrétise. Dans la chambre d'Emma, en tailleur sur le tapis, à la lueur des bougies, ils tournent les pages.

Sade d'abord.

Il faut bien se rappeler que c'est elle qui lit. À voix basse pour ne pas réveiller le père. Les mots chuchotés, murmurés, susurrés. Il faut imaginer la verve du Marquis entre les lèvres de la jeune femme. Le fil de la narration parfois rompu, le souffle coupé par la crudité d'une phrase, par l'énormité d'une situation. Le regard qu'ils échangent alors. Ce sont des confins qu'ils n'ont pas encore explorés. L'inconnu s'ouvre devant eux – jusqu'où ? jusqu'où ? –, les abîmes comme les cieux, et ils se tiennent un court instant au bord, à la lisière, effrayés mais curieux, avides, téméraires. Il faut poursuivre. Emma avale sa salive et reprend.

Sade c'est trop.

Au-delà du grivois, au-delà du paillard, au-delà de l'érotique et du pornographique même. Il y a là-dedans une autre dimension qu'ils n'appréhendent qu'avec malaise. La cruauté les dépasse. Pour eux le plaisir s'arrête au seuil de la douleur, infligée ou subie. Cette perversion particulière à laquelle le Marquis donnera son nom, ils n'y adhèrent pas.

Ils iront jusqu'au bout pourtant. Au terme de trois nuits et trois bougies successives les aventures de Justine n'auront plus de secret pour eux – ni cette malheureuse vertu indubitablement malmenée. Et sans doute cela valait le coup. Pour connaître. Pour savoir. Pour élargir leur horizon. Aussi, d'une certaine manière, pour rendre hommage au courage de l'auteur. Car il ne faut pas oublier que cette liberté de pensée et de ton, cette liberté d'esprit, le Marquis l'aura payée de sa liberté de corps : vingt-sept années d'enfermement – geôle, asile, prison. Vingt-sept années de sa vie.

Les écrits restent, heureusement.

Sade ils ne regretteront pas mais ils n'y reviendront plus.

Fort différent est le second ouvrage. Ce qu'il raconte ? Ils l'ignorent – et l'ignoreront toujours. Emma n'est pas même capable d'en déchiffrer le titre. Pour le coup elle se trouve aussi démunie que le garçon. Ce sont des signes, des symboles, un système graphique très beau, très élégant, certes, mais incompréhensible. Une langue étrangère et exotique.

Du chinois, dit-elle. Comme elle aurait dit de l'hébreu, du yiddish, des hiéroglyphes.

En réalité c'est du sanskrit. Si elle n'avait pas été si pressée de quitter la librairie, si elle n'avait pas coupé si brusquement le laïus du furoncle ambulant, elle le saurait. Comme ce dernier s'apprêtait à le lui expliquer, il s'agit d'un livre intitulé *Kâma Sûtra*, la présente édition datant de près d'un siècle, réalisée au Rajasthan et dans la manière des œuvres que produisait auparavant la plus célèbre école artistique moghole – l'école de Bikaner. D'où le soin extrême accordé aux illustrations. D'où la splendeur des peintures. Et c'est bien là l'essentiel. Nul besoin des mots cette fois, les images suffisent. Dans de chaudes teintes d'enluminures chacune d'elles représente une figure de l'accouplement. Le libraire avait annoncé le chiffre de quarante. Quarante tableaux : autant de variantes. La volupté dans (presque) tous les sens.

Voilà qui leur sied davantage. La consultation attentive du recueil ne tarde pas à donner lieu à des ébats passionnés. Il faut se souvenir que la lecture se fait à nu, et qu'il est difficile dans ces conditions, notamment pour le garçon, de dissimuler son émoi – hoho ! constate Emma, taquine. Contrairement à l'œuvre du Marquis ils y reviennent, et plutôt cent fois qu'une. Certaines des positions leur sont connues. Bon nombre les surprennent et les ravissent – l'art hindou dans tout son raffinement. Et bientôt, comme on pouvait s'en douter, l'ouvrage devient la base d'un nouveau jeu : tour à tour l'un d'eux fait défiler les pages jusqu'à ce que l'autre, les yeux bandés, décide de l'arrêter. Le défi consiste alors à reproduire ensemble la figure que le sort a désignée.

C'est ainsi que sans le savoir ils exécutent tantôt *Le cavalier à la barre*, tantôt *Le cheval renversé*, tantôt *L'étreinte du panda*, tantôt *Le moulin à vent* ou *La danse aux joyeuses faveurs*. Ils étrennent. Ils améliorent. Il en est d'ailleurs qui tiennent plus de la performance acrobatique, voire circassienne, que de l'acte d'amour. Fi de la pesanteur, seule l'attraction subsiste ! Souplesse, équilibre, force, endurance sont requis. Et une parfaite coordination – pour l'emboîtement des pièces. De l'huile dans la mécanique des fluides. Afin d'imiter *Le cerf en rut*, les muscles, tous les muscles du garçon sont durement sollicités. Quant au *Trépied chancelant*, il chancelle tellement qu'il finit bel et bien par dégringoler sur le tapis flamand (déclenchant dans la foulée une énième crise de fou rire qui les secoue et les épuise plus sûrement que n'importe quel coït).

Mais dans cet éventail de positions, celle qui leur donne le plus de fil à retordre est sans conteste *Le nœud coulant*. Gageure suprême. L'Annapurna, l'Everest de la pantomime amoureuse. Ils auront la satisfaction de le vaincre mais au bout de combien de tentatives ? Au prix de quels efforts ? Des chutes encore, des dévissages, des courbatures, des crampes, et au final Emma s'en sortira avec un méchant tour de rein (justifié auprès de Gustave par un faux mouvement en cours de lessive…) qui la condamnera à deux jours et deux nuits d'immobilité durant lesquels elle ne pourra rien faire d'autre que de rester étendue sur le dos et se soumettre, passive, aux caprices du garçon.

Des livres, des livres, des livres. Au long des mois ils s'accumulent et s'empilent. Emma les range dans une armoire de sa chambre, constituant ainsi, au fur et à mesure, leur petite bibliothèque interdite, leur enfer personnel. Il ne se passe pas une journée sans qu'ils y puisent. Au hasard quelquefois, souvent au gré des envies. Ce n'est pas que l'inspiration leur manque, c'est seulement un bonheur de plus. Du plaisir ajouté.

Et comment résister à ceci :

Aimons, foutons, ce sont plaisirs
Qu'il ne faut pas que l'on sépare ;
La jouissance et les désirs
Sont ce que l'âme a de plus rare.
D'un vit, d'un con et de deux cœurs
Naît un accord plein de douceur,
Que les dévots blâment sans cause.
Amarillis, pensez-y bien :
Aimer sans foutre est peu de chose,
Foutre sans aimer ce n'est rien.

— La Fontaine, dit-elle dans un soupir, toujours je boirai de ton eau.

— Vois-tu, j'ai revêtu ce soir ma plus belle robe. Elle te plaît ? Une merveille, n'est-ce pas ? Mais je dirais simplement : un écrin à la mesure du bijou qu'il contient. Oui ! Car tu dois savoir, mon mignon, qu'avant de le couvrir de ce bout de tissu hors de prix, j'ai laissé tremper mon corps près d'une heure durant dans une eau délicatement saupoudrée de sels aux essences de jasmin et de muguet. Puis je l'ai séché, mon corps, et j'ai oint ma peau, afin de l'attendrir, d'une crème à la camomille et au lis blanc, dont on vante les vertus émollientes. Toutefois, après réflexion, j'ai craint qu'elle ne devînt un peu trop molle et relâchée, voire ballante, dans le genre de cet appendice qui tient lieu de menton, de double menton, à madame Loue – tu sais, la boulangère. Beurk ! Aimerais-tu embrasser un cou de dindon ?... Non. Je m'en doutais. Aussi, pour prévenir ce risque de flaccidité, j'ai préféré m'oindre derechef d'une autre crème, celle-ci aux extraits de graines de lin et d'argousier, préconisée pour le raffermissement des chairs... Quoi ? Tu veux vérifier par toi-même ? Tu veux tâter de cette fermeté ? Ttt ! Ttt ! Pas touche, petit malin ! Tu auras tout loisir de le faire lorsque j'en aurai terminé. Patience. Sache encore que j'ai parachevé cette magnifique composition en y ajoutant quelques gouttes de la toute dernière création de monsieur Coty. Quel parfum ! Sens donc… Hop là ! Ma main seulement, vaurien ! Alors ?… Je suis d'accord : divine fragrance. *Iris* : tel est son nom. Et voilà une nouvelle essence de fleur. Ce n'est plus un bijou, c'est un bouquet ! Un jardin ! Je suis un jardin à moi seule ! Et cela tombe très bien, figure-toi. Sais-tu pourquoi ?… Allons, cherche. Cherche un peu… Non, ce n'est pas que je veuille me lancer dans l'horticulture. Quel jour sommes-nous ? Tu l'ignores. Je te souffle : nous sommes le 25 avril. Jour de la Saint-Marc, si cela peut t'aider. Et qu'a-t-elle de particulier, cette date ? Qu'a-t-elle, en principe, de mémorable ? Que s'est-il passé le 25 avril, disons, de l'année dernière par exemple ?… Tu ne vois toujours pas ? Je te signale, tête de linotte, que d'autres que moi le prendraient très mal ! Approche, j'aime mieux te le dire à l'oreille… À l'oreille, j'ai dit !… Eh bien, sache qu'il y a tout juste un an aujourd'hui, je t'ai… tu m'as… nous avons… Enfin, je t'ai donné ma fleur, justement ! Ose dire que tu ne t'en souviens pas. C'était précisément dans la nuit du 25 avril de l'année 1912 de notre ère. Ma fleur, ma seule et unique, c'est à toi que je l'ai offerte. Et c'est à toi que je veux offrir à présent un jardin tout entier. C'est dire ce qui a poussé depuis ! Il est vrai, mon bougre, que tu as beaucoup, beaucoup planté. Hardi, les coups de pioche ! Hardi, les coups de bêche ! Et la sève n'a pas non plus manqué. Au fond ce serait plutôt toi, l'horticulteur, pour peu que l'on mette l'accent sur la troisième syllabe, bien entendu… Bref, c'est notre anniversaire, ce jour.

Joyeux anniversaire, mon amour ! Je t'ai donné ma fleur. Je t'ai donné mon nom. Je t'ai donné mon cœur... Tiens, on dirait une rengaine de cette... comment déjà ? Muguette ? Mistinguett ! « Je t'ai donné ma fleur, je t'ai donné mon nom, je t'ai donné mon cœur, ti-da-ga-di tson-tson... » Je te donne mon âme, mon amour. Elle est à toi aussi. Tout. Tout ce que j'ai, je t'en fais don. Et ce que je suis. Tout t'appartient. Cela ne mérite-t-il pas une petite cérémonie ? Regarde : je m'incline. Je m'agenouille devant toi... Non, fripon, pas pour ce que tu crois ! Patience, que diable !... Si je me mets à genoux à cet instant, c'est pour prêter serment. Les promesses, on le sait, ne tiennent pas debout. Et que vais-je bien pouvoir te jurer ? Ceci, écoute : moi, Emma Van Ecke, en ce 25 avril de l'année 1913 après Jésus-Christ, je jure solennellement de ne laisser personne d'autre que toi cultiver mon jardin. Mon jardin secret. Mon jardin d'amour. Je jure que nul autre que toi dans l'avenir n'en franchira la grille, que j'espère tu ne laisseras pas rouiller. Je jure que nul autre jamais ne viendra piétiner mes plates-bandes – pas si plates que ça, reconnais-le. Nul autre ne viendra les arroser. Nul autre n'y sèmera comme l'on s'aime. Jamais ! Jamais ! Jamais ! C'est mon vœu, c'est mon souhait, c'est mon serment. Et maintenant, je t'en prie, adoube-moi... Sacre nom, pas de cette façon ! Range ça ! Adouber, j'ai dit ! As-tu jamais entendu parler des chevaliers ? Cela s'appelle un rite – et une rime me vient aux lèvres, que j'aurai pourtant la sagesse de mettre de côté pour le prochain sexique. Mais si je t'annonce que cela se pratique d'ordinaire avec une épée, que vas-tu encore me sortir ? Garde la tienne pour un meilleur usage, patience, patience, son fourreau l'attend. Puisque nous n'avons pas de véritable épée à disposition, tu vas prendre... Hmm... Voyons... Là ! Le plumeau ! Cela fera l'affaire. Tu vas le poser tour à tour sur mon épaule gauche, puis sur la droite, puis sur le sommet de mon crâne, non pour rappeler que poussière nous sommes et y retournerons – nous aurons tout le temps d'y songer – mais pour me faire chevalière... Est-ce que cela se dit, « chevalière » ? Pourquoi non ? On dit bien « écuyère ». On dit bien « épicière » et « poissonnière ». Un peu de noblesse ne nuira pas à notre sexe. D'autant que c'est aux armes du plumeau : l'étiquette est sauve. Tu vas donc me faire, à la grâce des puissances terrestres et célestes, chevalière de... de... du Jardin des Délices ! Voilà qui est bien. Chevalière de l'Éden ! Voilà qui est encore mieux. Ne craignons point le blasphème. L'Éternel est amour, nous affirme-t-on. Ève et Emma : même combat. Vas-y, procède, mon roi. Une épaule, puis l'autre... Hou ! ça chatouille !... Par ce sacrement je te renouvelle ma promesse de fidélité et de félicité pour cette vie entière et pour toutes celles qui pourraient éventuellement suivre et la perpétuer... Mais c'est que j'en tremble, dis donc ! Pour de bon. Mon cœur est ému. Mon âme est pleine et déborde. Ces larmes à mes paupières... Non, non, laisse ! C'est du bonheur qui s'exprime. C'est la pluie bienfaisante qui irrigue et fertilise mon jardin. Je n'ai jamais été aussi heureuse, mon amour. Et c'est toi, c'est toi qui en es la cause. Tu as le don de me faire ruisseler de toutes parts... À toi, maintenant ! À genoux ! Donne-moi ce plumeau et courbe l'échine. À mon tour je te fais chevalier. De l'ordre des Divins Horticulteurs, puisque nous sommes sur ce terrain. Jures-tu d'être et de demeurer mon ardent Adam ? Jures-tu d'entretenir de ton mieux, et à titre exclusif, ce jardin que tu as fait naître et qui t'est entièrement dédié ? Jures-tu, j'insiste, de ne jamais aller labourer ailleurs ? De ne jamais aller cueillir ni même renifler d'autres fleurs que celles qui poussent en ce carré qui est tien ? Tu le jures ?... Non, ne crache pas, ce pauvre tapis a déjà subi assez d'outrages comme ça. Mais permets-moi tout de même d'ouvrir ici une parenthèse : sais-tu ce qu'il adviendrait si, par hasard, par inadvertance, par malheur, tu venais à manquer à ta parole ? Si, par mes propres yeux ou par le truchement de quelque perfide et vipérine langue, j'apprenais que tu as trahi ma confiance. Que tu t'es montré déloyal et infidèle. Que tu m'as menti, trompée, bafouée. Que par cette ignominieuse action tu as broyé mon cœur, sali mon nom, dévasté mon âme et pulvérisé mon être. Ô mon amour infâme, sais-tu ce qui se passerait alors ?... Eh bien, vois-tu, c'est simple : je me conduirais en chevalière que je suis désormais. Cela me paraît du plus élémentaire respect : acceptant un titre, on se doit d'en appliquer les principes. En l'occurrence cela signifie que je me munirais non pas d'un inoffensif plumeau comme celui-ci, mais d'une réelle épée, affûtée, tranchante, avec laquelle je me ferais d'abord une joie de découper un à un les membres de l'immonde truie dont tu aurais partagé la couche et le lisier – brrr ! j'en frissonne – en terminant, afin qu'elle ait tout le temps d'apprécier son agonie, par son groin, son horrible tête porcine, en une décollation en bonne et due forme. Tchak ! Voilà pour elle. Oui, j'ai dit « truie » et je persiste et signe : qu'elle soit de sang bleu ou de basse extraction, qu'elle soit vierge ou catin, qu'elle soit jeune ou vieille, grande ou naine, belle ou difforme, elle ne sera jamais à mes yeux que la plus abominable engeance de porc que la terre ait portée, et bien que cela fasse encore injure à cet animal par ailleurs attachant. Mais dès lors que son sort serait réglé, l'œuvre de justice ne serait pas pour autant achevée. C'est ensuite vers toi, ô jardinier renégat, ô confiture de cochonne, c'est vers toi, oui, que je serais contrainte de me tourner. À qui la faute ? Les larmes aux yeux, le cœur en miettes, l'âme en lambeaux, mais le bras toujours armé, je me contenterais, pour ton expiation, de trancher net l'instrument de ton délit. Oui, ceci même. Ceci que j'aime tant. Que je chéris. Que je vénère. Tchak, aussi ! – Oh, mon Dieu, je vous en supplie, faites que jamais nous n'en arrivions à de pareilles extrémités ! L'instrument de mon bonheur devenu celui de mon affliction, et me voici condamnée à le passer au fil de mon épée. Condamnée, oui ! Car en te punissant, je me punis de conserve. Toi châtié et châtré, moi meurtrière et meurtrie. Rouge de ton sang, blême d'horreur. Que me resterait-il à faire après ça sinon retourner la lame contre moi ? Transpercer mon corps abandonné. Fendre mon cœur fendu. Libérer mon âme en peine. Mourir, voilà. Mourir avec l'espoir de te rejoindre, mon amour, de te retrouver dans les sphères du tout premier jardin, originel et pur : Félix, Emma, mon Adam, ton Ève, réconciliés et de nouveau unis, et pour l'éternité cette fois, dans cet Éden fabuleux où aucune, aucune, aucune saleté de truie ne viendra jamais fourrer sa saleté de groin !... C'est dit. Je ferme la parenthèse. Et j'achève de te consacrer chevalier, par la... Allons, n'aie crainte ! Pour l'heure ce n'est qu'un plumeau. Tu parles d'un preux ! Monsieur a peur qu'on l'époussette ! Tu es décidément très drôle, mon amour. Mais dis-moi, et sois franc : tout ceci s'apparente-t-il, à tes yeux, à de grotesques et puériles simagrées ? Sottises ? Billevesées ? Cette cérémonie, la trouves-tu ridicule ? – ce mot m'inspire, je le confesse, une autre rime, qu'un certain Marquis n'aurait pas reniée... Non, tu ne trouves pas ? Bien vrai ? Ouf ! J'en suis ravie. Attends, s'il te plaît. Ne te relève pas tout de suite. J'ai une autre surprise pour toi. Oui. C'est un jour faste, profite. Cette robe, vois-tu, cette merveilleuse et fort coûteuse robe, eh bien je vais l'ôter. Je vais l'enlever et la jeter au loin comme un vulgaire chiffon. Et ce, afin que ton regard – ton regard, dans un premier temps – jouisse de mon jardin dans toute sa splendeur. Dans toute son étendue. Panorama complet. Je sais que tu l'as déjà vu et revu, mais pas... Non, je ne dois pas le dire. Ma langue, ma langue je dois la tenir encore quelques instants. Prêt ?... Voilà, je l'ôte. Je me découvre. Je me dévoile... Haha ! Tu ne t'attendais pas à ça, hein ?... Alors ?... Je conçois que cela te fasse un drôle d'effet. Moi-même je n'y suis pas encore habituée. Pourtant, en réalité ce n'est pas grand-chose : pour filer la métaphore, disons que j'ai simplement tondu ma pelouse. Pffft ! Débroussaillée, fauchée, rasée. Place nette. Est-ce un si grand bouleversement ? Ça change, c'est vrai. Et j'avoue que cela ne s'est pas fait sans mal, ni sans appréhension. J'ai dû jouer les contorsionnistes. J'ai dû recourir à un miroir. J'ai dû empêcher tout du long ma main de trembler. Tu imagines les dégâts que cela aurait pu causer ? Fallait-il que ma motivation fût à la hauteur des risques ! Mais que ne ferais-je pour toi, mon amour ! Pour toi ! J'avais très envie de t'offrir cette friandise. Je tenais à marquer ce jour et te le rendre inoubliable. Es-tu content ? Est-ce qu'au moins cela te plaît ?... Permets-moi tout de même de vérifier... Foutredieu ! Aucun doute possible ! Merci. Merci d'y être aussi sensible. Et maintenant, veux-tu en apprécier la douceur, cette toute nouvelle douceur ? Veux-tu, puisque tu te trouves dans une posture qui s'y prête, en goûter la saveur ? Oui, tu le peux à présent. Ta patience – et la mienne ! – va être enfin récompensée. Me voici à nouveau vierge, mon amour. Je me présente à toi sous l'apparence de mes plus jeunes années afin de célébrer dans la joie celle qui s'ouvre ce jour, et toutes celles, innombrables, qui ne manqueront pas de la prolonger. Touche, oui ! Goûte ! Prends, tu y as droit ! Régale-toi ! Régale-moi ! Bon anniv... Hou ! le sauvage !

Doute-t-on de la parole d'une femme amoureuse
– et chevalière qui plus est ?

Deux semaines après cette consécration, tandis
que doucement repousse la mousse brune sur le
mont, l'occasion est donnée à Emma de démontrer
qu'elle ne jure pas à la légère.

On frôle le drame, on n'évite pas l'accident.

Celle qui en fait les frais est une jeune fille de
dix-sept ans. L'une de ses élèves. Emma lui enseigne
piano et solfège depuis une demi-douzaine d'années.
Elle n'avait pas encore remarqué combien son aspect
s'était modifié durant ce laps de temps. Son allure,
son maintien, son corps ont changé. La rondeur de
ses joues s'est déplacée vers sa gorge. Alors que son
visage s'affinait, que sa taille s'élançait, ailleurs des
formes naissaient et s'épanouissaient. À son avantage, incontestablement. Aujourd'hui Emma s'en
avise. On peut même dire que ce constat la frappe
de plein fouet. La petite Isabelle – prénom de la
demoiselle – n'est plus une enfant. C'est une truie.

La truie redoutée.

La truie de circonstance.

Le jour de la leçon c'est le garçon, comme souvent,

qui va ouvrir la porte de l'appartement et escorte l'élève jusqu'à la pièce à musique. Emma est occupée à préparer les partitions. Elle se retourne au moment où les deux jeunes gens franchissent le seuil, et le sourire d'accueil qu'elle avait aux lèvres se flétrit instantanément, se racornit et se dissout comme chair vive sous l'acide.

Où va-t-elle dénicher l'admiration, le désir, et même la lubricité dans le regard que pose le garçon sur la demoiselle ? Et auquel, pire que tout, cette dernière répond. Ils s'entendent. Complices dans la concupiscence. Où va-t-elle pêcher ça ? On ne le saura pas. Le cœur a ses raisons. Et c'est précisément dans ce cœur que se fiche à cet instant la pointe aiguë de la jalousie.

Flèche empoisonnée.

La jeune fille s'installe au piano. Le garçon prend place sur la chauffeuse. Il semble décidé à assister à la leçon : fait qui n'a rien d'exceptionnel – le contraire plutôt l'eût été – mais qui jette un pavé de doute supplémentaire dans la mare maintenant trouble reflétant l'esprit d'Emma. Toute l'heure qui suit elle la passe, inquiète, agitée, à tournicoter autour de son élève, tantôt détaillant la physionomie de celle-ci (qui se révèle de minute en minute plus charmante, plus appétissante, plus porcine à son sens), tantôt en guettant les effets du côté du garçon. Et essayant de surprendre entre ces deux-là le moindre signe de connivence, le mot, le geste, l'attitude qui les trahirait. Hélas, à bien y regarder il lui paraît y en avoir quantité ! Cette façon qu'a le garçon de battre la mesure en tapotant du doigt sur le velours : pourquoi ce rythme ? pourquoi ce doigt ? Cette manie qu'a la fille de pencher la tête à la montée d'un arpège : à quelle fin si ce n'est celle de mettre ainsi en relief sa nuque, la finesse de son cou ? À moins que... Peuvent-ils s'entr'apercevoir en miroir dans la laque du piano ? Mieux vaut s'interposer, au cas où. Mais de quel côté : ici ou là ? Et qu'a-t-elle donc à se racler la gorge sans arrêt ? Mademoiselle est enrouée ? Attrapé froid, la pauvrette ? Un petit chat coincé ? Une chatte, sans doute ! Qui miaule. Qui appelle. Une chatte en chaleur !

Emma ne voit rien mais elle voit tout. Croit voir. Croit intercepter. Elle interprète. Chaque son, chaque mouvement naguère anodin est susceptible soudain de se transformer en preuve de leur ignoble duplicité. Tout bois peut faire feu. Emma le sait. Emma le sent. Si ses yeux n'en sont pas certains, son cœur – son cœur transpercé où se distille le venin – l'en convainc. La jeune fille bat des cils : la biche aguiche. Le garçon tousse : c'est le cerf qui brame. Ruses et subterfuges. Jusqu'à ce dièse, ce dièse que l'apprentie pianiste s'acharne à reproduire, dix fois, vingt fois, et qui n'existe pas à la clé (dans cette tonalité c'est un bécarre, bécasse !). Que signifie cette fausse note ? Quel code dans le langage qu'ils ont dû inventer ?

La leçon se passe mais jusqu'au soir Emma se la repasse et se la repasse encore. Elle décortique, analyse à la loupe les menus événements, les détails les plus infimes. Son jugement se veut – s'imagine – objectif, cependant le poison a déjà agi. De son cœur il s'est propagé à son cerveau. Il coule dans ses veines. Le mal est là. Il est partout.

Supplice de la suspicion. Emma souffre.

Quand le garçon la rejoint cette nuit-là dans sa

chambre, elle ne lui saute pas au cou ni ailleurs. Elle n'est ni nue ni à demi. Ni Musset ni *Kâma Sûtra* en vue : aucun ouvrage. Il la trouve assise au bord du lit. D'un geste elle lui indique la place à ses côtés. Il s'y assoit. Elle lui prend la main, doigts entrecroisés, et le regarde un long moment sans rien dire. Elle soupire. Elle sourit – frêle sourire. Dis-moi, dit-elle, suis-je vieille ? Haussement de sourcils du garçon. Dis-moi, dit-elle. Il fait non de la tête. J'ai pourtant bien dix ou douze ans de plus que cette... cette Isabelle. Isabelle, tu vois ? Il fait oui de la tête. Oui, dit-elle, tu vois. Elle soupire à nouveau. J'ai peut-être bien dix ans de plus que toi aussi. En somme... Sa voix déraille. Elle l'éclaircit. En somme, dit-elle, sur le plan de l'âge tu es beaucoup plus proche d'elle que de moi. Il ne fait rien cette fois. Il la regarde de ses grands yeux noirs. Vous formeriez un beau couple, dit-elle. Au fait, qu'en penses-tu ? Je veux dire : comment la trouves-tu, cette... Isabelle ? Haussement d'épaules du garçon. Ma foi, pour ma part je la trouve charmante. Pas toi ? Moue du garçon. (Une moue c'est quoi ? C'est peu de chose. Ce n'est pas non.) Certes, dit-elle, ce n'est pas par l'intelligence qu'elle brille le plus. De ce côté-là, la nature ne l'a pas gâtée, je l'admets. Une vraie cruche ! Et ce n'est pas non plus par son talent musical, nous sommes d'accord. Pas d'oreille, pas de mains : difficile de faire moins. Avec de telles dispositions, Bach lui-même aurait abandonné ! Mais est-ce sa faute, à cette... cette petite ? Le ciel n'est pas généreux en tout. Les dons ne sont pas toujours équitablement distribués. Elle en a reçu d'autres. La beauté, par exemple. Parce qu'elle est belle, n'est-ce pas ? Moue du garçon. (Une moue, une moue ce

323

n'est pas un non franc et massif.) Si, dit-elle, elle est
belle. On ne peut lui retirer ça – que lui resterait-il ?
Plus exactement, elle est jolie. Elle est gracieuse. Elle
est précieuse. Une cruche, oui, mais en porcelaine !
Elle a l'air si fragile. Si j'étais un homme, il me
semble que je mourrais d'envie de la prendre dans
mes bras pour la protéger. Chère petite cruche, viens
là, viens contre moi, j'ai tellement peur que tu ne te
brises... Je suis certaine que c'est ce que tu ressens,
toi aussi. Ne meurs-tu pas d'envie de la serrer dans
tes bras ? Enfin le voilà, le non. Net et franc. Trop
franc. Trop net. Trop empressé pour être honnête.
C'est le non d'un homme aux abois. Le non d'un
coupable pris sur le fait et qui nie l'évidence même.
Elle lâche sa main et se lève, se détend comme un
ressort. Elle marche. Elle tourne en rond. On croirait
l'entendre grogner. Digne fille de phacochère. Elle
s'exhorte au calme. Calme, calme. Respire. Elle se
plante face à lui. Elle sourit – sourire torve. Allons,
dit-elle, faute avouée est... Elle s'interrompt. Elle ne
peut pas dire ça. Lieu commun. Pure convention.
Si elle exige la vérité elle ne peut pas mentir. Elle
n'est pas sûre, elle n'est pas sûre du tout de réussir
à pardonner, ni à moitié ni au quart ni au centième.
Tu affirmes, dit-elle, qu'elle ne t'attire pas ? Il fait
oui de la tête. Tu affirmes n'éprouver aucun désir
pour cette... cette greluche ? Il fait oui de la tête.
Elle fait non de la tête. Je ne suis pas bête, dit-elle.
Je ne suis pas aveugle. J'ai vu. J'ai tout vu ! Il ne sait
que faire. Il la regarde de ses grands yeux noirs que
teintent à présent l'inquiétude et l'incompréhension.
Allons, dit-elle, avoue qu'elle te plaît. Il fait non
de la tête. Avoue-le, dit-elle. Il fait non. Avoue-le !
Il fait non. Avoue ! Non. Avoue ! Non. Elle reste

bouche ouverte, muette. Ses lèvres se mettent à trembler. D'un coup les larmes emplissent ses yeux. Il se redresse et se jette sur elle et la serre dans ses bras. La serre, la serre.

La scène se rejoue tout au long de la semaine. Variations sur le même thème. Elle essaie la douceur, la menace. Elle asticote, tarabuste, elle louvoie ou elle charge de front. Il n'avoue pas. Elle passe par des phases diverses, divers états, de l'abattement à la fulmination, de la prostration à l'ire, à la fureur, à la rage. Il n'avoue pas. Elle est malheureuse. Il l'est aussi.

Poison.

Vient le jour de la nouvelle leçon. Maintes fois elle a songé à l'annuler. Elle ne l'a pas fait. Elle a demandé au garçon de ne pas y assister. Elle lui a demandé (ordonné) de ne pas même se montrer, de rester reclus dans sa chambre. Il y a consenti – de bonne grâce si ça peut la guérir, si ça peut chasser ce mal qu'elle a contracté et dont il ne sait comment la soulager.

C'est Emma qui va ouvrir la porte. Oh, le joli minois. De pire en pire. Accorte, vraiment. Délicate plante carnivore. Dire qu'en ce sein si ravissant le serpent dort. Le serpent veille. Emma serre les crocs. Emma rentre les griffes. Grimace un sourire. Le professeur Emma Van Ecke accompagne son élève jusqu'à la salle de piano. Entre. Installe-toi. Que cherche-t-elle ? Profil droit, profil gauche. Non, tu vois, le mâle n'est pas là. Nous sommes seules. Élève, professeur. Serpent, panthère. Il n'y a que toi et moi. Emma referme la porte derrière elles.

Des notes s'élèvent, s'enchaînent. Les exercices d'usage. Emma n'écoute pas. N'intervient pas. Elle qui d'ordinaire relève les erreurs avec tact, pointe gentiment les défauts, elle qui a toujours une parole d'encouragement, elle ne desserre pas les lèvres. Qu'est-ce que ça changerait ? De toute façon tu n'es pas venue pour ça. Tu n'es pas venue pour la musique. À d'autres ! Je sais parfaitement pourquoi tu es là, perfide. Comme lors de la leçon précédente elle arpente la pièce en silence. Ses pas tracent un arc de cercle qui contourne la jeune fille par l'arrière, d'un bout du clavier à l'autre, de l'aigu au grave, aller, retour. Elle ne l'écoute pas mais elle la regarde, ça oui. Elle l'observe. Elle la scrute. Elle l'examine. Tout y passe, tenue comprise, des chaussures à la robe. Ce décolleté, mon Dieu. Ce gouffre. Cet abîme. Plus profond que la mer des Sargasses. Comment une mère peut-elle permettre à sa fille de sortir ainsi vêtue ? Ainsi dévêtue, pour mieux dire. C'est pour qui, c'est pour Czerny ? Pour Brahms ? C'est le père Haendel que tu cherches à séduire avec ça ? Bien sûr. Si tu crois que je ne te vois pas venir. Je ne suis pas ta mère, moi. Quoi que tu en penses, garce, je ne suis pas en âge d'être ta mère. Qu'est-ce qui se passe ? On minaude moins, cette fois. Comment se fait-il qu'on ne le voie pas pointer, ton petit bout de langue ? Et tes cils : ils sont bien sages, bien tranquilles, les aurait-on collés ? Qu'as-tu donc, ma mignonne ? Serait-ce, par hasard, l'absence du mâle qui te chagrine ? Comme c'est dommage. Personne à qui les mettre sous le nez, tes petits tétins. Un coup pour rien. Quoi ? Oui, joue. Rejoue, si tu veux. Recommence. Tu peux le reprendre un millier de fois, jamais tu ne seras fichue de le rendre correctement. Tu n'es pas là pour ça. Tu le sais, je le sais, nous le savons. Il n'y a que toi et moi ici.

La seule chose que tu es capable de jouer c'est la comédie. Fais. Joue, si ça t'amuse. Mais avec moi ça ne prend pas.

Emma n'entend pas le Canon. Pachelbel. L'incontournable. Ce pourrait être n'importe quoi, elle n'entend pas. Emma marche. Emma va et vient en se triturant les doigts. Emma a chaud. Ses yeux s'attardent sur la nuque de la jeune fille. Aujourd'hui elle est dégagée. Les cheveux blonds ramassés en un volumineux chignon. On voit son cou. Son cou gracile. Son cou de cygne. Son cou de serpent. Son cou de truie. Halte ! Emma relève soudain les yeux, elle tourne la tête, à gauche, à droite : elle cherche une épée. Pendant une poignée de secondes, très sérieusement, elle cherche une épée dans la pièce. Ou une hache, pourquoi pas. Une hache ferait l'affaire. Il faut supposer qu'elle n'a plus toute sa raison. Le poison est violent. Il est partout, dans chaque cellule, dans chaque atome. Elle ne trouve pas de hache, non plus que d'épée. Ce qu'elle trouve c'est le dessin du garçon, sous verre, accroché au mur. Son regard tombe dessus. Elle a chaud. Elle a très chaud. Le dessin d'enfant, si naïf et innocent. On voit la maison, l'arbre, le soleil : un lieu paisible. Et la femme au centre de la feuille. La femme inconnue. La femme ou la fille. La fille ? Elle regarde le dessin et se souvient du jour où il le lui a donné. Elle se souvient de tout. Mon amour, pense-t-elle. Tellement, tellement chaud. Au point d'en étouffer. Tchak ! La hache de Pachelbel. Voilà. Brusquement elle se remet en branle, elle fait deux pas vers le piano, plonge dans ce qu'elle appellera plus tard un grand trou noir. La truie joue. La fille ? Le professeur Emma Van Ecke pivote sur ses talons pour faire face à son élève – oh, le joli minois – et malencontreusement dans le même mouvement lui rabat de toutes ses forces le couvercle du clavier sur les doigts. Tchak !

Le Canon s'arrête.

Il ne reprendra pas. La jeune Isabelle, on l'apprendra vite, a l'auriculaire brisé (précisément le même doigt, ironie du sort, que le garçon). Elle a le trapèze et le scaphoïde de la main droite enfoncés. Elle a surtout un fort traumatisme émotionnel et psychologique : la demoiselle est persuadée que son professeur l'a fait exprès. Intime et profonde conviction qu'elle garde pour elle – qui pourrait entendre cela ? Elle passerait pour folle à ne serait-ce que le suggérer. Elle se tait mais la peur est là, tapie, ancrée. Les séquelles perdurent. Bien après que ses os se seront reconstitués elle continuera d'être terrorisée à l'idée de retourner là-bas et trouvera tous les prétextes pour l'éviter. En fin de compte la jeune fille aura gain de cause : terminé, les leçons de musique. Boulevard du Temple on ne reverra jamais son joli minois.

Il faudra beaucoup moins de temps à Emma pour oublier. Un soupçon de remords, pas une once de regret. Ce n'était pas moi, dira-t-elle au garçon (et à personne d'autre), évoquant alors ce fameux trou noir en guise d'explication. Un passage hors d'elle-même, hors du temps, hors de tout. Une absence. Un non-lieu. Elle ne saurait le décrire mieux. La preuve, c'est que sa mémoire est vide de ces instants. À peine se souvient-elle des cris qui l'ont tirée du néant où elle se trouvait. On aurait dit… on aurait dit, oui, une truie qu'on égorgeait. Dès lors qu'elle n'était pas présente par la conscience qu'y pouvait-elle ? De son point de vue c'est un moindre mal. J'aurais pu la tuer, dira-t-elle (sans s'en émouvoir outre mesure). Estimons-nous heureux.

Le fait est qu'elle l'est. Purgée d'un coup du poison qui la rongeait. Cœur et esprit délivrés. Sang neuf. Ses autres élèves sont ou trop jeunes ou trop laides : elle les traite avec toute la bienveillance qu'elles méritent, et dont d'ailleurs elle a toujours fait preuve. Emma Van Ecke est un excellent professeur.

Et le garçon s'en contente. Trop heureux aussi de la voir guérie, de la retrouver telle qu'elle l'avait quitté, et peut-être plus fougueuse encore, plus entreprenante. Sans retenue aucune elle lui présente des arguments qui achèvent de balayer les dernières poussières du doute. Plus de hache, plus d'épée : du balai !

Elle ressort les livres de l'armoire. Elle rouvre les grilles de son somptueux jardin (la pelouse a repoussé, herbes folles et douces). Et c'est ainsi qu'au bout de peu la belle vie et le grand amour reprennent leur cours.

Mais ça passe si vite. C'est déjà presque passé. Temps du bonheur et temps du malheur ne sont ni d'égale mesure ni d'égale valeur. (C'est mathématique, fiston ?) L'un se contracte quand l'autre s'étire et dure. L'un file, l'autre s'éternise. Une simple virgule et c'est quatre années d'existence. Est-ce possible ? Compris là-dedans l'amour, la joie, la tendresse, le rire, la musique, la poésie, le désir, le plaisir, la paix, la grâce, l'harmonie, la sérénité, la plénitude, en un mot le bonheur comme on disait. Et on ne le savait pas. On est monté, monté, sans s'en apercevoir. On s'est laissé porter. On touche aux cimes. L'air d'altitude nous grise, nous soûle. La tête pleine d'éther. Vois comme c'est beau. Il n'y a rien au-dessus.

Désormais, on ne peut que redescendre. Basculer sur l'autre versant. Nord. D'un seul coup perdre nos guirlandes et nos chaînes. La terre est foutrement basse, le garçon sera forcé de se le rappeler.

Une dernière chose pourtant avant l'apocalypse : Emma s'est mise à écrire. Remise, en fait. Elle s'y était essayée à l'époque de la puberté. Elle avait alors les aspirations de cet âge, hautes et nobles visées

(Hugo, sinon rien !), les rêves et les illusions qui vont avec. Les limites de son talent, cernées par une implacable lucidité, l'avaient conduite à renoncer. Elle y revient, mais cette fois sans l'ambition manifeste de marquer la littérature de son empreinte. Ses desseins sont beaucoup plus modestes. Pas de chefs-d'œuvre impérissables en vue. Pas d'autre intention que celle de s'égayer. Un jeu. Un jeu de plus, et rien de plus. Un jeu pour les deux amants amoureux.

Fortement influencée par les lectures de ces derniers mois elle s'inscrit dans la veine grivoise, leste, crue parfois, qui tant les charme et les échauffe, elle et le garçon. Elle imite pour commencer. Des pastiches (« La déclaration des doigts de l'homme », pour n'en citer qu'un), et des pastiches de pastiche : odes, sonnets, épigrammes aux rimes truculentes qu'elle tire sans vergogne de son lexique. Puis sa production s'enrichit de quelques contes où s'ébattent soit des animaux débauchés, soit des divinités ithyphalliques. Orgie dans la basse-cour, orgie en Olympe ou Arcadie : orgie toujours. Les fables qu'elle invente ont une morale douteuse, quand elles en ont. Elle commet également de courtes pièces, des saynètes qu'elle prend grand plaisir à mettre en scène, la nuit, sur le tapis de l'ancêtre qui tient lieu aussi bien d'estrade que de coulisses. Elle incarne l'ensemble des rôles féminins et le garçon endosse les costumes (souvent réduits à peu) des personnages masculins. On est loin, très loin, de sa lamentable prestation de comédien dans la crèche du hameau. Le ravi il ne le joue pas, il l'est. Il répétera autant qu'elle le souhaite. Il y aura autant d'actes qu'elle le voudra.

Emma est inspirée. Chaque jour elle y va de sa

plume et en fait profiter le garçon. La crème de ses écrits est constituée de brefs poèmes à lui seul destinés, à lui seul intelligibles, car ces textes possèdent des tiroirs secrets renfermant leur véritable sens et dont à lui seul elle a confié la clé. En voici un exemple :

Viens, jolie mésange, viens. Sors sans crainte des
Fourrés d'où jaillit déjà ton chant mélodieux.
Ta joie s'entend. Tes trilles s'élèvent entre les
Tiges et volent et brillent comme mille soleils radieux.
Ô petit ange, bel oiseau bleu, tes arpèges
Fondent sous la langue des dieux : c'est le printemps.
Mon âme renaît, pure et vierge comme la neige
Qu'on écoute tomber lorsque l'on a vingt ans.

Bucolique et charmant en apparence. Mais pour peu qu'on détache à présent le premier mot de chaque vers, en une espèce d'acrostiche, alors le ton change et cette innocente histoire de mésange prend une tout autre tournure et une tout autre teneur.

De ces messages la jeune femme en produit à foison. Bien qu'il en connaisse le code ce n'est pas toujours une mince affaire pour le garçon que de les déchiffrer. Il ne les lit pas, il lui faut donc tout retenir avant d'extraire puis d'assembler à nouveau dans l'ordre requis. Casse-tête qui exige une mémoire infaillible et une agile réflexion. Quelquefois il s'y perd, la plupart du temps il s'y retrouve et apprécie.

Emma est si contente de ce petit jeu que l'envie lui vient de le poursuivre en société. L'idée est de réunir quelques amateurs afin de leur faire partager la splendeur de ses créations. Fantaisie un brin perverse, on ne peut le nier, car elle compte bien à cette occasion délivrer ses triviaux messages au nez et à la barbe de l'auditoire. Du sel, en voilà ! Du piment.

Au moment où germe ce projet ils sont à nouveau en villégiature à Toussus-le-Noble. En conséquence de quoi le nombre des amateurs potentiels s'en trouve forcément restreint. Mais qu'à cela ne tienne, la qualité compensera la quantité. Et c'est ainsi que s'ouvre tout de même, au début du mois de juillet, le premier salon littéraire qu'a jamais connu le village. Hormis Emma et le garçon deux autres personnes seulement ont l'honneur d'y prendre part : Gustave et le fidèle docteur Théoux. Pour celui-ci, son dernier contact avec la poésie date de l'époque où il faisait la cour à sa future épouse : quelques strophes galantes d'un poète de cour qu'il avait apprises par cœur et récitées genou à terre comme il pensait qu'il seyait de le faire. Aujourd'hui encore il demeure persuadé que c'est ce coup de maître qui lui avait permis de l'emporter et de conduire la belle à l'autel – quand en réalité la promise était beaucoup plus sensible à son récent diplôme de docteur en médecine qu'à cet amphigouri en ancien français auquel elle n'avait pu saisir un mot.

C'est l'heure. Le repas se termine. Le dessert consommé, Emma se dresse et fait tinter son verre (on pourra se souvenir de ce petit bruit cristallin, joyeux, plaisant, lorsque sonneront le tocsin et le glas). Devant le public attentif elle ouvre son cahier et commence à lire. Ce sont des textes sages, sans équivoque, écrits pour la circonstance. Ils sont admirés et applaudis. Gustave est fier de sa progéniture. Amédée savoure ces lectures comme il savoure sa poire : l'air gourmand, à menues gorgées. Emma sourit modestement. Puis elle place sa botte. D'une œillade complice le garçon est prévenu : le prochain est pour lui. Pour eux deux. C'est un poème, confie-t-elle à l'assistance, qu'elle a intitulé « Oubli ». Son ton est grave, son regard pétille. Elle se lance :

Je voudrais sur-le-champ
Abolir le passé.
Que se dresse ton glaive,
Ô oubli bienfaisant,
Et s'enfonce ta lame
Dans mon âme angoissée.
Par le biais de mes lèvres
Je prie pour oublier.
Que tu m'ouvres et me fende,
Ô miséricordieux,
Ici même. Que tu bandes
Mes yeux au souvenir
Et m'arrache d'un coup
Tout regret, tout remords,
– Ces maudits vêtements
Qui habillent mes torts –
Et me prenne dans l'instant
Cette mémoire atroce.
Oh ! oui, viens, je t'en prie !
Pitié pour mes vieux os !
Vite, viens décharger
Mon âme du fardeau qui
L'habite au plus profond !
Ô oubli bienfaisant,
Sur-le-champ je voudrais
Renaître à la douceur.
Que jaillisse ton jet
Pour apaiser mon cœur
Brûlant comme la foudre.

Sachant que la diablesse a augmenté la difficulté, et de composition et de déchiffrage. La clé a changé : ce ne sont plus les premiers mots de chaque vers qui constituent le message, mais un vers sur deux.

Naturellement, ceux qui ne sont pas dans la confidence n'y voient que du feu. Mais pour l'initié même la tâche est ardue. Qu'on imagine un peu la gymnastique mentale nécessaire à la compréhension du cryptogramme lorsqu'on ne l'a pas sous les yeux. Un défi. Les applaudissements de Gustave, les louanges d'Amédée sont déjà retombés que le garçon est toujours en train de se triturer la cervelle à l'autre bout de la table. Concentré, sourcils froncés, l'intensité de l'effort se lit sur son visage (où est la césure ? où est l'enjambement ?). Cela dure deux ou trois bonnes minutes. Et puis tout à coup ses traits se détendent, sa figure s'illumine. Il se lève d'un bond et se met à son tour à battre des mains, un sourire béat aux lèvres.

Emma en rit. Pas le docteur, que cette réaction à retardement ne laisse pas de surprendre. Il considère le garçon d'un œil effaré, puis inquiet. Il repense à l'accident. Au traumatisme crânien. Aux séquelles irréversibles... Se détournant il rencontre le regard de son ami Gustave, affiche alors une mine de brave abbé compatissant en même temps qu'il esquisse une moue vaguement gênée, vaguement coupable. Et tandis qu'Emma referme son cahier, le vieillard se demande si le traitement prescrit naguère au garçon – madère : un demi-verre matin et soir – était finalement le mieux approprié.

Ah, les jours heureux.

L'expérience sera renouvelée, ils tiendront salon

encore quelques fois, élargissant jusqu'à sept le cercle des participants (ajoutés le métayer et son fils ainsi qu'une cousine d'Amédée, demoiselle de soixante-dix ans débarquée chez lui à l'improviste et versée dans le spiritisme – aussi se verront-ils infliger dans son intégralité un madrigal de madame de Coligny, comtesse de La Suze, ânonné depuis l'au-delà et lettre après lettre par l'esprit même de l'auteur).

Le reste du temps les amants s'aiment.

Mais ça passe, ça passe si vite.

Quoi qu'on en dise c'est le dernier été. De surcroît à moitié tronqué puisqu'il prend fin le 1er août à quatre heures précises de l'après-midi.

Grosse chaleur ce jour-là. Ils sont, elle et lui, allongés sur leur lit de cresson bleu, au bord de la rivière. Le saule au-dessus déployé, dont les branches dessinent sur leur peau nue des ombres de moucharabieh. Indolents ils somnolent, côte à côte, vides et gorgés, repus d'eux-mêmes. Sueur et sève sèchent. Voilà où ils en sont lorsqu'ils entendent, au loin, comme dans un rêve, sonner les cloches à la volée.

1914-1915

Que les choses soient claires : George Frederick Ernest Albert, dit George V, roi du Royaume-Uni, du Canada, d'Australie, de Nouvelle-Zélande, d'Afrique du Sud, d'Irlande et empereur des Indes, est le cousin germain de Nikolaï Aleksandrovitch Romanov, dit Nicolas II, dit Nicky pour les intimes, empereur de Russie, roi de Pologne et grand-prince de Finlande, lui-même fils d'Alexandre III et de Marie Sophie Frédérique Dagmar de Schleswig-Holstein-Sonderbourg-Glücksbourg, dite Dagmar de Danemark, impératrice de Russie sous le nom de Marie Fedorovna, laquelle est la sœur de Frédéric VIII, roi du Danemark, et de Georges Ier, roi de Grèce, et d'Alexandra Caroline Marie Charlotte Louise Julie de Schleswig-Holstein-Sonderbourg-Glücksbourg, épouse d'Édouard VII, lequel est par conséquent gendre de la princesse Louise de Hesse-Cassel, laquelle compte donc parmi ses petits-enfants Christian X de Danemark, ainsi que les précités George V et Nicolas II, dont l'oncle, Nicolas Nikolaïevitch de Russie, est le beau-frère du roi d'Italie, Victor-Emmanuel III, dit Vicky pour les intimes, dit le nain par les impudents – car, contrairement à son cousin paternel au second degré, Amédée II de Savoie-Aoste, géant de près de deux mètres, Victor-Emmanuel dépasse à peine les cent cinquante centimètres – lui-même fils de Humbert Ier et de Marguerite de Savoie et petit-fils de Marie Adélaïde de Habsbourg-Lorraine, ainsi encore que Constantin de Schleswig-Holstein-Sonderbourg-Glücksbourg, dit Constantin Ier de Grèce, fils aîné de la grande-duchesse Olga Constantinovna de Russie et arrière-petit-fils du tsar Nicolas Ier et époux de la princesse Sophie de Prusse, elle-même fille de l'empereur Frédéric III d'Allemagne et mère d'Irène de Grèce, elle-même épouse d'Aymon de Savoie-Aoste, roi de Croatie sous le nom de Tomislav II, ainsi toujours que Haakon VII de Norvège, époux de sa cousine germaine Maud Charlotte Mary Victoria de Saxe-Cobourg-Gotha, dite Maud de Galles, princesse de Grande-Bretagne et d'Irlande et fille d'Édouard VII et de la reine Alexandra – ce qui explique d'autant mieux la ressemblance assez frappante entre le tsar Nicolas II et le roi George V – et fils de Louise de Suède, elle-même fille de Charles XV et de la princesse Louise des Pays-Bas, elle-même petite-fille du roi de Prusse Frédéric III et nièce d'Augusta-Victoria de Schleswig-Holstein-Sonderbourg-Augustenbourg et de son époux Frédéric Guillaume Victor Albert de Hohenzollern, dit Guillaume II, dit Willy pour les intimes, empereur d'Allemagne, lequel, c'est à noter, n'était jamais convié, enfant, aux somptueux goûters que cette brave grand-mère, Louise de Hesse-Cassel, organisait chaque été avec tous les autres cousins et neveux, pauvre petit Willy, quelle frustration, lui qui déjà était terriblement complexé par son bras atrophié, une infirmité de naissance dont n'a jamais pu le consoler sa maman, la Kaiserin Victoria, impératrice d'Autriche, laquelle n'était autre que la fille de la reine Victoria et du prince consort Albert de Saxe-Cobourg-Gotha, lui-même cousin du roi Léopold II de Belgique, lui-même frère de l'impératrice Charlotte du Mexique, elle-même épouse de Ferdinand Maximilien Joseph de Habsbourg-Lorraine, dit Maximilien Ier, archiduc d'Autriche, prince royal de Hongrie et de Bohême, vice-roi de Lombardie-Vénétie, et belle-sœur de Marie de Hohenzollern-Sigmaringen, elle-même sœur de Stéphanie, reine du Portugal, et de Charles, roi de Roumanie, et petite-fille du grand-duc Charles II de Bade et de la grande-duchesse née Stéphanie de Beauharnais, alors que de son côté Ferdinand Ier, prince de la maison de Saxe-Cobourg-Gotha, tsar des Bulgares, est le cinquième et dernier enfant du prince Auguste de Saxe-Cobourg-Kohary, lui-même fils de Ferdinand de Saxe-Cobourg-Saafeld et de la princesse hongroise Antoinette de Kohary, et frère du roi consort Ferdinand II du Portugal et de la duchesse de Nemours, et neveu de Léopold Ier de Belgique, et cousin germain du prince consort Albert et de son épouse la reine Victoria, et digne époux de Clémentine d'Orléans, elle-même fille de Louis-Philippe et de Marie-Amélie de Bourbon, princesse des Deux-Siciles, laquelle est mère d'une nombreuse progéniture dont fait partie un autre Auguste de Saxe-Cobourg-Kohary, époux de Léopoldine de Bragance, princesse du Brésil et fille de l'empereur Pierre II, ainsi que Philippe de Saxe-Cobourg-Kohary, époux de la princesse Louise de Belgique, fille aînée du roi Léopold II, lui-même oncle d'Albert Ier, prince de Saxe-Cobourg-Gotha, fils du prince Philippe et de la princesse Marie de Hohenzollern-Sigmaringen, ainsi encore que Clothilde de Saxe-Cobourg-Kohary, épouse de l'archiduc Joseph de Habsbourg-Hongrie, ainsi toujours que Amélie de Saxe-Cobourg-Kohary, épouse de Maximilien-Emmanuel de Wittelsbach, duc en Bavière et frère de l'impératrice Élisabeth d'Autriche, dite Sissi, ainsi, cela va de soi, que le susdit Ferdinand Ier de Bulgarie, dit quelquefois Oui-Oui, lequel n'est plus que l'ombre de lui-même, semble-t-il, lorsqu'il se marie à la princesse Marie-Louise de Bourbon-Parme, fille de Robert Ier, duc de Parme, de Plaisance et de Guastalla, lequel, à l'inverse, vaillant et vigoureux, épouse en premières noces la princesse Pia des Deux-Siciles, puis en secondes noces Antonia de Bragance, fille de Michel Ier de Portugal, et engendre au cours de ces deux unions pas moins de vingt-quatre enfants, dont un bon quart hélas se révèlent attardés mentaux, mais dont les trois quarts restant sont quasiment sains, parmi lesquels on compte, outre Marie-Louise précédemment citée, Zita, impératrice d'Autriche et reine de Hongrie, épouse de Charles Ier, ainsi que René, époux de Marguerite de Danemark et père de la reine Anne de Roumanie, ainsi qu'Élie, époux de l'archiduchesse Marie-Anne d'Autriche, laquelle n'est autre que la fille de l'archiduc Frédéric de Teschen et de son épouse la princesse Isabelle de Croÿ, laquelle a pour dame de compagnie, mais comtesse tout de même et descendante de Rodolphe Ier du Saint-Empire, une certaine Sophie Chotek, laquelle se marie par amour et morganatiquement à François-Ferdinand de Habsbourg-Este, archiduc héritier d'Autriche-Hongrie, lequel, il faut le signaler, est un tireur hors pair, chasseur aussi passionné qu'efficace comme le prouvent ses cahiers de chasse, précieusement conservés, desquels il ressort que l'archiduc a tué au cours de sa vie deux cent soixante-quatorze mille huit cent quatre-vingt-neuf animaux de toutes espèces, dont bon nombre exotiques, tels que tigres, lions et éléphants, que l'on peut d'ailleurs admirer, morts et en partie, parmi la centaine de milliers de trophées exposés dans son château de Konopiště, en Bohême, au milieu de sa superbe collection d'antiquités, autre grande passion de François-Ferdinand, lequel, pour l'anecdote, est lui-même tiré comme un lapin, par Princip, Gavrilo de son prénom, pauvre bougre de nationaliste yougoslave, le 28 juin 1914 à Sarajevo.

C'est donc une affaire de famille.

On lave son linge sale : dix-neuf millions de morts.

Et l'on se demande encore de quoi est venu se mêler Poincaré !

— La Belgique, dit Gustave.

— La Belgique ? dit Emma.

— Ils ont franchi la frontière, dit le père.

— Comment ça ? dit la fille. Et le principe de neutralité ?

— Bafoué, dit-il. Foulé aux pieds.

— Mais ils n'ont pas le droit ! dit-elle.

— Le droit ?...

Gustave Van Ecke s'arrête, regarde sa fille. Elle est assise à la table de la cuisine, un bol de lait chaud devant elle. Il regarde le garçon, assis à la même table, un bol de chocolat devant lui. Il revient à sa fille.

— C'est écrit, dit-il. Constate par toi-même.

Il plaque un journal sous ses yeux. Emma ne bouge pas. Elle n'y touche pas. Elle voit les gros titres, les caractères gras, c'est assez. Gustave se remet en branle.

— Un « chiffon de papier », dit-il. Voilà comment le chancelier allemand a qualifié le traité entérinant la neutralité belge. C'est ce qu'il a osé répliquer à l'ambassadeur britannique.

— L'Allemagne a signé ce traité ! dit Emma.

— Oui, dit Gustave. Et hier, à la première heure,

ses troupes armées sont entrées en force dans le pays !

Il s'arrête à nouveau. Assène un coup sec sur la table. Le bois rend un son mat au contact de ses jointures.

— En ce moment même, dit-il, les soldats du Reich se dirigent à grands pas vers la ville de Liège.

Emma se raidit.

— Liège ?

Père et fille se dévisagent. Il y a, sous les paupières lourdes, tombantes, de Gustave, de l'angoisse, de l'indignation, de la colère, de la révolte. Emma le voit. Elle voit tout ça.

Liège. Grâce-Hollogne. Elle n'était qu'une enfant. Ses souvenirs sont rares et flous. Des mirages ? Une impression d'immensité. Des plantations. Des vergers à l'infini. Pommiers. Le bruit de la pluie sur les feuilles, un crépitement que l'on entendait jusque dans la maison, fenêtres closes. La fausse neige au printemps. Les flocons blancs sous la brise. Les milliers de troncs alignés. Une armée en campagne. Une armée d'arbres en fleurs.

— Qui va les arrêter ? demande Gustave.

Il se remet en marche.

Sa mère, ses sœurs, ses oncles et tantes, ils sont morts ou bien ils ont quitté le pays depuis longtemps. Là-bas il doit rester, épars, quelques lointains cousins, quelques neveux et nièces au deuxième, au troisième degré. Quelques gouttes de son sang. Des inconnus. Est-ce à eux qu'il pense ? Est-ce aux arbres ?

— Ce sont des loups, dit-il. Une horde de loups affamés. Ils ne connaissent aucun droit, sinon celui du plus fort.

Emma secoue doucement la tête.

— Non, papa, dit-elle. Ce sont des hommes. Rien d'autre.

Son ton est soudainement calme, posé.

Gustave remue la tête à son tour, mais cela semble plus douloureux.

— Dans ce cas, dit-il, c'est pire.

Emma se tourne vers le garçon. Il se tient droit sur sa chaise. Les cheveux ébouriffés. Une chemise blanche sur le dos. Sous la table ses pieds sont nus. Elle le trouve beau. Elle l'a rasé la veille. Moustache et barbe. C'est comme ça qu'elle le préfère : imberbe. Juste sa peau. Souvent c'est elle qui le rase.

— Ils ne seront jamais rassasiés, dit Gustave. Si on les laisse faire, ils dévoreront tout et tous.

Emma pousse un soupir, ténu, discret, puis se détourne de l'aimé.

— Je ne crois pas, dit-elle, que nous ayons l'intention de les laisser faire. Je te rappelle que la France est mobilisée. Et si j'ai bien compris, l'Angleterre vient également de s'y mettre. Sans compter la Russie et je ne sais plus quel autre État encore. Cela me paraît déjà beaucoup.

— Tu ne connais pas les Allemands, dit Gustave.

— J'en connais quelques-uns, dit Emma. Ils s'appellent Bach, Schumann, Beethoven, Wagner, Goethe, Schiller. Ils s'appellent Mendelssohn...

— Hélas, ceux-là ne sont pas au pouvoir, dit Gustave. Ils ne président pas à la destinée de leur peuple.

— C'est vrai, dit Emma. C'est à l'humanité tout entière qu'ils s'adressent.

— Bon sang ! dit Gustave. Je sais ce que valent ces artistes et je les apprécie autant que toi. Mais nous ne sommes pas en train de parler de musique ou de littérature. Nous ne sommes pas en train de parler de création. Nous parlons exactement du contraire. Nous parlons de la guerre, Emma !

Rouge. Plus rouge que jamais.

C'est un mot étrange. Guerre. Dans la bouche de son père. Il lui semble l'entendre pour la première fois. Quelles rimes ? Guerre, père, mère, frère... Cherchez l'intrus. Rimes pauvres. Atterre, cratère, enterre, cimetière, enfer, vers, vers qui, vers quoi, Werther, souffrances... *Je vais quitter cette chaumière et rentrer dans ma prison*. Non, cela ne rime plus. Ni pauvres ni riches.

Emma baisse les yeux. Son bol sur la table. Le lait qui refroidit. Pas une ride à la surface. La vérité est au fond. Elle avait prévu de faire des crêpes cet après-midi. Pour le goûter. Le garçon adore les crêpes. Il est capable d'en enfourner une douzaine à la file. Elle adore le regarder dévorer.

— Dans ce domaine aussi ce sont des maîtres, dit Gustave. Ils n'en sont pas à leur coup d'essai. En septante, tu n'étais pas née, mais moi, si !

Bismarck. Le dogue. Les casques à pointe. Il se souvient, oui. En ce temps-là on les appelait les Prussiens. Le jeune Gustave était en âge de combattre. Mais Gustave Van Ecke était un sujet belge et la Belgique était neutre. En ce temps-là les traités étaient respectés, même par un chien. Gustave n'avait pas pris les armes. Il n'avait pas bronché. Il s'évertuait à créer des pommes.

— L'histoire ne se répétera pas, dit-il, elle ne fera qu'empirer. Ils en voudront toujours plus. Toujours plus ! Toujours plus !

Plus de quoi ?

Des crêpes à la fleur d'oranger. Des crêpes au miel. Des crêpes au sirop de canne. À la confiture de myrtilles. Comment fait-il pour avaler tout ça ? Comment fait-il pour le digérer ? Quand ils se retrouvent seuls, après, elle couvre son estomac de mille petits baisers. Elle le picore. Son bedon, elle dit. Bien tendu, bien plein. C'est de la pâte à polochon. Elle y pose sa joue. Son oreille. Elle écoute. Il s'en passe là-dessous. De drôles de bruits. Gargouillis, borborygmes. Qui mieux qu'elle sait imiter le cri de l'enzyme glouton ? Il faut voir sa grimace lorsqu'elle le reproduit : on dirait une grenouille mal embouchée. Ils rient.

Je ne sais plus quand il est nuit, ni quand il est jour ; il n'est plus pour moi qu'un seul objet dans l'univers.

— Espérons que tu te trompes, dit-elle. Espérons que ceux qui gouvernent l'Allemagne reviendront rapidement à la raison.

— La raison ?...

— Et si tel n'est pas le cas, nous n'aurons plus qu'à espérer que notre armée saura les repousser.

— Et nous ? dit Gustave.

Emma relève la tête.

— Nous ?

Son père la regarde. Regarde le garçon. Revient à sa fille.

— Moi, dit-il. Qu'est-ce que je fais, moi ?... Les barbares sont en marche. La Belgique, ma patrie, est attaquée. La France, ma seconde patrie, est en danger. Et que suis-je censé faire ? Attendre ? Espérer, comme tu dis ? Peut-être me mettre à genoux et prier, aussi ? Au cas où Dieu, pour une fois, aurait pitié des hommes de bonne volonté !

Guerre.

Elle est déjà là.

Elle est dans les bons yeux de Gustave, dans son visage cramoisi, dans les veines de son cou gonflé. Emma le voit. Elle voudrait qu'il desserre son col. Desserre ton col, papa.

— Non, dit Gustave. Je ne vais pas rester les bras croisés en attendant que ça se passe. Je ne vais pas laisser d'autres hommes agir seuls, à ma place, pour défendre ma liberté, ma vie. Je ne vais pas m'en remettre à la grâce divine ni à celle de l'état-major teuton !

Elle est dans sa voix.

Elle est dans ses paroles, dans tous les mots qui se répandent par sa bouche.

— Puisque la France entière est mobilisée, dit Gustave, il n'y a pas de raison que je ne le sois pas aussi. J'ai bien réfléchi : je vais me porter volontaire. Je vais m'engager.

Un bruit sort du gosier d'Emma. Un début de rire, nerveux, qu'elle ne peut retenir, qui rappelle son imitation des gargouillis du garçon.

— T'engager ? dit-elle.

Père et fille se dévisagent.

— Enfin, papa…

— Je sais que l'âge ne joue pas en ma faveur, dit Gustave. Mais cela ne…

— Pas seulement l'âge, dit Emma. Tout. Ta santé. Ton inexpérience. Ton… ton incompétence ! Excuse-moi, mais as-tu déjà tenu un fusil entre tes mains ?

— Cela s'apprend, dit Gustave. De plus, il y a d'autres façons de servir. Je présume qu'on ne m'enverra pas combattre en première ligne, ou alors c'est que la fin sera proche. Cependant, à l'arrière aussi il y aura besoin de monde. Pour la maintenance, pour la distribution, pour les soins aux blessés, que sais-je encore ? Je peux aider. Quelle que soit la tâche que l'on voudra bien me confier, j'ai la prétention de penser que je serai capable de l'accomplir. Et je serai toujours plus utile qu'en restant ici.

— C'est insensé, dit Emma. C'est impossible. Tu ne peux pas faire ça.

— Ma fille, dit Gustave, je ne suis pas en train de te demander la permission. Ma décision est prise. Je t'en informe, c'est tout.

Elle est là.

Elle est dans le silence même.

— J'estime que c'est mon devoir, dit Gustave. Et pour être franc, il me semble que ce n'est pas seulement le mien...

Il regarde le garçon. Le garçon le regarde. Emma les regarde, l'un, puis l'autre. Des mouvements vifs des yeux. Ses paupières clignent, une fois, deux fois. Et brusquement elle se dresse, bousculant la table. Le bol tangue et se renverse, le breuvage s'étale. Par réflexe le garçon décolle ses fesses de la chaise pour tenter de stopper l'hémorragie, mais aussitôt quelque chose l'arrête. Il se fige. Il regarde Emma. Il regarde Gustave.

Père et fille se dévisagent.

— Que veux-tu dire ? dit Emma.

Gustave inspire. Sa poitrine enfle sous son plastron.

— Je veux dire que Félix...

— Non, dit Emma. Ne mêle pas Félix à ça.

Elle se tourne vers le garçon.

— Assieds-toi, dit-elle.

Il la regarde. Il se rassoit lentement sur sa chaise.

Le lait continue de s'étendre en rigole vers le bord de la table.

Gustave soupire.

— Que nous le voulions ou non, dit-il, nous y sommes tous mêlés, Emma.

— Pas lui, dit-elle.

— Lui comme les autres, dit Gustave.

— Non, dit Emma. Que je sache, il n'est pas militaire.

— Non plus que la majorité des troupes, dit Gustave. Tous ces jeunes gens ne sont pas des soldats de métier.

— Félix n'a rien à voir avec eux, dit Emma. Il n'a rien à voir là-dedans.

— C'est un homme, dit Gustave. En âge d'être mobilisé.

— Justement, dit Emma. Toi, tu es peut-être trop vieux pour qu'ils t'envoient combattre, mais lui ? Lui, ils n'hésiteront pas. Lui et tous ces jeunes gens dont tu parles, ils les enverront au feu. Sans états d'âme. Et ce sont eux qui se retrouveront face à l'ennemi. Ce sont eux qui seront en première ligne.

— C'est la guerre, Emma. Tu n'as pas l'air de te rendre compte...

— C'est toi qui n'as pas l'air de te rendre compte. Est-ce que tu réalises qu'il pourrait être blessé ? Qu'il pourrait même... Qu'il pourrait même...

Elle ne peut pas le dire. Le mot ne passe pas. Elle porte la main à sa gorge. Elle secoue la tête avec force. Non, dit-elle.

Une mouche se pose dans la flaque de lait. Noir sur blanc. Elle boit, elle aspire. Pour l'insecte c'est une manne. Une source providentielle.

— Avons-nous réellement le choix ? dit Gustave.

351

— Oui, nous l'avons, dit Emma. On a toujours le choix. Il suffit de dire non. Si tous les soldats, d'un côté comme de l'autre, si tous ils disaient non, que ferait ton chancelier ? Ton état-major, qu'est-ce qu'il ferait ?

— Ce sont de belles paroles, Emma. Mais vaines. Des vœux pieux. Malheureusement ce n'est pas ainsi que ça fonctionne.

— Des moutons, dit Emma. Des moutons qu'on mène à l'abattoir. Il suffit de quitter le troupeau.

— Il suffit de... Il suffit de... Non, dit Gustave, ce n'est pas aussi simple. De gré ou de force : telle est la loi.

— La loi est mauvaise, dit Emma.

— C'est la loi, dit Gustave. Sois réaliste. Si Félix ne se présente pas de lui-même, un jour ou l'autre ils finiront par venir le chercher. Cela s'appelle une désertion, et c'est puni de la peine capitale.

— Qui le connaît ? dit Emma. Qui sait où il se trouve ? Personne. On ignore jusqu'à son identité. Comment pourraient-ils venir le chercher ? Est-ce que... Est-ce que tu irais le dénoncer ?

Gustave pâlit. Ses mains se posent sur le dossier d'une chaise. Ses doigts serrent la traverse de bois.

— M'en crois-tu réellement capable ? dit-il.

Emma ne répond pas.

Guerre ne rime qu'avec guerre.

— D'autres que moi s'en chargeront, dit Gustave. Des voisins, ici ou en ville. Des gens qui ne comprendront pas pourquoi leur père, leur frère, leur mari a dû partir, et pas lui. Des familles qui considéreront cela comme une injustice, et à juste titre sans doute.

— Et s'il était allemand ? dit Emma.

— Qu'est-ce que...

— Puisqu'on ne connaît pas son origine, au fond qui nous dit qu'il n'est pas né à Berlin ? Ou à Munich ? Ce serait fort, ça, non ? La graine ennemie semée en plein cœur de l'armée française.

— Emma... dit Gustave.

Elle secoue la tête.

— Non, dit-elle.

Gustave se remet en marche. Fait les cent pas le long de la table. Sanglier. Sentinelle. Emma ne bouge pas. Le garçon les regarde, lui, elle.

— C'est toi qui parlais de moutons, dit Gustave. Que serons-nous d'autre quand l'Allemagne nous aura envahis ? Quand il nous faudra vivre sous son joug. À sa botte. Bêlants et soumis.

— À tout prendre, dit Emma, je préfère un mouton vivant qu'un héros mort.

Elle l'a dit. Le mot. Elle l'a prononcé.

— Tu ne le penses pas, dit Gustave. Pas toi.

— Un soldat de plus ou de moins, ça ne changera rien, dit Emma.

— Et pour sa conscience ? dit Gustave.

— Sa conscience ?

— Peut-on supporter longtemps de regarder partir les autres ? Des compatriotes. Des camarades. Savoir qu'ils se battent pour nous, qu'ils donnent leurs forces et leur sang pour nous, et pendant ce temps demeurer tranquillement à l'abri, dans son cocon. Quel homme digne de ce nom peut endurer ça ?

— N'est-ce pas ce que font tous les chefs ? dit Emma. Ceux qui commandent. Les généraux, les gouvernants. Ceux qui aboient le plus fort contre l'ennemi. Qui prônent le courage et le sacrifice pour l'amour de la patrie. Vont-ils se battre, ceux-là ? Certainement pas. Le courage des autres, le sacrifice des autres : voilà qui leur suffit. Et je n'ai pas l'impression que leur conscience s'en porte plus mal.

— Ils ne sont pas tous comme ça, dit Gustave.

— Ah oui ? dit Emma. Veux-tu que l'on fasse les comptes lorsque ce sera fini ?

La mouche a bu. Elle est repue. Elle est pleine et lourde. Trop lourde. Lorsqu'elle veut décoller, elle ne peut plus.

— Et la tienne, de conscience ? dit Emma.

— La mienne ? dit Gustave.

— Je croyais que tu considérais Félix comme ton fils, dit Emma. Comment un père pourrait-il envoyer son propre enfant au-devant d'un si grand péril ? Comment pourrait-il ne serait-ce qu'accepter qu'il aille risquer sa vie ?

— Ne sois pas injuste, dit Gustave. Ce n'est pas moi qui ai voulu cette situation. Si cela ne tenait qu'à…

— C'est exactement ce que chacun dira, dit Emma. Qu'il ne l'a pas voulu. Que ce n'était pas sa faute. Qu'il y a été contraint et forcé. Bien sûr. Personne ne veut la guerre, et pourtant on la fait. Et quelle différence au final ? Les morts seront morts et ils ne reviendront pas. J'affirme, moi, qu'il suffit de dire non.

Elle l'a prononcé encore. Deux fois.

— La vie de Félix, la tienne, la mienne, dit Gustave, qu'est-ce qui en fait le prix ? Peux-tu me dire, Emma… Peux-tu me dire, en toute honnêteté, en toute sincérité, quel sens auront nos vies si on leur ôte la liberté ? Quelle valeur elles auront dans le poing d'un tyran ?

Père et fille se dévisagent.

— Mon cher papa, dit Emma, si telle est ta conviction, si c'est ainsi que tu penses soulager ta conscience, s'il n'est pas possible de te faire revenir

354

à la raison... eh bien, fais-le. Vas-y. Engage-toi. Essaie, du moins. Je puis te dire, en toute honnêteté, en toute sincérité, que mon cœur serait brisé de te voir partir. Mais je ne peux pas aller contre ta volonté. C'est ton droit, d'accord... Pour autant, cela ne te donne pas celui d'entraîner Félix à ta suite. Ça, non. Tu ne peux pas l'y obliger.

— Je n'en ai aucunement l'intention, dit Gustave.

— Tu ne peux pas décider pour lui, dit Emma.

— En effet, dit Gustave. C'est à lui seul qu'appartient cette décision. Alors pourquoi ne pas lui poser la question ?

Il se tourne vers le garçon.

— Félix ? dit-il.

Le garçon le regarde.

Dans le lait la mouche se noie. Ses pattes s'engluent. Ses ailes battent, vibrent en vain.

— Félix ? dit Emma.

Le garçon la regarde.

Elle est là.

Elle est dans ses yeux.

Emma la voit. Elle pâlit.

Le garçon se lève. Lentement il se lève.

Emma secoue la tête.

Il est debout.

Exsangue et blême et sans souffle elle secoue la tête.

— Non, dit-elle.

Demain le voyageur passera. Il passera celui qui m'a vu dans tout mon éclat. Son œil me cherchera dans la campagne, et ne m'y trouvera plus !

La mouche est morte.

Vois : une mouche morte dans une flaque de lait. Noir sur blanc.

D'entre eux c'est elle qui aura été la première à se battre. Elle qui cherchait l'or et trouva le plomb. De toutes ses forces et avec toutes ses armes elle s'est battue. Elle a argumenté, supplié, pleuré, elle a frappé (ses coups de poing sur la poitrine du garçon). Il lui opposait sa passivité, un regard triste et contrit qui l'exaspérait d'autant plus, qui la rendait folle. Elle n'était pas loin de l'étrangler de ses mains pour l'empêcher d'aller se faire tuer.

Elle ne comprend pas. Mais le garçon serait-il doué de parole qu'il ne pourrait pas mieux lui expliquer. Les hommes font la guerre : il n'y a pas d'autre explication.

Ils sont rentrés à Paris. Ici comme à Toussus elle erre. Elle repasse dans chaque pièce où ils ont ri, où ils ont lu, où ils ont compulsivement ou tendrement fait l'amour, elle contemple ces lieux avec les yeux d'une nonagénaire : comme des fragments d'une autre vie, très ancienne, peut-être antérieure à celle-ci, peut-être juste rêvée, imaginaire.

Elle en veut à son père. Elle en veut au garçon. À l'univers entier.

Et pendant ce temps Gustave fait le siège des

bureaux. Opiniâtre et congestionné il poursuit ses démarches. Il a retrouvé dans sa mémoire et dans ses carnets des noms de gens qu'il avait fréquentés naguère, connaissances, relations, et qui pourraient aujourd'hui l'aider. Des hommes œuvrant dans l'administration, dans les cabinets et les ministères ou tout près.

Mais cela n'est pas nécessaire : sous l'afflux des demandes l'armée ouvre très vite des centres de recrutement pour les étrangers volontaires. Ils s'y rendent, le garçon et lui. Ils ne sont pas seuls. Il y a là des milliers d'immigrés de toutes nationalités, prêts à donner leur vie pour le pays qui les a accueillis. Ils ont défilé dans les rues au cri de Vive la France. La foule les a acclamés. Ils sont là.

Gustave a laissé sa canne à la maison. Il redresse le buste et rentre le ventre, s'efforce de ne pas céder aux douleurs de sa hanche. Son pas est si raide qu'on le dirait martial. Lorsqu'il se présente on ne lui rit pas au nez. On apprécie l'intention. On admire son sens du devoir. On le refuse néanmoins. Gustave insiste. On finit par lui répondre, avec tout le respect qu'on lui doit, que sa présence au sein d'un régiment constituerait davantage une charge qu'un soulagement. C'est non.

Emma avait raison : on ne veut pas de lui. La guerre n'a que faire d'un vieil arboriculteur.

En revanche, et si cela peut être une compensation, on accepte le garçon. On n'est pas regardant sur ses origines et son identité. Il est jeune, vigoureux, ce sont des critères de choix, les seuls qui vaillent. On ne lui demandera pas de lire ni d'écrire, on ne lui demandera pas de parler. On lui demandera obéissance et dévouement. Pour le reste on lui apprendra tout ce qu'il doit savoir. À l'heure qu'il est l'ennemi a déjà franchi la Marne, le temps presse, signez ici.

Le garçon prend la plume qu'on lui tend. Le gribouillis amphigourique qu'il exécute au bas du document a pour lui une signification : Mazeppa. Un nom de survivant. Emma a insisté – qu'on lui accorde au moins ça.

En repartant Gustave flanche. Le garçon doit le soutenir. Mon fils... geint le vieil homme. Il a cent ans. Il a mille ans. Mon fils... Un ton de supplicié, un regard d'effroi. Qu'ai-je fait ? semble-t-il dire. Il s'agrippe au bras du garçon. Ses paupières sont ourlées de rouge, ses yeux s'embuent. Il se détourne d'un coup.

Ce soir-là on peut le voir avachi dans le fauteuil du salon, le faux col de travers, la cravate pendante, la chemise froissée. Le garçon est assis par terre à ses pieds, la joue posée sur ses cuisses. Gustave lui caresse la tête. Il s'est laissé aller à boire plus que de raison un petit vin de Xérès que lui avait prescrit son médecin et ami Amédée. La nuit tombe. On ne peut la retenir. Il y en a déjà eu tant d'autres. Il y en a eu trop pour lui. Il parle. Sa voix est pâteuse et monocorde, et confuses ses paroles. Il parle du temps jadis. Il parle de Laure. La beauté de Laure. La bonté de Laure. Ce temps lointain et merveilleux. On ne peut le retenir. Les mains de Laure. L'ivoire sur l'ivoire. Parfois une grosse larme déborde, elle roule sur la peau flasque de sa joue puis se perd dans le blanc de sa barbe. Le sourire de Laure. À chaque fois il était tenté de se retourner car il ne pouvait croire que c'était à lui qu'elle l'adressait. Mais si, mais si. Ce temps miraculeux. Elle vivait et marchait et riait et dormait et tout ça auprès de lui. Il pouvait la regarder. La contempler. Il pouvait, oh ! Dieu du ciel, il pouvait la toucher. Les cheveux de Laure. Rien ne l'enivrait autant que d'y enfouir sa figure. Il ferme les yeux et inspire, ses narines se creusent. Il rouvre les yeux. Une autre larme. Elle luit à l'orbe de sa paupière. Elle glisse en silence. Il y a eu tant de jours et tant de nuits depuis. Personne n'a songé à tirer les rideaux. La lune est pleine, on ne la voit pas mais on la devine à travers les carreaux, la pièce baigne dans sa poudre lactée. Laure trouvée. Laure enfuie. Gustave parle et pleure. Le garçon écoute. Il a les yeux ouverts. Sur sa tempe les doigts du vieil homme, son souffle, son haleine avinée. Les hommes sont faibles. Les hommes sont fous. On ne peut les retenir. Elle avait porté son enfant. Leur enfant. Aussi vrai que les étoiles existent. Aussi vrai qu'elles naissent et brillent afin de nous guider dans la nuit. Et lorsqu'elles s'éteignent où va-t-on ? Où est le chemin ? Il avait dans l'idée de lui offrir un concerto, une symphonie qui porterait son nom. Laure. Mais trop tard, trop tard. Laure de sa vie. Peut-on croire que les étoiles meurent ? Longtemps après la voix de Gustave se tarit. Ses larmes finissent de sécher. Il s'assoupit. Et le garçon reste là, la tête sur ses genoux, jusqu'à l'aurore.

La date est fixée. Un jour crayeux de septembre. Emma est dans sa chambre. Elle ne l'accompagnera pas. C'est au-dessus de ses forces. Gustave fait signe au garçon : Va lui dire au revoir. Il l'attend. Le garçon traverse le couloir et frappe deux petits coups à la porte. Pas de réponse. Il frappe un peu plus fort. Puis il tourne la poignée et pousse doucement le panneau. Il passe la tête et la voit. Elle est debout devant la fenêtre. Elle porte une robe de chambre en soie mauve dont la ceinture, dénouée, pend de chaque côté. Dessous, une chemise de nuit coquille d'œuf. Ses cheveux lui tombent sur les épaules. Elle est pâle, les traits tirés. Depuis combien de temps n'a-t-elle pas trouvé le sommeil ? Le garçon entre et referme la porte. Sur le seuil il hésite un instant, puis s'avance. Elle allonge brusquement la main, paume en avant.

— Ne t'approche pas, dit-elle.

Il s'arrête.

Entre eux la longueur du tapis. Ce tapis où tant de fois, tant de fois. Ils se regardent. Elle respire vite, comme après une course. Il peut voir sous la soie, sous la coquille, sa poitrine qui monte et qui descend, ses seins qui se soulèvent. Le silence dure. Puis :

— Tu reviendras ? dit-elle.

Il fait oui de la tête. Il a l'air convaincu et déterminé.

— Tu vois cette fenêtre ? dit-elle. Regarde-la. Regarde-la bien. Si tu ne reviens pas, c'est par là que je me jetterai. Et je ne m'envolerai pas !

Elle serre les mâchoires. Sa cicatrice paraît palpiter sous les muscles des joues qui se contractent.

Il sait qu'elle en est capable.

Oui, fait-il.

Il a envie de la sentir contre lui. De se jeter à genoux et de l'entourer de ses bras. Il amorce un pas mais à nouveau elle l'arrête du geste et de la voix.

— Non, dit-elle. Va-t'en !

Il demeure immobile, poings serrés. Deux tourterelles traversent le ciel derrière la vitre. Ses yeux le piquent. Il pivote d'un bloc et quitte la chambre rapidement, sans se retourner.

Sitôt qu'il est sorti Emma se plie en deux – le bruit de la porte : comme un coup à l'estomac. Elle se mord les lèvres pour ne pas crier. Puis elle les retrousse soudain et son visage entier se crispe, se froisse, hideuse grimace qui la défigure. Ses jambes cèdent, elle s'affaisse, elle tombe à genoux, elle tombe à quatre pattes sur le tapis, ce tapis où tant de fois, et ses bras se dérobent à leur tour, elle tombe sur le flanc et elle reste ainsi, ramassée, recroquevillée, aspirant à grandes goulées cet air qui lui manque, et l'expirant ensuite dans une sorte de plainte, un couinement grave, continu, déchirant, qui n'a d'humain que son essence, elle reste ainsi longtemps, longtemps.

Les rues sont pleines de monde. Des autos, des chevaux, des piétons. Aux abords de la gare c'est pire. Le chauffeur râle. Le garçon aide Gustave à descendre du taxi. Il n'a plus d'âge, Gustave. Sur le quai on les bouscule. Les trains sifflent et crachent, vapeur blanche, suie noire sous la charpente, avalent de pleins wagons d'hommes et de bêtes. Çà et là des couples s'étreignent comme pour une ultime valse, muette, en suspens, les danseurs sourds à tout autre bruit que celui de leurs cœurs, sourds aux cris, aux chants, aux interjections, aux fanfaronnades, aux ordres aboyés, aux hennissements, et les aiguilles avancent à la grosse horloge au-dessus de leurs têtes. Alors Gustave s'abat de tout son poids contre le garçon. Il l'embrasse, il le comprime à l'étouffer. Son poil rêche de sanglier lui herse le cou. Pardonne-moi, souffle t il. Pardonne-moi ! (Écoute bien, écoute sa voix parce que c'est la dernière fois que tu l'entends.) Ses mots noyés dans le raffut. Encore un coup de sifflet, encore le chuintement de la fumée échappée des naseaux de la machine, et puis le grincement des roues sur les rails, c'est le train qui démarre, le train qui s'éloigne et disparaît, emportant le garçon avec lui. Et d'autres arrivent déjà, d'autres trains et d'autres hommes, mais Gustave est toujours là, il n'a pas bougé, on peut le voir, plus tard, longtemps après, debout sur le quai, appuyé sur sa canne, au même endroit, et qui semble parti pour y rester l'éternité.

D'entre eux c'est lui qui mourra le premier.

Emma écrit :

Mon amour,
Mon amour, mon amour, mon amour, mon amour,
mon amour, mon amour, mon amour, mon amour,
mon amour, mon amour, ceci n'est pas de l'encre,
ceci est mon sang. Je le donne à ta place. Je le
donne afin que tu n'aies pas une seule goutte du tien
à verser.

E.

Joffre édicte :

« Une troupe qui ne peut avancer devra, coûte que coûte, garder le terrain conquis et se faire tuer sur place plutôt que de reculer. Dans les circonstances actuelles, aucune défaillance ne peut être tolérée. »

Joffre

Allons enfants. En avant ! En av… Le tronc
émerge. Il le voit. Il voit la bouche ouverte, grand
trou sous la moustache, langue rose pâle, presque
blanche. Le bras décrit un arc de cercle, le trait
mince du fusil dressé telle une lance vers le ciel, si
mince, si frêle sous l'immense ciel gris. Le cri se perd
dans le fracas de l'obus. La terre arrose. Baptême.
Geyser. Éclats d'acier. Une ombre passe, à peine un
frôlement et la figure de l'homme fauchée net, proprement décalottée comme un œuf coque. Du nez
au front le haut emporté, soufflé, il voit cette chose
qui retombe derrière, sur l'autre versant de la tranchée, qui roule jusqu'au fond. Le crâne de l'homme.
L'homme sans crâne. Tronqué. Juste la tige du cou
et ça poussé dessus, plante inconnue, carnivore, ras
la moustache, noire et rouge, rouge de plus en plus,
et dessous la mâchoire qui bâille, la langue qui
remue encore, il le voit. Puis tout bascule, tout ça
ensemble, le bras et le tronc et la tige et la plante,
tout ça plonge en avant et le grand trou béant de la
bouche va mordre la boue. Le jour de gloire. Le jour
de gloire est arrivé. En avant ! Tous avec moi ! Un
autre prend le relais. Et si ce n'est lui c'est un autre.

Le même. Tous pareils. Alignés. Uniformes. Ça hurle à moins d'un mètre mais le bruit énorme mange tous les sons, les dévore. De l'ouate dans les tympans comme lors des nuits de fièvre. Ça siffle et ça bourdonne, il entend son propre souffle à l'intérieur, qui résonne sous la voûte. Bouge ta couenne, mon gars ! Il se fond dans la paroi mais la bête a remué, se meut, le long corps du lombric ondule dans le boyau, chaque anneau compte, il en est, il doit suivre. Coupe la tête, elle repousse. Coupe la queue, elle repousse. Il sort dans les derniers. Il se hisse par-dessus le remblai et il voit : la terre de personne. Elle est pleine d'hommes. Ils courent. Il court. Mitrailleuse à droite ! Courbé, dos rond. Les bras encombrés du fusil, une main serrée sur la culasse, une main sur la crosse. Il ne tire pas, il court. Sur place ou presque. Comme dans les nuits de fièvre. Tant d'efforts coûte chaque pas. La terre grasse qui veut le retenir, qui s'accroche, qui l'aspire, lui suce les semelles. Il faut s'arracher. Un kilo sous le pied, deux kilos. Chaque foulée vaut son pesant de glaise. Il glisse. Il chute. Il se relève. Il court. Il ignore vers quoi. Cent mètres au-delà ce n'est que fumée, et des cerceaux de feu et des gerbes de cette glèbe sale qui jaillissent et s'élèvent et leur pleuvent en grumeaux sur le dos. Et à travers cet écran ils pénètrent et disparaissent, il les voit, créatures rugissantes ou muettes, à l'allure gauche, grotesque, terrifiantes pourtant, pareilles à une cohorte de revenants, une légion de spectres fangeux ressurgis de leurs sépulcres, des plus profondes ténèbres, de la dernière cale putride des enfers et qui y retournent en raflant tout ce qu'ils peuvent, chairs et âmes, au passage. Ma jambe ! Ma jambe ! Devant, derrière, autour. Des morts-vivants. Il est l'un d'eux. Il suit le flot. Il transpire. L'air brûle. La sueur lui coule dans les yeux. Il court. Et toujours le bruit, le bruit si massif et dur qu'on pourrait le toucher, s'y cogner, un mur de bruit, un roc, une avalanche de bruit qui n'en finit pas de rouler, rouler, et qui fait vibrer l'air et trembler le sol et qui l'assomme, qui l'écrase, qui l'ensevelit. Pute borgne ! Je suis touché ! Il les voit tomber. Il court en évitant les trous, les cratères, les tertres qui s'érigent et s'aplanissent dans la même poignée de secondes comme des rouleaux, des vagues, une houle brune venue du grand large où sont les îles de la Mort. Il rue devant les cadavres, il freine et dérape, tous ces corps, il les voit, de plus en plus, ces corps allongés, ces corps en travers, ces tas de corps, ces bouts de corps, il n'ose pas les enjamber. Il voit sur sa droite l'homme qui danse. Il le voit qui tourne sur lui-même, bras en croix, sur une seule jambe, l'autre absente, escamotée, à la place pendent des franges, des lambeaux, il tourne sur le pivot de son pied unique comme une girouette au vent, comme un épouvantail de bric et de broc, triste simulacre, personne ne rit, les oiseaux sont partis depuis longtemps. Ce sont les hommes qui volent. Il les voit. Trois d'un coup projetés vers le ciel, un deux trois soleils, qui ne brillent pas, éparpillés, déshabillés, disloqués. Un pantalon vide se déploie et flotte un instant, se replie en accordéon et choit. L'étendard sanglant. Il voit chaque détail. Des fragments comme grossis mille fois et qui s'imprègnent sur sa rétine avec une incroyable précision. Il voit l'œil ouvert des morts. Les veinules sur le globe blanc. Il voit le galon cousu. Il voit la grenade sur le bouton de cuivre. Il voit la médaille. Il voit la boucle du ceinturon. Il voit la bulle de sang sous la narine. Il pourrait compter les billes du chapelet autour du poignet. Il pourrait compter chaque balle qui passe avec son sifflement de frelon. Entendez-vous. Et cependant il ne voit pas l'ensemble. Cela lui échappe. C'est flou et fluctuant, c'est insaisissable. Entendez-vous mugir. Me laisse pas ! Son pied tout à coup bloqué, il manque s'étaler encore une fois. Il baisse la tête. Il voit les doigts enserrant sa cheville. La main. Le bras. La face encroûtée. Les grands yeux bleus levés vers lui. Il voit le ventre crevé, fendu, et les tripes mauves, les boyaux grenat qui en sortent et l'autre main fouillant dans ce magma. Me laisse pas ! Ce n'est qu'un râle, ce n'est qu'un murmure entre les lèvres où mousse une écume rosâtre mais il l'entend. Il reste là à fixer l'homme. Peut-être une seconde. Peut-être une minute. Il ne regarderait pas autrement la Mort en personne. Puis un crépitement, une rafale, les frelons piquent devant lui, éclaboussures sur sa capote. Il tressaute. Ces féroces soldats. Il essaie de ramener sa jambe mais la Mort s'agrippe. La Mort rampante. Il tire plus fort et l'homme s'ébranle, il voit les entrailles remuer, visqueuses, un nid de serpents enchevêtrés. La griffe de la Mort accrochée à ses jambières, qui le retient. Me laisse... Il tire un grand coup sec et se libère. Aux armes. Un pas. Un pas. Marchons. Il se penche et vomit de la bile sans cesser de marcher. Marchons. Marchons. Puis il se remet à courir. Mais l'odeur le suit. Pas de vent. L'air empeste. Ça sent le soufre et la poudre et la merde et le sang et le fond de puits et la chair grillée. Henri ! La Mort pue. Il court et partout il charrie l'odeur avec lui, qui pèse sur ses poumons et sur son cœur. Henri ! Soudain la terre s'ouvre, son talon prend appui sur le vide, il bascule et culbute et roule. Sur le dos les pattes en l'air comme un cloporte. Le ciel de face : tout son champ de vision. Il sent une bourrasque brûlante par-dessus sa tête, au ras du cratère, un souffle de dragon à l'haleine ferrugineuse. Il ferme les yeux. Il les rouvre. Toujours le ciel gris. Henri, t'es où ? Il n'a plus son fusil. Il le cherche et le voit deux mètres en amont planté par la baïonnette. Il se remet à genoux, à quatre pattes, il va pour se dresser mais une ombre surgit, pareille à une immense chauve-souris, elle saute dans le trou et atterrit à ses côtés. Baisse-toi ! Un poids se pose sur le sommet de son crâne et lui enfonce la figure dans le sol. La terre à pleine bouche. Baiser nuptial. Mon amour, mon amour de boue. Lèvres limaces. Le goût de vase sur la langue. Ça crisse entre les dents. Ça lui bouche les narines. Il étouffe. Il se débat. Il se dégage. Henri ! Il crache et tousse et souffle par le nez des caillots de morve noirâtre. L'air. D'un coup de manche il essuie ses yeux et découvre la chauve-souris. Elle a la barbe rousse et une oreille en moins. Pavillon, lobe, cartilage, plus rien, plus qu'une plaie d'où suinte la sanie. La chauve-souris accroupie, cape repliée, elle a l'air si calme, pas mal, pas peur, elle mâche sa chique ou autre chose en fixant une ligne juste au-dessus du bord, l'horizon ou autre chose, elle a l'air de compter les coups, les entend-elle par le trou saignant ? Pas un regard pour lui. Il voit ruminer la mâchoire de cuivre, il voit la coulure dans le cou, sur le col. Qu'un sang impur. Et puis elle bondit à nouveau, la chauve-souris de la taille d'un albatros, elle se déploie, l'envergure, les voiles, elle embrasse le ciel et s'envole. Henri, je te vois plus ! Il ne veut pas rester seul. Il se lève. Il arrache le Lebel. Il remonte la pente et s'extrait. Il court. Il voit les corps, d'autres corps, de plus en plus, à l'ombre des tumulus poussent les roses et les bouses garance. Poussent, poussent, fleurissent, à perte de vue. Des bouquets. Des grappes. Des champs entiers. Fertile humus. Fétide compost. Et la grande semaille d'acier continue. Membres et entrailles épars. Vaste charrue, le soc s'enfonce et retourne et fend. Abreuve nos sillons. Il n'hésite plus, il enjambe ou il écrase. Il piétine. Il voit l'homme qui crie. Henri ! Henri ! Il le voit écarter de ses bras le rideau de fumée avec des gestes vagues, comme une nage lente, une brasse en apesanteur. L'homme solitaire. L'homme aveugle. Sans képi, crâne rasé, le visage ruisselant de sang. Abreuve. Abreuve. L'homme qui déambule au hasard, désarmé, désorienté, perdu, parce qu'il est des abysses plus noirs que les abysses, il est un lieu plus obscur que l'obscurité où les damnés eux-mêmes s'égarent et vaquent et errent, il est toujours un dernier cercle de l'enfer. Henri ! L'homme qui titube, qui bute, qui hurle le nom de son ami ou de son frère, son jumeau, ou peut-être de son fils qu'il ne verra plus, ou peut-être de son père qui l'a précédé de l'autre côté, sur l'autre rive, qui l'appelle aussi, qui l'attend, ou peut-être est-ce son propre nom qu'il répète, peut-être n'est-ce que lui-même qu'il cherche, ce qu'il fut, ce qu'il a été, ce qu'il n'est plus. Allez ! En avant ! Coûte que coûte. Coupe la tête. Coupe la queue. Il court. Et toujours l'odeur et pire. Et toujours le vacarme. Frelons, guêpes, bourdons, essaims, enragés, acharnés. Ça siffle et ça claque. Ça tonne. Ultima ratio regis. Les coups

370

répétés à l'infini, l'écho de l'écho de l'écho lui jamais ne meurt. Là-bas la brume a mille paires d'yeux qui clignotent, des yeux jaunes, orange, couleur de feu. Et ses larmes brûlent. Et ses regards tuent. Tous ces morts-vivants morts. Il les voit. Nul revenant ne revient de derrière l'écran. Le brouillard est le plus fort. Tous autant qu'ils sont il les enfourne, régiment bataillon compagnie, il les aspire, il les gobe et les broie et suce la moelle de leurs os et sans doute leur âme avec et ce qu'il régurgite est on ne sait quoi de mou et d'inconsistant. Et c'est vers cela qu'il court. Mazeppa. Il s'appelle Mazeppa mais on l'appelle autrement. On l'appelle soldat. On l'appelle fantassin. On l'appelle matricule. Mais qui l'appelle ? Capitaine à terre ! Quelqu'un avec moi ! Il voit l'homme penché sur un tas informe et qui se redresse et qui fait signe, qui agite la main comme pour dire au revoir, adieu. C'est un petit être de boue, marron et bleu. Un homoncule. Un farfadet. Adieu. Adieu. De part en part un projectile lui traverse le cou. Il voit la ligne se briser. Il voit la source jaillir, pisser l'écarlate. Il voit le képi de guingois. C'est une farce. Il le voit qui gesticule. Il le voit qui s'écroule avec son costume comme les djinns du désert sur la scène de l'opéra. Au loin un arbre s'enflamme. Le seul arbre. Il flambe. Buisson ardent. Torche vivante. Il le voit. Il a vu dans la plaine briller les feux de la Saint-Jean. C'était beau. Du haut de son rocher. Il était un aigle. Qu'est-il maintenant ? L'un d'eux. Légions et cohortes. Soldat, fantôme, chauve-souris, cloporte, spectre, épouvantail. Pareil. Tous les mêmes. Ectoplasme. Mort-vivant. Mort. Vivant. Mort. Vivant. Le hasard ou autre chose. C'est entre des tombes qu'il court. Et tout à coup un vrombissement sourd, puis qui s'aiguise, qui déchire la nuée. Celui-là entre tous, pourquoi ? À l'instant où il le perçoit il sait que c'est pour lui. Il le sait. Ses oreilles se bouchent. À l'instant il reçoit la gifle, le fouet, le souffle du dragon, l'énorme flatulence. Il perd pied. Il décolle. Flotte. Retombe. L'avalanche le recouvre. La glèbe sur son dos, par paquets, par monceaux. Le ciel disparaît. La gueule se referme. Il ne voit plus rien. Noir. Noir et silence. Adieu. Adieu. Un suaire de glaise. Il est sous terre. Il est dans son caveau. Mort. Vivant. Mort. Qu'est-il ? Le grand bruit à présent assourdi, à des années-lumière. Tout ce qu'il entend c'est son cœur. Son cœur canon, son cœur mortier. Ultima ratio. Si vite et si fort qu'il va imploser. Il s'affole. Il panique. Il veut sortir. Il veut l'air et la fumée, l'incendie, le tonnerre, les abeilles. Il veut bouger mais son corps est caparaçonné, ça pèse, ça serre, il remue dans sa gangue comme une larve, une chenille dans son cocon. Il était un aigle et maintenant ? Un fœtus. Un embryon. Il veut naître. L'air lui manque. Il écarte les mâchoires mais c'est de la terre qui pénètre, qui remplit sa bouche, qui obstrue sa gorge. Mon amour encore un baiser mon amour. La langue et le palais, les gencives. Il avale la terre. La terre l'avale. Il s'asphyxie. Mort. Et puis une secousse, une autre. Le sol vibre. La terre retournée. Son corps se cabre, chiffe molle, une pauvre cabriole, une ruade. En un éclair il voit le ciel. Il échoue à plat ventre. Il dégorge. Il aspire à pleine bouche. L'air. L'air et la fumée et le ciel gris. Il engrange. Son épaule le lance, des fourmis dans les os. Vivant. Il n'a plus de fusil. Il n'a plus ni chaussure ni chaussette au pied gauche. Il voit son pied nu. Il voit ses

orteils. Henri ! C'est un trou. Le fond d'un entonnoir. Il voit là-haut le ciel. Si vaste. Le ciel sans
oiseaux. Henri, t'es où ? Ses oreilles se débouchent
et ses tympans sifflent et c'est à nouveau le bruit,
intense, épouvantable, les cataractes, les grandes
orgues métalliques, fer forgé, tuyaux brisés, chauffés
à blanc. C'est à nouveau l'odeur. La poudre et le
sang et la chiasse et les tissus les chairs cramés. Il
respire. Dans ses narines, dans ses poumons l'infecte
exhalaison, les miasmes délétères. Ça pue. Les
boyaux crevés. La charogne. La Mort pue. La Vie
pue. Mais cette odeur c'est la sienne. Cette puanteur
c'est lui. Qu'est-il ? Que n'est-il plus ? Il s'appelle
Mazeppa. Il s'est chié dessus.

Emma écrit :

Mon amour,
Un nuage, un seul. Un tout petit nuage de coton
blanc dans un grand ciel bleu. J'ai pensé à un poussin.
Le plus hardi de la couvée. Le plus facétieux. Celui
qui donne des sueurs à sa maman. Celui qui la fait rire
aussi (mais elle s'en cache devant les frères et sœurs).
L'adorable garnement. Il avait dû échapper à sa sur-
veillance. Une fugue. Un coup de vent et hop ! le voilà
libre. Un champ d'azur rien que pour lui. Une parcelle
d'infini. Il jouait. Tu sais comment sont ces cancres de
petits nuages : toujours à vouloir faire leurs intéres-
sants. Prêts à tout pour amuser la galerie. N'empêche
qu'il s'est lancé dans une série de tours à faire pâlir
n'importe quel illusionniste. Le célèbre Houdini et
ce magicien chinois dont tout le monde parle, maître
Chang Ling ou je ne sais trop quoi, ce sont des char-
latans à côté. Des imposteurs. Des fumistes. Lui, le
petit nuage, il se métamorphosait à vue. Pas besoin
de baguette ni de formule abracadabrantesque. Pas de
chinoiseries. Transformations à volonté et sans tru-
cages. Quel numéro ! Il se ramassait, s'allongeait, se

hérissait, se dédoublait, se recollait. De chapeau melon il devenait poisson. Une truite. Un saumon remontant le courant. Puis croissant. Puis amande. Plume. Brin de muguet. Il était un coquillage, un chou-fleur, une crête de coq. De tête de hulotte il se changeait en île, en archipel au milieu de l'océan. Et tout en douceur. Sans forcer. Des étirements très lents, presque voluptueux. De viole à violon, de violon à archet. Aucune entourloupe là-dedans.

Il était dix heures précisément quand il est apparu. Je le sais, je compte les heures. Il n'y en a pas une qui m'échappe. J'ai levé les yeux et je l'ai vu. Je regardais par la fenêtre. Je guettais le facteur. Maudit facteur. Je n'ai aucune nouvelle de toi. Je n'en attends pas. Je n'en veux pas. Je sais que tu n'écriras pas : si facteur il y a, il ne peut être que messager funeste. Avec sa bicyclette, ses sacoches. Ce n'est qu'un déguisement. Grotesque. De qui se moque-t-on ? Chaque courrier est une menace. C'est de là que vient le danger. Chaque jour des obus, des milliers d'obus délivrés par la poste. Timbrés. Propres. Des balles à domicile. À bout portant. Combien de victimes tombées en silence devant leur boîte aux lettres ou dans leur cuisine, dans leur salon ? Je ne suis pas dupe. L'archange déguisé et la Mort tapie dans les enveloppes cachetées. Papier blanc. Un coup de tampon et c'est l'annonce de la défaite, l'ultime défaite. Je n'en veux pas. De la même façon je guette le vautour officiel. Militaire, gendarme, que sais-je ? Je l'imagine en tenue. Un uniforme lui aussi, pour dissimuler ses ailes noires, lugubres. Mine compassée. Condoléances. Salut. Il a déjà tourné les talons. Il est déjà reparti et moi je suis là, je suis toujours là. Moi je tremble. Moi je me désagrège sur le palier. Non, je n'en veux pas.

Qu'ils restent au diable. Je croise les doigts, je fais les cornes pour les chasser, tous, les garçons de courses, les préposés aux sales besognes. J'ai inventé des sorts que je leur jette.

Moi je t'écris tous les jours. Je te dis. Je te raconte. Moi j'en ai le droit. Puisses-tu simplement recevoir ces lettres. Puisses-tu les garder avec toi. Sur toi. Qu'elles t'accompagnent. Tu les ouvriras peut-être. Tu les porteras sous ton nez pour les renifler, comme les pages de Paul, comme celles de Musset. Tu sentiras mon parfum. Tu sentiras ma sueur, ma salive, mes pensées, mes larmes, tu sentiras la source qui coule en mon jardin secret, en ton jardin (quoi que je fasse elle coule, elle ruisselle quand je pense à toi), tu sentiras mon amour. Je sais que tu sais ce qui se trouve à l'intérieur.

Un seul petit nuage entre le soleil et moi. À la demie il s'est transformé une dernière fois. Il s'est étiré, étiré. Il a rempli le ciel. Son ombre sur les toits, sur la terre entière. J'ai cru qu'il se mettait à pleuvoir. Mais non, ce n'étaient que mes yeux.

E.

Et maintenant ils marchent.

C'est un pays de labours. Un pays de fermes, de villages, de blé, de vignes, de vaches, d'églises. C'est un pays de pis et de saints. C'était. La magie de la guerre. Qui tout transforme, hommes et relief. Mets un casque sur le crâne d'un boulanger et ça devient un soldat. Mets un aigle sur son casque et ça devient un ennemi. Sème, plante des graines d'acier dans un champ de betteraves et ça devient un charnier. Plus fort que W. C. Harding. Plus vaste. Le grand cirque, la caravane. La parade monstre.

Ils marchent.

L'infanterie française comprend cent soixante-treize régiments à trois ou quatre bataillons de quatre compagnies, dix-neuf bataillons de chasseurs à pied, douze bataillons de chasseurs alpins, quatre régiments de zouaves, neuf régiments de tirailleurs indigènes, deux régiments de la Légion étrangère incluant quatre régiments de marche, cinq bataillons d'infanterie légère d'Afrique, trois compagnies saha-riennes, un régiment de sapeurs pompiers de Paris, neuf sections spéciales. Un régiment comprend entre trois mille et quatre mille hommes.

Ils marchent.

Le rôle de l'infanterie est de conquérir et de conserver le terrain. Les règlements officiels stipulent que c'est à elle qu'incombe la tâche la plus rude mais aussi la plus glorieuse. Ses deux moyens de lutte sont le feu et le mouvement en avant.

Ils marchent.

C'est l'été puis c'est l'automne. C'est l'aube. C'est midi ou minuit. Quel que soit le temps.

Ils marchent.

Ils ignorent dans quel but, vers quelle destination. On ne leur dit ni jusqu'où ni jusqu'à quand. On ne leur dit rien. Ils ne savent pas. « Stratégie, mon cul ! » dit le Sage. Ils avancent. Ils vont et viennent, puis reviennent sur leurs pas. Ils remontent. Ils redescendent. Ils contournent. Ils dérivent. Les pistes se brouillent. Dédales et méandres. Arcanes. « Tactique, mon cul ! dit le Sage. La vérité vraie c'est que ces messieurs du galon sont tout autant paumés que nous autres. Pas un qui serait foutu de dire le comment du pourquoi. Y pètent dans leur bain et ça fait des bulles, et les bulles c'est nous ! » En colonnes, en files, en grappes. Les brodequins martèlent et raclent, les gamelles tintent. Cling-cling, clop-clop, cling-cling. C'en serait presque drôle. Comiques troupiers. Trente-cinq kilos de fourniment sur les épaules. Des colporteurs. Marchands ambulants. Que font les hommes quand ils ne se promènent pas avec leur maison sur le dos ? Lui comme eux. Comprendrait-il à présent si on lui disait qu'ils sont près de deux milliards, et que les trois quarts vont en pâtir, d'une manière ou d'une autre, vont en souffrir inéluctablement ? Car cette magie est noire, mon garçon. Et rirait-il s'il n'y avait les morts – davantage de cadavres dans la plaine que d'étourneaux dans le ciel – rirait-il de son rire fracassant ?

Ils n'ont à vendre que leur peau.

Ils marchent.

« Le colon chie. Le cabot aboie. Et qui c'est qui trinque ? » Champagne. Ardenne. Argonne. La victoire est proche. Les distances s'allongent. La fatigue est incommensurable. Dormir. N'importe quand et n'importe où. Bois, forêt, taillis, talus. Cave, grenier, étable. Une grange souvent. Parmi les bêtes. Toutes espèces de bêtes. La paille est un luxe. Ils sont nombreux. Ils se tassent. Ils font corps. Dans la pénombre on entend les toux grasses et les toux sifflantes, on entend les grognements et les ronflements et les gaz. Des prières chuintent entre les lèvres. Sainte Vierge. Sainte Marie mère de Dieu. Des pleurs étouffés : c'est l'épuisement. C'est la peur et l'amertume. C'est l'écume de l'âme – harassée comme le reste. Bienheureux ceux qui ne rêvent pas. Quelques heures à peine. On les réveille. On les secoue. Ils repartent. Ils dorment debout. Cling-cling, clop-clop, cling-cling, clop-clop. Qui poursuivent-ils ? Qui les poursuit ? On leur dit tout et son contraire. « Grignotage, mon cul ! Joffre qui peut, oui ! Au petit bonheur des uns, au grand malheur des autres. » Ils suent. Ils grelottent. Ils ont la fièvre. Ils ont la colique. Ils ont faim. Ils ont soif.

Ils marchent.

Sous le président de la République il y a le ministre de la Guerre, sous le ministre il y a le maréchal de France, sous le maréchal il y a le général d'armée, sous le général d'armée il y a le général de corps d'armée, sous le général de corps d'armée il y a le général de division, sous le général de division il y a le général de brigade, sous le général de brigade il y a le colonel, sous le colonel il y a le lieutenant-colonel, sous le lieutenant-colonel il y a le commandant, sous le commandant il y a le capitaine, sous le capitaine il y a le lieutenant, sous le lieutenant il y a le sous-lieutenant, sous le sous-lieutenant il y a le major, sous le major il y a l'adjudant-chef, sous l'adjudant-chef il y a l'adjudant, sous l'adjudant il y a le sergent, sous le sergent il y a le caporal-chef, sous le caporal-chef il y a le caporal, sous le caporal il y a le soldat, sous le soldat il y a le vide. Un espace de quelques centimètres, vingt, trente, entre ses semelles et le plancher. Un tabouret de traite renversé. Une petite flaque brune, sèche. Le bois a bu. C'est un légionnaire. 2ᵉ régiment de marche du 1ᵉʳ étranger. On le trouve pendu à la poutre d'un fenil. Il est parti comme ça. Peut-être la mer Noire, peut-être une autre mer. Il venait d'Odessa, c'est tout ce qu'on sait de lui.

Ils marchent.

Deux jours plus tard ils sont six de la même compagnie, six d'un coup alignés et fusillés. On dit passés par les armes. Refus d'obéissance. Ils ne voulaient plus marcher. Des apostats. « Hijos de putas », dit Guso. Il parle des tireurs, des exécutants. Il se racle la gorge et crache aux pieds de l'officier. L'officier feint de ne pas voir. Six tombes sont creusées dans une terre argileuse. Six croix sont plantées. Quelqu'un chante une chanson triste dans sa langue maternelle. Trois heures après une violente averse lamine les tombes et les croix.

Ils marchent.

La victoire est assurée. Il paraît que le général

Dubail a battu l'aile gauche allemande, le général French l'aile droite. Il paraît qu'à Berlin le peuple se révolte. L'impératrice s'est sauvée en se faisant passer pour sa femme de chambre.

Ils marchent.

Ils croisent des fuyards. Vagants. Migrants forcés. Hâves et hagards. Laissant là-bas derrière eux les cendres fumantes de leur existence. La chaumière, le commerce, le clapier, le carré de choux-raves. Le bourg entier. Rasé tout ça. Ce sont des mères de famille et la marmaille et les aïeuls. Pas de pères. Ce pourrait être leur propre mère ou leur propre femme, leurs frères et sœurs, leurs grands-parents. Brinquebalant et cahotant, en tas dans une charrette avec le matelas, l'horloge, la table, les chaises en paille et les casseroles et le buffet parfois. Tirant des carrioles. Poussant des brouettes. Quelque chose de l'ordre des chiffonniers. La biffe et son reflet. Cling-cling, clop-clop. Des chiens maigres pour escorte.

Ils marchent.

Sur les bas-côtés il y a des chevaux morts. Il y a des ânes morts et des mulets morts. Des bœufs morts. Un renard éventré que les corbeaux bec-quettent. Quelle est cette contrée où des guirlandes de viscères pendent aux branches ? Où des lambeaux de fourrure décorent les buissons et les haies ? La puanteur leur tapit les muqueuses.

Ils marchent.

Ici, là. Ici un vieillard se fait conduire par la main par un encore plus vieux que lui. Il porte un manteau de femme sur le dos et un chapeau de femme sur la tête. Là deux fillettes aux cheveux blancs, des jumelles, albinos, à moins que ce ne soient les elfes de cette étrange contrée. Elles ont six ou sept ans, l'âge de raison. Elles les regardent défiler sans un mot et sans un geste. Absolument seules. Absolument identiques si ce n'est que l'une d'elles tient un chaton noir dans les bras. Certains se signent en passant, à cause du chat ou à cause des cheveux blancs sur ces crânes d'enfants.

Ils marchent.

La victoire est imminente. Il paraît que cent vingt mille Japonais ont débarqué à Toulon. La Hongrie se sépare de l'Autriche. Lille est cernée par les Hindous.

Ils marchent.

Ils croisent un convoi de prisonniers. D'apparence pas plus éreintés qu'eux. Pas plus lamentables. Pas plus défaits. Les gradés ont de gros cigares blonds à la bouche. « Hijos de putas », dit Guso. Il se racle la gorge et crache. « Sont bons qu'à se friser la moustache ! » dit le Sage. Le soir même ils ont droit au spectacle : dans une gare de triage un train de marchandises qui brûle dans la nuit. Long boa de feu. Les écailles rutilantes. Dragon chinois. Puis ce sont des meules qui s'embrasent en rase campagne. Trois, quatre, cinq, six incendies. Ils comptent. Ils calculent le manque à gagner, tout ce bon foin perdu. Ils tendent le cou et hument la fumée, yeux mi-clos, il leur vient des songes d'âtre et de fourneau, de poêle, de miches chaudes. À l'heure où devraient sonner les matines ils rencontrent sur leur route une procession de nonnes. Elles sont une trentaine. Des sœurs de la Providence, blanches comme des oies. Quatre d'entre elles portent un grand Christ en croix sur leurs épaules : c'est tout ce qu'elles ont pu récupérer des décombres de leur chapelle. Toute une aile du couvent s'est effondrée sous les tirs.

Mais il en faudrait plus pour les abattre. Gardez la foi, soldats, le Seigneur vous accompagne. Elles les bénissent. Elles leur distribuent des barres de chocolat qu'elles semblent extraire comme par miracle des replis de leurs scapulaires. « Et les p'tits pains où qu'y sont ? » rigole Fuller. Krestorsky lui balance un coup de coude dans les côtes : « Ferme ça ! » Les sœurs repartent avec aux lèvres un chant d'espérance et de miséricorde, elles s'éloignent, leurs silhouettes s'amenuisent et s'effacent, le Christ avec, mais le chant reste, c'est tout ce qui leur reste à eux, et plus que les traces de cacao sur leurs doigts ce sont ces voix pures et cristallines qu'ils retiendront comme la preuve informelle de leur apparition, comme le précieux récépissé de leur passage.

Ils marchent.

La victoire est acquise. Il paraît que le Kronprinz a été assassiné par un de ses officiers. Il paraît que son corps a été transporté en Angleterre. Les Allemands ont offert quarante mille prisonniers en échange, les Anglais ont refusé.

Ils marchent.

Ils bivouaquent une journée dans un village à moitié dévasté. Ils font cuire des pommes. Une vieille traîne sa chaise et s'installe au soleil sur le pas de sa porte. Sa maison n'existe plus, c'est une ruine, comme une énorme dent gâtée, cariée. Assise devant ces vestiges elle sort ses aiguilles et sa pelote et tricote. Ainsi qu'elle l'a toujours fait. L'après-midi ils improvisent une vente aux enchères où sont mis en vente des articles confisqués à l'ennemi. Prises de guerre, reliques, trophées. La dîme personnelle et dérisoire. Souvenirs de Bochie. Le commissaire-priseur est un maigrelet à brin de moustache. Le képi en arrière. Pour se grandir il se tient debout sur une caisse et frappe les trois coups sur son bou-théon. Ses assesseurs présentent, goguenards. Une cartouche de Mauser. Une blague à tabac. Dix centimes par ici. Vingt. Qui dit mieux ? Une carte postale vierge représentant la place principale d'un bourg de Bavière. Une montre. Une bourse. Une baïonnette. Deux sous. Adjugé. Ça se passe dans la bonne humeur. Les gradés laissent faire. Le ton change à la tombée du jour quand on surprend le maire dans sa cave en train de téléphoner à une ligne allemande. Espion. Traître infâme. Il est fusillé sur-le-champ. On dit exécuté. Guso crache. Ils lèvent le camp et quittent le village comme si désormais y régnait la peste.

Ils marchent.

S'en mêlent le froid et le gel. Tôt matin une den-telle de givre craque sous leurs brodequins. Ça tient quelquefois jusqu'à midi. Cling-cling, crac-crac, cling-cling. Ils s'emmitouflent. L'air glacé s'en-gouffre dans leurs poumons, leur coupe la respira-tion. Ils avancent tête baissée. Ils jurent. Ils soufflent entre leurs doigts. Lèvres gercées, lèvres crevassées et fendues. Avec l'effort ils se mettent à fumer. Par le nez, la bouche, le cuir, les hommes comme les bêtes, hommes-vapeur, chevaux-vapeur, une seule et même haleine monte comme poussière sous les pas du troupeau. Cling-cling, clop-clop.

Ils marchent.

Les premières neiges arrivent. C'en serait presque beau. Tout ce blanc. L'immense pansement sur les plaies. Carcasses, ronces, barbelés, tout se confond, tout scintille. Noël viendra. Ils ont bon espoir. Les flocons tombent. N'est-ce pas qu'il peut leur choir

sur le coin de la gueule autre chose que des shrapnels ? Les sœurs l'ont dit : le Seigneur est à leurs
côtés. Venu du ciel on peut encore attendre du doux.
Du pur. Du pas sali. Les flocons s'accrochent à
leur barbe et à leurs cils. Ils tirent la langue pour
y recevoir cette fraîche hostie. Sempiternels enfants
de chœur. N'est-ce pas qu'ils sont innocents ? Lui
comme eux. Ils s'émerveillent pendant une heure ou
deux, jusqu'à ce que la neige pénètre leurs capotes.
Puis leur chair. Puis leurs os. Jusqu'à ce qu'elle se
change en immonde gadoue sous leurs semelles.

Ils marchent.

Par une nuit sans nuages un petit groupe se forme,
à l'écart, en plein champ. Ils sont huit. Ils lèvent
la tête et montrent du doigt : là-haut, juste sous la
Grande Ourse. Une paire de jumelles circule, que
chacun pointe à son tour vers les astres. Un jeune
lieutenant est parmi eux. Il est membre de la Société
astronomique Flammarion. Il explique. C'est la
comète Delavan qui nous fait l'honneur d'une visite.
Très en beauté. Voyez sa brillante chevelure, voyez
sa longue queue ébouriffée. Profitez, messieurs.
« D'après nos calculs, dit le lieutenant, elle ne repassera pas avant vingt-quatre millions d'années. »
Des temps lointains. Et nous ? Et nous ? Ils veulent
savoir. L'avenir. Que restera-t-il de nous ? « Mon
lieutenant, est-ce que la Terre existera toujours à ce
moment-là ? » La question est cruciale. Ils regardent
le jeune officier comme l'oracle, comme le guide sur
la montagne. Ce dernier sourit de toutes ses dents
immaculées. « Non seulement elle existera, dit-il,
mais grâce à Dieu nous l'aurons débarrassée de la
vermine germanique ! » Heureux présage, acclamé
comme il se doit. Ils se congratulent. Ils forment

des vœux. Ils se repassent les jumelles pour mieux admirer cette sibylle que le ciel leur envoie. Leur marraine céleste. Le mot chevelure les enchante. Ils sont huit et aucun d'entre eux ne verra mûrir les blés prochains.

Ils marchent.

Ils marchent.

Cling-cling, clop-clop, cling-cling, clop-clop, cling-cling.

Ils marchent.

La lumière décline. L'obscurité n'en finit pas de tomber.

Ils marchent.

La victoire est pour demain.

Emma écrit :

Mon amour,
Sais-tu qu'il s'est tenu, hier, une réunion secrète à Aix-la-Chapelle ? Le pape était présent et demandait la paix. La France et l'Allemagne étaient prêtes à accepter, mais la Russie et l'Angleterre s'y sont opposées.

Sais-tu que des enfants de Maubeuge ont vu la Vierge et qu'elle leur a révélé que le conflit prendrait fin le 4 avril prochain à deux heures et quart de l'après-midi ?

Sais-tu qu'à Laon les Boches ont le typhus ? C'est ce qui explique le silence du canon : les soldats français ont reculé par crainte de la contagion.

Sais-tu que l'Allemagne est sur le point de déclarer la guerre à la Suisse ?

Sais-tu qu'en ce moment même il n'y a pas moins de six millions de Russes qui avancent sur Berlin en semant la terreur partout ?

Et la meilleure de toutes, j'espère que tu es au courant : ça y est, c'est fait, la Lorraine et l'Alsace sont reconquises !

Voilà.

Voilà ce que l'on peut entendre dans la rue, au marché, dans les boutiques. N'importe où. Et ceci n'est qu'un mince florilège. Fais ton choix. Elles sont fraîches, elles sont toutes fraîches mes nouvelles ! De première qualité. Et d'origine garantie, bien sûr. Écoute : Madame Loue connaît quelqu'un qui connaît quelqu'un dont la sœur est l'épouse d'un gendarme qui exerce dans l'Aisne, et ce gendarme a été chargé d'escorter des prisonniers, et il a raconté à sa femme que ces prisonniers étaient tous des vieux Bavarois d'au moins cinquante ans, des ancêtres qui portaient des uniformes et des shakos datant de la campagne de 70 ! Et le plus drôle, figure-toi, c'est que leurs chefs avaient affirmé à ces pauvres vieux soldats que s'ils ne fonçaient pas directement sur Paris ce n'était pas parce que l'armée française leur barrait la route, mais à cause du choléra qui y régnait ! Et ces bougres d'imbéciles le croyaient !

Je l'ai entendu. Je te jure que j'ai entendu de mes propres oreilles la mère Loue débiter ce genre d'âneries devant ses clientes. Si encore elle était la seule, mais c'est une véritable pandémie. Ça fuse de tous côtés, ça court, ça se propage comme la gangrène. Bruits, rumeurs. Chacun a la sienne. Les gens parlent. Ils savent. Les dieux n'ont pas de secrets pour eux. Il faut voir l'importance qu'ils se donnent. La guerre, ils la connaissent, crois-moi. La guerre, ils la font entre deux miches de pain blanc, entre une livre de haricots et cent grammes de saindoux. Au poids. Alors, pour combien je t'en mets, de mes nouvelles ?

J'ai honte. J'ai honte pour nous tous.

Et les journaux ne valent guère mieux, qui ajoutent plus ou moins foi à ces racontars. Les journaux parlent de victoires, de terrain conquis, de combattants courageux et intraitables, de charges héroïques. J'en ai justement un sous les yeux. Tu veux savoir ? « La bataille s'est soldée par un incontestable succès des Alliés… 138 canons saisis, 55 mitrailleuses, 20 000 prisonniers dans les rangs ennemis, 200 000 hommes hors de combat… Un avion français a détruit un train de munitions… Les Allemands font retraite sur Namur et Waterloo… On attend pour bientôt la jonction des Belges et des Alliés à Tournai… » Voilà ce qui est écrit. À qui se fier ? On aimerait tant y croire. Que les mensonges soient des vérités. Je m'étais promis de ne plus les lire mais je ne peux m'en empêcher. Je les achète pour papa. J'ai l'impression qu'il n'y a plus que ça qui fait battre son cœur. La lecture de ces quelques lignes. Le reste du temps il demeure renfermé sur lui-même, dans une espèce de prostration morbide. Il ne sort plus. Nous ne parlons quasiment pas. C'est un très vieil homme que je vois en face de moi. Notre père va mal. Il se sent coupable. Il mène son propre combat contre son propre ennemi : le remords. Redoutable adversaire. Apparemment les progrès de papa ne vont pas de pair avec ceux de notre armée. Je crains qu'il n'en sorte pas vainqueur. Je ne suis même pas certaine qu'il n'ait pas déjà abdiqué. Que puis-je y faire ? Il s'enlise, il sombre, et je n'ai pas de perche à lui tendre. Je ne serais pas sincère si je disais que je ne lui en veux pas. Que je lui ai totalement pardonné. Devrais-je mentir aussi, par compassion ? Devrais-je tricher ? Ce qui est vrai, c'est que je souffre également pour lui.

Mon amour, jamais je ne me suis sentie aussi seule ! Je me rends compte que je ne savais pas ce qu'est la solitude. Et c'est une chose terrible. C'est une pierre *lisse et noire et dure. Plus dure que le granit. Plus dure que le marbre. Une pierre compacte, sans la moindre fissure. C'est un monolithe que rien ne semble pouvoir briser. Et qui pèse, qui pèse, qui vous écrase.*

J'ai songé à m'engager, moi aussi. Proposer mes services en tant qu'infirmière ou ce genre de choses. Mon unique motivation était de te rejoindre, de te retrouver quelque part. Cependant j'ai réfléchi qu'il n'y avait pas une chance sur des millions pour que cela arrive. Pour que l'on soit réunis. À quoi bon alors ? Je ne veux pas voir d'autres soldats que toi. Je ne veux pas soigner des blessés, des mutilés. Je ne veux pas leur servir la soupe, vider leurs pots. Tout cela me dégoûte. La guerre me dégoûte. L'idée même. Je n'ai pas une vocation de sainte. Je n'ai pas l'esprit de sacrifice. Est-ce à dire que je n'ai pas de cœur ? Oh ! si, j'en ai un. Mais il est tout rempli de toi. Il t'est entièrement et exclusivement consacré. Est-ce ma faute s'il n'y a plus de place pour rien ni personne d'autre ?

Quelle sorte d'être suis-je si je puis envisager froidement la mort de tous les hommes excepté la tienne ? Qu'ils crèvent tous, que la Terre brûle, je m'en fiche, pourvu que tu me sois rendu !

E.

Et maintenant ils s'enterrent.

Ils creusent. Ils fouissent. Le vaste réseau labyrinthique de galeries et de boyaux. Pelles et pioches en main. À mi-chemin de la taupe et du ver, à la frontière entre le termite et le rat. L'homme au bout de la chaîne, soi-disant, celle ancrée au fond des âges et remontée maillon après maillon, ère par ère, depuis l'infinitésimal eucaryote fermenté dans la soupe primordiale jusqu'à Pasteur penché sur son microscope, en passant par le trilobite, le mammifère, le primate, et puis Socrate, Diogène, Aristote, et puis Dante et Léonard, Copernic, Michel-Ange, Montaigne, Cervantès et Shakespeare, et puis Galilée, Descartes, Racine, Pascal, et puis Mozart, et puis Darwin, et tout ceci pour en arriver là ?

Des ténèbres à la lumière…

Ils s'épouillent. Ils mangent du singe. Ils se vautrent dans la boue. Ils se lavent dans des cloaques. Ils défèquent en commun. Leur poil pousse. Ils grognent. Ils tremblent. Ils ont peur du noir et de l'invisible. Ils ont peur du silence. Ils ont peur du bruit. Ils attendent.

L'hiver approche.

Le garçon commence à les connaître. Ceux de la compagnie, de sa section. Ceux qui subsistent à ce jour. Peu à peu, un à un, ils se sont détachés de la masse. Leurs silhouettes se dessinent. Leurs traits se précisent. Au-delà des chiffres du matricule chacun a son regard, sa voix, son parcours. Le garçon écoute. On dit qu'ils sont ses frères. Pourtant il ne faut pas s'attendrir de trop, il ne faut pas aller jusqu'à les aimer parce que bientôt, bientôt ils ne seront plus.

C'est l'histoire de ceux qui vont mourir.

Le Sage en est. Un surnom. Un sobriquet ironique dû à la pertinence des réflexions qu'il balance à la volée, d'une portée philosophique aussi longue que celle d'un mousqueton. Il s'appelle Agassagian. Vingt-trois ans. Soldat de première classe. Métallo dans le civil. Sa gouaille il la perdra sous la mitraille à la bataille de Carency. Et Stein. Le sérieux, le soucieux, le minutieux Stein. Des cheveux gris à vingt-six ans. Un type à recompter trois fois ses munitions avant de s'endormir. Dix fois avant l'assaut. Horloger de profession. Pour lui la grande aiguille restera éternellement bloquée sous le ciel plombé de Sainte-Marie-aux-Mines. Et Guso, l'Espagnol, ou le Mexicain, ou le Colombien qu'est-ce qu'on en sait ? La taille d'un torero, le regard d'un taurillon furieux, noir brasero, des yeux d'orage et d'éclairs, et les nerfs à vif, toujours les naseaux fumants et la bave au bord des lèvres. Olé ! La foule se lève et c'est fini. Déjà. Pour Rafael Guso Álvarez la grande corrida s'achèvera dans l'arène de Souchez, en Artois, loin du soleil de Séville. Et Campana. Trente-trois ans. Presque un vieux. Baryton à l'opéra. Une voix d'or. Campana que la raison désertera au fil du temps. Cette manie qui le prendra de grimper sur le parapet pour décharger son fusil sur un ennemi que lui seul verra, en imitant le bruit d'une Hotchkiss avec la bouche. Campana le toqué. Et puis un jour viendra où il se mélangera les pinceaux en voulant tirer une grenade avec un mortier : l'engin lui sautera à la gueule, emportant sa splendide moustache et son nez et une bonne moitié de sa mâchoire. Chante, beau merle. Chante, maintenant, pour voir. Et Fuller. Et Wachfeld. Et Thill. Soixante ans à eux trois. Engloutis ensemble dans l'éboulement d'une tranchée, ensemble ensevelis dans l'abri sous lequel ils dormaient. Et Gardot. Mégissier. La peau trouée par l'artillerie française, son propre camp, oui, qui le prendra pour cible un soir de printemps sur la crête de Vimy. Désolé, l'ami, ce sont les aléas. Et Cormuz, le Suisse. Et Krestorsky, le Polonais. Mineur de fond. La sape il connaît. Bon chrétien. Il prie, il embrasse son crucifix avant de charger. Notre-Dame-de-Lorette aura raison de lui. Un coup de grisou comme jamais il n'en aurait imaginé. C'est en vapeur qu'il montera au ciel. Sublimé. Va, Polak, va. Dieu recollera les morceaux. Ici-bas, à l'ombre des terrils, Johanna vieillira sans toi. Et Madsen. Et Demetrenko. Et Hadida. Et Biele, l'As de pique. Apatride de Montmartre. Joueur, tricheur, voleur. Artiste pickpocket de grand talent. En un clin d'œil il est capable de confisquer ses médailles au commandant sans qu'il s'en aperçoive. Un marrant. S'il manque une pipe, un briquet, un képi, un canif, c'est vers lui qu'il faut se tourner. Il vous nargue avec sa mimique, sourcils dressés, bouche en cœur. C'est de la blague. Disparu, l'As. Proprement volatilisé au champ d'honneur. La fumée se dissipe et il n'est plus là. On ne retrouvera rien de lui, pas la moindre de ses bagues, pas une once de sa peau bistre. Certains diront qu'il s'est subtilisé tout seul et tout entier, hop, un ultime coup d'arnaque, certains diront qu'il est présentement de l'autre côté en train de faire les poches aux Boches – s'il leur manque des cartouches on saura qui c'est. Et Cavendish. Et Field. Et Dulac. Un nom prédestiné. Luxembourgeois de dix-neuf ans. N'a jamais vu la mer mais rêve de s'embarquer. Il parle de marine marchande. Il parle d'océans. Il parle de traversées. Il mourra noyé dans les deux mètres d'eau d'un trou de marmite où les quarante kilos de son barda le feront inexorablement sombrer. Tu rêvais de navire, matelot. Tu ne rêveras plus. Et Feoroff, le Russe. Tireur d'élite. Géant devenu nain par la brutale et fortuite éradication de la totalité de ses jambes à Verdun. Feoroff qui parviendra tout de même à se traîner, dans sa caisse à savon, six mois après l'armistice, jusque sous les roues d'un tramway. Et Merthens, le Belge. Vierge et obsédé. C'est un obus de 77 qui lui prendra son pucelage dans les parages de Suippes. Et Novák, le Tchèque. Et Babik, le gitan. Et Cauditi, le Sarde. Clairon. Qui leur joue du Schumann, le soir, au fond de la cagna. « In der Fremde. » Loin de chez soi. À vous raboter l'âme. Tous ces tendres soudards qui reniflent discrètement en l'écoutant, les yeux mouillés. Ce qu'on peut faire avec du cœur et trois pistons. Cauditi le clairon qui passera deux jours et deux nuits à gémir, ventre ouvert, accroché à des chevaux de frise entre les deux camps, avant qu'un de ses compagnons ne trouve le courage de pointer son Lebel dans sa direction pour achever son calvaire. Un goût de cuivre entre les dents. Et Pereira, le Portugais. Et Ross, le Canadien. Et

Wayne, le cow-boy de l'Arizona. Et Vandelahert, le Hollandais, volant dans l'éther saturé de cordite et retombant déchiqueté sur les terres de Givenchy. Et Blumenfeld. Mort. Et Fernandez. Mort. Et Karadjian. Mort. Et Hosberg. Mort. Et Panossian. Mort. Et Racovitch. Et Simonian. Et Sijas. Et Berecki. Mort, mort, mort, mort. On dit tué à l'ennemi.

Et lui.

Pas un ne sera épargné. Pas un n'en sortira indemne.

Mais pour l'heure ils l'ignorent. Ils s'affairent. On leur demande de creuser, ils creusent. Ils forent. Ils étayent. Ils calfeutrent. Sacs de sable et madriers. Tôles. Planches. Les tranchées ont des prénoms de femmes. Les baïonnettes aussi. Clarisse, Rosalie. L'élan s'est brisé. La griserie belliqueuse du départ. Envolés les baisers, les fleurs sur leur passage. Les vivats. Et le fusil briqué, l'uniforme, le paquetage. L'aventure. Loin, tout ça. La ferveur s'émousse. Ils ont vu ce qu'ils ont vu. Dessillées leurs paupières. Parlez-leur de batailles, de Kaiser et d'Allemands.

Mais pour l'heure ils sont vivants. Ça coule à l'intérieur. Le sang rouge, les veines bleues. L'haleine grise. Les fumigènes se dispersent. La nuit est venue. Une de plus. C'est une chape immense au-dessus de leurs têtes. La lune voilée. Les pieds dans la fange ils regardent le ciel. Ils scrutent. La comète s'en est allée. Vénus reste, fidèle. Il y a d'autres planètes, mais de toutes laquelle est la plus belle ? La nôtre ? Quelqu'un tousse et ça résonne comme dans une caverne, une grotte, haute et profonde. Les canons se sont tus. Un grand calme règne. Un silence glacé que fissure le moindre bruit.

— J'aime pas ça, dit quelqu'un.

Ils tendent l'oreille. Ils sont inquiets.

— Et en face ? demande quelqu'un.

Ils se penchent et observent à travers les fentes. Ils scrutent. Rien ne bouge. Ils se relèvent, le cou malgré tout rentré dans les épaules. Tassés par réflexe. Le poids du silence et de la nuit. La voûte céleste est bien trop vaste pour eux. Ils soupirent. Ils attendent.

Pour l'heure.

L'hiver approche et ils s'enterrent.

Emma écrit :

Mon amour,
À qui la faute ? Je m'interroge. Tout ceci, à qui
le doit-on ? Tout ce malheur, toute cette détresse et
cette souffrance, tout ce gâchis : à qui ? Vraiment je
voudrais savoir. Je bous. Il y a des nuits comme ça.
Longues, si longues. Je n'essaie même plus de me coucher, de fermer les yeux, d'attendre un sommeil qui
ne viendra pas. Je marche. Notre vieux tapis, j'ai dû
l'arpenter cent mille fois. À m'en brûler la plante des
pieds. Tu me verrais, on dirait une folle ! D'ailleurs qui
sait si je ne suis pas en train de le devenir ? Qui me dit
que je ne le suis pas déjà ? En chemise de nuit camisole.
Je parle seule. Je parle à mon ombre. Je la questionne,
mais elle ne me répond pas. Ni elle ni personne. Mais
moi, j'ai besoin de réponses ! Cette horreur, qui l'a
rêvée ? Qui l'a peinte ? Qui l'orchestre à distance ? Il
me faut des coupables, tu comprends ? Qu'on me les
montre. Qu'on me les désigne, objectivement. Lui, et
lui, et lui. Eux. Je veux des noms. Je veux des visages.
Bas les masques ! Je veux savoir dans quelles faces
ignobles je devrais planter mes griffes si je les croisais !

397

Il y en a, j'en suis sûre. Là-dessous. Là-derrière.
Qu'on cesse de me bassiner avec le « contexte »,
avec la « conjoncture », avec les « alliances », avec
les « intérêts nationaux », des mots, des mots à
noyer le poisson. La responsabilité anonyme et floue,
impalpable. Juste l'air du temps, c'est ça ? C'est ça
qu'on voudrait me faire croire ? La responsabilité
sans responsables ! Non. Je refuse. On ne doit jamais
oublier que ceux qui décident sont des êtres de chair.
Moutons, moutons, d'accord, mais il y a forcément
quelque part un infâme berger qui vous a guidés,
qui vous a jetés dans la gueule du loup. Où est-il,
celui-là ? Où sont-ils ? Des intérêts, oui. Ça, je veux
bien l'admettre. Mais certainement pas nationaux.
Certainement pas pour le bien de tous. Alors de qui,
précisément ?

Le Kaiser ? Bien sûr c'est le premier qui vient à la
bouche. (Pouah !) Cible facile. Évidente. Un peu trop,
il me semble. Quoi, à lui seul ce vieux goret aurait
déclenché les feux de l'enfer sur tout le continent ?
C'est prêter beaucoup à un demi-manchot. Est-ce
qu'on ne confondrait pas Guillaume et Lucifer, par
hasard ? Je ne dis pas qu'il y est pour rien. Il en a
sa part, sans doute, mais... Mais soit, puisque nous
parlons de cette sorte d'engeance, allons-y !

Les rois. Les empereurs. Comment cela peut-il
encore exister de nos jours ? Les « Sire », les
« Majesté », les « Monseigneur ». Comment peut-on
encore l'accepter ? Comment peut-on nous faire avaler
cette énorme couleuvre ? La couronne et tout ce qui va
avec. Des rois ! Et au nom de quoi, tu peux me dire ?
Au nom du sang. Le noble, l'aristocratique sang. Et
de droit divin, qui plus est. Tu entends ça ? Ce n'est
pas n'importe quelle fée qui se serait penchée sur leur

couffin, non, c'est Dieu Lui-même. Sacrés monarques !
Couvés, choyés, bénis par l'Éternel en personne. Tout
droit sortis de la cuisse de Jupiter. Fichtre ! Et ceci
pour les siècles des siècles. Parce que la supercherie
perdure. C'est congénital, cette histoire. De pair en
pair, puis de père en fils, de fils en père, de génération
en génération, longue, longue, longue, interminable
litanie de prénoms et de chiffres. Pouvoir héréditaire.
Fortune héréditaire. Privilèges héréditaires. Surtout
que ça ne sorte pas de leur précieux giron ! Et nous,
simples sujets, on gobe ça ? On ne s'en lasse pas ?
Mieux, pire, on en redemande. On s'incline, on s'age-
nouille, on révère, on baise les luxueuses bottines qui
nous piétinent. Quand je pense à tous ces manants
qui se pressent et se bousculent pour voir passer leurs
carrosses ! Ils applaudissent. Ils lancent des pétales.
Ils acclament et admirent. Comment est-ce possible ?
N'avait-on pas parlé d'une révolution ? Pour le moins
d'un affranchissement ? N'avait-on pas clamé l'avène-
ment d'un peuple souverain, maître de son propre des-
tin ? Cette ère nouvelle qui devait s'ouvrir, où est-elle ?
Que l'on m'explique ce qui a changé. On a tranché
quelques têtes mais il y a tellement de branches, tel-
lement de racines. L'hydre est increvable ! Regarde :
les neuf dixièmes du globe sont toujours sous sa coupe.
Rois, tsars. Despotes et potiches. Beaucoup des uns
et peu des autres, quoi qu'on en dise. Même les plus
affaiblis pèsent leur poids. Leur influence est consi-
dérable. Et la France ? tu me diras. Notre beau pays.
Notre république exemplaire. Ah oui ? Quelle diffé-
rence ? Parce qu'on élit nos chefs ? Faux. Pas moi.
Pas les femmes. Pas les épouses. Pas les fiancées.
Pas les sœurs. Pas les mères. Aucune d'entre nous.
Aucune de celles qui donnent la vie. Pas les enfants.

Les trois quarts de la population sont exclus de ce droit. Qu'est-ce qui reste ? Qu'on nous accorde un bulletin et l'on verra !... Et quand bien même. Voter pour qui ? Députés, sénateurs, ministres : une minable clique d'affairistes seulement occupés à leurs petits micmacs comptables. Des humanistes ? Des démocrates ? Allons donc ! Tiens, écoute ceci :

« Je voudrais pourtant le voir grandir, le vrai démocrate, celui qui vivrait avec six mille francs, qui serait vêtu comme un commis, et qui prendrait l'omnibus. Qui promènerait son veston râpé des Postes au Commerce, de l'Instruction publique aux Finances, portant sa probité sur lui. Je le vois donnant cinquante mille francs de son traitement ministériel aux pauvres, ignorant les autos, les actrices et les petits soupers ; redouté de ses collègues ; célèbre et aimé partout. Plus tard président, vêtu comme vous et moi, et recevant les rois sans cérémonie. Voilà un programme qui devrait plaire à un vrai ambitieux. La richesse serait remise à son rang ; et ce serait déjà presque toute la justice. »

Ce n'est pas moi qui le dis, c'est Alain, le philosophe. Je le retranscris tel quel. N'est-ce pas un admirable portrait ? Celui d'un homme à qui l'on donnerait volontiers son suffrage. Un véritable représentant. Un être de raison et de cœur. Mais combien sont-ils, sur les bancs de l'Assemblée, à pouvoir prétendre lui ressembler ? Combien dans les sièges du Conseil ? Des freluquets, ceux-là ! Des gargouilles. Grimaces, grimaces. Des épiciers qui font leur beurre et comptent leur caisse. La politique : un fonds de commerce. Leur boutique : la Nation. Carriéristes et marchands. Pas d'idéal. Pas d'envergure. Et pas de scrupules, naturellement. Tout s'achète et tout se vend – avec une marge !

Je bous, oui. J'enrage. En serait-on là si nous n'étions pas gouvernés par ces quarterons d'arrivistes et d'arrivés ? Si les richesses étaient équitablement partagées. S'il y avait le moindre souci de justice en ce monde. Si, si, si. Si l'on mettait davantage de moyens dans l'instruction et l'éducation que dans l'armement. Plus de livres et moins de canons ! Ce n'est pas moi qui le dis, c'est Hugo cette fois. Que n'écoute-t-on jamais les poètes ! Non, ce n'est pas de l'utopie. C'est du bon sens. Du sens commun. C'est la voix de l'intelligence et de l'âme. C'est l'harmonie et la paix possibles. Le bonheur en point de mire. C'est considérer le bien-être de l'humanité comme la principale aspiration, comme le but à atteindre, essentiel et premier.

Mais il y en a qui ne veulent pas en entendre parler, de ce but-là. Il y en a dont ça n'arrangerait pas du tout les affaires. Qui ? On en revient toujours à la même question, tu vois. Qui ? Qui tire les ficelles ? Qui tient les rênes et les chaînes ? À qui profite le crime ? Des noms ! Faut-il lorgner du côté des grands industriels ? Les ferrailleurs. Ceux qui fondent le métal et l'acier pour en faire des balles, des obus, des croiseurs, des cuirassiers. Ou alors les grands usuriers ? Ceux qui jouent avec le nerf de la guerre. Les financiers, les banquiers, qui misent, qui prêtent, qui créditent. Ceux qui parient sur le cours de la vie et de la mort. Mais ne seraient-ils pas de mèche, les uns et les autres ? Cela se peut. Unis pour la circonstance. Associés dans la juteuse affaire. Investissements, production, bénéfices. Conseil d'administration : qui s'assoit autour de la *table ? N'est-ce pas là, au complet, l'état-major du Grand Capital de Karl ? Mais qui, en réalité ? Des noms ! Des visages ! Montrez-vous, lâches !*

Ils sont forts, tu sais. Ils sont rusés. Ils sont machiavéliques. Ils sont capables de tout. Même mon père, même mon doux et gentil papa ils ont réussi à lui empoisonner l'esprit avec leur patriotisme frelaté. Car tous les moyens sont bons. Tous les ressorts. Tous les vices et les détournements. Ils n'hésitent pas à agiter l'étendard pour faire charger la bête. Méfiance. Méfiance quand soudain nous voyons refleurir les drapeaux. Le bleu le blanc le rouge. Elles sont belles, ces couleurs. Et je les aime, moi aussi, mais en toile de fond, lorsqu'elles font encore mieux ressortir les valeurs qu'on avait choisi de défendre, rappelle-toi, l'inscription en lettres d'or, la profession de foi, la promesse, le serment : Liberté – Égalité – Fraternité. Autrement, non. Je les rejette. J'exècre ces trois couleurs quand elles prétendent recouvrir toutes les autres, les abolir. Le monde en trichromie ? Pas pour moi, merci. Les nuances sont infinies et je les veux toutes. Je veux toute la palette de l'arc-en-ciel ! Je veux toutes les voyelles de Rimbaud !

Oh, pardon, mon amour. Pardon. Je m'égare. C'est lamentable. Je m'en veux de t'infliger mes pauvres élucubrations alors que ces lettres devraient être un baume pour toi, elles devraient être ta joie et ta consolation. Quelquefois je me dis qu'il vaut mieux que tu ne puisses pas les lire. Combien mes affres sont mesquines en regard des souffrances que tu dois endurer. Pardonne-moi, je t'en prie.

C'est que la nuit est si longue. La nuit n'en finit pas. C'est vrai que j'ai l'impression de devenir folle. J'attends. Je tourne en rond. La chambre. Le tapis. Je marche. Il faut tenir. Tenir. Je prends la plume pour empêcher mes mains de trembler. J'ai peur. J'ai froid. Quand la colère retombe, mon sang se glace. J'ai tellement froid, si tu savais. Marcher, écrire, quel autre choix ? Je compte mes pas, je noircis des pages pour tenir jusqu'à l'aurore, jusqu'à tomber, m'écrouler sur mon lit. Il faut bien passer la nuit. Celle-ci et celle d'après. Et celle d'après. Et celle d'après. Combien encore ? Mon amour, encore combien de nuits ?

E.

Et maintenant ils rampent.

Entre la terre blanche et le ciel blanc. Tout de blanc vêtus. C'est un leurre. Un camouflage de fortune confectionné au pied levé à partir de larges pièces de drap. Ce n'est pas Guirand de Scévola mais un simple réserviste du 230ᵉ qui avait dû dévoyer ses talents de modiste pour l'occasion. Il avait taillé à chacun une sorte de blouse, ample, à passer sur la capote, ainsi qu'une paire de braies à enfiler par-dessus le pantalon d'uniforme. Loin du sur-mesure. On ne lui demandait pas de faire dans la dentelle mais dans la discrétion. Dans l'invisibilité. Une fausse mue de saison. « Songez à l'hermine, avait dit le capitaine. Songez au lièvre de Sibérie. » Mais c'est à un autre genre de bêtes auquel avait pensé la troupe en les découvrant dans cet accoutrement. Outre la blouse et les culottes immaculées ils avaient le crâne enveloppé dans une espèce de fichu fait de la même étoffe. Les gars se retenaient de pouffer. Wayne ne s'était pas gêné. « Pretty snowmen ! » Son rire ressemblait à un hennissement, peut-être parce que le cow-boy a des dents de cheval. Cependant le capitaine s'était montré satisfait du résultat. « Qu'est-ce que je vous disais ? Dame Nature a encore bien des leçons à nous donner ! »

Ainsi attifés ils sont censés se fondre dans le paysage. Ni vus ni connus. Et les voici glissant à plat ventre sur une croûte de neige dure. Comme des phoques sur la banquise.

Ils sont six.

Cela pourrait passer pour une clownerie mais ce n'en est pas une. L'opération a été conçue par le capitaine. Une idée sortie de son képi sous la pression de ses supérieurs. Ils voulaient des renseignements. Ils voulaient savoir ce qui se manigançait en face, quel coup tordu était en train de germer dans la sale caboche des Boches. Et qui mieux que les Allemands eux-mêmes pouvaient le leur apprendre ? Des prisonniers : voilà ce qu'il leur fallait. « Ramenez-moi un de ces cochons, avait dit le colonel, et je vous garantis qu'on saura le cuisiner ! » Si ce n'était pas un ordre ça sonnait tout comme. Le capitaine avait cherché un moyen de l'exécuter. Il avait trouvé ceci.

Ils avancent en file indienne. D'une seule et même reptation. Chacun le nez sur les semelles du précédent. Le lieutenant Barlier va en tête. Régulièrement il s'arrête et consulte sa boussole. Il calcule. Les paupières plissées il sonde la brume, tente de percer son mystère. On n'y voit pas à dix mètres. Pas à cinq. Le soleil s'est levé mais ne se montre pas. Le jour baigne dans un gris laiteux. Devant leurs yeux des nappes planent, dérivent, ondoient, des volutes se croisent et se déchirent. Fantômes de fantômes, neutres, indifférents. Peut-être des âmes errantes. Si les limbes existent c'est à ça qu'ils ressemblent. L'enfer ne devrait plus être loin.

Le capitaine était assez fier de son plan. Audacieux, l'avait-on jugé en haut lieu. Suicidaire, avait traduit en son for intérieur le lieutenant Barlier. « Une foutue connerie », avait simplement lâché Fuller, résumant ainsi l'avis général. N'empêche. Le colon avait donné son aval et c'est au lieutenant qu'était échu l'honneur de conduire la mission, secondé par le sergent Olivetti. Ils avaient estimé à quatre le nombre d'hommes nécessaire en renfort.

— Des volontaires ? avait demandé le sergent.

Guso le premier était sorti du rang. Sans hésiter. Petit taureau. Hargneux et impatient. Son pied grattait déjà le sol. Il avait craché par terre.

— Qu'est-ce qu'on y gagne ? avait demandé Wachfeld.

Le sergent Olivetti était un vétéran, il en fallait plus pour qu'il prît la mouche.

— La gloire, soldat.

— Peau d'balle, avait lâché Wachfeld.

Il avait craché aussi. Plus mollement.

Les gars s'observaient, à droite à gauche, des coups d'œil à la dérobée.

— Alors ? Allez-vous m'obliger à tirer à la courte paille ?

— Ce serait pas juste, sergent. Pereira est sûr d'y passer : tout le monde sait que c'est lui qu'a la plus courte !

Le Sage (qui d'autre ?). Sa saillie tombait à pic : rire les avait soulagés. Ils s'en étaient payé une bonne tranche. Pereira de concert, hilare sans savoir pourquoi, sa compréhension du français se limitant à un mot sur dix. Le sergent avait attendu que ça se tasse, puis il avait répété :

— Alors ?

Thill s'était dévoué, suivi de près par Panossian. Pour la dernière place à pourvoir ils avaient été deux à s'avancer, les deux exactement en même temps : Merthens et le garçon. C'était un de trop.

— Toi, avait tranché le sergent.

Plus d'une heure déjà qu'ils sont partis. Chaque centimètre compte. Chaque seconde. Ils ne peuvent pas aller plus vite. Il faut reconnaître l'efficacité de leur camouflage. Il est presque impossible de les repérer sur la neige. Leurs musettes comme le reste sont couvertes de tissu blanc. À l'intérieur, des grenades. Une mesure de précaution. En principe ils ne devraient pas avoir à les utiliser. En principe il ne devrait même pas y avoir un seul coup de feu échangé. Ils n'ont pas emporté leurs fusils. Ils n'ont sur eux que des armes de poing et des armes blanches. Revolvers, poignards. La réussite de l'opération repose sur l'effet de surprise et sur la persuasion. En principe. Combien parmi eux miseraient là-dessus ?

Le lieutenant fait halte à nouveau. Il jette un œil sur sa boussole, puis il déplie la carte qu'il a personnellement tracée. Il vérifie. Il lève les yeux et compare. Rien. Rien de commun entre ce qu'il y a sur le papier et ce qu'il y a devant lui. Du blanc, du gris. Des fumerolles. Sa propre haleine qui s'y mêle. Des chimères. Les gars avaient raison : une foutue connerie. Sagesse populaire. Il lui vient une furieuse envie de tout lâcher. Il n'aurait qu'un geste à faire et. Non. Il ne peut pas. Il a sa fierté lui aussi. Il a des responsabilités. Il sent la présence des hommes dans son dos. Le poids de leur attente, de leur silence, de leur peur, de leur confiance. Le lieutenant Barlier replie sa carte. Ce n'est qu'une question de temps et de distance. Chaque seconde, chaque mètre compte. D'ici peu l'objectif sera en vue. D'ici peu ils auront les Boches devant eux. Et les Boches derrière.

— Ramenez-moi un de ces foutus cochons, avait dit le capitaine, et je vous assure que je saurai le cuisiner !

La formule lui plaisait. Il l'avait faite sienne et c'est d'un ton grave et résolu qu'il la leur avait assenée au moment du départ. Après quoi il avait regardé le petit groupe s'enfoncer dans la brume tout en portant à ses narines un long et gros cigare à l'arôme musqué. C'était un des havanes qu'il avait reçus la veille parmi tout un assortiment de douceurs et de présents dont un coffret de calissons et un cognac de douze ans d'âge. Exquise attention. Il reconnaissait bien là le goût sûr de sa maman et la tendresse qu'elle lui vouait. La chère femme n'avait pas lésiné pour le Noël de son fils.

La moindre des consolations eût été de savoir que le capitaine Armand de Villiers crèverait d'un cancer de l'œsophage un mois après la fin des hostilités.

Le plan issu de son cerveau consistait à attaquer le poste avancé des Allemands sis à trois cents mètres des lignes françaises. L'astuce (« Vous comprenez l'astuce, lieutenant ? ») était de l'aborder non pas de front, comme ils l'avaient déjà vainement tenté, mais par-derrière. Un espace d'une cinquantaine de mètres séparait ce bastion de la première tranchée ennemie. Il s'agissait donc de contourner le poste par son flanc ouest, en décrivant pour cela une boucle autour du bois Ronsard, avant de repiquer plein est, vers le centre, afin de s'immiscer dans le champ libre entre les lignes, puis effectuer une dernière volte, à quarante-cinq degrés nord, de manière à boucler la boucle et prendre la cible à revers.

— Et voilà l'affaire ! Le tour est joué. Un tour à ma façon. Haha ! Qui s'attendrait à ça ?

Personne, avait pensé le lieutenant.

— Pure logique, pourtant, lorsqu'on y songe. Que guettent les guetteurs ? L'adversaire. Et vers où se porte naturellement leur regard ? Vers l'avant. Vers les tranchées d'en face. Il ne leur viendrait pas à l'esprit de surveiller leurs arrières, là où stationnent leurs propres troupes. D'où l'efficience d'une telle stratégie ! Un assaut dans le dos. Et en douceur… Car le but de la manœuvre, ne l'oublions pas, est avant tout de ramener un de ces pourceaux dans nos filets. Et vif !

Effet de surprise. Persuasion. Les mots claquaient dans le bec du capitaine. La tactique imparable. Selon toutes les probabilités (quelles probabilités ?) le nombre de sentinelles occupant le poste ne devait pas être supérieur à deux. Trois, grand maximum. Il suffisait de se faufiler discrètement jusqu'à elles et de les neutraliser avant qu'elles puissent donner l'alerte.

Le fin stratège tirait sur sa pipe en porcelaine. Il n'avait pas encore reçu le colis de madame de Villiers mère.

— Réglé comme du papier à musique, avait-il conclu. Voyez-vous, lieutenant, la seule question que l'on devrait se poser est celle-ci : Comment n'y avons-nous pas songé plus tôt ?

Ils avaient eu quatre jours pour se préparer. Le coup de main était programmé pour le matin du 25 décembre. On comptait sur deux alliés de circonstance : le schnaps et le brouillard. Les Teutons auraient certainement fêté l'anniversaire du divin enfant. Ils cuveraient leur gnôle. L'attention et les réflexes émoussés, la cervelle ramollie, aussi embrumée que la météo. Des facteurs à prendre en considération.

Cela pourrait passer pour une clownerie mais ce n'en est pas une.

Ils rampent. Ils se traînent. Derrière le lieutenant vient le soldat Guso, puis Thill, Panossian, le garçon, le sergent Olivetti en queue de peloton. Ils ont chaud et froid à la fois, comme pris entre un rêve fiévreux et la réalité nue et glaçante, évoluant, errant entre les deux – si les limbes existent. Sont-ils vraiment là ? Sont-ils vraiment en train de faire ce qu'ils font ? Reste l'hypothèse que la réalité ne soit qu'un cauchemar éveillé.

Soudain le lieutenant lève une main. Les hommes se figent. Ils ont entendu aussi. Ou ils ont cru entendre. Un bruit. Sec, feutré. Ils bloquent leur respiration. Ils écoutent. Le temps, le rêve, la réalité ne tient peut-être qu'à ce fil. Ils attendent.

Le bruit se répète. Une fois, deux fois. Régulier. C'est quelque chose entre le feulement et le chuintement. Un animal ? Guso forme un mot muet avec les lèvres : Pala. Et à l'instant où ses compagnons réalisent à leur tour un pan de brume s'entrouvre et la réponse leur est donnée. La réalité nue et glaçante.

Ils y sont.

Le poste est là, sur leur gauche, à trente pas de distance. Beaucoup plus près que le lieutenant Barlier ne l'imaginait. Sur le coup cette révélation l'écrase, il se sent plaqué par une main invisible et puissante et sans pitié, une main qui ne peut être que celle du destin. Pendant quelques secondes il en a le souffle coupé. Et sans doute en est-il de même pour chacun des membres du groupe. Tous saisis. Tous accablés. Le cœur, le pouls en suspens. Que ceux qui connaissent les prières les disent, c'est maintenant ou jamais.

Le terrain présente un léger renflement, un semblant de butte dont le bastion allemand occupe le sommet. Leurs yeux scrutent à travers le voile diaphane. Ils devinent un bout de l'abri, des sacs entassés, une faible lueur bleutée qui pourrait bien être le reflet d'une mitrailleuse. Pas de silhouettes humaines. Les guetteurs échappent à leur regard. Pourtant ils sont là. Ce bruit, c'est celui d'une pelle creusant la neige – pala.

Peu à peu la peur se dilue dans leurs veines, l'excitation prend le dessus. Une flambée d'adrénaline. Sens et conscience aiguisés à l'extrême. La main du lieutenant est toujours levée, à hauteur de son crâne. Il replie trois doigts. Index et majeur pointés : ce n'est pas le V de la victoire mais le chiffre deux. D'accord. Ils ont répété. Ils savent ce qu'ils ont à faire.

La patrouille se scinde. Le lieutenant repart, Guso et Thill dans son sillage. Ils poursuivent sur le même axe, parallèle aux tranchées. Au bout de quelques mètres le brouillard les avale. Alors les autres redémarrent aussi, se dirigeant, pour leur part, plein nord, droit vers le sommet de l'éminence, et non plus à la file mais côte à côte, montant la pente lentement, lentement, chaque seconde, chaque souffle, chaque frottement, chaque pouce comptant, se mouvant sur la terre blanche, tout de blanc vêtus, telles des larves apodes, telles d'énormes et pâles sangsues.

Le premier groupe atteint bientôt le boyau perpendiculaire qui relie le poste avancé à la première ligne allemande. Les trois hommes s'y glissent. C'est une traverse étroite, encaissée. De chaque côté les parois s'élèvent à plus de deux mètres. Ils restent une bonne minute accroupis, l'oreille tendue. Le crissement de la pelle semble avoir cessé. Ils sortent leurs revolvers. Ils se remettent en route. Un dais de brume ondule au-dessus de leurs têtes. Plus ils se rapprochent, plus la température augmente : une chaude marée qui monte en eux, les envahit, les engourdirait presque. Dans la bouche du soldat Guso la salive s'accumule. Il se retient de cracher. L'effet de surprise, se répète le lieutenant Barlier. L'effet de surprise. Foutue connerie.

Le second groupe s'est immobilisé. Le sergent Olivetti et Panossian et le garçon. Tapis, à plat ventre, adhérant au sol de tous leurs membres, de toute la surface de leur corps, et de leur âme aussi sans doute (ni repentir ni contrition, ce serait plutôt, en cet instant, une attitude d'allégeance, de totale soumission aux forces qui président, quelles qu'elles soient, du bien ou du mal). L'arme au poing. Ils sont à dix pas de l'objectif. Ils distinguent à présent tout ce qui dépasse de la tranchée : les sacs et les rondins du parapet, des plaques de tôle, le toit de la casemate fait de troncs d'arbres entiers, deux nids de mitrailleuse, un périscope. Le poste s'étale sur une quinzaine de mètres de long et environ trois de large. Les sentinelles sont dans le creux. Ils ne les voient toujours pas mais ils les entendent : des pas dans la neige, des voix, quelques mots lâchés dans cet idiome qu'ils associent désormais au langage de la barbarie (ils n'ont pas lu Schiller, ils n'ont pas lu Hölderlin), de temps en temps un bref éclat de rire qui les pique au vif. Profitez bien, mes salauds.

Poilez-vous. Panossian pleure. C'est la peur et la tension. Le soldat Anton Panossian, vingt-deux ans. Des larmes s'écoulent le long de son nez. Peut-être lui-même n'en est-il pas conscient. Peut-être met-il ça sur le compte de l'air, du froid, des aiguilles de givre sous les paupières. Allongé à ses côtés le garçon paraît mort tant il est inerte. Les vieux réflexes de l'affût : se faire oublier jusqu'à s'oublier soi-même, être rocher parmi les rochers, pierre dans la pierraille, herbe dans la prairie, se confondre. Il n'y a pas si longtemps l'enfant qu'il était chassait le lézard et le campagnol, chassait le lièvre, pour le plaisir ou pour manger. Des heures durant à guetter immobile devant le terrier. Son corps se rappelle. Seules ses narines palpitent. Il flaire une odeur de tabac. Profitez bien, mes salauds. Rigolez, fumez, vous…

Tout à coup s'élève le cri d'un engoulevent. En plein jour ? Ici ? C'est que l'engoulevent est le seul oiseau que Guso sait imiter et Guso est le seul à savoir imiter quelque animal que ce soit : ils n'ont pas eu le choix.

Le signal.

Panossian et le garçon tournent la tête vers le sergent. Le sergent s'accroupit. Ils l'imitent. Puis ils se mettent à courir. En quelques foulées ils sont au sommet. La tranchée s'ouvre sous leurs yeux. La première chose qu'ils voient est un bonhomme de neige. Hâtivement et grossièrement modelé et affublé d'un képi de l'armée française. Une des sentinelles s'apprêtait à le canarder avec une boule de neige – les rires, c'était ça – mais le soldat s'est pétrifié, le bras en l'air et la boule à la main. Avec une expression de terreur hébétée il fixe les trois blancs fantômes qui viennent de surgir de la brume. Une deuxième sentinelle est assise sur une banquette en rondins. Elle leur tourne le dos. D'un bond elle se remet debout et pivote et lève la tête vers eux, sa cigarette au coin des lèvres, un œil à demi fermé. L'homme esquisse un geste pour épauler son fusil mais le sergent Olivetti pointe son revolver sur lui et il pose un index en travers de sa bouche et l'homme obéit à cette muette injonction et renonce à son dessein. À ce moment-là le second groupe arrive. Barlier, Guso, Thill. Ils débouchent au petit trot de derrière l'abri. Il y a avec eux un troisième soldat allemand, bras levés, que le lieutenant tient en joue et pousse devant lui. Trois sentinelles : trois prisonniers. Un sans-faute. Le lieutenant ne veut pas trop tôt crier victoire mais il commence à y croire et quelque chose comme l'euphorie le gagne, qui gonfle sa poitrine, qui fait cogner son cœur au rythme d'une marche triomphale. D'un signe il indique les mitrailleuses : à ajouter au butin. Guso se précipite vers l'une pour la démonter, Thill vers l'autre. Le sergent Olivetti descend ses cent kilos dans la tranchée. Le garçon range son arme dans l'étui et saute souplement pour les rejoindre. Panossian veut en faire autant mais son pied dérape sur le rebord et il dévale la pente sur le dos et atterrit en bas en grognant et en jurant. Le lieutenant le fusille du regard. Le sergent ne peut réprimer un sourire, et ce sourire flotte encore au milieu de sa large face ronde lorsqu'un quatrième diable teuton jaillit de la casemate en hurlant : « Gott mit uns ! » C'est un tout jeune soldat, sans casque, aux cheveux ras et blonds qui luisent sur son crâne comme les blés de sa Westphalie natale, il tient son Mauser

414

comme une fourche et il fait feu sans viser et s'il y avait le moindre engoulevent dans les parages il s'envole au bruit de la détonation et Panossian porte les mains à son plexus comme s'il voulait retenir l'oiseau dans cette cage et il retombe d'un coup sur les fesses la bouche ouverte et les yeux écarquillés et il bascule lentement en arrière et avant même que son dos repose au sol il est mort et la cage déserte. Le sergent Olivetti réagit le premier, il réplique d'un coup de revolver mais il rate sa cible, la balle se fiche dans le bois à dix centimètres du crâne du jeune soldat, et déjà celui-ci a rechargé, il pointe son fusil sur le sergent et il tire sur lui en retour et le sergent est touché à l'épaule, sous l'impact il effectue un rapide et curieux mouvement de rotation, semblable à une passe de torero, puis il perd l'équilibre et s'affale de toute sa masse contre la paroi. « Hijo de puta ! » crache Guso. Genou à terre il braque son arme sur le diable blond mais il n'a pas le temps de presser la détente que déjà l'autre s'effondre, une balle en plein front. Guso tourne la tête et il voit Thill en position de tir et il voit le filet de fumée qui s'échappe du canon de son revolver. Le lieutenant Barlier tend les bras, il agite les mains, il crie « Arrêtez ! Arrêtez ! Ne tirez… » mais un projectile le traverse avant qu'il achève sa phrase, l'acier brûlant lui perfore le cœur et alors sa poitrine se dégonfle et le lieutenant s'affaisse et cesse la marche triomphale. Le coup est parti de la deuxième sentinelle, laquelle a profité de la confusion pour reprendre son fusil, et dans la foulée elle pivote et pointe l'arme sur Thill. Le garçon se trouve à deux mètres. Il se baisse et saisit une pelle posée à terre et il fait un bond en avant et il lève la pelle et il frappe de toutes ses forces avec le tranchant de l'outil. Le fer pénètre de biais dans la mâchoire du soldat et lui ouvre la figure en deux. Il s'écroule sur le dos, son casque saute et son doigt se crispe sur la détente du Mauser et le coup part et se perd dans les hauteurs. Le garçon se penche et il regarde l'homme, il voit la bouche et les lèvres fendues, la plaie, la brèche, les dents brisées, l'atroce rictus, et l'homme le regarde, il regarde le garçon et qui sait ce qu'il voit mais il rit, de ce grand rire sanguinolent et muet. Le garçon lève la pelle et il frappe à nouveau. Il frappe. Et à cet instant les flocons commencent à tomber. Ils tombent lentement et ils sont rares, chacun semblant esseulé, solitaire dans sa chute, et tous aussi finement ciselés que la dentelle, aussi légers que l'écume, et à la seconde même où ils se posent ils se dissolvent et disparaissent. Le garçon frappe. Il frappe encore. La pelle fend l'air et chaque coup porte, et plus il frappe plus le sourire de l'homme s'élargit, bouche, lèvres, menton, joues, le métal laboure la chair et tranche et broie et des lambeaux de peau se détachent et des esquilles d'os et la pulpe des gencives et des fragments de l'émail des dents et des gouttelettes de sang éclaboussent la neige autour et constellent la blanche tenue du garçon et il reçoit un éclat dans l'œil qui l'oblige à fermer la paupière et devant son autre œil le brouillard devient rouge et il frappe, il frappe, il frappe, et les flocons tombent, ils tombent doucement, saupoudrant le visage de l'homme, ou plutôt ce qui fut le visage de ce qui fut un homme et qui n'est plus à présent que bouillie, magma, hachis, et sur lequel sans doute le garçon continuerait de s'acharner si le sergent Olivetti ne s'était pas relevé, s'il ne le ceinturait pas par-derrière, de son seul bras valide mais puissant, s'il ne le maintenait pas serré contre lui pour l'empêcher de frapper, de bouger, de trembler. « Ça va, ça va, ça va… » murmure le sergent à l'oreille du garçon. Et pendant ce temps Guso fouille dans sa musette, il pioche une grenade et l'amorce et la balance à l'intérieur de l'abri. « Salud ! » Il se jette à plat ventre. L'explosion ébranle les troncs de la toiture et une fumée grise monte des entrailles de la terre, s'échappe par la bouche noire de la cahute. Là-bas dans les lignes allemandes ça s'agite. Le brouillard les cache aux yeux des Boches mais ils perçoivent des bruits étouffés, des éclats de voix. « Repli ! » crie le sergent Olivetti. Il tient toujours le garçon dans l'étau de son bras, son autre bras pend comme une branche cassée le long de son flanc et une étoile de sang s'étale sur le drap à hauteur de l'épaule. « Repli ! » répète le sergent. C'est le moment que choisit le premier guetteur pour tenter de s'enfuir. Il prend son élan et s'accroche au rebord de la tranchée et il commence à ramener ses jambes sous lui quand Thill fait feu et l'atteint au mollet. L'homme accuse le coup mais parvient tout de même à se redresser, il s'avance vers son camp en traînant la patte et en hurlant « Franzosen ! Franzosen ! » et aussitôt comme en écho lui répond une salve de mitrailleuse qui balaie la neige devant lui et lui ouvre la voie et qui finit par lui couper la chique et les jambes et le ventre, et l'homme tombe et il meurt une main tendue vers ses compatriotes, ses frères, peut-être pour leur signifier de cesser le tir ou peut-être seulement pour leur dire adieu. Et la mitrailleuse continue d'arroser à l'aveugle. Des gerbes de terre et de neige volent sur la crête. Le sergent Olivetti se retourne vers ce qui reste de la troupe. Il soulève le garçon, il le porte quasiment. La dernière sentinelle allemande a toujours les bras en l'air. Sous son casque le soldat a le visage livide. Il paraît sur le point d'éclater en sanglots. Il cherche le regard de l'un et de l'autre et il dit : « Kamerad… Kamerad… », il le dit et le répète comme un mantra, comme une supplique, comme il dirait « Pitié… Pitié… », parvenu au stade ultime de la mendicité, non pour sauver son âme mais simplement sa peau, il les aime, oui, ses amis français, il serait prêt à leur baiser les mains, à leur baiser les pieds, et on le comprend, et quiconque à sa place ferait de même, mais le bon Kamerad Thill s'approche de lui et pour seule aumône lui tire une balle dans la nuque à bout portant. Le soldat Thill, dix-huit ans. « Repli ! » ordonne pour la troisième fois le sergent Olivetti. Il entraîne le garçon vers l'autre versant, Thill leur emboîte le pas, et tandis qu'ils commencent à grimper Guso couvre leur retraite à coups de grenades. Le petit taureau campé sur ses pattes arrière et vidant sa musette, lançant les explosifs à tour de bras vers les lignes allemandes en hurlant « Hijos de putas ! », puis lançant la musette vide avant d'effectuer une volte-face et de rejoindre les autres, suivant la direction d'une plaque indicatrice faite d'une demi-betterave clouée à un madrier et sur laquelle on a tracé au charbon de bois l'inscription : *Nach Paris*. Les quatre hommes passent le parapet. Ils franchissent tant bien que mal l'entrelacs de barbelés déployés devant le poste. Puis ils courent, pliés, courbés en deux, pris entre le feu de l'ennemi et celui de leur propre artillerie qui s'est mise à répliquer, entre les mitrailleuses boches et les canons français, entre le rêve fiévreux et la réalité glaçante, ils courent et ils prient pour qu'une des balles qui sifflent, pour qu'un des obus qui miaulent au-dessus de leurs crânes ne s'abattent pas sur eux, ils courent et ils s'enfoncent dans le brouillard et peu à peu ils se dissolvent et disparaissent, entre la terre blanche et le ciel blanc, tout de blanc et de rouge vêtus.

Emma écrit :

Mon amour,
Écoute ceci :

« Immobile, glacée de terreur, un abîme est sous ses pas ; elle ne voit autour d'elle qu'horreur, qu'obscurité ; aucun rayon d'espérance n'éclaire à ses yeux le sombre avenir. Celui en qui seul elle plaçait son existence ne vit plus pour elle ; l'univers sans son amant est un affreux désert. »

Goethe. Werther. Je regrette de ne pas te l'avoir lu avant. Mais comment aurais-je pu deviner ?
Aujourd'hui, c'est la centième lettre que je t'écris. Cela veut dire qu'il y a cent jours que tu es parti. Pas de plus triste anniversaire. Il pleut sur la ville. Le poète n'a eu qu'à ouvrir mon cœur et y tremper sa plume. Je ne saurais pas mieux le dire : l'univers sans mon amant est un affreux désert.

E.

Les premières lettres lui parviennent en janvier, le jour de l'épiphanie. Au terme d'un parcours postal que nul ne serait capable de retracer. Le garçon n'en avait jamais reçu de sa vie. Il en reçoit vingt-huit d'un coup. « Jackpot ! » dit Wayne. Un bouquet de missives que le vaguemestre prend un malin plaisir à lui distribuer une à une, sous l'œil étonné (puis l'œil ébahi, l'œil narquois, l'œil envieux) de la compagnie. « Visez-moi ce p'tit cachottier ! Le roi du Maroc ! C'est pas une moukère qu'y doit avoir, c'est tout un harem ! »

Le garçon emporte la liasse et va s'asseoir sur une caisse, à l'écart. Il reste là sans bouger. Les lettres entre les mains, les mains sur les cuisses. Son visage est de marbre. Puis il passe en revue les enveloppes, lentement, l'une après l'autre. Certaines sont épaisses, elles doivent contenir plusieurs feuillets. Il ne les ouvre pas. Il ne les flaire pas. Il regarde les mots écrits sur le dessus. L'encre noire. Il regarde les timbres et les tampons. Après quoi il défait les boutons de sa capote et glisse les lettres à l'intérieur, contre sa poitrine. Il referme la capote.

C'est l'homme, fiston. C'est lui seul qui tient l'argile au creux de sa paume : que va-t-il en faire ?

Comme il a contemplé les enveloppes il contemple ses mains. C'est devenu une habitude. Il les tient à plat devant lui, les doigts légèrement écartés. Il les observe et il attend qu'elles rougissent. Que le sang sourde à travers sa peau et les recouvre. Il s'étonne que cela ne se produise pas. Ses mains sont sales et tannées mais pas rouges. Elles sont courtes et fortes. Quelquefois elles tremblent. Un mouvement à peine perceptible, quelque chose comme le friselis de l'eau sous le souffle de la brise, ou comme les premiers signes de l'ébullition. Quand cela arrive il les repose alors sur ses cuisses et ça passe. Au bout d'un moment ça passe.

C'est l'homme, fiston.

Soit.

Mais est-il toujours homme ?

— Malgré ce que certains d'entre vous pourraient croire, affirmait le médecin-major, la guerre représente le plus haut degré de la civilisation !

Le praticien s'adressait à tous et à personne. Il allait, trapu et vif, d'un blessé à l'autre, d'une plaie à l'autre, suivi comme son ombre par une infirmière géante et chevaline, laquelle devait probablement la raideur de son maintien à la présence d'un tuteur, du genre manche à balai (broom handle), introduit de longue date dans le fondement de son éducation victorienne et anglicane. Elle était porteuse d'un plateau sur lequel trônaient pansements et compresses, ustensiles et instruments. Précieuse auxiliaire, sans doute, mais à la vue de ce couple on songeait de prime abord à une nurse sévère (Nanny Horse) surveillant de très près les faits et gestes d'un vieux gamin capricieux et turbulent.

— Qui l'a créée ? disait le médecin. C'est l'homme.

Qui la pratique ? L'homme. Et lui seul. La guerre, messieurs, est l'apanage de notre espèce – Homo sapiens.

Son puissant organe de ténor dominait le chœur des râles et gémissements constituant le fond sonore de la salle. Douleur et détresse. Faible lamento, ponctué de toux rauques. D'une paillasse reculée ruisselaient les litanies d'un artilleur invoquant dans un même délire éthéré et sa maman et une certaine Iphigénie. L'infortuné n'avait plus que des trous à la place des yeux. Le garçon se tenait dans un coin, les bras ballants. Au retour de la patrouille on l'avait conduit ici avec le sergent Olivetti. Du sang barbouillait sa tenue de camouflage, et sa figure, son cou, ses mains. Après un rapide nettoyage il s'était avéré qu'il ne présentait aucune blessure. Pas la moindre estafilade. Le sang n'était pas le sien. Le garçon n'avait rien.

— Il n'existe aucune autre créature sur terre, disait le médecin, qui puisse s'enorgueillir de mettre autant d'intelligence, autant d'imagination, autant de talent dans la façon d'occire son prochain. Aucune qui consacre autant de temps et de moyens à la destruction de ses propres congénères.

Il était maintenant penché sur le torse nu du sergent et trifouillait dans ses chairs avec une longue pince en acier.

— Aucune ! disait-il. La guerre est bel et bien une spécificité de l'homme. Et j'irai même plus loin : elle est le principal caractère dans la définition de l'humanité !... Lequel, parmi vous, oserait se plaindre d'en faire partie ?

— Chh'est une chhaloperie, chh'est tout ! avait glapi une voix anonyme et vraisemblablement issue d'une mâchoire disloquée.

— Haha ! Admettons, soldat. Si ce n'est qu'à cette échelle, c'est une saloperie érigée au rang d'art !... Voyez ceci, avait lancé le médecin en brandissant au bout de sa pince la balle de 7,92 mm tout juste extraite de l'épaule du sergent Olivetti. Ceci est la preuve tangible – et bien tangible, n'est-ce pas, sergent ? – de la supériorité de notre espèce sur toutes les autres. Le renard le plus rusé qui soit aurait-il inventé le Mauser ? Non. La vache, le rat, le lion, le tigre pourraient-ils concevoir une grenade à main ? Un canon de 155 ? Non plus. Ils n'y songeraient même pas ! Et pas davantage ceux que l'on nous présente comme nos lointains cousins : chimpanzés, gorilles, orangs-outans. Aucun de ces primates primaires ne serait capable de réaliser cette œuvre de perfection qu'est un obus à fragmentation !

L'infirmière lui avançait le plateau. Le médecin y avait laissé tomber le projectile – petit bruit métallique rappelant celui d'un sou dans la timbale du mendiant.

— Plus nos instruments de destruction seront ingénieux, efficaces et nombreux, plus l'on constatera que notre niveau de civilisation augmente. Et plus notre suprématie se confirmera !... Compresse, please, miss Hiddink.

Un peu plus tard l'homme de l'art était repassé devant le garçon.

— Vous êtes toujours là, vous ? lui avait-il dit. Qu'est-ce que vous attendez ?... Allons, à votre poste, soldat ! Vous êtes bon pour un second tour.

Autoritaire et paternel.

Et montrez-vous digne du genre humain, aurait-il pu ajouter.

Un pas en retrait Nanny Horse le toisait. Hiératique, une croix rouge au-dessus du front.

Eux savent.

Le sergent Olivetti était resté à l'ambulance. Le garçon avait rejoint sa compagnie, seul et à pied.

C'est l'homme, fiston.

Soit.

Homme, plus que jamais. Il n'en est pas encore à se demander si c'est une bonne chose finalement. Si c'est une chose enviable. Il n'en est pas à se dire que ce n'est rien.

Il pose les mains à plat sur ses cuisses. Il relève les yeux.

Au bout d'un moment ça passe.

Emma écrit :

Mon amour,
J'ai joui.
J'ai joui en songe et j'ai joui en chair.
Il était quatre heures de l'après-midi. Épuisée par une énième nuit sans sommeil, je me suis assoupie sur mon lit. J'ai rêvé. Dans mon rêve nous étions dans ta roulotte, celle que tu conduisais lorsque nos routes se sont croisées. La roue n'était pas cassée et la roulotte roulait. Je ne sais pas qui tenait les rênes car nous étions tous deux à l'intérieur. On entendait cliqueter les sabots du cheval et l'on voyait les arbres défiler à travers les rideaux. L'ombre des arbres. Il faisait beau et chaud. Nous étions nus dans l'alcôve et nos corps transpiraient. J'ai reconnu le grain de ta peau. J'en ai reconnu le goût. Tu étais allongé sur le dos et ton sexe était dressé, il était tendu et gonflé, et tu me l'offrais, tu attendais que je le prenne. Ton sexe, ta hampe, ton dard. Pour moi. C'était une offrande et c'était un commandement. Prends ! Je le lisais dans ton regard. J'y voyais la fierté, l'impatience, la fébrilité, et cet éclat plus dur qui brille dans les yeux de

celui qui exige et qui ordonne. Prends !... Oui, maître.
Oui, mon prince. Oui, mon amour. J'ai obéi. Je me
suis penchée et je l'ai pris. Dans ma bouche. Ton pieu,
ton glaive. Je l'ai glissé dans le fourreau de mes lèvres.
Je l'ai fourbi et poli. Je l'ai léché. Je l'ai enrobé et
tété. Je l'ai aiguisé. Car tout ce que je faisais, en réa-
lité, c'était de le préparer à me pourfendre. Qui com-
mande, crois-tu ? Qui exige ? J'ai forgé ta lame au feu
de ma bouche, et puis je m'y suis empalée. Prends !

Je te jure que j'ai cru mourir. La merveilleuse, l'ex-
tatique mort. La sublime brûlure. Tu m'as transper-
cée. Tu m'as remplie. Jamais, il me semble, tu n'avais
pénétré aussi profond en moi. La roulotte continuait
d'avancer, elle cahotait doucement sur le chemin et
le paysage défilait. L'ombre. Le soleil. L'ombre. Qui
conduisait ? Personne. Nous deux. Je te chevauchais
et tu me transportais, et c'était un voyage que nous
ne pouvions faire qu'ensemble, toi et moi, amant et
amante, maître et maîtresse, esclaves l'un de l'autre,
unis, enchaînés par d'intrinsèques et indéfectibles
liens, tels le nuage et l'eau, tels le soleil et l'ombre,
et le voyage approchait de son terme, je le sentais
venir, l'éblouissement, le formidable bouleversement
de la matière et de l'esprit, le miraculeux chaos, je le
sentais monter, monter...

Je ne sais pas combien de temps cela a duré. Je me
suis réveillée. J'ai ouvert les yeux. Derrière les vitres
le soir tombait. Mais j'avais toujours le goût de toi
dans ma bouche. Je l'avais réellement, tu comprends ?
Là, dans la chambre, sur mon lit, j'avais toujours tes
yeux fixés sur moi. Et ta peau. Et ta sueur. Et ton
sexe tout au fond de mon ventre.

Je n'ai rien fait d'autre que prolonger le rêve, mon
amour. Poursuivre le voyage. Le nôtre. L'achever.

Mes cuisses étaient déjà ouvertes, ma main déjà en place. Qui commande ? Qui ordonne ? Ma vulve était brûlante et enflée. Mon jus coulait – il coulait tellement, si tu savais ! Et mes doigts remuaient déjà. Mais ce n'étaient pas mes doigts, c'étaient les tiens. Mes doigts étaient tes doigts. Mes doigts étaient ta langue. Mes doigts étaient ton pieu puissant qui me clouait et me soulevait et m'emportait vers les plus hautes sphères. Hors de moi. Hors de tout, âme, chair, esprit et matière. La transe. Fulgurante. Incandescente. J'ai dû me mordre pour ne pas crier.

C'est toi qui m'as fait jouir, mon amour.

C'est la première fois depuis ton départ. Longtemps j'ai lutté. J'ai résisté. Je te l'ai dit : je pense à toi et il y a la peur, il y a l'angoisse qui m'étreint et m'empêche de respirer, mais il y a aussi le désir. Qu'y puis-je ? Je pense à toi et je ruisselle. L'envie est là. Elle est terrible. Longtemps j'ai repoussé ses assauts parce que la morale m'interdisait d'y succomber. Tu me connais assez pour savoir que je ne parle pas de la morale commune, générale (la bienséance, le péché, ce genre de brouet indigeste qu'on nous sert à la louche – la soupe de billevesées n'a jamais fait grandir), il ne s'agit pas de ça mais d'une morale personnelle. Une sorte de pacte que j'avais conclu seule et dans lequel se mélangeaient la pudeur, la fidélité, le respect, la décence, le devoir. Le devoir, oui. Un devoir d'abstinence que je m'imposais, et ceci par égard pour toi. Ton absence, ta situation, toutes ces horreurs que tu devais voir et subir : voilà ce qui me retenait. Mais était-ce finalement si éloigné de l'absurde brouet commun ? Je ne le crois pas. Je ne le crois plus.

Longtemps je me suis trompée.

Ce que je crois maintenant c'est qu'il n'y a pas de

plus bel hommage que je puisse te rendre. Il n'y a pas de plus grande preuve d'amour que je puisse te donner. De cette façon je t'honore. Tu me fais mouiller. Tu me fais jouir. Aussi loin que tu sois, tu me tiens. Tu commandes à ma main, tu commandes à mes doigts, et j'obéis. Je suis à toi. Dorénavant je ne résisterai plus. Je ne refuserai plus le combat. Ce sera mon désir et ma jouissance contre toutes les atrocités. Ce seront mes armes. Tu vois, à présent la nuit est tombée et pourtant j'ai un peu moins peur. J'ai un peu moins froid. Et en repensant à mon rêve et à ce qui a suivi, en te le décrivant, je sens que la vague remonte déjà. Ça revient. Regarde. Touche… Tu vois ? Je suis trempée ! Et mes jambes s'écartent à nouveau. Mes cuisses. Je garde une main pour ma plume et l'autre, la tienne, je la passe sous ma robe. Je la glisse dans ma fente. Tu vas me faire jouir encore, mon amour. Et je voudrais… Oh ! oui, je voudrais que tu jouisses aussi. Avec moi. Ensemble. Rien ne me comblerait plus. Branle-toi, mon amour. Branle-toi ! Là, tout de suite, où que tu sois. Je t'en prie. Laisse-toi faire. Laisse-moi. C'est ma main, tu vois, c'est la mienne. C'est elle qui empoigne ton membre et le fait grossir sous ses doigts. Branle-toi ! Je le veux. Je l'exige. Obéis. C'est ma main et c'est la tienne. Prends ! Occupe-toi de mon con. Frotte-le. Fourre-le. Comme ça, oui. Comme ça. Continue. Je veux sentir ta sève monter. Je veux que ta queue se tende et qu'elle enfle et qu'elle durcisse encore et qu'elle explose. Tous les deux, ensemble. Branle-toi. Branle-moi. Fais-moi jouir, mon amour. Et fais jaillir ton foutre à la gueule des canons !

E.

Ils passent le restant de l'hiver et une partie du printemps dans la Somme. Batailles et combats, assaut et défense. Première ligne, deuxième, troisième, repos – organisation de la chaîne, planification des tâches, optimisation, cadence industrielle : la boucherie et son commerce. Ajouté à cela le garçon est de toutes les patrouilles, de tous les coups de main. Volontaire. Des virées de reconnaissance. Des embuscades. Des attaques éclair. Des coups fourrés. Sabotage et nettoyage et harcèlement. Le sale boulot. Le garçon en prend plus que sa part. Il observe et il imite, et bientôt il surpasse, par son audace et sa témérité, par son efficacité. Aux anciens réflexes retrouvés s'associe la science nouvelle qu'il acquiert. L'intuition et l'intelligence s'ajoutent et se complètent. L'instinct et l'expérience. Ses dispositions naturelles, son don caméléonesque pour le camouflage, son habileté, son agilité, sa maîtrise du geste et du silence : tout lui sert. Car voici revenu le temps de la prédation. Le temps de l'affût et de la chasse.

En quelques semaines ce n'est pas un nom qu'il se fait mais plusieurs. Au sein de la section on l'appelle l'Ombre. On l'appelle le Sioux. Ross le Canadien l'appelle le Lynx. Wayne le cow-boy l'appelle Wolf. Quel que soit le surnom qu'on lui donne il est prononcé avec une certaine dose de respect dans la voix. Voire d'admiration. Tels sont ces temps et telles sont ces mœurs que la valeur d'un homme est souvent jaugée à l'aune du nombre de scalps qu'il rapporte. Ils ont vu le garçon à l'œuvre, ils savent ce qu'il vaut.

Il tue.

Ce ne serait pas d'une grande singularité s'il ne le faisait presque exclusivement à l'arme blanche. Il fut une période, au début, où il avait si bien aiguisé le tranchant de sa pelle-bêche qu'il aurait pu s'en servir de rasoir. Un seul coup précisément ajusté et appliqué suffisait à terrasser n'importe quel adversaire. Puis il a essayé la serpe. Il a essayé la hache à main. Plus tard il s'est converti au coupe-coupe : un sabre d'abattis récupéré sur la dépouille d'un tirailleur sénégalais et qu'il porte désormais au ceinturon dans un étui en peau. Outre cette arme il partage avec les représentants des troupes coloniales la particularité de ne pas faire, malgré les ordres, ni de quartier ni de prisonniers.

Le garçon intrigue. Il effraie quelquefois. Sa mutité contribue au mystère. Ses divers surnoms finissent par revenir régulièrement dans les conversations de popotes. Il y a les témoins directs de ses actes, ceux qui ont vu de leurs yeux vu et qui racontent, qui brodent, un peu, beaucoup, qui renchérissent dans la bravoure ou dans l'horreur, qui érigent en exploit ou en carnage, qui glorifient, et ceci avec l'impression ou l'espoir qu'une parcelle de cette gloire les éclabousse par le seul fait d'avoir été là, présents, à ses côtés. Il y a ceux qui ont entendu dire et qui répètent, et dans la bouche de ceux-là aussi le récit peut se transformer en épopée, lorsqu'ils retrouvent sans même s'en rendre compte les accents de l'ancêtre contant au coin de l'âtre les aventures d'un personnage fabuleux, d'un être mythique. Ainsi la parole circule. Et ainsi l'histoire devient légende. Si on les écoute le garçon n'a pas véritablement les traits d'un héros, il n'est pas non plus un démon ni le diable en personne, il serait plutôt quelque chose comme l'Ange de la Mort. Angélique et mortifère : n'est-ce pas la créature la plus dangereuse, celle qui recèle ces caractéristiques paradoxales ? Un guerrier céleste descendu causer des ravages aux enfers.

Ce prestige équivoque, cette sorte d'aura funeste qui l'entoure et les sentiments qu'il inspire, le garçon ne les recherche pas. En réalité ses compagnons sont loin de tout savoir. La plupart du temps il agit seul et sans témoins. Hors les périodes où sa section est en première ligne il prend de larges libertés avec le règlement. Il s'absente. Sans demander la permission ni même en informer quiconque. Éclipses nocturnes le plus souvent. Il part à la nuit close et s'en revient à l'aube naissante. Entre ces deux pôles qu'a-t-il fait ? Où est-il allé ? Il explore. Le no man's land et au-delà. Il serpente entre les lignes, les frôle, les contourne, les franchit. D'un camp l'autre. Aucune barrière ne lui résiste. Il se joue des barbelés. Il dompte les chevaux de frise. Il crée des brèches. Il s'enfonce, quand ça lui chante, jusque loin dans le territoire ennemi. En somme il suffit de se faire plus léger que l'air et plus noir que la nuit – un souffle dans le vent, une ombre dans l'ombre : comment les distinguer ? Il lui est arrivé d'errer un long moment à l'intérieur même d'un campement allemand. Furtif, silencieux. L'Ange passe… Au point du jour les Boches retrouvent un ou deux des leurs avec la gorge tranchée. Cela n'est pas rare. Mais il lui arrive aussi de demeurer simplement, patiemment, à observer, posté, par exemple, à califourchon sur une branche, dix, douze, quinze mètres au-dessus du sol. Des heures durant il était ainsi resté à l'aplomb d'un escadron de uhlans. Leur bivouac était dressé dans une clairière. Assez vite les chevaux avaient senti sa présence, manifestant leur inquiétude par des hennissements et des piétinements nerveux et des roulements de leurs gros yeux de porcelaine – le blanc du globe luisant sous le quartier de lune. Des signes que les cavaliers n'avaient pas su interpréter. Une fois une seule le garçon s'est laissé surprendre au cours de ses pérégrinations : repéré par le flair d'un cerbère. C'était un de ces redoutables molosses de Rottweil, Germanie. Par chance l'animal avait d'abord montré les crocs, un grondement rauque vibrait dans sa gorge. Le garçon ne lui avait pas permis d'aboyer. Il usait alors de la hache : d'un coup il en avait fendu le crâne du chien. Mais la lame s'était si profondément ancrée dans l'os qu'il n'avait pu la retirer avant que le maître ne fût sur lui. L'homme aussi féroce que la bête et grondant pareillement mais d'un poids trois ou quatre fois supérieur. Un colosse. S'en était suivi un corps-à-corps à l'issue duquel le garçon avait dû arracher avec les dents le nez de son adversaire pour s'en débarrasser. Puis l'avait achevé d'une seconde cognée à la nuque. En repartant cette nuit-là il avait eu envie de hurler aux étoiles. Le sang le sang le sang la nuit le sang la lune l'air le sang le sang. Pas besoin de mot de passe, il se faufile à la barbe des sentinelles qu'elles soient ennemies ou alliées. Pas vu, pas pris.

Quelques-uns parmi la compagnie s'en doutent. Ils se gardent de questionner. Ils imaginent. Seul le caporal de l'escouade est formellement au courant, pour la simple raison qu'ils s'étaient rencontrés, le garçon et lui, au hasard d'une de ces expéditions. Hors limites tous deux, vaquant à leur vie nocturne, ils étaient tombés l'un sur l'autre et il s'en était fallu de peu qu'ils ne s'entretuent. Ils étaient revenus ensemble au camp. Le caporal ne sait pas tout non plus mais il sait cela. Il comprend. Lui aussi a ses secrets.

— Pourquoi tous ces risques, Mazeppa ? dit-il un jour au garçon. C'est du rab. Personne nous y oblige. On voudrait se faire trouer la peau qu'on ne s'y prendrait pas autrement, pas vrai ?

Il hoche la tête. Fin sourire et clope au bec, une lueur ironique dans les yeux.

Un Suisse. Légionnaire aussi par la force des choses. Le régiment avait connu tellement de pertes durant ces premiers mois que les bataillons avaient été reformés, des regroupements avaient eu lieu pendant l'hiver, c'est ainsi qu'ils s'étaient trouvés.

Le caporal a un regard gris-vert, intense, pénétrant. Un qui va droit à l'âme. Les hommes l'apprécient. Tous ceux du groupe. Mais petit à petit des liens particuliers se sont tissés avec le garçon. Plus étroits. Peut-être parce qu'ils ont ceci en commun d'être là, totalement et pleinement là, et en même temps ailleurs.

— Tu me rappelles quelqu'un, Mazeppa, lui dit-il un autre jour. Un type qui n'existe pas. Il n'est pas encore né. Pour le moment il est ici (posant le doigt sur son front). Il pousse. Il grandit. Il se nourrit de tout ça, toute cette dégueulasserie. Il engrange… Mais faudra bien que j'accouche un de ces quatre. Ce qu'il y a, c'est que ça risque d'être un type terrible. Un bon Dieu de sale type ! Le pire des rejetons… Qu'est-ce que je peux y faire ? Les chiens ne font pas des chats.

Le caporal est le seul également à l'appeler par le nom figurant sur sa plaque d'identité : Mazeppa. Il avait tout de suite reconnu la source. Il avait cité Hugo. Il avait cité Liszt. On aurait dit qu'il évoquait deux copains présentement en train de patauger dans les boyaux avec eux. Des familiers, ni plus ni moins. Et puis encore le sourire affûté, encore le regard perçant. « Bien trouvé », avait-il dit. Un drôle de type.

Une chose est sûre : pour les escapades, le caporal le couvre. L'Ange de la Mort peut continuer à voler de ses propres ailes. Est-ce lui ? Est-ce son vol délétère que l'on soupçonne au-dessus des champs dévastés ? Possible. Le sang la nuit la lune le sang. Moisson.

La saison écarlate a commencé. Elle n'est pas près de s'achever.

En mai ils font un bond en Artois, Pas-de-Calais. Ce sont les Ouvrages Blancs, la cote 140, le cimetière de Carency, celui de Souchez. Là-bas on parlera longtemps de leur bravoure. On parlera de leur sacrifice. Puis on oubliera.

Un mois plus tard ils sont en Alsace. Sainte-Marie-aux-Mines : tout est dit là-dedans. Ce sont les mêmes sons de cloches et de glas. Les combats sont épiques, les combattants héroïques. Ils sont vaillants, ils sont pugnaces, ils sont intrépides, ils sont courageux, ils sont valeureux, ils sont tués. On leur érigera des mausolées. On y gravera leurs noms. On commémorera. Puis on oubliera.

Les hommes passent. Des villages hier inconnus entrent dans l'Histoire. Et l'histoire se poursuit.

C'est sur le chemin du retour des Vosges que se déroule un épisode tragique pour le garçon. S'il y a une chose qui peut encore faire saigner le cœur de l'Ange, c'est celle-ci :

La route qu'ils suivent depuis l'aube est une plaie ouverte dans le grand corps du pays moribond. Ravages, ravages. L'orage de fer les a précédés de peu, la grêle de feu et d'acier a couché les arbres et les bâtisses, les toits, les murs, les clochers, elle a lardé, elle a éventré, elle a brûlé et noirci. Partout ruines et gravats, tas calcinés d'où monte, çà et là, une frêle colonne de fumée anthracite qui pique le nez. Quelques autochtones fouillent les décombres en quête d'un parent enseveli ou d'un dérisoire trésor perdu. Ils sont rares ceux qui sont restés et qui vivent. Il est près de midi et il fait chaud. Le ciel est d'un bleu cruellement pur. Des bêtes crevées gisent. Les grosses panses ballonnées des vaches, leurs mamelles flasques et flétries, inutiles. Les mouches sont déjà là, en nombre, en nuages. Corbeaux et corneilles se rassemblent en vue du festin. La curée promise. Charognes et charognards et eux qui marchent, qui traversent, eux qui ne dépareillent pas au milieu de cette désolation. Une poignée de soldats dépenaillés, loqueteux. Ils avancent à pas lents, tête basse sous les durs rayons du soleil, tels des bagnards regagnant leurs geôles après une journée de travaux forcés. On croirait presque entendre le cliquetis des invisibles chaînes entravant leurs chevilles.

Un peu plus loin ils tombent sur les débris d'une compagnie pas moins misérable que la leur. Le déluge l'a frappée de plein fouet. Les dégâts sont considérables. Les pertes : la moitié de l'effectif. Des blessés, des tués. Des véhicules renversés encombrent la voie : cuisine roulante, voiture sanitaire, remorques. Une prairie s'étend d'un côté de la chaussée, parsemée de coquelicots. Entre les taches d'un rouge éclatant on peut voir, comme d'énormes mottes de taupes, une série de tombes fraîchement creusées et comblées. Des troupiers en tricot s'y affairent. On s'est dépêché d'enterrer les hommes, à cette heure c'est au tour des chevaux. Une dizaine de bêtes. Une seule fosse pour tous. On les tronçonne pour gagner de la place. On leur coupe les pattes. Et c'est là que soudain le garçon se détache de la troupe. Il jaillit des rangs et saute le talus et se précipite sur deux soldats penchés, scie en main, sur la dépouille d'un équidé. Il les repousse avec une telle violence que les types tombent à terre. Ils se relèvent, surpris, furieux. Quand l'un d'eux revient à la charge, le garçon dégaine son coupe-coupe. Le type se cabre. « Laissez-le ! » lance une voix. C'est le caporal qui arrive au pas de course. Il est bientôt rejoint par les gars de l'escouade. Ils ignorent ce qui se passe mais ils suivent, solidaires. Un attroupement se crée. Le ton monte. Les hommes sont harassés, les nerfs à vif, ils ne seraient pas loin de se foutre sur la gueule sans l'intelligence et l'autorité du caporal. Les esprits finissent par se calmer. Les fossoyeurs s'écartent en maugréant, vont poursuivre un peu plus loin la sale besogne.

Durant toute l'altercation le garçon n'a pas bronché. Il est toujours debout avec sa machette devant le cheval mort, comme étranger à tout ce qui se passe autour. À présent ses compagnons se sont tus et ils l'observent, ils attendent. Au bout d'un moment le garçon se laisse doucement tomber à genoux devant le cadavre de l'animal. Puis il allonge une main et la pose à plat entre les oreilles. Bénédiction ou sacrement ou simple caresse. Il le regarde. Il regarde le large poitrail, les flancs vastes comme ceux d'un vaisseau, la carcasse amaigrie mais robuste encore, les jambes que la mort a raidies, les paturons énormes. C'est lui. Sous la poussière, sous la boue et le sang séchés le garçon a reconnu la robe baie qu'il avait si souvent étrillée, bouchonnée, brossée. C'est lui. C'est le hongre. Certainement réquisitionné, arraché à sa paisible retraite comme tout ce qui se monte ou qui porte, qui charge, qui tire, hommes et bêtes, toute force vive, toute chair qui peut contribuer à nourrir le monstre le plus affamé, le plus avide qui soit. C'est lui. À nul autre pareil. Le cheval a un œil ouvert, vitreux, la paupière ourlée de mouches noires – les insectes penchés à la surface pâle de ce lac comme pour y sucer jusqu'au sel de la dernière larme. La pupille fixe le bleu du ciel. Les lèvres retroussées découvrent les longues dents, un rire jaune figé. Un mince filet de sang suinte des naseaux. Et la barbiche jadis blonde est aujourd'hui d'un gris cendré. C'est lui. C'est le hongre. Parmi les rouges coquelicots.

Le garçon regarde. La poitrine soulevée par une respiration lente et profonde. Il se souvient. C'étaient d'autres temps. C'était peut-être un autre monde. Ici et maintenant le cheval est couché et lui est à genoux et debout autour, en rempart, il y a la garde rapprochée que forment le caporal et tous les hommes de l'escouade. Et les hommes sont toujours là, plus tard, auprès du garçon, lorsque les flammes s'emparent de la dépouille du hongre, et nul ne peut savoir en vérité quelle part d'eux s'envole alors dans la fumée avec le cheval mort.

Emma écrit :

Mon amour,

J'entends dire qu'ils surveillent le courrier. Ils ouvrent les lettres. Ils censurent si besoin est. Certaines choses, semble-t-il, sont proscrites. Lesquelles ? Ce seraient prétendument les informations relevant du domaine militaire, stratégique. Des renseignements concernant vos positions, vos déplacements, les attaques que vous envisagez, peut-être les armes que vous utilisez, que sais-je ? Ils craignent les espions. Mon amour, si tu m'écrivais, tu n'aurais pas le droit de me dévoiler combien de balles il reste dans ton fusil ni quel somptueux massacre vous prépare le formidable général Joffre. Tu noteras que j'ai bien écrit « somptueux » et « formidable ». Et tiens, j'y ajoute « admirable » ! Ainsi je suis plus qu'en règle, n'est-ce pas ? On ne peut rien me reprocher. Ceci au cas où ces messieurs s'aviseraient de jeter également un œil inquisiteur aux innocentes petites lettres que je t'envoie. Est-ce que cela fonctionne dans les deux sens ? Cela ne m'étonnerait guère, au fond. Car je crois, pour ma part, que ce contrôle du courrier a d'autres raisons et d'autres buts que ceux que je viens d'évoquer. Des fins moins avouables. Je crois qu'ils ne veulent tout simplement pas que l'on sache la vérité. Ce que vous vivez et ce que vous pensez réellement, vous, là-bas. Ce que nous vivons et ce que nous pensons, nous, ici. Cela ne doit pas se savoir. Les morts, les blessés, les mutilés, l'attente, la peur, l'angoisse, la folie, le désespoir : non non non, cela n'existe pas. Les nouvelles du front sont bonnes. Selon le journal qu'on lit, elles sont même excellentes. Pour ça, comme je te l'ai déjà dit, la presse officielle est unanime : nos soldats sont vaillants et l'heure est proche où l'aigle teuton, ce vilain rapace, sera bouté tout déplumé hors de notre beau pays. Voilà ce qu'il nous faut savoir. C'est à peine si quelque journaliste grincheux ose parfois émettre un doute ou une objection dans son article. Une note discordante au milieu de l'harmonieux concert. Le bougre ! Il a mal fait son travail ! Heureusement le chef d'orchestre est là dans la fosse, qui veille. Pan ! Un coup de baguette sur les doigts du fautif, et la merveilleuse symphonie reprend à l'unisson. C'est ainsi que ça marche. Alors tu penses bien que ce n'est pas à nous que l'on permettra le moindre couac. Ce qu'il faut dire c'est qu'ici aussi, à l'arrière, tout va pour le mieux. Grâce à vous. Grâce à vous nos biens et nos vies sont préservés. Grâce à vous nous gardons espoir. Nous sommes de tout cœur avec vous. Nous sommes fiers de vous. Nous comptons sur vous. Nous admirons votre courage et vous encourageons à poursuivre le combat. Oui, oui, continuez ! Continuez ! Soyez convaincus que votre sacrifice est nécessaire et pleinement justifié !

Vois-tu, je crois que ces messieurs les censeurs se

soucient de nos états d'âme. Non par empathie ou par un soudain accès de compassion, mais par nécessité. Rien ne doit transparaître dans nos lettres qui puisse saper le moral des troupes. Il faut entretenir la flamme, l'incendie, l'immense brasier dévastateur. Pour cela tout soupçon de défaitisme sera banni. Toute larme sur le feu. Aucun doute ne sera permis. Aucune remise en question. Imagine que l'on partage nos véritables sentiments, nos pensées réelles et sincères, imagine que l'on prenne enfin conscience, tous, vous là-bas, nous ici, et même les Allemands chez eux, que l'on prenne collectivement conscience de l'inutilité, de l'absurdité, de l'inanité de cette guerre, des peines et des souffrances qu'elle engendre de toutes parts, du malheur qu'on nous inflige en nous obligeant à jouer cette pièce atroce. Peux-tu l'imaginer ? Il y aurait fort à parier qu'à la suite de ce constat tout le monde tomberait d'accord pour cesser immédiatement ce magnifique, ce sublime carnage (« magnifique », messieurs, « sublime », j'insiste). Acte IV, scène 3 : « Et le combat cessa faute de combattants »... Quelle catastrophe ce serait !

Non, mieux vaut prévenir en évitant de distiller la moindre goutte de ce poison dans nos courriers. Prudence et vigilance. D'ailleurs, si nous voulons écrire utilement, ils mettent à notre disposition de superbes cartes postales. Il y en a de plusieurs modèles. Sur chacun on trouve représenté l'un de nos jeunes et beaux soldats. Quelle allure ! La poitrine bombée, le regard fier, l'uniforme amidonné, les chaussures et le fusil parfaitement lustrés. Et chaque carte a sa légende. Laquelle aimerais-tu recevoir, mon amour ? Celle qui dit :

« Gloire au 75 ! Partout où il a passé
les lauriers ont poussé. »

Ou bien préfères-tu :

« Sous les rois et la République
Qui ose s'y frotter s'y pique ! »

Moi, j'avoue être totalement chavirée par ces
alexandrins :

« Si près de l'ennemi mon cœur s'emplit de rage
Qu'il vienne, je saurai combattre avec courage. »

Preuve, s'il en est, que le patriotisme guerrier n'est
pas exempt de poésie.
Mais je peux encore te proposer un vibrant :

« On les aura ! »

Sobre, classique, toujours efficace.
Comme tu vois, je n'ai que l'embarras du choix
pour t'exprimer mes plus tendres pensées. Au passage,
on nous incite aussi fortement à participer à l'effort
de guerre : « Souscrivez aux bons de la Défense natio-
nale », nous dit-on. J'hésite, j'hésite, comme tu peux
t'en douter…
Un sourire me vient aux lèvres quand je songe à
ce que ces messieurs pourraient trouver en fourrant
leur sale groin dans mes lettres. Ils en apprendraient
de belles. Certaines lignes pourraient bien échauffer
le sang de ces cochons, et pourquoi pas faire frétiller
leurs petites queues en tire-bouchon !
Je tiens néanmoins, et par avance, à m'excuser pour

les éventuelles fautes d'orthographe qu'ils pourraient y relever. Et puisque je sais que cela ne sera pas ton cas, mon amour, voici un dernier message que je suis très tentée de délivrer. La légende dit simplement :

« Merde à celui qui le lira ! »

E.

Ici, Gustave est un rat. La première fois que le garçon a entendu prononcer ce nom il a tourné vivement la tête, cherchant la figure paternelle qu'il connaissait. Il n'a vu qu'un de ces milliers de rongeurs, mort, qu'un soldat tenait pendu par la queue. Son trophée du matin. Sale bestiole. Fléau numéro trois après les Boches et la boue. Gustave, c'était ça. C'est dire comme l'univers s'est transformé. C'est dire les proportions auxquelles on l'a réduit, le visage qu'on lui a donné.

Juillet. Ils cantonnent à nouveau dans la Somme. Cela n'a jamais été officiellement décrété mais leur escouade est à présent considérée comme une espèce de corps franc. Elle est constituée d'une quinzaine d'hommes, le caporal à leur tête. Tous ont fait leurs preuves. Des durs à cuire. Sortes de mercenaires sans solde dont la conception de la discipline est plus proche de l'anarchie que d'un quelconque système hiérarchique. Le caporal est à peu près le seul qu'ils écoutent. Si c'est lui qui demande, ils exécutent. On leur confie les missions les plus périlleuses. Hors normes. En échange de quoi ils disposent d'une assez grande liberté. Dispensés de corvées, de travaux, d'exercices. Ils s'organisent comme bon leur semble. On ferme les yeux sur leurs petites affaires. En un mot on leur fout la paix.

De la section initiale du garçon huit hommes subsistent : Wayne, Hosberg, Babik, Racovitch, Cormuz, Hadida, Blumenfeld et lui. Quelques-uns parmi les Russes, les Italiens, les Belges ont rejoint leurs armées respectives. Le Sage est mort. Guso est mort. Ross, Stein, Wachfeld, Gardot, Thill, Krestorsky, Pereira et tous les autres, morts. On les a remplacés. On a remplacé leurs remplaçants morts à leur tour, et les remplaçants des remplaçants. Le garçon en a vu défiler beaucoup. R.V.F., comme disent les déjà anciens. Ravitaillement en Viande Fraîche. Des petits malins peignaient les trois lettres sur les cars amenant les soldats de réserve – des véhicules civils réquisitionnés au fronton desquels s'affichait encore *Galeries Lafayette* ou *Madeleine-Bastille*. « Changement de destination, les gars. Par là c'est *L'enfert-Bochereau*. Terminus, tout le monde descend ! Haha ! » (Les hommes sont facétieux, souvent.) Il en a vu, de ces nouvelles recrues qui quelquefois ne franchissaient même pas l'étape du baptême. Fauchées sur place au premier assaut, anéanties au bout de quatre minutes. Des bleus à jamais.

Voici ceux qui restent – peut-on dire les chanceux ? De fortes têtes. Ils se sont fait leur petit hameau pépère. Leurs gourbis aménagés avec des objets récupérés ici et là dans les ruines et les maisons à l'abandon. Meubles et bibelots. Babik a un penchant pour les tableaux. Il y en a davantage aux murs de sa cagna que ce qu'il n'y en aura jamais dans sa caravane de gitan. Tout ce qu'il trouve en matière de peintures il le ramène, gouaches et aquarelles, paysages et portraits – telles ces trognes austères d'illustres ancêtres d'illustres inconnus – et même deux cadres vides en bois doré. « Le musée des croûtes », ironise Cormuz. Cormuz dort plié dans un lit d'enfant en fer forgé. Un cormoran dans une cage à serins. Il dit que ça lui rappelle quand il était môme. Il dit que c'est de la nostalgie. Hadida dit qu'en tout cas ce qu'il biberonne aujourd'hui c'est pas du petit-lait. Hadida joue au bourgeois. Il s'est dégotté une paire de fauteuils Louis XV presque intacts, lui qui n'avait jamais posé ses fesses sur autre chose que de la paille ou du bois. Et le fin du fin : un lustre à pampilles qu'il a suspendu au plafond. Le soir quand il est seul il s'installe dans son salon et il croise les jambes et il tire sur un cigare éteint parce qu'il ne sait pas fumer et il feuillette un vieux numéro du *Gaulois* qu'il tient une fois sur deux à l'envers parce qu'il ne sait pas lire. Pas plus que Wayne ne sait jouer de la musique, pourtant l'Américain a fait des pieds et des mains pour qu'on l'aide à charrier dans sa piaule un antique piano carré Pape de 1834. De temps en temps il enfonce une touche au hasard et c'est comme s'il se donnait le la avant d'entonner une de ces chansons du Far West qui traite d'un pauvre vacher et de sa belle et de plaines désertes sous le clair de lune. Un jour le caporal a surpris son monde en prenant place devant ce même piano pour extraire de sa carcasse tout le suc d'une cantate de Bach : « Jesus bleibet meine Freude. » Une preuve de plus que le génie germanique n'a pas produit que la Grosse Bertha. L'instrument avait beau être déglingué et très relativement accordé ça sonnait du feu de Dieu et ça leur avait collé à tous un frisson jusque sur la peau du crâne. Le caporal avait bu plus que son quart, il avait les yeux fermés et ses doigts avaient l'air de se promener tout seuls sur le clavier et ils avaient l'air de scintiller comme les reflets du soleil dans le cours d'un torrent en plein été. S'il était somnambule nul ne souhaitait son réveil. S'il était possédé cela ne pouvait être que par une puissance céleste et lumineuse et alors faites qu'il le reste, faites que sa joie demeure et la nôtre également. Cela a été la seule et unique fois où le caporal a touché au Pape. Habituellement on le trouve plutôt en visite dans le gîte de Blumenfeld, lequel a été professeur de chimie dans sa vie d'avant. Les deux hommes devisent. Le décor est moins luxueux mais les paroles volent un peu plus haut. Du style :

— Sinon une existence avérée quelle différence entre Dieu et Guillaume II ? lance Blumenfeld. Entre Dieu et Napoléon ? Entre Dieu et Attila ? Pour l'un comme pour les autres il y a toujours à la clé des milliers, des millions de victimes, et ceci dans le seul but de répandre leur gloire, d'asseoir leur toute-puissance et assurer leur hégémonie.

— Pas Dieu, mon vieux, réplique le caporal. Il ne s'agit pas de Lui mais seulement de ceux qui se prétendent Ses représentants. Des usurpateurs. Ceux qui parlent en Son nom et ne font en réalité que détourner Sa parole. Tu confonds le général avec son estafette, Blum.

— Il n'empêche. Sans le général, l'estafette n'aurait pas lieu d'être. Tu admettras qu'au nombre de morts, la religion, quelle qu'elle soit, est le pire fléau de l'humanité. Et j'ai dans l'idée que c'est loin d'être terminé.

Ce genre de propos.

En dehors du temps passé à se la couler douce que font-ils ? Ils chassent. Leur proie favorite est la gnôle. Tout liquide atteignant un certain degré : ils ne sont pas difficiles. La quantité d'abord. Le quart ordinaire ne leur suffit pas, non plus que le demi. Toujours en quête d'une bouteille ou d'une barrique supplémentaire. Ils vont fureter du côté des dépôts et des roulantes, ils n'hésitent pas à se servir dans les réserves de la compagnie, de toutes les compagnies, ils n'hésitent pas à soudoyer, à chaparder, à extorquer. (Mémorable fête que celle qu'ils avaient faite au garçon quand il leur avait rapporté une caisse de champagne récupérée dans un fortin allemand lors d'une de ses sorties : la plus belle des prises de guerre.) Il leur arrive de partir en goguette, des kilomètres à pied pour se rendre dans un troquet à l'arrière. Hosberg est un fils de famille, sa bourse est garnie, c'est lui qui régale. Ils boivent, ils narguent la table de misérables sous-offs qui ont déjà bu leur misérable solde. Ils les provoquent et finissent par se colleter avec eux quand ce n'est pas avec une volée de gendarmes croisée sur le retour, à l'aube. Ils s'invitent dans les villages nègres, traînent avec les troupes indigènes, turcos, babakoutes, partagent leur soupe, dansent les danses africaines lors de concerts improvisés, dansent au son aigrelet des flûtes, dansent au rythme des bidons frappés, dansent, dansent, s'enivrent et dansent et tournent et virent sur eux-mêmes comme des toupies avant d'aller vomir leurs tripes sous les étoiles à la porte des casbahs.

Ils chassent d'autres proies aussi : lapins, hérissons, chats. De quoi améliorer l'ordinaire. Racovitch les prépare en ragoût, en civet. De la volaille parfois, canards et poules d'eau. Ils hantent les marais sur une vieille barque rafistolée. Drôles de gondoliers sillonnant les méandres de la Somme au crépuscule ou au matin tôt, fendant silencieusement le rideau de brume, de joncs, de roseaux, spectrale apparition qui n'est pas sans rappeler le légendaire équipage fantôme de la *Mary Celeste*. Mais ce ne sont qu'eux. Pirates d'eau douce. Dans une vaste fondrière ils ont trouvé un vivier d'anguilles, ils y piochent régulièrement. Racovitch les accommode au pinard. Racovitch a fait ses classes dans les cantines des palaces, il peut tout accommoder.

Maraudeurs, certes, mais qu'on ne les relègue pas au rang de ces pillards organisés, sans vergogne, qui suivent pas à pas les armées et surgissent sitôt la bataille achevée pour ratisser méthodiquement les maisons éventrées et détrousser les cadavres encore chauds. Ceux-là profitent bassement du malheur, se nourrissent en parasites sur la bête immonde, exhibant cyniquement un brassard de la Croix-Rouge qui leur sert de passeport pour filer entre les mailles. Engeance abjecte. Surtout, qu'on ne les mette pas dans le même sac !

Dans l'attente de la prochaine géhenne ils font la sieste. Ils jouent à la manille. Ils pensent aux femmes. Ils parlent des femmes. Celles qu'ils ont connues et celles qu'ils se vantent d'avoir connues et celles qu'ils inventent et qu'ils ne connaîtront jamais et qui sont sans doute les plus belles de toutes, qui ont les plus jolis yeux et les lèvres les plus rouges et les plus tendres et le sourire le plus coquin et les tétons les plus délicieux à pincer et pas bégueules avec ça, pas farouches pour un sou, au contraire,

450

la fougue nom de Dieu, la fougue, l'ardeur, le cœur à l'ouvrage, gourmandes bon sang faut voir ça, et lorsque le garçon quelquefois est témoin de ces conversations il baisse la tête et regarde ses mains et il les pose à plat sur ses cuisses et ça passe, au bout d'un moment ça passe.

« La Madelon, c'est rien qu'une putain quand on y pense ! »

Avec la caisse de champagne Hadida a construit une ruche. Il y a fourré un nid d'abeilles transporté au bout d'une perche. Il a bon espoir d'en tirer du miel. Il espère bien aussi récupérer un peu de cire pour fabriquer des cierges comme il avait vu faire un brigadier dans la Meuse. Quand ils brûlaient ses cierges sentaient bon.

Wayne a adopté un furet. Il l'apprivoise. Il lui a donné le petit nom de Bill et il lui parle dans la langue de Shakespeare. Du moins dans la langue du cheval de Shakespeare. Son idée est de dresser l'animal à chasser les rats. Il veut en faire un véritable « rat killer », le plus célèbre « rat killer » du pays. Et quand cette foutue guerre sera finie il ramènera son champion avec lui là-bas en Arizona et il se fera un paquet de dollars en organisant des combats et en empochant les paris. Il y croit dur comme fer.

Le caporal s'est confectionné un hamac. Il le suspend entre deux hêtres et il dort à la belle étoile. Quand l'alcool ne réussit pas à l'assommer il contemple le feu d'artifice qui sévit au loin dans la nuit. Il compte les fusées. Tente de distinguer les françaises des allemandes – les bonnes des mauvaises.

Ce sont les premiers jours de l'été. Ainsi va leur vie et ça durera ce que ça durera.

Le garçon poursuit ses excursions en solitaire. Il bat la campagne. Pieds nus, toujours le sabre à la hanche et la musette en bandoulière où s'entassent les lettres non lues. Il voit toutes sortes de choses et toutes sortes de gens. Il règne quelques heures durant sur des villages abandonnés, déserts. Pas âme qui vive. De vieilles pierres et des lézards qui s'y chauffent. Il fait halte dans des manoirs et des châteaux livrés aux quatre vents. Où sont les seigneurs de jadis ? Peut-être ces cendres froides dans l'âtre des vastes cheminées sont-elles tout ce qu'il en reste. Les portes béent. Les plafonds hauts. Les courants d'air. Ce qui n'a pas été pillé a été détruit ou souillé. La lèpre pousse dans les chambres. Au royaume des déments qui sont les rois ?

Ses pas le portent de plus en plus loin, de plus en plus longtemps. Il fait d'insolites rencontres. Un jour un dragon dans un sous-bois. Le squelette du soldat reposant sur la mousse, dans la pénombre. L'uniforme qui semble à peine froissé, le garance de la culotte, le bleu de ciel de la tunique à peine délavés – mais quel bleu ? de quel ciel ? Il ne crache plus ni feu ni flammes. Où sont les hussards de naguère ?

452

Un rayon filtre entre les branches, éclairant le visage évidé. Les os parfaitement rongés, polis, blanchis. D'une orbite creuse s'écoule une colonne de fourmis, comme un sombre flux lacrymal et sans fin. Est-ce sur son propre sort qu'il pleure ou sur le destin de celui qui le regarde ? Désarmé ne veut pas dire en paix. Une touffe de cheveux, rêche comme du crin, grisâtre comme du lichen, dépasse de dessous le cimier. Le poil a dû continuer à croître. Une comptine existe, qui dit : « Chevau-léger, chevau-léger – que retient l'écho ? Chevau-léger, chevau-léger – sinon le vin de la jeunesse et l'ivresse du galop. » Nulle trace de la monture dans les parages. Un oiseau a fait son nid sur la dépouille du cavalier, entre l'épaule et le collet. Sur le tapis de brindilles gisent trois petits œufs beiges mouchetés de brun. Le garçon se penche et s'en empare et passe son chemin.

Un autre jour en Flandre c'est sur un artiste peintre qu'il tombe. Depuis le matin il longe la Deûle. Encore une chaude journée. Il s'est arrêté un instant pour uriner dans l'onde quand retentit un appel derrière lui : « Fuchs !… Fuchs ! » L'accent est allemand. Le garçon se retourne. À trois mètres se tient un petit fox-terrier blanc, qui le fixe. Le chien ne gronde ni n'aboie. Museau légèrement penché, il a l'air plus curieux qu'effrayé. Sans le quitter des yeux le garçon retire lentement le coupe-coupe de son étui. L'animal ne bronche pas. De nouveau l'appel : « Fuchs ! » suivi d'un coup de sifflet. Cette fois l'oreille du chien a bougé. Pendant une poignée de secondes il paraît hésiter, puis il a un bref mouvement de tête, comme pour exprimer un regret ou une invitation. Il fait demi-tour et file en trottinant, la truffe au ras du sol. Le garçon le suit. Cinquante mètres plus loin l'animal disparaît au détour d'un bosquet. On entend la voix du maître qui l'accueille. Un ton de fausse fâcherie. Un rire. Le garçon jette un œil à travers les arbustes. Il découvre un espace dégagé, une petite aire cernée d'ifs et de peupliers. Derrière les arbres un bout de rivière, au centre une bicyclette couchée dans l'herbe, un chevalet dressé, un homme, devant, qui lui tourne le dos. L'Ange vole. Le chien s'est assis au pied du chevalet et le regarde venir. Le maître s'est remis à l'œuvre. Il est en tricot de peau. Sur le cadre de la bicyclette est posée la veste d'uniforme d'un régiment bavarois. À côté une sacoche ouverte, sur le rabat un grand carnet à croquis. La seule arme de l'homme est son pinceau. Il en caresse le papier avec des gestes lents, appliqués. Il en trempe la pointe dans une boîte de couleurs, dans une timbale remplie d'eau. Le garçon fait halte trois pas derrière lui, il observe la peinture par-dessus son épaule. Une aquarelle. Il reconnaît les silhouettes élancées des peupliers, le ciel, le soleil, dans l'azur et l'or dilués. C'est plus joli que les tableaux exposés dans la cagna de Babik.

Et soudain le peintre prend conscience de sa présence. Il pivote, son pinceau à la main, puis demeure pétrifié. Sa figure est d'une extrême pâleur, le teint, comme dilué aussi, fait ressortir sa courte moustache en brosse, aux poils noirs et drus. Le garçon lui fait face. La machette pend au bout de son bras. La lame brille, jette sur l'herbe verte un trait d'argent. Seul le murmure de la Deûle trouble le silence, pareil à un léger bruissement de feuilles sous le vent. Puis les lèvres de l'homme remuent. Ce n'est pas qu'elles cherchent à former une parole, c'est qu'elles tremblent. Et très vite le tremblement s'intensifie et se répand, gagne les autres membres, de la tête aux pieds, contamine la chair, les muscles, les nerfs et jusqu'aux os, et brusquement l'homme tout entier est secoué par ces spasmes terribles, incontrôlables. C'est trop fort : ses jambes ploient, il tombe à genoux. Dans le même mouvement il lâche le pinceau et joint ses paumes tremblantes en signe de prière et se présente dans cette pose de pénitent devant le garçon, implorant, demandant muettement grâce, suppliant du regard, du plus profond de son être terrifié. Des larmes fuient de ses yeux. À ce moment le fox-terrier s'approche, il se dresse sur ses pattes arrière et pose celles de devant sur la poitrine de son maître et il passe sa langue rose sur son visage, il lui lèche les joues, la moustache, il efface ses pleurs. Le garçon regarde l'homme et le chien. Il regarde l'aquarelle sur le chevalet. Une coulure ocre s'étend doucement vers le bas de la feuille. Puis son regard revient sur l'homme à genoux. Il lève son coupe-coupe vers le ciel, et pendant un court instant l'acier paraît s'embraser sous l'éclat du soleil. L'homme s'affaisse encore, son cou s'enfonce entre ses omoplates tandis que s'échappe d'entre ses lèvres une espèce de geignement aigu. Son visage se crispe. Il ferme les paupières, les tient serrées de toutes ses forces comme si la lumière le blessait ou comme s'il voulait conserver à jamais cette ultime vision – et peut-être en sera-t-il ainsi. Lorsqu'il les rouvre, l'Ange s'en est allé.

Il est parti près d'une semaine. Sa plus longue absence. Il rapporte deux lièvres et un marcassin de vingt kilos qu'il tire au bout d'une corde : une provende pour l'escouade. Les gars le fêtent comme il se doit.

— Je pensais que tu nous avais faussé compagnie pour de bon, lui dit le caporal. Ça m'étonnait de toi, mais va-t'en savoir… Tiens, je t'ai gardé ça.

Ce sont des lettres. Il y en a cinq. Depuis janvier elles continuent d'arriver. Le garçon ouvre sa musette pour les entasser avec les autres. Une brassée d'enveloppes déborde et tombe à terre. Aucune n'est décachetée. Le caporal aide le garçon à les ramasser. Il garde la dernière à la main.

— C'est moi qui lis son courrier à Hadida, dit-il. Je le lisais aussi à Krestorsky et à un autre gars que t'as pas connu – Chaude-pisse, on l'appelait. Un maquereau de Pigalle. Je répondais même à sa place. Ce type entretenait une correspondance avec une douzaine de gagneuses. Il recevait plus de courrier qu'un ministre.

Le garçon le regarde. Il attend la suite. Le caporal tire une bouffée de sa cigarette, jette le mégot. Il souffle la fumée.

— Je sais être discret quand il le faut, dit-il. Muet comme une tombe…

Sourire en coin. D'un coup de menton il indique la musette.

— Si t'as besoin… dit-il. À toi de voir, Mazeppa.

Il rend l'enveloppe au garçon.

Le lendemain c'est le garçon qui vient le trouver et qui lui tend la musette, et sans doute dans ce geste est-ce beaucoup plus qu'un paquet de lettres qu'il lui confie. Le caporal hoche doucement la tête. Il a l'air d'approuver. Ses yeux gris-vert disent que c'est la bonne décision, une décision qui les honore tous deux.

À compter de ce jour le rituel s'instaure. Ils s'isolent, le garçon retire une enveloppe du tas, le caporal la décachette et lui fait la lecture. Il respecte sa promesse de discrétion. Il conserve un ton neutre et ne fait aucun commentaire. Lirait-il le courrier officiel du préfet qu'il n'agirait pas autrement. Au cours des semaines il n'est qu'une seule et unique occasion où il se permet d'exprimer un sentiment personnel : cette fois-là, après avoir remis les feuillets dans l'enveloppe, il demeure un long moment silencieux, le regard dans le vague. Puis il dit :

— Cette femme... (Il tapote la lettre du bout des doigts.) Tu sais, c'est pas donné à tous...

Il s'interrompt. Sa voix est plus éraillée que d'ordinaire. Il redresse le buste, prend une vaste inspiration. Puis lâche un soupir.

— Ouais... dit-il. Je crois que ça vaudrait vraiment le coup que t'en réchappes, Mazeppa.

Emma écrit :

Mon amour,
Toi seul comprendras :

> *Il y aura eu tant d'hivers pour un unique*
> *Été. Tant de sombres nuits pour une aube claire.*
> *Le temps vient de souffler la lanterne magique :*
> *Meilleur est le repos que nul rêve n'éclaire.*
>
> *Des astres meurent, et leur satellite qui vont de*
> *Pair, et c'est tout l'univers qui soudain se vide.*
> *Il n'est pas d'éternité. Pas d'or qui ne fonde*
> *Et ne tombe au fond de la grande bouche avide.*
>
> *Parti !... Est-ce possible ? Les deux se sont ouverts,*
> *Il pleut ici un silence glacé, la musique*
> *N'est plus jouée et les pommes seules bruissent*
>   *de vers.*
> *Plût aux dieux qu'on ne vécût ces temps horrifiques.*

E.

Joffre édicte :

« Soldats de la République ! Après des mois d'attente qui nous ont permis d'augmenter nos forces et nos ressources, tandis que l'adversaire usait les siennes, l'heure est venue d'attaquer pour vaincre et pour ajouter de nouvelles pages de gloire à celles de la Marne et des Flandres, des Vosges et d'Arras. Derrière l'ouragan de fer et de feu déchaîné grâce au labeur des usines de France, où vos frères ont nuit et jour travaillé pour vous, vous irez à l'assaut tous ensemble, sur tout le front, en étroite union avec les armées des Alliés. Votre élan sera irrésistible. Il vous portera d'un premier effort jusqu'aux batteries de l'adversaire au-delà des lignes fortifiées qu'il nous oppose. Vous ne lui laisserez ni trêve ni repos jusqu'à l'achèvement de la victoire. Allez-y de plein cœur pour la délivrance du sol de la patrie, pour le triomphe du droit et de la liberté. »

Joffre

Champagne !

Champagne encore !

Champagne pour tous !

Le généralissime paie sa tournée. Il semble avoir un faible pour la terre champenoise. Après l'échec en Artois il veut concentrer ses forces sur ce secteur. Ses forces, ce sont eux.

Ils déménagent. Ils disent adieu à leurs quartiers. Adieu lustre et piano et tableaux et ruche, adieu chasse et maraudage. Adieu cage sans barreaux. Wayne emporte le furet incognito dans son barda. Ils regagnent les rangs. On les rassemble. La Légion. 2e régiment de marche du 1er étranger.

L'été court à sa perte.

Le G.Q.G. étale ses cartes. Il prépare l'offensive. La seconde. La grande. La bonne. Celle qui permettra de percer une brèche dans le front ennemi. Un air de déjà-vu ? Qu'on ne s'y trompe pas : ce sera pire. C'est toujours pire.

Voici comment ça se passe pour eux :

Le 1er septembre 1915 ils débarquent à Plancher-les-Mines. Un peloton de sapeurs leur est adjoint. Ils remuent de la terre. Ils creusent des boyaux.

Le 8 septembre le général d'Urbal signe l'ordre n° 102 de la 10ᵉ armée pour la prise des Ouvrages Blancs et le régiment se voit attribuer sa première citation à l'ordre de l'armée : « Chargé, le 9 mai, sous les ordres du lieutenant-colonel Cot, d'enlever à la baïonnette une position allemande très fortement retranchée, s'est élancé à l'attaque, officiers en tête, avec un entrain superbe, gagnant d'un seul bond plusieurs kilomètres de terrain, malgré une très vive résistance de l'ennemi et le feu violent de ses mitrailleuses. » Fin de citation.

Un entrain superbe.

Le 13 septembre a lieu une grande revue en présence du président de la République française, Raymond Poincaré, pour la remise du drapeau. Le président y accroche la Croix de guerre avec palme. Après quoi le président s'en retourne chez lui.

Le 17 septembre ils embarquent en gare de Champagney et le lendemain ils s'installent dans les bois de la cote 160, au nord-est de Suippes. Ils creusent des boyaux. Ils remuent de la terre.

Le jour et l'heure approchent.

Le temps est beau et clair.

La future zone de combat n'est pas un cercle de sept mètres de diamètre – le noble art on s'en fout – mais une vaste étendue de vingt-cinq kilomètres de large : paysage crayeux, grises et mornes plaines, quasi nues, seulement grêlées de quelques dépressions et hérissées ici et là de petits bois qu'on appelle le bois Carré, le bois Losange, le bois Trapèze, etc. D'autres rares points de repère sont désignés par des appellations d'origine encore plus obscure et qui font vaguement songer à des noms de constellations insignifiantes et ridicules perdues dans les faubourgs de l'univers : L'Épine de Vede-grange, le Trou Bricot, la Ferme de Navarin, la Main de Massiges, les Deux Mamelles, la Brosse à dents… Qui serait prêt à mourir pour ces étoiles-là ?

Le général de Castelnau est chargé de la conduite de l'offensive. Il dispose pour ce faire de la 2e armée du général Pétain et de la 4e armée du général de Langle de Cary, soit au total vingt-neuf divisions et deux corps de cavalerie.

En face se dresse la 3e armée allemande du général von Einem augmentée de trois divisions d'infanterie commandées par le Kronprinz en personne, soit sept divisions et demie. Un effectif plus faible, certes, mais parfaitement retranché et organisé sur des positions avantageuses.

Les fantassins français sont pourvus d'un nouvel uniforme, couleur bleu horizon (depuis quand l'horizon est-il bleu ?). Ils ont troqué leurs képis pour des casques. Beaucoup sont chaussés de brodequins neufs.

Le soldat Cormuz souffre de diarrhée aiguë. Une âme charitable lui procure de l'élixir parégorique.

Tout est presque calme. Presque immobile et silencieux.

Quand soudain…

Stupeur et tremblements.

Le 22 septembre débute la préparation d'artillerie. Pendant soixante-quinze heures d'affilée vont tonner les canons et mortiers de 75, de 90, de 105, de 120, de 155, de 220, de 270, de 370 – avec leurs obus de cinq cents kilos – sans compter la manne céleste lâchée par les aéros croisant sans cesse au-dessus des lignes allemandes. Certains, par la suite, calculeront que sur une superficie de cent mètres de large sur un kilomètre de long il est tombé environ trois mille six cents projectiles par heure. Cent ans plus tard on ramassera encore dans le secteur de curieux champignons.

Ce bombardement intensif a pour but de broyer les défenses adverses, écraser les tranchées, les abris, les boyaux, les fils de fer et les défenseurs eux-mêmes.

Du 24 au 25 septembre, tandis que la canonnade se poursuit, les troupes passent la nuit dans les places d'armes. Dort qui peut. Un soldat propose à ceux qui le souhaitent d'aller se confesser : dans un des gourbis un aumônier se tient à leur disposition. Ils sont quelques-uns à soulager leur conscience.

Mais c'était trop beau pour durer.

À minuit le ciel se couvre. D'énormes nuages s'amoncellent, puis s'ouvrent. Des torrents d'eau s'abattent et la terre blanchâtre s'amollit, la craie se délaye, devient boue, ru, marécage.

À une heure du matin le bataillon A du 2e régiment du 1er étranger prend ses dispositions au combat. Il vient se placer dans le boyau du Japon, entre le boyau de Navarre et celui du Nivernais.

À deux heures du matin le bataillon B prend place dans le boyau du Japon, entre le boyau de Navarre et la route de Souain.

À quatre heures du matin tout le monde est en position.

Le jour paraît, lugubre.

À neuf heures et quinze minutes l'attaque est déclenchée.

Un clairon monte sur le remblai et sonne la charge. Un commandement retentit : « En avant ! Vive la France ! »

Les fantassins jaillissent des parallèles de départ.

Sur les vingt-cinq kilomètres du front une immense vague déferle. Bleu horizon.

Un feu de barrage l'accueille. Depuis les ouvrages construits au ras du sol les mitrailleuses allemandes crachent, balaient tout ce qui se présente. Et l'artillerie lourde n'est pas en reste. L'air s'emplit de gaz lacrymogène et suffocant.

À onze heures le régiment reçoit l'ordre de se porter à la hauteur de la Place de l'Opéra. Puis l'ordre lui est donné de poursuivre jusqu'aux tranchées en nettoyant le saillant de Presbourg encore garni d'une mitrailleuse. Le mouvement s'exécute sous les tirs qui redoublent.

Racovitch tombe.

Les boyaux sont bondés de cadavres allemands.

La monstrueuse vague progresse. En plusieurs points la première ligne adverse est atteinte. Toutefois, au-delà des crêtes, les soldats se retrouvent devant des tranchées creusées à contre-pente, invisibles à l'artillerie française. Fortins et barbelés sont intacts. Des données que le G.Q.G. n'a pas prises en compte. Le barrage est infranchissable. L'élan est partout arrêté devant cette deuxième ligne.

Instant critique. Le bombardement défensif se poursuit et les unités de la Légion subissent de lourdes pertes. Jusqu'à quatre heures de l'après-midi elles maintiennent leurs positions, puis elles se replient dans les bois alentour.

Le 26 septembre le déluge continue, eau, feu, fusées, torpilles, obus, causant des ravages dans les rangs des légionnaires.

Le 27 septembre les hommes bivouaquent dans un bois jouxtant le boyau de l'Archiduchesse où ils passent la journée à aménager des abris pour tenter de se protéger des tirs incessants de l'ennemi. Les pertes s'aggravent. Le bilan s'alourdit, comme les vêtements, comme le cœur. Le bel uniforme pèse sur les épaules, trempé, crotté, le bleu est marron, l'horizon est de boue. L'eau manque, ils crèvent de soif. Cormuz s'accroche à son élixir, l'opium lui resserre les tripes et lui vide l'esprit. Wayne partage ses conserves de sardines avec son furet. Les poux de corps leur bouffent la peau.

La situation des troupes n'a progressé que de quelques mètres.

Le général Pétain suspend l'attaque.

Le 28 septembre le général Joffre et le général de Castelnau s'entretiennent par téléphone. Depuis le G.Q.G. le généralissime promet un renfort de divisions fraîches. Toujours plus ! Toujours plus !

À seize heures le général de Castelnau relance l'offensive.

Cette fois l'objectif désigné aux deux régiments de la Légion est une de ces constellations du pauvre que l'on nomme : la Ferme de Navarin.

La ferme est un tas de ruines et nul ne sait qui est ce Navarin ni même s'il a jamais existé. Par-delà le rideau de pluie les hommes l'aperçoivent qui se détache sur un fond de ciel carbone. L'astre ne brille pas. Devant s'étale un formidable lacis de tranchées et de barbelés. Derrière se tient une redoutable réserve d'armes automatiques et de combattants.

Étant donné leur position de départ, il est inutile de tenter une attaque par les côtés : il faut y aller de front.

Les hommes s'élancent.

Un entrain superbe.

Le mieux est de tenir l'esprit à l'écart et de laisser

465

faire le corps, le corps seul. Muscles et membres. Les jambes qui portent, les bras qui tirent, qui lancent, le cœur qui pompe. Les réflexes. L'instinct. Mais se faufile parfois cette pensée qui en est à peine une, insidieuse, à fleur de conscience, et qui confine à l'orgueil. Cette pensée qui dit : Je suis immortel. Les autres tombent, mais pas moi. Mes camarades, mes frères, mais pas moi. Je suis plus fort. Je suis plus rusé ou je suis plus chanceux. Je suis l'élu. Je serai le dernier. Je serai le seul peut-être mais la balle, l'obus, l'éclat mortel ne peuvent pas m'être destinés. Ce cadavre dont se repaîtront les rats ne peut pas être le mien. Cet affreux pantin disloqué, défiguré, non. Cet innommable amas de viscères, cette chose inanimée, non, non. Pas ici. Pas comme ça. Pas moi. Et quand brusquement cette croyance s'éteint, soufflée comme la flamme d'une chandelle, quand l'illusion se brise et vole en éclats, ce qui la remplace est l'exact contraire : la certitude qu'on n'y coupera pas, qu'on n'en sortira pas vivant. Je vais mourir. Voilà. La foi aveugle s'est heurtée de plein fouet au mur de cette funeste révélation. Eh bien, tant pis ! L'écœurement, le dégoût nous submergent. On accepte. On se résigne. Marre, marre, marre ! La lassitude. Le renoncement. Et puis la colère, soudain. Crève, charogne ! L'ultime sursaut de rage. Crève, puisqu'il doit en être ainsi ! Enfin on ne pense plus. On fonce. Le corps, le corps seul nous porte à la rencontre de notre destin. On court, on court. Jamais on n'a couru avec autant d'ardeur vers la mort. Crève, salaud ! Crève, ordure ! Crève !

Hosberg tombe.

Blumenfeld tombe.

Le furet s'échappe du sac où Wayne le tenait. L'animal saute et s'enfuit. Wayne freine sa course, glisse à terre, se relève. Durant une poignée de secondes on le voit divaguer au milieu du champ de bataille, éperdu, les yeux rivés au sol et hurlant par-dessus le vacarme : « Bill ! Bill ! Come on, Bill !... » Jusqu'à ce qu'une balle lui emporte la bouche.

Le cow-boy tombe.

Les lignes de défense adverses sont à peine enta-mées. Des sapeurs munis de cisailles se précipitent sur le réseau de barbelés. Ils sont fauchés les uns après les autres. Les vagues se succèdent sous la mitraille, décimées par ce feu intense. Les légion-naires n'ont pu avancer que de quelques dizaines de mètres. Ils s'acharnent.

Hadida tombe.

Babik tombe.

La pluie tombe.

Les obus tombent.

Cormuz marche, la face barbouillée de sang, un sourire béat aux lèvres. Le haut de son casque est percé de deux trous qui font songer à des orbites vides. Regard absent. Il marche. Il traverse une nappe de gaz et de fumée et pendant un instant il est comme auréolé de ce halo bleuâtre. Puis une torpille le propulse dans les airs. Il sourit aux anges.

Cormuz retombe.

Quelque part un clairon sonne sans discontinuer l'hymne du Boudin. Sans discontinuer les salves lui répondent. L'ennemi semble avoir concentré toute son artillerie sur ce bout de terrain. Le massacre se poursuit.

La culasse des fusils brûle les doigts. Les bras sont las de lancer des grenades. Les compagnies de tête sont presque anéanties. Des centaines de corps sont accrochés aux fils de fer.

Ils s'acharnent.

Du coin de l'œil le garçon aperçoit soudain le caporal qui choit sur les fesses. Il se porte à sa hauteur. Le visage du cabot ruisselle. Son regard gris-vert est voilé. Son bras droit n'existe plus. À la place un moignon a poussé, une excroissance de tissus et de chairs en lambeaux d'où le sang dégoutte. Le membre arraché gît deux mètres en arrière, la main tournée vers le ciel et qui paraît surgir de la fange telle une étrange orchidée, une mandragore, une tubéreuse aux sépales carmin. Le garçon se glisse sous l'aisselle gauche du caporal et l'aide à se relever. Ils se mettent en marche, tournant le dos à la ferme. Il leur faut plus d'un quart d'heure pour atteindre une tranchée de départ où le garçon laisse le blessé aux soins de deux brancardiers. Au moment où il s'apprête à repartir, le caporal l'attrape par le col, l'oblige à se pencher. Les mâchoires serrées il souffle : « Mon bras... »

Le garçon se redresse. Leurs regards se vissent. Puis le garçon fait volte-face et repart au pas de course.

Il cherche. Il cherche l'endroit. Il cherche la main du caporal. La fleur rouge éclose sur la craie. Il se met à quatre pattes et balaie ainsi une portion de terrain, fébrile, la tête basse comme un chien flairant la piste, par ici, par là, il fouille, il racle la terre molle de ses ongles tandis qu'autour de lui les vagues continuent de déferler, des corps le frôlent, le bousculent, des brodequins pataugent et l'éclaboussent, les salves des mitrailleuses font gicler la glèbe devant son nez.

Il ne trouve pas.

Il se relève et reste un instant immobile, hébété.

Et tout à coup un choc sur son flanc. La rafale épargne sa peau mais perfore sa sacoche, la déchire d'un trait. Comme les plumes d'un traversin les lettres s'échappent et se répandent. Et déjà la pluie les plaque au sol, le papier blanc se flétrit, l'encre se dilue, déjà la boue les recouvre et les absorbe. Un soldat les écrase sous les semelles de ses godasses. Puis un second.

Le garçon fixe le tas d'enveloppes salies, piétinées, engluées, en bouillie.

Mon amour, disait-elle. Mon amour.

Tiens, voilà du boudin, voilà du boudin.

Le clairon sonne.

Alors le garçon, gorge renversée, pousse un grand cri muet vers le ciel. Puis il se tourne vers la forteresse allemande – maudite étoile – et fait jaillir la lame de son coupe-coupe. Crève, salaud ! Crève, ordure ! Crève, charogne ! Crève ! Crève ! Crève !

Sabre au clair il s'élance.

Champagne !

Emma écrit :

Mon amour,
Cela fait un an aujourd'hui. Jour pour jour pour
jour pour jour pour nuit…
Si l'on peignait les heures, à quoi ressembleraient-
elles ?
Le temps passe, c'est vrai. Ce temps dont nous
avons été spoliés. Ce temps dont on nous a dépossédés
par la menace et la force. Ô patrie. Ô royaume. Pour
vous ce sacrifice. Inclinons-nous.
On m'aurait dit dix ans, je l'aurais cru. On m'aurait
dit cent ans. Et cependant la belle ne dormait pas.
J'ai bien mal, tu sais. J'ai beau faire la fière. Mes
armes sont trop douces. Elles ne tuent pas. La bête
en sent à peine la piqûre. Elle s'ébroue, et rit de son
rire de hyène.
Et pourtant je persiste.
Voici donc ce que j'ai décidé de faire aujourd'hui :
Je vais jouer. Pour toi. Pour nous. Je vais jouer
Mendelssohn. Toutes les muettes romances. Les
tiennes. « Le départ », le « Trouble », les « Regrets »,
le « Bonheur perdu », la « Tristesse de l'âme », les

« *Gémissements du vent* », la « *Consolation* », la « *Confiance* », l'« *Espoir* », le « *Retour* »… *Toutes. Je vais jouer Schubert. Je vais jouer Schumann. Bien sûr je vais jouer Liszt aussi.* « *Mazeppa* ». *Du mieux que je peux j'accompagnerai sa chevauchée, aussi loin que je peux je le porterai, pour soulager sa douleur. Pour qu'il ne meure pas. Je vais jouer Chopin pour que l'âme de ma mère me pardonne et me soutienne. Je vais jouer la* « *Ballade en fa mineur* » *et le deuxième* « *Impromptu* ». *Pour elle. Pour moi. Pour nous. Et tous les Préludes et tous les Nocturnes. Je vais jouer la journée entière et peut-être la nuit qui suivra, et un an, dix ans, cent ans de plus s'il le faut. Voilà ce que je vais faire.*

Parce que je t'aime.

Parce que l'amour est ma patrie et l'art mon seul royaume.

Parce que je veux croire encore qu'ils en sortiront vainqueurs.

E.

Achen Michel Augustin, né le 12 juin 1885 aux Trois-Vierges au Luxembourg, tué le 26 septembre 1915 à Souain. Achoud Georges Auguste, né le 7 février 1889 à Beyrouth au Liban, tué à l'ennemi le 28 septembre 1915 à Souain. Alvarez Julien, né le 19 août 1891 à Madrid en Espagne, disparu le 28 septembre 1915 à Souain. Ananiantz Achot, né le 20 octobre 1893 à Tauris en Iran, tué à l'ennemi le 28 septembre 1915 à Souain. André Claude Émile Joseph, né le 3 janvier 1886 à Freycenet-la-Tour dans la Loire, tué le 28 septembre 1915 à Souain. Aradas Clemente Bandelio Laurenzo, dit Aradou, né le 3 septembre 1890 à Bañolas en Espagne, tué le 28 septembre 1915 à Souain. Arambouro Eulage, né le 13 octobre 1892 à Miogno en Espagne, disparu le 28 septembre 1915 à Souain. Assa Rafaël, né le 27 mai 1891 à Constantinople en Turquie, tué le 28 septembre 1915 à Souain. Azzi Joseph, né le 14 février 1875 à Dosola en Italie, disparu le 28 septembre 1915 à Souain. Babik, tué le 28 septembre 1915 à Souain. Bainier Marcel, né le 1er juillet 1896 à Courfaivre en Suisse, tué le 28 septembre 1915 à Souain. Bak Joéli, né le 21 août 1889 à Bucarest en

Roumanie, tué le 28 septembre 1915 à Souain. Bauler Henri, né le 15 juillet 1894 à Schadgen au Luxembourg, tué à l'ennemi le 28 septembre 1915 à Souain. Beller Jean Aimé, né le 17 juillet 1878 à Arbus dans les Basses-Pyrénées, disparu le 28 septembre 1915 à Souain. Belmessieri Joseph Jean Dante, né le 20 février 1874 à Pellegrino en Italie, tué le 28 septembre 1915 à Souain. Berla David, né le 8 octobre 1886 à Panein en Roumanie, tué à l'ennemi le 27 septembre 1915 à Souain. Bernard, tué le 28 septembre 1915 à Souain. Bertin André Grat Joseph, né le 14 septembre 1885 à Étroubles en Italie, tué à l'ennemi le 27 septembre 1915 à Souain. Beullens Henri, né le 2 février 1868 à Marcinelle en Belgique, tué le 28 septembre 1915 à Souain. Bianchi Léopold Louis Justin, né le 22 novembre 1892 à Vernix en Suisse, tué le 25 septembre 1915 à Souain. Blanes Jose Huesca, né le 1er juin 1888 à San-Vincente en Espagne, tué le 28 septembre 1915 à Souain. Blaser Hans, né le 12 septembre 1891 à Lauperswil en Suisse, tué le 29 septembre 1915 à Souain. Blumenfeld Isadore, né le 29 mai 1883 à Buchus en Roumanie, tué le 28 septembre 1915 à Souain. Bochinsky Martin, né le 15 décembre 1877 à Krotozana en Pologne, disparu le 28 septembre 1915 à Souain. Boers Hermann, né le 11 juin 1886 à Amsterdam aux Pays-Bas, tué à l'ennemi le 28 septembre 1915 à Souain. Bouffoni Armand, né le 31 octobre 1893 à Albertacce en Haute-Corse, tué le 28 septembre 1915 à Souain. Boutonnet Louis Jacques Marie, né le 28 décembre 1886 à Dreux en Eure-et-Loir, tué à l'ennemi le 27 septembre 1915 au nord de Souain. Breithoff Michel, né le 24 septembre 1895 à Paris, tué à l'ennemi le 28 septembre 1915 à

Souain. Brodler Adolphe, né le 5 mars 1878 à Bâle en Suisse, disparu le 28 septembre 1915 à Souain. Brun Joseph, né le 3 octobre 1881 à Schaffouse en Suisse, tué le 28 septembre 1915 à Souain. Burel Eugène Fortuné, né le 29 mars 1859 à Alfortville, tué le 28 septembre 1915 à Souain. Cabau François ou Cabaud, né le 19 février 1885 à Genos dans les Hautes-Pyrénées, tué le 28 septembre 1915 à Souain. Cabraz Louis Joseph, né le 17 août 1888 à Valpelline en Italie, disparu le 28 septembre 1915 à Souain. Canavaros Georges, né en mai 1893 à Laconia en Grèce, tué le 25 septembre 1915 à Souain. Caracachian Léon, né en 1888 à Constantinople en Turquie, tué à l'ennemi le 28 septembre 1915 à Souain. Cerda Honoré Gomila, né le 8 février 1883 aux îles Baléares en Espagne, disparu le 28 septembre 1915 à Souain. Cerutti Séraphin Jean, né le 30 octobre 1889 à Yvonand en Suisse, tué le 28 septembre 1915 à Souain. Chanut Jean Marie, né le 20 février 1880 à Falgoux dans le Cantal, tué le 29 septembre 1915 à Souain. Chappuis Claudius, né le 28 octobre 1887 à La Motte-en-Bauges en Savoie, tué le 28 septembre 1915 à Souain. Chautems Samuel Adrien, né le 23 novembre 1885 à Genève en Suisse, tué à l'ennemi le 29 septembre 1915 à Souain. Cipriani Alexandre, dit Simonetti, né le 9 juillet 1888 à Castellane-di-Mercurio en Haute-Corse, tué le 28 septembre 1915 à Souain. Clerici Charles, né le 30 septembre 1876 à Lurate-Abatte en Italie, tué à l'ennemi le 27 septembre 1915 à Souain. Cohenoff Simon, né le 24 avril 1878 à Widdin en Bulgarie, disparu le 28 septembre 1915 à Souain. Collet Émile, né le 21 août 1881 à Genève en Suisse, disparu le 28 septembre 1915 à Souain. Cormuz Germain, né le 23 août 1893 à Riaz en Suisse, disparu le 28 septembre 1915 à Souain. Coudrachow Georges, né le 6 juillet 1884 à Kurmarsk en Russie, disparu le 25 septembre 1915 à Saint-Hilaire-le-Grand. Couri Georges, né le 24 octobre 1887 à Baïme en Syrie, disparu le 27 septembre 1915 à Souain. Coutoupis Dimitrios, né le 24 octobre 1893 à Thasos en Grèce, disparu le 25 septembre 1915 au bois Sabot. Cuello Auguste, né le 28 août 1896 à Escalona en Espagne, disparu le 28 septembre 1915 à Souain. Da Costa Valentin, né le 1er septembre 1883 à Lisbonne au Portugal, tué à l'ennemi le 26 septembre 1915 à Souain. Dalla Costa Michel Antoine, né le 10 mai 1890 à Cevins en Savoie, tué le 28 septembre 1915 à Souain. De Carvalho Raphaël Xavier, né le 22 avril 1896 à Porto au Portugal, tué le 28 septembre 1915 à Souain. De Cellery d'Allens Jean Marie Georges Joseph, né le 15 mars 1865 à Arnave en Ariège, tué le 28 septembre 1915 à Souain. Declève Eugène Jules, né le 5 février 1865 à Bordeaux dans la Gironde, tué le 28 septembre 1915 à Souain. De Souza Manoel, né le 8 décembre 1878 à Amieira au Portugal, disparu le 28 septembre 1915 à Souain. Delpech Louis Raymond, né le 22 janvier 1890 à Chambon-sur-Voueize dans la Creuse, tué le 28 septembre 1915 à Souain. Delrue Alfred, dit Delruc, né le 24 février 1888 à Lannoy dans le Nord, tué le 29 septembre 1915 à Souain. Dimech Paul, dit Dimeck, né le 22 avril 1887 à Bône dans le département de Constantine, tué le 28 septembre 1915 à Souain. Dimitresco Thomas, né le 9 février 1886 à Bucarest en Roumanie, tué le 28 septembre 1915 à Souain. Disdero Joseph, né le 17 juillet 1891 à Sampeyre en Italie, tué le

29 septembre 1915 à Souain. Doroszynski Thadane Vincent, né le 5 avril 1878 à Poson en Pologne, tué le 28 septembre 1915 à Souain. Drtad Kotchian, né le 11 octobre 1884 à Trébizonde en Turquie, tué le 29 septembre 1915 à Souain. Dubois Émile Paul Auguste, né le 12 décembre 1876 à Laval dans la Mayenne, disparu le 28 septembre 1915 à Souain. Duborgel Louis Paul, né le 1er août 1889 à Paris, tué le 28 septembre 1915 à Souain. Dunesme Léon, né le 15 avril 1884 à Schaerbeck en Belgique, disparu le 28 septembre 1915 à Souain. Egli Heinrich, né le 24 mai 1888 à Zurich en Suisse, tué à l'ennemi le 26 septembre 1915 à Souain. Eminian Hampart, né en août 1896 à Constantinople en Turquie, tué le 28 septembre 1915 à Souain. Enard Alfred Gustave, né le 14 août 1892 à Munich en Allemagne, tué à l'ennemi le 28 septembre 1915 au nord de Souain. Eskenazi Haïm ou Eskissazi Heisse, né en 1889 à Constantinople en Turquie, tué le 28 septembre 1915 à Souain. Espartero Bartholome, né le 24 juillet 1890 à Barcelone en Espagne, tué le 28 septembre 1915 à Souain. Esposito Daniel, né le 12 janvier 1890 en Espagne, tué à l'ennemi le 28 septembre 1915 à Souain. Farre Augustin, né le 20 août 1887 à Jou en Espagne, tué le 28 septembre 1915 à Souain. Feldmay Jacob, né le 22 décembre 1891 à Jassy en Roumanie, disparu le 28 septembre 1915 à Souain. Fillietroz Léon, né le 28 juillet 1889 à Quart en Italie, disparu le 28 septembre 1915 à Souain. Forcella Louis François, né le 2 avril 1886 à Montpellier dans l'Hérault, tué le 28 septembre 1915 à Souain. Freiburghaus Alfred, né le 25 juillet 1881 à Villarssous-Yens en Suisse, tué à l'ennemi le 29 septembre 1915 à Souain. Gache Samuel, né le 12 décembre 1888

à Buenos Aires en Argentine, tué à l'ennemi le 28 septembre 1915 à Souain. Gaibrois Louis Henri, né le 8 janvier 1894 à Colombes dans la Seine, disparu le 28 septembre 1915 à Souain. Gasi Pierre, né le 3 avril 1893 à Genève en Suisse, tué à l'ennemi le 28 septembre 1915 au nord de Souain. Gaultier Louis Georges Marie, né le 2 mai 1889 à Saint-Sulpice-sur-Rille dans l'Orne, tué à l'ennemi le 28 septembre 1915 à Souain. Gerber Antonin Rémy Charles, né le 22 juillet 1887 à Lyon dans le Rhône, tué à l'ennemi le 28 septembre 1915 à Souain. Gertsch Hermann Henri, né le 2 juin 1895 à Neufchâtel en Suisse, tué à l'ennemi le 28 septembre 1915 à Souain. Ghinsberg Jacob, né le 7 avril 1893 à Bucarest en Roumanie, tué le 28 septembre 1915 à Souain. Gilabert Joseph, né le 6 juillet 1895 à Sidi-Bel-Abbès dans le département d'Oran, disparu le 28 septembre 1915 à Souain. Gisello, tué le 28 septembre 1915 à Souain. Golda Marcel, né le 9 août 1892 à Vevey en Suisse, disparu le 28 septembre 1915 à Souain. Golderon Bernard, né le 22 mai 1890 à Varlin en Roumanie, disparu le 27 septembre 1915 à Souain. Goldstein Moïse, né le 5 mai 1888 à Toulelia en Roumanie, tué le 28 septembre 1915 à Souain. Gouaux Noël Henri Joseph, né le 25 décembre 1832 à Bordères dans les Hautes-Pyrénées, tué le 28 septembre 1915 à Souain. Grad Bernard, né le 1er novembre 1884 à Caïffa en Syrie, tué le 28 septembre 1915 à Souain. Graziani Dominique, né le 18 décembre 1883 à Porto-Rico, tué à l'ennemi le 28 septembre 1915 à Souain. Gruber Alfred, dit Maillard, né le 21 décembre 1883 à Eschau dans le Bas-Rhin, tué le 28 septembre 1915 à Souain. Hadida Samuel, né le 7 février 1889 à

Sousse en Tunisie, tué à l'ennemi le 28 septembre 1915 à Souain. Hamed Émile, né le 21 août 1892 à Pressenn en Albanie, disparu le 28 septembre 1915 à Souain. Herdler Charles Jules, né le 29 janvier 1887 à Schmollen en Allemagne, tué à l'ennemi le 28 septembre 1915 à Souain. Hosberg David, né le 4 novembre 1894 à Bucarest en Roumanie, tué à l'ennemi le 28 septembre 1915 à Souain. Itzig Henry, né le 16 juin 1890 à Mexico au Mexique, tué le 29 septembre 1915 à Souain. Izquierdo Justo, né le 27 mars 1889 à Hunel-del-Mercado en Espagne, tué le 28 septembre 1915 à Souain. Jentgen Mathias, né le 25 mars 1884 à Schifflange au Luxembourg, tué à l'ennemi le 28 septembre 1915 à Souain. Jimenez Élie Louis Désiré, né le 31 mars 1894 à Curzay-sur-Vonne dans la Vienne, disparu le 28 septembre 1915 à Souain. Jiranck François, né le 27 juillet 1892 à Mlada-Boleslav en Bohême-Moravie, tué à l'ennemi le 26 septembre 1915 à Souain. Junod Jacob Édouard, né le 3 février 1875 à Plainpalais en Suisse, tué le 29 septembre 1915 à Souain. Karels Dominique Pierre, né le 9 décembre 1882 à Winscler au Luxembourg, tué à l'ennemi le 27 septembre 1915 à Souain. Kauf Charles Alfred, né le 12 décembre 1897 à Paris, tué le 28 septembre 1915 à Souain. Kellaris Charalambos, né le 10 août 1892 à Lemnos en Grèce, tué à l'ennemi le 28 septembre 1915 dans le secteur de Souain. Kiener Charles, né le 28 mars 1878 à Muri en Suisse, tué le 28 septembre 1915 à Souain. Kummer Jean, né le 9 mars 1875 à Berne en Suisse, tué le 28 septembre 1915 à Souain. Lacoudrée Armand Jules Albert, né le 10 mai 1888 à Combray dans le Calvados, tué le 28 septembre 1915 à Souain. Lacroix-Andrevet Marcel Pierre, né le 5 juillet 1877 à Paris, tué à l'ennemi le 25 septembre 1915 à Souain. Lambert Louis, né le 1er janvier 1895 à Neufchâtel en Suisse, disparu le 28 septembre 1915 à Souain. Lammens Fernand Louis Maximilien, né le 24 janvier 1891 à Anderlecht en Belgique, disparu le 28 septembre 1915 à Souain. Larcher Charles François, né le 17 juin 1893 en Italie, tué à l'ennemi le 27 septembre 1915 à Souain. Lauvray Ernest Adrien, né le 27 mai 1891 à Lesse en Moselle, tué à l'ennemi le 27 septembre 1915 à Wez-Prunay, près de Mourmelon. Lecoultre Arnold, né le 29 décembre 1894 au Bouveret en Suisse, tué le 28 septembre 1915 à Souain. Leibovici Israël, né le 10 août 1893 à Bucarest en Roumanie, disparu le 28 septembre 1915 à Souain. Leone Benedetto, né le 14 janvier 1895 à Vallebona en Italie, tué le 28 septembre 1915 à Souain. Lestrade François Eugène, né le 27 mars 1886 à Paris, tué le 26 septembre 1915 à Souain. Longchamp Irénée, né le 21 décembre 1883 à Ponthaux en Suisse, tué le 28 septembre 1915 à Souain. Looss Georges Théodore Jacques Léon, né le 11 avril 1883 à Poitiers dans la Vienne, tué le 29 septembre 1915 à Souain. Lucas Pierre Marie, né le 21 septembre 1877 à Loyat dans le Morbihan, tué le 28 septembre 1915 à Souain. Manfredini Umberto Edmondo Santo, né le 27 mars 1880 à Ferrara en Italie, tué le 28 septembre 1915 à Souain. Marchand Auguste, né le 24 août 1891 à Paris, tué le 29 septembre 1915 à Souain. Marco Jean, né le 6 janvier 1887 à Alger dans le département d'Alger, tué le 28 septembre 1915 à Souain. Marengo Giuseppe Giovanni, né le 20 novembre 1894 à Turin en Italie, disparu au nord de Souain le 28 septembre 1915. Masson Paul Edmond, né le 9 juin 1897 à Saint-Maurice en

Suisse, disparu au nord de Souain le 28 septembre 1915. Mathurin-Lecocq Juan, né le 20 février 1885 à Montevideo en Uruguay, tué à l'ennemi le 28 septembre 1915 dans le secteur de Souain. Mechoulam Missim, né le 4 août 1889 à Constantinople en Turquie, tué le 28 septembre 1915 à Souain. Melik-Sarkissiantz Arsène, dit Melick, né le 20 mai 1889 à Taurus en Turquie, tué à l'ennemi le 28 septembre 1915 au nord de Souain. Morawski Victor, né le 24 août 1877 à Cracovie en Pologne, tué le 28 septembre 1915 à Souain. Moretti Jean, né le 12 août 1885 à Locatella en Italie, tué le 28 septembre 1915 à Souain. Nincewich Antonio, né le 14 janvier 1892 à Taros en Serbie, disparu le 28 septembre 1915 à Souain. Olivier Henri Louis, né le 20 janvier 1890 à Genève en Suisse, tué le 29 septembre 1915 à Suippes. Omet Jean, né le 14 juin 1897 à Olsenitza en Roumanie, tué le 28 septembre 1915 à Souain. Pache Gustave Louis, né le 12 février 1885 à Epalinges en Suisse, tué le 28 septembre 1915 à Souain. Pages Louis Léon, né le 3 août 1892 à Saint-Victor-la-Coste dans le Gard, tué le 28 septembre 1915 à Souain. Paris Francisco, né en 1885 à Tourris en Espagne, tué le 28 septembre 1915 à Souain. Pedrini Basilio, né le 30 octobre 1894 à Milan en Italie, tué le 1er octobre 1915 au nord de Souain. Pernau y Sans Juan, né le 14 mars 1886 à Arba en Espagne, tué à l'ennemi le 27 septembre 1915 à Souain. Pesciotti Jean, né le 4 mai 1895 à Pessano en Italie, tué le 28 septembre 1915 à Souain. Pichon Eugène Ernest, né le 11 février 1886 à Brest dans le Finistère, tué le 28 septembre 1915 à Souain. Pieracci Nazzarano, né le 28 août 1887 à Citta-di-Castello en Italie, disparu le 28 septembre 1915 à Souain. Pilger Pierre, né le

19 décembre 1884 à Willerscheidgen au Luxembourg, tué le 28 septembre 1915 à Souain. Pini Jean Hector, né le 8 juin 1894 à Barretali en Haute-Corse, tué le 28 septembre 1915 à Souain. Pisantin Gaspard, tué le 28 septembre 1915 à Souain. Pivaro Jean Baptiste, né le 21 août 1876 à Pontecchio en Italie, tué le 28 septembre 1915 à Souain. Poch Jaime, dit Rock, né le 30 juin 1893 à Barcelone en Espagne, tué le 27 septembre 1915 à Souain. Racovitch Mirko, né le 26 novembre 1890 à Belgrade en Serbie, tué le 25 septembre 1915 à Souain. Ramus Charles, né le 13 juillet 1875 à Bâle en Suisse, tué le 28 septembre 1915 à Souain. Reichert Camille, né le 5 juin 1891 à L'Île-Saint-Denis dans la Seine, tué le 28 septembre 1915 à Souain. Repik Laurent, né le 5 janvier 1884 à Wracour en Tchécoslovaquie, tué à l'ennemi le 28 septembre 1915 à Souain. Riessen Théophile, né le 10 février 1890 à Lenwarden aux Pays-Bas, tué le 28 septembre 1915 à Souain. Riondel Antoine, né le 21 mai 1882 à Versoy en Suisse, disparu le 28 septembre 1915 à Souain. Rios Nicolas Gonzales, né le 15 mars 1874 à Beria en Espagne, tué à l'ennemi le 28 septembre 1915 à Souain. Rivera Pablo, né le 28 avril 1888 à Pardial en Espagne, tué le 22 septembre 1915 à Souain. Rober Gustave Alvin, né le 29 janvier 1896 à Heiden en Suisse, tué le 28 septembre 1915 à Souain. Rosenspan Don, né le 18 août 1888 à Braïla en Roumanie, disparu le 28 septembre 1915 à Souain. Rosenspier Isaac, né le 10 septembre 1881 à Routchouch en Bulgarie, disparu le 28 septembre 1915 à Souain. Rubio Eduardo, dit Roubic, né le 13 octobre 1880 à Madrid en Espagne, tué le 27 septembre 1915 à Souain. Sarfati Albert Abraham, né le 26 juillet 1884

à Constantinople en Turquie, tué le 28 septembre 1915 à Souain. Sastre de Castroverde Manuel, né le 31 mars 1888 à Lorca en Espagne, disparu le 28 septembre 1915 à Souain. Saugy Georges Émile, né le 8 mai 1883 à Lode en Suisse, tué le 26 septembre 1915 à Souain. Schaer Paul Jean Élie, né le 14 août 1894 à Paris, tué le 28 septembre 1915 à Souain. Schaller Léopold Lucien, né le 8 mai 1887 à Méziré dans le Territoire de Belfort, tué le 28 septembre 1915 à Souain. Schlegel Jean, né le 25 septembre 1882 à Saint-Gall en Suisse, disparu le 25 septembre 1915 à Souain. Seguin de la Salle Louis Georges, né le 10 février 1872 à Paris, tué le 7 octobre 1915 à Souain. Sekler Léon, né le 17 juillet 1893 à Wiesen en Suisse, tué le 27 septembre 1915 à Souain. Senmarti Jean Tomas Mariano, né le 30 août 1878 à Mallen en Espagne, tué le 29 septembre 1915 à Souain. Serrano Mariano Vicente, né le 8 septembre 1888 à Saragosse en Espagne, tué à l'ennemi le 27 septembre 1915 à Souain. Seyrig Jean Roger, né le 6 mars 1897 à Hérimoncourt dans le Doubs, tué le 2 octobre 1915 à Souain. Soreff Jacques, né le 15 août 1894 à Andrinople en Turquie, disparu le 28 septembre 1915 au nord de Souain. Sourdan Joseph, tué le 30 septembre 1915 à Souain. Speck Alfred, né le 25 septembre 1880 à Fribourg en Suisse, disparu le 28 septembre 1915 au nord de Souain. Sprauck Jean, né le 13 janvier 1893 à Alzingen au Luxembourg, tué à l'ennemi le 25 septembre 1915 dans le secteur de Souain. Stretti Guiseppe Mariano Gaetano, né le 13 juillet 1890 à Livourne en Italie, tué le 28 septembre 1915 à Souain. Sush Aloïs, né le 3 juin 1886 à Parine en Tchécoslovaquie, disparu le 28 septembre 1915 à

Souain. Szafraniec dit Franice Joseph, né le 6 mars 1879 à Dambréa en Pologne annexée par les Russes, tué le 28 septembre 1915 à Souain. Talone da Costa e Silva Valentin, né le 1er septembre 1883 à Lisbonne au Portugal, tué à l'ennemi le 28 septembre 1915 au nord de Souain. Tarice Joseph, dit Taricco, né le 11 décembre 1881 à Turin en Italie, tué le 28 septembre 1915 à Souain. Teran Marian, né le 22 septembre 1891 à Burgos en Espagne, tué à l'ennemi le 28 septembre 1915 au nord de Souain. Toresani Charles Louis Frédéric, né le 11 mai 1889 à Milan en Italie, tué le 28 septembre 1915 à Souain. Torres Joseph Marie, né le 22 janvier 1882 à San-Pedro-del-Valle en Espagne, tué à l'ennemi le 29 septembre 1915 à Souain. Tortel Édouard, né le 26 mai 1878 à Montélimar dans la Drôme, tué à l'ennemi le 28 septembre 1915 dans la région de Souain. Touron Victor, né le 18 décembre 1887 à Bruxelles en Belgique, disparu le 28 septembre 1915 à Souain. Treboul Jean, tué le 28 septembre 1915 à Souain. Tronick Wolf, né en 1891 à Alavenic en Russie, tué le 26 septembre 1915 à Souain. Urcun Jean Jacques, né le 28 février 1875 à Charleroi en Belgique, disparu le 28 septembre 1915 à Souain. Valente Raymond, né le 22 avril 1884 à Gaète en Italie, tué le 28 septembre 1915 à Souain. Vek Aloïs, né le 25 juillet 1883 à Brandyse-sur-Elle en Autriche, tué à l'ennemi le 27 septembre 1915 à Souain. Vernet Gustave Léon, né le 31 mai 1879 à Meysse en Ardèche, disparu le 29 septembre 1915 à Souain. Verney Edmond, né le 14 juin 1880 à Besançon dans le Doubs, tué le 26 juin 1915 à Souain. Vernez Henri, né le 27 février 1868 à Villarzel en Suisse, tué le 28 septembre 1915 à Souain. Vonlanthen

François, né le 2 février 1893 à Guin en Suisse, tué le 29 septembre 1915 à Souain. Vuille Auguste, né le 18 mars 1896 à Saint-Imier en Suisse, tué le 28 septembre 1915 à Souain. Vullierme François Marie, dit Perrier, né le 23 décembre 1876 à Annecy-le-Vieux en Savoie, tué le 28 septembre 1915 à Souain. Wanty Émile, né le 2 février 1885 à Beaumont en Belgique, tué le 28 septembre 1915 à Souain. Wayne John Douglas, né le 20 mai 1892 à Tucson aux États-Unis, tué le 28 septembre 1915 à Souain. Weingartner Paul Louis Lucien, né le 8 janvier 1894 à Alger dans le département d'Alger, tué à l'ennemi le 28 septembre 1915 à Souain. Zimocki Alphonse Lucien Étienne, né le 18 juillet 1883 à Longwy en Meurthe-et-Moselle, tué à l'ennemi le 30 septembre 1915 à Souain. Zolotareff Nicolas, né le 8 mai 1877 à Rybinsk en Russie, tué le 25 septembre 1915 à Vienne-le-Château dans la Marne.

Ceci dans les seuls rangs des légionnaires du 2e régiment de marche du 1er étranger.

Au total, la seconde bataille de Champagne a fait près de vingt-huit mille tués, quatre-vingt-dix-huit mille blessés, cinquante-quatre mille disparus et prisonniers du côté français. Les pertes dans l'armée allemande sont beaucoup plus faibles.

Le front a progressé de quatre kilomètres.

Le 30 janvier 1916 le général Gouraud signera l'ordre n° 478 de la 4e armée pour le combat de la Ferme de Navarin, attribuant au régiment sa deuxième citation à l'ordre de l'armée : « Pendant les opérations du 20 septembre au 21 octobre 1915, sous le commandement du lieutenant-colonel Cot, a fait preuve des plus belles qualités de courage, d'entrain et d'endurance. Le 28 septembre, avec un admirable esprit de sacrifice, s'est élancé à l'assaut d'une position qu'il fallait enlever à tout prix et, malgré le feu violent des mitrailleuses ennemies, est parvenu jusque dans les tranchées allemandes. » Fin de citation.

1916-1938

Une lueur pâle s'étale derrière ses paupières closes. Peu à peu elle s'accroît, devient plus claire, plus dense. Du rose de l'aube au phosphore du jour. Il sent la chaleur caresser son visage, le baigner, l'envelopper – gaze émolliente.

Enfant il s'allongeait nu sur la terre au plus chaud de la journée et le soleil l'emportait. Son corps se dissolvait. Il était vapeur. Particules. Il s'élevait. Plus léger que l'air. Il tenait ainsi le plus longtemps possible. Lorsqu'il se relevait sa peau était marquée au fer. La tête lui tournait. Il titubait un peu. Des lucioles apparaissaient, disparaissaient, virevoltaient devant ses yeux. Des feux follets. Des étincelles. Il aimait ça.

Puis une ombre passe. Un trait. Comme il arrivait autrefois qu'un vaste oiseau traversât l'espace et s'interposât entre lui et l'astre solaire – un épervier en chasse, un goéland.

L'ombre repasse, provoquant une sorte de tic, une palpitation nerveuse de ses paupières.

D'un coup il ouvre les yeux.

Il voit, en arrière-plan, le flou d'un visage. Il voit, à quelques centimètres du sien – et parfaitement net – le tranchant d'une lame d'acier. Un rasoir. Un coupe-chou. La lame s'avance vers sa gorge. Il n'a pas le temps d'en voir davantage. Tout son corps se contracte, puis explose. Son bras gauche se détend et balaie la lame dans un mouvement de faux et simultanément le bras droit se projette et frappe. Touché en pleine face, l'adversaire s'écroule. Le garçon veut profiter de cet avantage pour l'achever mais la douleur qu'il ressent à ce moment-là le foudroie, lui arrache un grognement de bête. Ses bras retombent. Il est incapable de bouger. Ses muscles n'obéissent plus. Il prend conscience qu'il est couché. Cloué. Totalement à la merci de l'ennemi.

Et justement le voilà qui se relève. Le manche du rasoir toujours serré dans son poing. Son nez saigne. Il se tamponne doucement du revers de la main tout en plongeant son regard dans celui du garçon. Puis sa main s'écarte, laissant une trace pourpre sous la narine. Puis ses lèvres s'étirent en un large sourire tandis qu'au même instant des larmes emplissent ses yeux, donnant à ses iris l'éclat brillant de l'acajou. Puis sa bouche s'ouvre et il dit :

— Bonjour, mon amour…

Et dans le silence qui suit une larme grossit et tremble et finit par glisser le long de sa joue, suivant le cours de sa cicatrice.

Et cette vision fait si mal au garçon qu'il s'empresse de refermer les yeux.

Il faudra du temps. Encore du temps. Il faudra de la patience. Il faudra de la persévérance et de la douceur et de l'humilité. Il faudra un océan d'amour et une foi inébranlable en cet amour.

Et cela n'y suffira pas.

Jamais les choses ne redeviennent ce qu'elles ont été.

Pendant des jours le garçon lui refuse son regard. Il ne peut pas. Des images l'assaillent et s'imposent, d'atroces relents visuels qui apparaissent en surimpression sur le visage de la jeune femme. Qui font écran entre elle et lui. Il a peur de la salir, de l'abîmer. Par crainte de cette contagion il préfère détourner les yeux ou les garder clos. Il l'observe parfois à la dérobée, parvenant durant quelques secondes à déjouer la vigilance de son propre esprit, de sa propre mémoire infectée. Ce qu'il voit de prime abord le ravit, puis le ravage. Si grande est la beauté du monde et lui si petit. Emma. Les yeux d'Emma. Le sourire d'Emma. Et ce qu'on appelle le cœur et ce qu'on appelle l'âme. S'il en a été digne un jour il ne l'est plus. Honte, honte, honte à lui. La beauté d'Emma qui le renvoie à sa propre laideur.

La lumineuse pureté d'Emma qui contraste avec la noirceur de son abjection. L'amour d'Emma surnageant dans la fange parmi les rats et les corps suppliciés, l'amour qu'elle exhale et qu'elle offre et qui fait ressurgir la peur, l'effroi, la douleur qu'il distribuait en même temps que la mort.

Elle est le sublime miroir et il est le reflet infâme.

Il ne peut pas.

Mais comment lui dire ? Comment lui expliquer cela ?

Ce regard qui se dérobe est ce qui la fait le plus souffrir. Elle ne s'y attendait pas. Elle n'aurait pu le concevoir. Elle s'efforce de n'en rien montrer. Du matin tôt au soir tard elle demeure au chevet du garçon. Aucun médecin, aucune infirmière ne pourrait l'en empêcher. Ils ne s'y sont pas essayés. Ils s'habituent vite à sa présence. D'autant qu'elle les soulage d'une bonne partie des soins quotidiens au blessé. C'est elle qui s'en charge. Elle l'a déjà fait. Elle l'a déjà arraché aux ténèbres, souviens-toi. Elle l'a pansé et soigné et guéri et elle le refera. Si quelquefois sa confiance vacille elle ne s'éteint pas. Tout au long de l'obscure traversée il y aura toujours au moins la petite flamme de cette veilleuse.

Ils vont rester près de cinq mois à l'hôpital complémentaire n° 44 de Falaise, dans le Calvados. C'est ici que le garçon a atterri lorsque son état a permis qu'il fût transporté. C'est ici qu'elle l'a retrouvé.

Le garçon a reçu quatre balles dans le corps. Une l'a frappé à l'aine. Une lui a perforé l'abdomen jusqu'au péritoine. Une l'a traversé de part en part sous la clavicule gauche. Une a pénétré le thorax et le poumon avant de se loger dans son épaule droite. Il n'est pas mort. Il a subi sept interventions chirurgicales. Il a cuit dans des chaudrons de fièvre et claqué des dents dans des forteresses de glace et erré dans les arcanes du délire. Un aumônier à la barbe blonde lui a donné l'extrême-onction, a posé sur ses lèvres le métal froid d'un crucifix. Il a échappé au tétanos et à la septicémie et à la gangrène gazeuse. Il a perdu onze kilos de chair et de muscle. Il n'est pas mort.

Les médecins ont parlé de cas rare. Ils ont parlé de robustesse, de constitution solide, de chance – une sacrée veine, tout de même ! Les sœurs en blouse blanche parlent de miracle. Par là Emma entend Liszt. « Mazeppa. » L'étude transcendante. Les quarante-huit romances de Mendelssohn. Quelle différence ?

Elle a pris pension dans un quartier de la ville que l'on nomme le Val d'Ante. Une petite rivière y serpente entre les vieilles pierres. Elle loue une chambre dans la maison d'une certaine veuve Majon. La dame a perdu son mari en 1870 lors de la campagne contre les Prussiens. Il avait vingt-trois ans comme elle. Ils s'étaient dit oui devant le curé un mois avant qu'il intègre son régiment. Elle n'a pas refait sa vie. « On ne refait pas sa vie, dit-elle. C'est la vie qui nous refait. » Emma l'évite autant que possible, elle n'a pas envie d'entendre ça, surtout qu'avec son accent elle a du mal à la comprendre et doit lui faire répéter chaque phrase trois fois.

La chambre est des plus modestes. Les murs sont épais. Il fait froid. La nuit elle dort tout habillée sous une triple couche d'édredon et de couvertures. Elle pense à son amour. Elle a hâte de dormir à ses côtés, de se réchauffer à sa peau.

Au matin, quand elle ouvre le volet, elle peut voir

en se penchant l'énorme masse du château fort de Guillaume le Conquérant posé sur un éperon rocheux et qui domine la ville depuis neuf siècles. Un autre Guillaume. Un autre conquérant. Et toujours à leurs pieds des hommes morts, et toujours des femmes veuves. Le temps ne change rien à l'affaire. Dans l'enceinte du château on a aménagé un hôpital temporaire réservé aux soldats de confession musulmane. Les coloniaux. Braves enfants d'Afrique venus défendre la mère patrie et qui sans doute ne s'étaient jamais trouvés aussi près de leurs racines, aussi proches de leurs ancêtres, de leurs frères, ces blonds Gaulois de Normandie.

L'hôpital où est soigné le garçon occupe les bâtiments de l'École supérieure de jeunes filles. Dès huit heures Emma s'y présente. Avec elle pénètre à l'intérieur une bouffée d'air, un halo frais et pur qui prend un bref instant le dessus sur les odeurs d'antiseptiques, assainit l'atmosphère confinée de la salle. À chaque fois les battements de son cœur s'accélèrent ainsi que son pas lorsqu'elle aperçoit la silhouette du garçon étendue sur les draps. Elle se retient de courir. Elle s'arrête au pied du lit et s'appuie des deux mains au montant de fer et elle le regarde. Elle ne se lasse pas de le regarder. Elle peine encore à croire qu'il est vraiment là. Elle sourit. Elle pourrait aussi bien pleurer, laisser déborder cette émotion qui la remplit, qui la comble. Elle se retient. Son manteau fume doucement. Elle aimerait s'allonger sur lui. Elle aimerait caresser son visage, le couvrir de baisers, s'enfouir au creux de son cou, le renifler, elle aimerait le serrer contre elle et goûter sa peau, elle aimerait le manger. Elle se retient de tout.

Les nouveaux venus la prennent pour une véritable

infirmière. Elle les détrompe rapidement : le garçon est son seul patient. Hors le temps passé à lui prodiguer les soins nécessaires elle lui parle. Assise sur une chaise, penchée vers son oreille. Elle ignore s'il a reçu ses lettres. Ce qu'elle lui a dit par écrit elle le lui redit de vive voix, tout et davantage. En un long et calme et clair murmure sa vie s'écoule par ses lèvres, sa vie vécue, son horrible existence loin de son amour. L'absence de son amour qui prenait toute la place dans sa vie. Les heures, les jours, les nuits, les semaines, les mois, les années. Le vide. L'attente. L'angoisse vertigineuse. Le combat sans relâche pour repousser les terribles augures. La perpétuelle oppression. L'étouffement. La rage impuissante. Et tout ce qui en d'autres termes signifie je t'aime, je t'aime, je t'aime, il faut qu'il sache, cela doit lui être dit et répété.

Ce n'est toutefois qu'au terme de la deuxième semaine qu'elle parle de Gustave.

— Nous avons perdu notre père, dit-elle.

(Certainement n'a-t-elle pas encore pris la mesure de tout ce qu'ils ont perdu en réalité.)

Elle dit qu'elle le lui a annoncé dans une lettre sous la forme d'un poème crypté car alors il lui était impossible de l'exprimer autrement. Elle dit qu'elle ne parvenait pas à associer le mot « père » et le mot « mort ». Son esprit ne pouvait l'appréhender. Sa main ne pouvait tracer les mots. Ils sont si durs parfois. Ils sont d'une telle cruauté. Si on tente de les exposer tels quels, nus et crus et dans leur vérité la plus brute, alors leur onde de choc est si puissante que la raison se mure pour se protéger, elle se ferme et rejette les mots car elle est incapable de les assimiler.

— Il s'est éteint dans son fauteuil, dit-elle. Je dis « éteint » parce que c'est exactement l'impression que j'ai ressentie. Je crois qu'il ne subsistait pas grand-chose : un tout petit peu de mèche sur un tout petit peu de cire. Notre père était arrivé au bout. Il suffisait d'un souffle, un léger courant d'air… Un après-midi qui semblait pareil aux autres après-midi il a lu le journal, puis il l'a replié et posé sur ses genoux, ensuite il a fermé les yeux et il ne les a plus rouverts. C'est tout. Simplement ça. Je suis restée peut-être deux heures, peut-être trois heures dans la même pièce que lui sans savoir. Je pensais qu'il dormait. J'essayais de ne pas faire de bruit. Je marchais sur la pointe des pieds pour ne pas le réveiller parce que le sommeil était précieux. Pour lui comme pour moi le sommeil en cette période était une denrée rare. Il venait difficilement. C'était une trêve, une parcelle d'oubli ô combien bienfaisante et que l'on ne devait pas gâcher lorsque par chance elle nous était accordée. Je voulais… je voulais qu'il repose en paix, oui. Comment aurais-je pu imaginer qu'il partirait sans me dire au revoir ? Pas un mot, pas un geste d'adieu. Mon père ! Notre père ! Pas le moindre signe à mon intention. Rien. Il a lu le journal et il a fermé les yeux et c'était fini. Pfft ! À peine un souffle… Non, ce n'était pas censé se passer comme ça.

Elle relève la tête et observe le garçon. Il est couché les bras le long du corps, absolument immobile. Il fixe le plafond. Il ne cille pas. Son regard est insondable. Elle soupire. Elle s'incline à nouveau vers son oreille comme si c'était uniquement à cette partie de lui qu'elle s'adressait, comme si c'était la seule brèche par où l'atteindre.

— J'aimerais pouvoir t'affirmer qu'il n'a pas souffert, dit-elle. Mais ce serait un pieux mensonge. Son mal était de ceux qui ne se voient pas. Sans plaies ni traces sur le corps, sans stigmates. Un mal intérieur. Qui ronge, qui dévore, qui s'étend, qui détruit. Comme le ver dans le fruit, aurait dit le pomologue. Je t'en ai parlé aussi dans mes lettres. Tu peux appeler ça une infection de conscience. Tu peux appeler ça la gangrène de l'âme. Un mal sournois et mortel. Il existe une espèce de termites qui peut dévaster la plus solide charpente sans que nul ne s'en aperçoive. Le bois est creusé, évidé. En apparence la surface est intacte mais au-dedans tout est pourri. Et un jour, tout à coup, le toit s'effondre. Un souffle suffit...

« Notre père, dit-elle, est mort de s'être trompé. Une erreur si lourde pour lui qu'elle s'est changée en faute, sa faute, sa très grande faute, écrasante, envahissante, impossible à supporter. C'est tout à son honneur. Il a su reconnaître ses torts. Il s'est jugé lui-même et il n'a eu besoin de personne pour se condamner. Preuve de son immense valeur et de son intégrité. Combien, à sa place, se seraient fait fort de s'acquitter ? Combien s'en seraient lavé les mains ? Combien seraient allés jusqu'à s'en glorifier ?

« Regarde, dit-elle, regarde autour de toi : blessés, moribonds. Cette salle s'est remplie par la faute d'une poignée d'hommes, et il y a des centaines de salles comme celles-ci, et il y a des milliers d'ossuaires, et cette poignée d'hommes ne sera jamais jugée ni par elle-même ni par des tiers. Ce sont des êtres lâches ou cyniques ou cupides ou amoraux ou tout cela à la fois mais qui jamais ne seront reconnus coupables. Je n'aurais pas voulu que notre père leur ressemble. Sa faute à lui était bien moindre et la peine qu'il s'est infligée était aussi élevée que son âme. »

Elle dit qu'elle le regrette mais qu'elle n'a pu l'aider.

Un frêle rayon de soleil traverse une des fenêtres de la façade et vient se poser sur le drap. Emma avance doucement la main et recouvre celle du garçon. Le garçon ferme les yeux. Peut-être pour ne pas voir le sang lorsqu'il va rougir ses doigts, ses phalanges, ses ongles. Sa main tremble mais il lutte. C'est un terrible effort pour lui mais il ne la retire pas.

Il se lève. Il marche. À la mi-avril il fait ses premiers pas à l'air libre, dans le parc de l'école. Emma l'accompagne. Toujours, où qu'il aille, elle est à ses côtés. Elle le soutient. Ses blessures au thorax et à la clavicule ne permettent pas au garçon l'usage de béquilles. Ses muscles ont fondu. L'équilibre est fragile. Elle pense, en le voyant, à un oisillon tout juste éclos. Chaque fois que le temps est clément ils sortent. De lentes déambulations entrecoupées de haltes sur un banc, sous les arbres. Pendant que le garçon se repose Emma cueille pour lui de petites fleurs sauvages dont elle fait de minuscules bouquets. Elle les dispose ensuite dans un verre, au chevet de son lit. Il y a du bleu, du jaune, du mauve.

Le garçon recouvre des forces. Le médecin-chef qualifie ses progrès de remarquables, de surprenants, d'inespérés, quand ce n'est pas de fulgurants. Les sœurs les qualifient de miraculeux. Emma sourit fièrement. C'est un temps où la flamme brille, haute et claire. Dans l'esprit de la jeune femme il ne fait pas de doute que l'avenir sera la copie conforme du passé. La maudite parenthèse refermée, la vie et l'amour reprendront leur cours. Demain comme hier. Comme avant. Les beaux jours.

Elle peut désormais toucher le garçon. Elle peut le raser, le coiffer (ses cheveux repoussent, sa tignasse), elle peut caresser son visage et tenir sa main sans qu'il se rétracte, sans provoquer chez lui cette douloureuse crispation, cette suée froide qui couvrait brusquement son front durant les premières semaines. Et mieux que tout elle peut plonger dans son regard sans qu'il fuie ou se cloître.

Cent fois par jour elle lui murmure mon amour, mon amour…

En juin le garçon est autorisé à quitter l'hôpital. Emma remplit pour lui les papiers qu'on lui présente. Elle signe du nom de Mazeppa et invente sur-le-champ une adresse (rue des Martyrs, à Liège) où elle est sûre que jamais ils ne le retrouveront. Elle rend la fiche à l'administrateur avec un grand sourire.

Ils ne quittent pas tout de suite la ville. Elle ne veut prendre aucun risque. Ils ne sont pas pressés. Ici ou ailleurs. Elle prolonge d'un mois la location de la chambre. La veuve tique un peu en voyant le garçon. Emma le présente comme son mari. L'autre bougonne une tirade d'où il ressort quelque chose comme : « L'est r'venu, le vôt'… Pas toutes logées à la même enseigne… Faut croire que l'bon Dieu a ses têtes ! » Elle double le prix de la pension. Emma ne marchande pas.

C'est leur première soirée. Leur première nuit à eux depuis près de deux années.

Emma a allumé une paire de bougies. Tandis que le garçon est couché sous les draps la jeune femme se déshabille. Debout devant lui. Lentement.

Suavement. Sans le quitter des yeux. Elle veut qu'il la regarde. Elle veut le regarder pendant qu'il la regarde. Un à un elle ôte ses vêtements et les laisse choir, et bientôt elle se tient nue au pied du lit. Elle ne sent plus le froid. La lueur des flammes lèche son corps. Les ombres jouent sur sa peau, tels des nuages passant au-dessus d'un paysage vallonné, et qui voilent, dévoilent : les monts, les côtes, les renflements, les arpents boisés, le sombre bosquet niché au creux des étendues pâles, couleur de craie... Mais oui, voilà, c'est ça, des champs non plus de bataille mais de paix, une terre non plus de désolation mais de fertilité, d'ensemencement, la vie, voilà, un havre, non plus tombe, caveau, sarcophage, mais berceau, et partout de sublimes constellations à conquérir, des étoiles enfin dignes de ce nom, champagne, voilà, c'est ça, champagne mon amour, champagne. Et le garçon la contemple, et ce qu'il voit reste et demeure ce qu'il a vu de plus beau dans toute son existence, il en a le souffle coupé et il a mal à nouveau car à un certain degré le spectacle de la beauté peut faire souffrir.

Emma le rejoint. Nus côte à côte. Elle en a tant rêvé. Elle se tourne sur le flanc et se plaque contre lui, en douceur, attentive à ne pas peser sur ses blessures. La brûlure qu'elle ressent au contact de sa peau est exquise, elle irradie jusqu'au fond de son ventre. Le garçon ne bouge pas. Elle s'appuie sur un coude et parcourt son corps du bout des doigts, le frôle, l'effleure, par ces lentes arabesques elle a l'air de le charmer, de l'envoûter, des gestes de chamane, cela dure un long moment, après quoi elle se met à genoux et recommence, avec sa bouche cette fois, avec ses lèvres elle reprend le même circuit, reproduit les mêmes caresses. Puis elle appose délicatement sa joue sur chacune des plaies du garçon. Cicatrice contre cicatrices. Pacte scellé. Mon amour, mon amour… Ivre de ces mots qu'elle chuchote en boucle, ivre de l'odeur du garçon, des pigments, de l'opium de sa peau qu'elle respire, qu'elle hume, engourdie par la voluptueuse chaleur qui se diffuse dans son ventre, Emma flotte. Un état de semi-conscience. Si bien qu'elle n'est peut-être pas aussi étonnée qu'elle pourrait l'être lorsqu'elle cherche le sexe du garçon et le trouve tout recroquevillé et flaccide, lové. Vaguement elle repense à l'oisillon qui vient de naître, si petit, si fragile dans son nid douillet. Devra-t-elle finalement ajouter le colibri à son sexique ? Elle sourit à part elle. Elle est bien. Ce n'est pas grave. Ce n'est rien. C'est trop tôt sans doute. Elle attendra. Il est là contre elle et c'est l'essentiel.

Plus tard elle s'endort en tenant l'oiseau sous la coupe de sa main.

Elle est réveillée au milieu de la nuit par une sorte de plainte. L'une des bougies s'est éteinte, la flamme de l'autre tremblote. Les ombres dansent dans la chambre, murs et plafonds ont l'air de se mouvoir. Emma se dresse sur son séant et se tourne vers le garçon. C'est de lui que provient le bruit. Sa figure est blême et luisante à la fois, des mèches de cheveux sont collées à ses tempes. Et les globes de ses yeux roulent sous les paupières. Et les muscles de ses maxillaires saillent. Et du fond de sa gorge continue de monter cette espèce de gémissement, ce râle qui filtre, par spasmes, entre ses mâchoires serrées. Emma touche son front comme pour juger de sa fièvre.

— Mon amour… souffle-t-elle.

La réaction est brusque, immédiate. Dans un sursaut le garçon relève le buste, ses yeux s'ouvrent. Ses pupilles dilatées occupent tout l'espace de l'iris : noir sur noir, un ciel sans étoiles, sans la moindre lueur. Il ne voit pas la chambre. Il ne voit pas Emma. Il ne voit plus la beauté. Tout ce que cache l'éclipse totale de son regard c'est l'horreur. L'éblouissante, la sidérante horreur. L'horreur dans tout son éclat.

Le garçon halète. Des soubresauts le secouent encore. À force de caresses prodiguées et de tendresses murmurées elle parvient à le ramener aux lieux et temps présents. La tension se relâche peu à peu. Le garçon s'apaise. Emma le prend dans ses bras. Elle le berce contre son sein. Les démons ont changé de nature : c'est à ce moment-là qu'elle le comprend. Ses démons à lui. Et les siens devront s'y soumettre. Alors que la dernière bougie achève de se consumer, alors que sa flamme expire dans un bref grésillement, baissant soudain sur la pièce un rideau obscur, la jeune femme entrevoit, dans un éclair de lucidité, la forme nouvelle que prendra leur amour. Et elle est prête d'ores et déjà à l'accepter.

— Quel malheur !... Quel malheur !...

C'est dit dans une expiration. Toujours sur le même air. Le vieillard remue la tête. Ses yeux clairs sont plus larmoyants que jamais.

— Quel malheur, mes enfants !...

Que répondre à cela ?

Emma acquiesce en silence. Oui, le malheur. Le malheur, oui.

Au début, la complainte d'Amédée, d'une sinistre concision, ne concernait que la mort de Gustave. Et l'on peut affirmer que le docteur ne s'affligeait pas uniquement de la perte d'un partenaire de jeu – en fait son plus ancien, son plus fidèle adversaire, le seul, le dernier. Même s'il se voyait dorénavant condamné à jouer aux dominos en solitaire, c'était d'abord et avant tout l'ami qu'il pleurait.

Et puis, au fil des visites, le malheur s'est étendu à la plupart des événements. Aujourd'hui il vaut pour tout.

— Bernard, vous vous souvenez de Bernard, le fils du métayer ? Eh bien, il y est resté, lui aussi ! À Douaumont, dans la Meuse... Dix-sept ans à peine. Un gamin. Il avait devancé. Son père ne voulait pas,

mais bien sûr le bougre ne l'a pas écouté. Et voilà…
Les parents ont reçu l'avis pas plus tard que le mois
dernier. Leur fils unique, vous pensez ! « Disparu au
combat. » C'est ce qui était écrit. Disparu ! Qu'est-ce
que ça veut dire ? Tué, je peux encore le comprendre,
mais comment peut-on disparaître ?

Le vieillard se tourne vers le garçon. Désemparé,
sa bouche sans lèvres à demi béante. C'est une vraie
interrogation.

Le garçon pourrait l'instruire, il pourrait lui expliquer comment il est possible pour un homme de
disparaître. Totalement. De se volatiliser. Par quelle
magie. Dans l'absolu il pourrait, oui.

— Quel malheur !… souffle Amédée.

Emma se souvient en effet du jeune homme. Bernard. Ses culottes courtes, sa bouille rondouillette,
ses pommettes roses. Elle l'avait vu pousser au long
des étés, toujours dans l'ombre de son père. Timide,
l'air impressionné chaque fois qu'il pénétrait dans
cette maison. Elle se souvient d'avoir réussi à les
entraîner, père et fils, dans son expérience de salon
littéraire. Les pauvres ! La mine ahurie qu'ils faisaient en l'écoutant débiter sa poésie ! Et comme
si ça ne suffisait pas, ils avaient eu droit ce jour-là,
en prime, à une séance de spiritisme de la part de la
vieille cousine du docteur !

Un sourire passe, furtif, sur les lèvres de la jeune
femme. C'était bien. C'était bon. Cela paraît si loin.

Est-ce que lui, Bernard, s'était souvenu de ça
avant de disparaître ? Est-ce que les miettes d'un
homme peuvent communiquer depuis l'au-delà ?

— Ils sont douze, dit le docteur. Comme les
apôtres. Douze du village à avoir été mobilisés
depuis le début de cette guerre. On sait déjà que trois

ne reviendront pas. Et on peut encore en compter deux de plus, deux autres qui sont sous la menace : si ça dure, ils atteindront bientôt l'âge... Bon sang ! Une véritable hémorragie ! Et quel remède ?... Dites-moi : quel remède à ça ?

C'est vers Emma, cette fois, qu'il tourne sa face parcheminée, ses yeux limpides qui s'embuent. Encore une vraie question.

Emma pourrait aussi lui répondre. Elle y a déjà répondu. Elle l'a dit et répété. Mais elle sait que les hommes n'entendent pas. Elle ne le dira plus. Elle ne veut même plus y penser.

— C'est maintenant, soupire Amédée, que je remercie le ciel de ne m'avoir donné que des filles...

Son chef aux fines mèches blanches dodeline.

Lors de sa première visite il avait tenu à ausculter le garçon. Peut-être s'apprêtait-il à émettre quelque critique sur le travail des praticiens qui l'avaient réparé. Peut-être avait-il dans l'idée d'y ajouter son grain de sel. Sa méthode à lui, toute personnelle – les bonnes vieilles recettes du docteur Théoux. Sa confiance en la médecine moderne n'est que très modérée. Mais devant les blessures du garçon il était resté muet. Aucun commentaire sinon ce « Quel malheur ! » qui commençait à devenir une antienne. Il n'avait pas même songé à prescrire l'un de ces fameux traitements, de Madère ou d'ailleurs, dont il prône d'habitude les vertus et l'efficacité. Non. « Quel malheur ! » : rien à ajouter.

Le vieil homme ne vient pas tous les jours jusqu'à eux, et ce n'est pas plus mal. Ils l'aiment bien mais ils aiment mieux être seuls. Il arrive qu'ils fassent les sourds lorsqu'il toque à leur porte, qu'ils demeurent dissimulés à l'intérieur tant que ne s'est pas évanoui le bruit des roues de l'antique boghei tiré par une carne étique.

Emma et le garçon ont débarqué ici début juillet. Le village. La maison. Dans chaque pièce, chaque recoin, sur chaque palier ils rencontraient le fantôme de Gustave. Ils n'osaient pas se tenir la main. Mais ça passe. Ils l'apprivoisent. L'ombre de l'ombre du vieux sanglier s'efface. De qui se cacher à présent ?

Personne n'a cueilli les pommes dans le champ. Elles ont pourri sur l'arbre ou sont tombées, flétries, blettes, piquées, ratatinées, elles achèvent de se décomposer sur le sol. Ils ramassent les moins abîmées. Pour les tartes la farine est plus rare. Emma fait des compotes. C'est des vitamines. C'est bon pour toi, dit-elle.

De jour en jour leurs balades s'allongent. Ils gagnent de la distance. La démarche du garçon a changé – séquelle de sa blessure à l'aine. Il boitille un peu. Cette légère claudication finira par s'estomper, puis cesser complètement, en revanche il conservera jusqu'au bout une allure singulière, sa jambe gauche restant droite et la droite s'ouvrant vers l'extérieur selon un angle d'environ vingt-cinq degrés. Une sorte de demi-canard. Emma se demande s'il sera à nouveau capable, un jour, de défier les cimes.

Au terme de ce mois ils atteignent le saule. C'est une étape qui compte. Ils se baignent nus dans le ruisseau. Une longue et profonde balafre sillonne en diagonale le torse du garçon, et deux, plus réduites, dans la largeur. (Le signe. La marque. Les glyphes d'une civilisation barbare, inscrits dans la chair même. Tout un symbole – pour qui sait lire.) Ils s'étendent nus sur le cresson. L'un près de l'autre sous le dais de verdure. Cela ne va pas plus loin.

C'est déjà beaucoup : ce que se dit Emma. Quelquefois, pourtant, elle saisit la main du garçon et l'attire entre ses cuisses. Et le garçon ne la retire pas. Tous deux ferment les yeux et laissent monter la chaleur et laissent les heures s'écouler.

Le saule.

(Pleure-t-il, leur cher arbre ? De nostalgie ? De tendresse ?)

Emma n'a pas apporté ses livres. Elle était partie au plus vite, dès qu'elle avait su, avec un minimum de bagages. Une dizaine d'ouvrages traînent dans la maison, pour la plupart traitant de pommes et de poires et de botanique générale. L'héritage de Gustave. Certains passages peuvent s'avérer savoureux mais certains passages seulement. Elle n'a pas envie de lire ça au garçon. Encore moins les journaux (pas question ! Que Verdun crève et Nivelle avec !). Elle fait ressurgir de sa mémoire des poèmes appris par cœur. Ses favoris. Des merveilles. Merveilles des merveilles de l'univers. Des vers à vous damner. Des vers à vous faire croire en Dieu. Elle les lui récite. Elle est heureuse de constater qu'il aime ça. Toujours, au moins, ça. Elle les lui distille. Elle puise dans ses réserves. Après quoi elle invente. Des histoires. Elle les imagine et les lui dit au fur et à mesure. Elle n'écrit pas, elle n'écrit plus (trop de lettres les ont séparés), elle raconte.

Elle avait prévu de repartir début septembre, mais au fond pourquoi ?

Leur séjour se prolonge.

Quand arrive l'automne ils se mettent à voyager.

Cela se produit la première fois par hasard. Un après-midi de pluie. Ils sont allés dans la remise. Dans la lumière grise la roulotte leur apparaît. Elle n'a pas bougé. Elle penche. La roue n'a jamais été réparée. La poussière recouvre l'or – les inscriptions sur ses flancs. Il faut le savoir, que là-dessous se cache *Brabek l'ogre des Carpates*. Vestiges. Ils doivent déchirer des toiles d'araignées pour entrer. Le cœur du garçon bat fort, palpite sous la boursouflure de sa cicatrice. À l'intérieur rien n'a changé non plus. Juste l'odeur de renfermé. Emma ouvre les fenêtres. En posant son regard sur le lit, tout à coup, elle se rappelle son rêve. Les images jaillissent par surprise : le garçon allongé, son membre raide, gonflé, son glaive dressé pour elle – prends ! – et elle qui s'y empale, la lame qui la fouaille, et cette déchirure divine, incomparable, qui la tue. L'espace d'un instant une onde la traverse, ses jambes flageolent, puis elle se ressaisit. Elle chasse les démons. Il y a d'autres rêves à faire. Ils prennent place sous l'alcôve.

— Plus tard, dit-elle, nous voyagerons. Lorsque ce sera fini. (Ils savent tous deux ce que cela signifie.)

Qu'est-ce qui nous en empêche ? Nous serons libres. Nous avons cette roulotte, et cela suffit. C'est parfait. Ce sera notre maison. Nous partirons. Nous irons par les routes et les chemins, toi et moi, ensemble, dans notre maison ambulante. Nous parcourrons le monde. Connais-tu le monde, mon amour ? Je ne sais même pas ce que tu as vu. Quels pays tu as visités. Quels continents. Peu importe, si tu as déjà vu le monde, tu le reverras. Avec moi. Tu me le montreras. Moi, je veux tout voir. Tout !... Nous aurons le temps. Nous le prendrons. Nous ferons halte dans les villes et les villages, sur les places. Pour gagner notre vie nous ferons comme les saltimbanques. « Approchez, mesdames et messieurs, approchez ! Venez voir des artistes de renommée internationale, Emma & Félix, Félix & Emma, venez assister à leurs numéros sensationnels ! » Je peux faire ça, tu sais. Je déclamerai de la poésie. Je chanterai. Je danserai pieds nus en frappant sur un tambourin. Je peux faire ça. J'en suis capable. Mais autant te prévenir : tout en dansant je lèverai mes jupes assez haut pour que ces messieurs se rincent l'œil, qu'ils en redemandent et ne lésinent pas sur leur bourse ! Eh oui, il faut ce qu'il faut, mon amour ! Et pour les dames, je jouerai du piano... Crois-tu que l'on puisse embarquer un piano dans cette roulotte ? Pourquoi pas ? Nous nous serrerons. Nous ferons un peu de place à Wolfgang Amadeus. Et à Franz, à Robert, à Frédéric, à Ludwig, à Vincenzo, à Joseph. Vois-tu, ce seront en somme nos enfants. Oh ! la charmante portée ! Nous les emmènerons partout avec nous. Toutes ces bouches à nourrir : il faudra bien qu'ils participent, eux aussi. Au charbon, les mômes ! Musique ! Ces dames vont adorer... Et puis je dirai la bonne aventure. Bonne, bonne, toujours bonne. Merveilleuse. Avec moi, l'avenir sera radieux. Rien que des lendemains qui chantent et enchantent. Ils me confieront leurs mains et je lirai entre les lignes et ils ne seront pas déçus. Facile : il suffit de leur dire ce qu'ils veulent entendre. Je sais faire ça. Quoi de sorcier là-dedans ? Je serai la nouvelle demoiselle Lenormand ! (Mais lorsqu'elle dit cela il pense, lui, à une autre cartomancienne, une autre sibylle aux yeux d'onyx.) Je serai l'oracle des jours heureux ! « La bonne parole, mesdames et messieurs ! Venez découvrir le fabuleux destin qui est le vôtre ! »

Emma sourit. Elle s'amuse. C'est déjà beaucoup.

— Et toi, alors ? dit-elle. Que feras-tu, toi, mon amour, pour gagner notre croûte ? N'oublie pas que la famille s'est agrandie. Nous avons maintenant un tas de petits prodiges qui dorment dans le piano. Ils ont faim. Ils réclament. Qu'est-ce que tu proposes ?… Je sais ! Tu n'auras qu'à te planter devant la foule et soulever ta chemise. Hou ! Seigneur, visez-moi ces coutures ! « Félix le Balafré. » Tu imagines la tête qu'ils feront ?… Hep là ! Pas touche, ma p'tite dame ! C'est un sou si vous voulez tâter ! Cinq sous pour vous faire prendre en photo avec le phénomène ! Désolée, mais il faut ce qu'il faut, mon amour… T'ai-je déjà parlé du docteur Frankenstein ? (Mais lorsqu'elle dit cela c'est à une autre créature, un autre monstre qu'il songe, lui.) Qu'en dis-tu ? N'est-ce pas une bonne idée ?… Ou bien alors, tu pourrais faire le jongleur. Ou le cracheur de feu. Ou mieux : le montreur d'ours ! Saurais-tu dresser une de ces énormes bêtes et lui apprendre quelques tours ? Des sauts, des pirouettes… Mais aurons-nous encore la place de loger un ours entre le piano et toute notre ribambelle de marmots ? Hmm… Peut-être vaudrait-il mieux que tu te fasses dresseur de puces !

Ses yeux luisent sous l'alcôve, dans la lueur terne de cette fin d'après-midi. La lumière a baissé. On peut entendre la pluie crépiter doucement sur le toit de la remise. Les yeux du garçon luisent aussi. Il est blotti contre elle, la joue sur son épaule.

— Par où commencerons-nous ? Quelle sera notre première destination ? Moi je veux tout voir, je te l'ai dit, mais je veux voir d'abord l'Italie. Connais-tu l'Italie ? Y es-tu déjà allé ? Pas moi. Je veux voir Rome ! Les sept collines. Les mille églises. Nous partagerons. Je te laisse le pape et je prends Michel-Ange. La dive chapelle. Le nombre d'or. Les fresques. Les corps célestes au plafond. Le doigt de Dieu. L'étincelle. Les anges joufflus. Il paraît qu'en fixant les cuisses dodues de ces chérubins on a l'impression de les voir bouger. Il paraît qu'on meurt d'envie de croquer dedans !… Je prends le Caravage aussi, et le grand Léonard – Veni, Vidi, Vinci. À moi le temple de Vénus. À toi la maison des Vestales : les chastes prêtresses, les vierges sacrées, je te les laisse – royale, non ? À nous deux le Colisée ! L'arène ancestrale. L'immense manège. De quoi nous faire tourner la tête. Nous ne serons pas seuls : il peut contenir jusqu'à soixante-quinze mille spectateurs, paraît-il. Là, autour, dans les gradins… Entends-tu ? Il paraît qu'en se concentrant bien on peut encore percevoir la clameur de la foule à l'entrée des gladiateurs. C'est la plèbe. C'est nous. C'est Rome !… Et puis Venise. Oh ! oui, je veux voir Venise. Quoi de plus romantique ? Plus romantique

que la Rome antique ! Je veux voir les palais. Les Doges. Je veux nager dans la lagune. Je veux soupirer sous le Pont. Je veux me perdre dans les dédales de ses ruelles liquides. Je veux voir le sang rose de l'aurore irriguer ses artères. As-tu jamais vu quelque chose d'aussi beau que ce lever de soleil sur les canaux ?... Et de là, puisque nous y sommes, nous n'aurons qu'un petit saut à faire pour rejoindre Vérone. Pourquoi Vérone, d'après toi ?... Pour les amants, bien sûr ! Pour lui, pour elle. Pour Juliette et Roméo. Comment les oublier ? Comment ne pas leur rendre hommage ? Nous irons, toi et moi, mon amour, graver nos noms sur les murs de la maison des Capulet. N'écoute pas ceux qui te diront qu'elle n'existe pas. Ce sont des sottises. C'est de la bave de jalousie. Comment pourrait-elle ne pas exister puisque monsieur Shakespeare en personne l'a inventée ? Mister William Shakespeare, please ! D'ailleurs, il paraît que l'on peut la visiter, cette demeure. Nous irons. « Tire la robinette et la capulette cherra » : c'est la formule pour pénétrer. Je la connais, crois-moi. Regarde, les portes s'ouvrent. Entrons. La cuisine, le salon, les chambres, les antichambres, les boudoirs pour bouder, les longs corridors sombres, et voilà enfin la majestueuse salle de bal où leurs regards se sont croisés. L'étincelle. Le doigt de Dieu – ou du diable ! Appelle ça le coup de foudre, si tu veux. C'est d'ici que tout est parti. Il paraît que l'on peut même s'embrasser sur le balcon où ils se sont déclaré leur flamme. Sais-tu que la mignonne n'avait pas quatorze ans ? Précoce, la Véronèse ! Quant à son soupirant, il avait à peu près ton âge. Mais la passion n'attend pas le nombre des années, n'est-ce pas ?... Bien entendu nous poursuivrons notre pèlerinage jusqu'au monastère de San Francesco où ils mirent fin à leurs jours. C'est ici que tout s'achève. Sais-tu qu'ils n'auront eu au final qu'une unique nuit d'amour ? Comme c'est triste ! Et pourtant, vois-tu, les siècles passent et l'on en parle encore. Ils sont toujours là. On les honore. On les fête. On les envie. Non, en vérité l'histoire est loin d'être achevée. Ne t'ai-je pas dit que l'amour était éternel, mon amour ? N'écoute pas ceux qui te diront le contraire. Menteurs ! Jaloux ! Ne t'occupe pas d'eux... Continuons, continuons, la bella Italia nous appelle ! La botte de sept cents lieues. Nous la traverserons de part en part, du nord au sud, toi et moi – et notre prodigue marmaille – dans notre roulotte. Nous longerons la plaine du Pô sur les traces de Fabrice... Fabrice ! Mais si ! Souviens-toi : Fabrizio del Dongo. Parme, mon amour. Parme ! Outre les jambons et fromages, excellents certes, il y a la Chartreuse. Il y a la cita-delle, la forteresse, la haute tour Farnèse d'où notre jeune héros s'évada – elle n'existe pas moins que la maison des Capulet. Encore une histoire d'amants maudits. Décidément ! Est-ce le sort qui leur est à tous réservé ? Est-ce que l'amour est une malédic-tion, mon amour ?... Je vais te dire le fond de ma pensée : ce n'est pas la petite Clélia qu'il aurait dû choisir, mais Gina. La duchesse Sanseverina. Elle est sa tante, mais elle aurait pu être sa sœur, son amante, sa mère. Elle aurait pu être tout pour lui. C'est elle, la véritable amoureuse ! Si c'était moi qui avais dû écrire l'histoire... Mais passons. C'est la nôtre qu'il faut écrire. Aussi nous quitterons Parme et après un détour – obligatoire – pour nous mirer dans le lac de Côme, nous ferons route vers

Florence. Puis de Florence à Bologne. Puis de Bologne à Ravenne. Cela ne te dit rien ?… C'est, en résumé, l'itinéraire de Dante. Le sien propre. Je veux que nous retracions son parcours. Je veux que nous nous reposions sur son lit funéraire – Signor Alighieri, per favore !… Sais-tu que c'est justement ici, à quelques pas de Ravenne, qu'il situe l'entrée du Paradis ? Avoue que cela vaut la peine d'aller vérifier. Le Paradis ! Nous ferons halte sur la vieille dalle du poète, chauffée par le soleil, et je te lirai ses vers, et tu verras, tu verras ce qu'est le Paradis !… Ah, la divine Comédie ! Ah, ces chants terribles et poignants ! Ah, ces admirables hendécasyllabes !… Cela veut dire onze, mon amour. Onze pieds : un de moins que ceux d'Alexandre. On s'imaginerait, à le dire ainsi, que l'on va avancer clopin-clopant, tout brinquebalant, on penserait que l'on va rater une marche à chaque palier. Mais non. C'est exactement l'allure qu'il faut, c'est la cadence parfaite pour remonter la pente : de l'enfer au ciel. Bravo, maestro !… Dans notre langue, à mon humble avis, il n'a d'égal que Paul. Seul ce dernier a su adopter avec autant de bonheur ce pas si singulier. *Il faut, voyez-vous, nous pardonner les choses…* Tu entends ça ? Splendide impair. Le cheval a trois pattes, mais ses ailes compensent… *Ô que nous mêlions, âmes sœurs que nous sommes / À nos vœux confus la douceur puérile / De cheminer loin des femmes et des hommes / Dans le frais oubli de ce qui nous exile !* Démarche dantesque ! Comme quoi, mon amour, on peut être bancal et sublime – si tu vois ce que je veux dire… Et voilà que par la même occasion nous retrouvons nos romances ! Les sans paroles. Les muettes. Les tiennes, les miennes, les nôtres. Liaison faite par la grâce des poètes – qu'on boite ou pas !… Est-ce vraiment notre histoire ? Les amants maudits. Les âmes sœurs. Le long et périlleux trajet entre l'enfer et le paradis… Nous ferons une pause, ici, les fesses sur la vieille pierre tombale, tiède et usée, nous nous laisserons gagner par la douce chaleur, et je te lirai ces vers. Serons-nous, mon amour, à la moitié du chemin de notre vie ? Serons-nous au carrefour ? À l'orée d'une obscure forêt dont la route droite est perdue ?… Non ! Non ! Pas encore. Pas tout de suite. Il nous reste tant à découvrir. L'Italie est vaste. Debout ! Nous nous relèverons et nous reprendrons la route. Le sud, toujours plus au sud. Les Abruzzes. Les Pouilles. Oui, je veux voir les Pouilles ! J'adore ce nom. Cela me fait penser… Non, rien. Si ! Au vin ! Il paraît que leur vin est tout bonnement divin. Le sang de la Madone. Vino rosso. Vino negro. Vino puro. Je veux voir à quoi ils ressemblent, ces pouilleux. Et leurs vignes. Et leurs oliviers. Et leurs palmiers. Et leurs orangers. Et toutes les villes blanches de l'Adriatique. Le sud, le sud encore et toujours. La pointe de la bottine. Le talon !… J'aimerais tant voir Syracuse. Et Messine et Catane et Palerme, et tous les volcans de Sicile et toutes les îles de l'archipel qui sont, dit-on, comme des pierreries, comme de précieux joyaux enchâssés dans le bleu de la Méditerranée. La mer, mon amour ! L'as-tu déjà vue ? Mer ! Mer ! Nous y plongerons. Nous nous y baignerons. Il paraît que sur la côte de Lampedusa on peut nager avec les dauphins. Il paraît que les sirènes elles-mêmes viennent s'échouer sur le rivage, attirées, éblouies par son sable si blanc, si fin. Lampedusa, mon amour ! La plage ! Les sirènes ! Est-ce que tu les vois ?

Il les voit.

Il voit, par la fenêtre, le soleil et l'ombre, la blonde lumière de Toscane, de Campanie, l'azur. Il voit. Le paysage défile. La pluie tombe doucement sur le toit.

Ainsi a lieu leur premier voyage.

D'autres suivent. Ils y reviennent souvent. Ils investissent la roulotte et partent pour des périples si longs et lointains parfois que cela leur prend tout l'après-midi.

Ils font le tour du monde.

Qui peut dire s'ils y croient ou s'ils font semblant ? Sachant les conditions requises pour que leurs voyages un jour se réalisent. Sachant qu'il faudrait que les canons se taisent. Que la vieille verdine soit remise en état. La roue et l'essieu réparés. Sachant qu'il faudrait surtout que le hongre soit là, entre les brancards, pour les emmener toujours plus loin par les routes et les chemins.

Puis c'est le retour à Paris. Boulevard du Temple. Ici aussi des semaines se passent avant que le spectre du père ne déshante l'appartement. Son absence est plus flagrante encore lorsque Emma se met au piano. Ils n'en parlent pas mais tous deux ont en mémoire leurs anciens concerts, leur musique de chambre. Le trio a perdu un membre. Le hautbois s'est tu. L'instrument repose dans son étui fermé. Pavillon en berne. Sa voix manque, ce chant que le garçon aimait tant. Emma joue seule. Elle joue pour lui. Pour eux.

Les cauchemars du garçon n'ont pas cessé. Ils ne cesseront jamais (jusque dans la jungle, à dix mille lieues de là, de tout, ils le poursuivront). Une nuit sur deux, deux sur trois, il se bat avec ses revenants. Et les revenants ont de sales gueules. Et les combats sont sanglants. Et ce n'est pas lui qui gagne – pas cette fois. Les morts se vengent. Ils le mangent, ils le dévorent à froid. Ils ont le temps. Ils ont l'éternité pour eux. La pitié qu'il n'a pas eue ils ne l'ont pas non plus. Combien de hurlements silencieux devra-t-il pousser ? Le garçon se réveille en nage, il émerge, happant l'air, bouche ouverte, yeux béants, aveugles – rappelle-toi les globes vitrifiés, l'opaque gelée où les corbeaux piquaient du bec, rappelle-toi les orbites caves et sombres des cadavres. La sueur couvre son front. Emma l'essuie avec un coin du drap. Ses gestes sont lents. Elle lui caresse les cheveux, les tempes. « Ça va, ça va, ça va... » lui murmure-t-elle tout bas. Que pourrait-elle faire d'autre ? La douleur du garçon lui échappe, elle ne connaît pas son visage. Elle voudrait la lui arracher et la faire sienne. Au moins en prendre sa part, la partager, mais c'est une chose impossible. Sa compassion est immense. Elle doit lutter contre sa propre peine, qui l'étreint, qui l'étouffe, contre sa gorge serrée et ses larmes qui montent. « Ça va, ça va... » Elle prend le garçon dans ses bras. Elle le berce doucement contre son sein.

Félix, mon enfant. Mon tout-petit.

Il a peur du noir. La bougie qu'elle laisse allumée sur la table de chevet n'y change rien. Le noir est à l'intérieur. Il est profond. Le garçon de plus en plus redoute le sommeil. Il en vient à le fuir. Certaines nuits c'est elle, Emma, qui s'éveille en sursaut, et le garçon se tient au pied du lit, immobile, qui la regarde. Silhouette flottant dans les ténèbres, à demi dessinée ou à demi effacée par la courte flamme cuivrée qui l'éclaire par en dessous. La jeune femme ne peut réprimer un frisson. Est-ce bien elle qu'il voit ? Elle ne sait pas. Elle craint ses absences. Cela lui arrive même en temps de veille : soudain le regard du garçon se fige et alors elle comprend qu'il est parti, il est ailleurs, loin, en un lieu où elle ne peut ni le suivre ni le rejoindre.

Certaines nuits il n'est plus là. Sa place dans le lit est déserte. Il est sorti. Il marche dans la ville. Il va d'un pas rapide, régulier, la mécanique à peine grippée par sa légère claudication – comme un vers à onze pieds. Ce n'est pas une allure de promeneur, pas celle, mal assurée, d'un pochard attardé, pas celle d'un flâneur noctambule. Aucune hésitation. Aucune espèce de nonchalance. Il va. C'est la démarche déterminée de quelqu'un qui a un endroit précis où se rendre. Qui sait comment. Qui sait pourquoi. À le voir nul ne peut soupçonner que le hasard seul le guide. Le garçon n'a pas d'itinéraire établi, il n'a pas de lieu, pas de but à atteindre. Ce qui compte c'est le mouvement. Bouger. Ne pas s'arrêter. Laisser l'esprit de côté, seul le corps, les bras, les jambes, le corps seul – Somme, Ardennes, Argonne, Champagne ! C'est l'incontrôlable pulsion du dromomane qui le meut. Il pourrait marcher sur place, comme la souris, comme le rat de laboratoire il pourrait faire tourner indéfiniment la roue sous la plante de ses pieds sans avancer d'un pouce. Il serait dans l'incapacité totale de refaire son parcours à rebours et pourtant il ne se perd pas.

Il rentre avec le jour – ainsi que ces créatures qui se repaissent de sang et connaissent le secret de l'immortalité. Emma ne s'est pas rendormie. Elle l'attend. Elle le guette. Quand elle entend le bruit de la porte elle sort du lit et va à sa rencontre, elle traverse pieds nus l'appartement et lui ouvre grand les bras. Il lui apporte l'haleine fraîche de la nuit, elle l'enveloppe de la chaleur moite du duvet. Ils restent longtemps enlacés sur le seuil.

L'hiver est rude. On parle de pénurie. On rationne. On restreint. Il y a moins de sucre, moins de pain, moins d'huile, de viande, de charbon. Moins pour qui ? Dans les magasins on commence à se plaindre.

Les ménagères rouspètent. La vie est chère, disent-elles. Emma ne peut entendre ça, pas quand il ne s'agit, dans leurs bouches, que d'argent et de denrées. L'estomac, la bourse : est-ce tout ce qu'elles prennent en considération pour estimer le prix de l'existence ? S'il lui manque quelque chose, à elle, ce n'est pas ça. « Je boufferais le cuir de mes semelles à chaque repas, dit-elle, pourvu que tu sois à table avec moi ! » Elle le pense. Elle le croit. Qui sait ? Elle serre les mains du garçon dans les siennes et les porte à ses lèvres et elle baise ses doigts. Jamais peut-être elle ne l'a autant aimé. La vie est chère, c'est vrai : il est bien tard pour s'en apercevoir.

Ils hibernent. Hormis les errances nocturnes du garçon, hormis quelques courses nécessaires, ils demeurent retranchés dans l'abri de l'appartement. Eux. Eux deux seulement. Piano et lecture et de longues heures à simplement rester étendus l'un contre l'autre, en silence, simplement se sentir, odeur, chaleur, simplement s'écouter l'un l'autre respirer. Ils prennent aussi des bains ensemble. C'est une pratique qu'ils ont étrennée le premier soir de la nouvelle année sans qu'il y ait eu préméditation – Emma trempait dans la baignoire, le garçon est apparu, il l'a regardée un moment, puis il s'est déshabillé et l'a rejointe – et qu'ils ont aimée et qu'ils reproduisent à l'envi. La salle de bains ces jours-là est une étuve. L'eau fume, de la vapeur s'en échappe, en volutes lentes, comme de ces sources chaudes qui sourdent entre les failles des terres volcaniques, laquant les murs, donnant à la céramique un lustre nouveau, un vernis brillant. Emma traverse ce vaporeux rideau et s'embarque la première. Elle se tient debout un moment, le temps de prendre la température, ses longues jambes tour à tour se relevant puis s'enfonçant, telles les pattes d'un flamant qui se déplace avec prudence dans l'eau plate d'un étang. Et sa peau se teinte du même rose pâle que l'oiseau. Enfin elle s'assoit, s'adosse à l'émail avec un de ces soupirs qu'arrachent les souffrances délicieuses. Elle ne bouge plus. L'onde, un instant agitée, se calme. Le clapotis meurt au long des berges incurvées, et sous la surface claire, étale, le corps de la jeune femme transparaît comme sous le verre d'une gigantesque loupe. Vois : le fond des océans, où débuta l'humaine odyssée, n'est-il pas fait sur le même modèle ? Il y a tout : un banc de sable blanc, un fouillis d'algues brunes au creux duquel se dissimule le rouge corail d'une coquille, et les flancs larges, évasés, l'arche abyssale, et la côte douce qui monte vers les cimes, celles-ci déjà à demi émergées, les dômes fertiles, les îles jumelles, rondes, pleines, nourricières, crevant la poche aqueuse de leurs pointes érectiles pour indiquer le ciel, l'air, l'air à engouffrer, l'air dans les poumons, le souffle à prendre, le premier. Tout est là. Tout y est. Emma respire, paisiblement, et les marées infimes, à l'entour de ses seins, suivent le même mouvement, épousent le même rythme. Un embrun s'accroche et luit sur l'un des bourgeons couleur cassis. Puis elle se tourne vers le garçon et ses yeux, à travers le voile, ont un éclat presque fiévreux, et son regard l'invite, ainsi que le sourire un rien mystérieux que ses lèvres esquissent. Le garçon prend pied dans la baignoire. Il s'immisce entre les cuisses de la jeune femme, se cale, dos contre elle et la tête sur sa poitrine. Elle l'entoure de ses bras, pose le menton sur le haut de son crâne. Ils sont à l'étroit mais c'est mieux. Elle en voudrait plus encore, plus serrés, plus près. Elle le voudrait en elle, dans son ventre. Le froid les saisit peu à peu. Ils le laissent venir. Ils ne font rien d'autre. Elle se dit quelquefois qu'ils pourraient mourir ainsi, ensemble, leurs corps sertis dans la glace, leur jeunesse à jamais conservée. Des siècles plus tard on en parlerait toujours.

Le soir, dans le lit, elle lui fait lecture des plus belles pages consacrées à ce qu'elle appelle les amants maudits. Florilège d'amours contrariées, de séparations iniques, de destins tragiquement convergents, d'embrasements, de fulgurances, d'étoiles et de météores qui explosent en vol, ébranlant l'univers sous le choc de leur rencontre et leurs débris retombant indéfiniment en fine poussière d'or sur la terre des hommes. Des histoires trop vastes pour un monde étriqué. Les héros sont beaux. Leurs sentiments sont nobles et purs. Souvent ils sont chastes – affaires d'âme d'abord.

Couchés, blottis tous deux sous l'épais édredon blanc, on les dirait ensevelis sous la dalle d'un tombeau que la neige recouvre.

Cependant l'armoire de la chambre reste close, celle où reposent, sur une étagère, les ouvrages sulfureux, interdits. Éros mis à l'index. Ces damnés livres, ils ne les lisent plus. L'enfer, pour eux, s'est refermé.

Ce n'est qu'au mois avril qu'ils remettent le nez dehors. L'air pique mais il y a, dans l'étoffe molletonnée des nuages, de larges pièces de bleu. Et dans la lumière comme une promesse.

Cela fait longtemps qu'ils n'ont pas arpenté ces rues ensemble. Ils sont l'un et l'autre nu-tête. Ils marchent en se tenant la main, d'un pas timide, hésitant, et lançant autour d'eux, sur les choses et les gens, des regards intrigués, anxieux, presque craintifs. On les prendrait facilement pour deux étrangers découvrant la ville, ou deux Terriens lâchés sur une autre planète. C'est un peu ça. Mais à la vérité leur état d'esprit est plus proche de celui de deux ancêtres retournant sur les traces de leur passé, et ne reconnaissant rien. Pourtant ils ne sont pas très vieux. Pourtant Paris n'a pas tellement changé, et leur absence n'a pas été de si longue durée. D'où leur vient alors cette impression de ne plus faire partie du décor, de la représentation, d'être passés, en quelque sorte, de la scène à la salle, d'acteurs à spectateurs – et d'un spectacle dont ils peinent à saisir le sens ?

Ils sont deux mais qui sont-ils ?

Que sont-ils ?

Où vont-ils ?

Perdus, voilà. Les anciens rouages ne fonctionnent plus. Les idoles dégringolent. Hugo, Liszt, dépassés. Mazeppa, l'heure de la chute est peut-être venue, largué dans ta course folle par la course plus folle encore de cet étrange dada que quelques-uns ont commencé à enfourcher. Or, tu sais que si tu tombes, elle tombe avec toi. Elle ne peut pas ad vitam æternam te porter à bout de bras. Elle ne peut pas à chaque fois te repêcher. Si tu plonges, elle plonge. Mais n'est-ce pas ce que vous êtes déjà en train de faire ? Agrippés, cramponnés l'un à l'autre, égarés au milieu de cette cité que vous croyiez connue, familière. Qu'est-ce qui cloche ? Où est la réalité ? La vôtre a-t-elle toujours cours ? Que vaut-elle ? Vous jetez autour de vous ces regards de faon aux aguets et vous ne comprenez pas vraiment ce que vous voyez, vous ne parvenez pas à l'assimiler. Il y a un hiatus. Une fracture. Une faille – celle dans laquelle vous risquez de vous abîmer. Et vous êtes à part de ce côté-ci. Vous êtes seuls. Oui, le vent a tourné. Aujourd'hui l'antique réalité s'estompe, avec sa trogne de sorcière décatie, acrimonieuse. Elle est caduque, la réalité. Elle est périmée. Et il faut bien qu'elle crève, la garce, il faut qu'on s'en débarrasse – sans rancune ? – afin de faire place à quelque chose de plus – plus grand, plus exaltant, plus euphorisant. Aujourd'hui le surréalisme naît. Jeunes pousses. Prémices. C'est le printemps. Table rase. Est-ce qu'enfin vous le sentez, le souffle ? Sinon, c'est bien ce qu'on disait : vous n'avez pas l'esprit nouveau. Ou peut-être, au fond, ne l'avez-vous que trop.

Surréalisme : nous sommes en avril et tandis que maintes dames se promènent sur le Champ-de-Mars,

Mars se déchaîne sur le Chemin des Dames. Le Plateau de Californie se trouve dans l'Aisne, et les troupes américaines y débarquent. Wilson s'acquitte de sa dette au marquis de La Fayette.

Surréalisme : nous sommes en avril et tandis que les canons tonnent, Paris pétille. La coupe déborde. La vie bat son plein, pétulante, trépidante, au rythme des Hotchkiss, la mort engraisse, les cadavres se pressent aux Champs Élysées, les terrasses se remplissent et les tranchées se vident.

Surréalisme : nous sommes en avril et dès le mois prochain la grande Foire va commencer. Tandis que poussent d'éphémères baraquements sur le pavé, dans les campagnes des fermes séculaires disparaissent, Hurtebise, la Royère, Malval, des tentes se dressent quand des villages entiers sont rayés de la surface de la Terre, Ailles, Courtecon, Beaulne-et-Chivy, La Vallée-Foulon. Mai, joli mai, fais ce qu'il te plaît. Les Boches sont moches. Les Boches s'accrochent. Poincaré sait manier la cisaille, il coupe des rubans comme il pique des médailles. Applaudissements. Ça crépite de tous côtés. Les premières lignes aux premières loges, on se bouscule. Les badauds investissent l'esplanade, et soudain les Invalides grouillent, il en sort de partout. C'est gai, c'est gai. La gentille troupe que voilà !

Surréalisme : toutes ces ombrelles sous les shrapnels, ces canotiers sous les mortiers.

Surréalisme : Poincaré n'est pas rond.

Surréalisme : nous sommes en avril et les artistes montent au créneau. Théâtre des grandes batailles. Cocteau, Satie, Diaghilev, Massine, Picasso : Français, Russes et Espagnol – la triple entente pour une seule Parade. Ballet. On danse. Ça, pour s'entendre, ils s'entendent ! Le Châtelet s'embrase, pire que la Caverne du Dragon. Fortin. Bastion. La critique en place tire à boulets rouges sur les assaillants. Le combat fait rage. La jeune garde résiste. Au diable les convenances ! Au diable la raison ! Tandis qu'on s'étripe pour des lopins de terre arable, on s'écharpe pour les Mamelles de Tirésias.

Surréalisme : nous sommes en avril et il faut changer la vie, il faut transformer le monde. Rimbaud et Marx unis sous la même bannière. Liberté ! Vague à l'âme. Sus à l'oppresseur, qu'il soit militaire ou bureaucrate, tsar ou kaiser, rentier, fonctionnaire, père de famille, propriétaire, comptable, bourgeois ou aristocrate. D'ici l'automne on entendra comme un air de rébellion. La chanson de Craonne en écho aux chants de Maldoror. La révolte gronde. Les mutins sont passés au crible – Feu ! – à l'instar de madame Margaretha Geertruida Zelle, dite Lady MacLeod, dite agent H21, dite Mata Hari. À poil, la salope ! Les poilus, à poil ! Des rêves éclatent sous les chapeaux cloches et les casques Adrian. Des rêves naissent sous les chapkas. Du sang ! Du sang ! L'aube rouge, à Vincennes, à Petrograd, à Oulches, à Paname. On jettera à leurs pieds des bouquets composés de blanc muguet et de roses écarlates. Et le combat continue. Tandis que les batteries dévastent la terre de Picardie, retentissent dans la capitale les coups de cymbales des big bands. Louise Michel ? Non, mieux : Louis Mitchell's Jazz Kings. Révolution musicale ! Ça décoiffe dans le no man's land. Ça swingue dans les barbelés. On parle de deux cent mille morts en trois mois côté français. On parle de trois millions sept cent mille francs de recettes au Casino de Paris. On parle de déroute, on parle de triomphe. Fête, défaite. On appelle ça : une revue à grand spectacle. Surréalisme !

Nous sommes en avril et ils marchent main dans la main, Emma et le garçon, regardant autour d'eux la vie qui change, le monde qui se transforme. Et c'est alors que se produit ce qui est peut-être l'ultime manifestation d'une réalité en train de disparaître, le signe d'adieu d'une silhouette fantomatique s'évanouissant derrière la brume. Ce sera bref. Voici :

Ils viennent de dépasser le Café de Flore quand le garçon sent qu'on lui tape sur l'épaule. Réflexe : d'un bond il s'écarte d'Emma, se retourne en même temps que ses doigts raclent son flanc, cherchant la poignée du coupe-coupe – mais ne la trouvant pas. Il fait face, le corps ramassé, prêt à se battre.

— Holà, Mazeppa ! Tout doux !... Repos, mon vieux.

L'homme affiche un grand sourire. La tête rejetée en arrière, menton relevé, qui lui donne un air de défi. Et toujours la clope au bec. À travers la fumée ses yeux gris-vert étincellent.

— C'est comme ça qu'on salue son cabot ? dit-il.

Le garçon se redresse lentement. Ses lèvres s'entrouvrent. Ses paupières clignent. Devant son expression ahurie un rire secoue le caporal – deux hoquets muets.

— Surpris ? Moi non plus, je ne m'attendais pas à te revoir... Alors, tu t'en es sorti, mon salaud ! Voilà qui me fait rudement plaisir.

Le garçon le scrute, le détaille, de haut en bas, pas certain encore que ce ne soit un de ses revenants qui lui jouerait un mauvais tour. Maigre, figure émaciée, le caporal porte un feutre sur le crâne, sur le dos un vieux manteau de ratine bleu foncé, au col en velours. Pas si éloigné que ça de l'ancienne capote d'uniforme. Des vêtements usés, miteux. Une dégaine de clochard que seul son regard rend céleste.

Il lève son bras droit vers le garçon. La manche flotte, pend, comme une aile brisée.

— Celui-là, on ne l'a jamais retrouvé…

Son sourire s'affine, se nuance. Son bras absent retombe.

Emma se rapproche du garçon. Elle glisse une main sous son coude et se colle contre lui. Un geste, une attitude qui sont à la fois d'une propriétaire et d'une protectrice. Elle considère l'inconnu sans aménité. Elle ne l'aime pas. D'instinct. Il y a quelque chose chez cet homme qui la rebute.

Son manège n'a pas échappé au caporal. Jusqu'à présent ses yeux n'avaient fait qu'effleurer le visage de la jeune femme, maintenant ils s'y arrêtent. Durant quelques secondes son regard, intense, pénétrant, la sonde. Puis :

— C'est vous, dit-il.

Ce n'est pas une question.

— Moi ? fait Emma.

Le caporal hoche la tête.

— Je me suis souvent demandé qui se cachait derrière cette initiale : « E. » Mystère… E comme Ernestine ? Comme Eulalie ? Éléonore ? Émérentienne ? Églantine ?…

— Emma, dit Emma.

Elle le lâche dans un souffle, à contrecœur, un peu comme un aveu qu'il lui aurait soutiré. Elle le regrette déjà mais c'est trop tard. Elle s'en mordrait la langue.

— Emma, répète le caporal. Bien sûr…

Le coin de son sourire se relève, son mégot avec. D'un coup de menton il désigne le garçon.

— Je me doute qu'il a pas dû vous en parler, dit-il, mais ce bougre m'a sauvé la peau. S'il avait pas été là…

Cette fois Emma garde les lèvres closes, pincées. L'homme jette un rapide coup d'œil au garçon puis revient sur elle.

— Un brave, dit-il. Brave d'entre les braves. Et un sacré salopard aussi – pardonnez-moi, mademoiselle… Un foutu bon Dieu de salopard ! Comme nous tous qui y étions.

Il hoche à nouveau la tête.

— Une abomination, cette chose, dit-il. La pire de toutes. Mais il fallait y être. C'était notre place, à Mazeppa, à moi. La place des poètes, c'est là qu'elle est : dans l'action !

Il a bu. Emma s'en rend soudain compte. Pas assez pour être soûl, assez pour qu'en soit rehaussé l'éclat de son regard – à moins que cette brillance n'ait à présent une autre source. Cependant il sourit toujours. Sa cigarette se consume. Emma serre un peu plus fort le bras du garçon. Ils sont tous les trois arrêtés au milieu du trottoir. Les passants les contournent. Le flot des gens.

— À n'importe qui d'autre, reprend le caporal en s'adressant au garçon, j'aurais proposé d'aller s'en jeter un pour fêter nos retrouvailles. Mais c'est pas le genre de la maison, pas vrai ?… Et puis j'ai mieux que ça, mon vieux !

Il enfonce la main dans la poche de son manteau. Emma s'attend à l'en voir extraire une flasque d'alcool, ou le collier volé de la reine, ou un revolver. Elle s'attend à peu près à tout sauf à ça : un livre. Une mince plaquette de couleur blanche.

— Tu as de la veine, dit le caporal, c'est le dernier exemplaire qui me reste. Je m'apprêtais justement à l'apporter à une amie, mais personne, j'en suis sûr, ne saura l'apprécier autant que toi… Tiens, prends !

Il le tend au garçon. Dans le mouvement de la cendre tombe sur sa poitrine. Le garçon saisit la plaquette. Le caporal se tourne vers Emma.

— Cela ne vaut peut-être pas votre prose, mademoiselle E, mais je demande un brin d'indulgence : cela a été écrit de la main gauche !

Clin d'œil. Emma se sent rougir. Ses joues la cuisent. Elle s'en veut de cette faiblesse.

— Je compte sur vous pour lui en faire lecture, dit le caporal en désignant le garçon. Chacun son tour !

Puis il dresse sa main valide vers le ciel.

— Adieu, Mazeppa !…

Il s'éloigne à reculons.

— Et tiens bon !… N'oublie pas : la vie, Mazeppa ! La vie !

L'éclair de son sourire, puis il pivote sur ses talons et se mêle à la foule et très vite le courant l'emporte.

Il est parti depuis un moment déjà quand tous deux sont toujours là, immobiles, les yeux rivés sur l'espace vide qu'il a laissé. Qui sait ce que chacun y voit. Emma ressent encore un picotement, une légère brûlure sur la peau, et une colère sourde dans sa poitrine. Brusquement elle s'empare de la plaquette qui pend au bout du bras du garçon. Le titre lui saute au visage, imprimé en larges capitales noires :

LA GUERRE
AU
LUXEMBOURG

Il ne lui en faut pas davantage. Un pli mauvais lui vient aux lèvres. De dégoût. De mépris.

— La guerre !... crache-t-elle.

Crache, vraiment. Elle s'essuie la bouche et jette l'ouvrage sur le pavé, comme une épluchure, un papier gras. Elle reprend la main du garçon.

— Viens, dit-elle.

Le garçon fixe un instant le livre qui s'est ouvert dans sa chute. Les feuilles blanches, retournées, face contre terre. Emma presse sa main. Le garçon se laisse entraîner. Ils se remettent en marche.

C'est le début du dernier acte.

9 novembre 1918, date mémorable : Guillaume rend les armes.

Apollinaire, en effet, meurt.

Le 11 novembre de la même année, lors d'une réunion secrète et champêtre, à l'aube, dans un wagon-restaurant, en pleine forêt (surréalisme ?), l'armistice est signé.

Le feu cesse. Les cloches sonnent. Les cœurs exultent.

Dire qu'il suffisait de quelques paraphes au bas d'une page.

Paix.

Paix aux corps et aux âmes.

Le 13 novembre le poète trépané est conduit à sa dernière demeure. Sur le chemin du Père-Lachaise le cortège funéraire traverse une foule en délire qui n'en finit pas de célébrer l'arrêt des hostilités. Joie ! Joie ! Les artères fourmillent. Le corbillard est cerné de toutes parts. On rit, on danse, on s'embrasse. Heureuses gens. Et tandis que les mottes de terre pleuvent sur le cercueil, la meute en liesse raille l'empereur vaincu en braillant à tue-tête : « Non, il ne fallait pas y aller, Guillaume ! Non, il ne fallait pas y aller !… » (surréalisme ?). Puis les grilles du cimetière se referment et le silence retombe.

Adieu.

Nous ne nous verrons plus sur terre
Odeur du temps brin de bruyère
Et souviens-toi que je t'attends.

C'est terminé.

Était-ce là, vraiment, la place des poètes ?

Et de quiconque.

Mais ne boudons pas notre plaisir. Par chance le Kaiser est vivant. Son fils le Kronprinz aussi. Par bonheur Ludendorff est en pleine forme. Et von Bülow. Et von Hindenburg, von Kluck, von Tirpitz, von Heeringen. Dieu merci le président Poincaré est en parfaite santé. Foch de même. Tout comme Pétain. Tout comme Nivelle. Dieu soit deux fois loué car le maréchal Joffre non seulement est sain et sauf mais de surcroît il accédera à l'immortalité lorsque deux mois plus tard l'Académie française l'accueillera en son sein (admirable institution qui toujours sait reconnaître les siens). Dieu soit définitivement loué !

Paix et justice règnent.

Hélas, il est un autre fléau qui ne connaît pas de trêve :

Le matin du 15 novembre Emma ne se lève pas. Elle se sent lasse, un peu fébrile. Un début de céphalée, les membres lourds, et des courbatures (comme elle a pu parfois en ressentir après certaines prouesses sur le tapis. Mais aujourd'hui ce n'est pas ça). Au fil des heures sa température augmente, atteint les quarante sans doute, les dépasse.

Elle transpire d'abondance, puis, soudain prise de longs frissons, elle grelotte. Une immense fatigue lamine son corps.

Cela dure trois jours. De pics fiévreux en descentes glacées. Elle ne quitte pas sa couche. Pendant ce temps le garçon demeure auprès d'elle. Il ne sait que faire. La situation est inédite : c'est lui, d'habitude, qui gît, et elle qui le soigne. Il arpente la chambre, tourmenté, impuissant. Il tourne autour du lit. Il passe un gant humide sur le front de la jeune femme. Il lui fait boire de l'eau sucrée. Il lui tient la main. Est-ce sa faute ? Est-ce sa faute à lui ?

Le quatrième jour, en fin de matinée, l'étreinte se relâche. La fièvre baisse. Emma respire mieux. Elle parvient à se lever. Elle fait un brin de toilette, enfile une chemise de nuit et par-dessus une robe de chambre. Elle avale un bol de potage dans la cuisine. Puis elle s'installe dans un fauteuil, au salon. Ils y passent l'après-midi. Régulièrement le garçon lui apporte du thé. Après quoi il se rassied au bord du canapé, tout au bord, et se penche vers elle et la regarde. Dans ses yeux noirs l'inquiétude et l'appréhension. Emma lui sourit faiblement. Dehors il pleut.

Le soir descend et la pénombre doucement efface leurs traits, puis leurs contours. Emma se dresse pour aller éclairer. Au bout de quelques pas ses jambes se dérobent, elle s'effondre. Le garçon se précipite. Il la soulève, un bras sous ses cuisses, l'autre sous ses épaules, il la transporte jusque dans la chambre. Elle se laisse faire, le corps à l'abandon, sans forces. Il peut sentir le souffle âcre et brûlant qu'exhalent ses narines. Il la dépose à nouveau sur le lit, rabat sur elle l'édredon.

À partir de là le mal empire rapidement. La température est remontée. Des sueurs profuses couvrent la jeune femme, en vagues successives, comme joue le ressac avec un bout d'épave échoué. Autour de son crâne l'étau se resserre. Une masse énorme s'est posée sur sa poitrine et pèse, pèse de plus en plus, comprime son thorax, ses côtes, ses poumons, les broie. Tantôt Emma semble se débattre, lutter contre ce monstre invisible et redoutable, tantôt elle reste prostrée, les yeux clos. Et au fur et à mesure que sa douleur s'intensifie, s'accroît l'angoisse du garçon. Une sorte de panique le gagne. Il a repris ses pauvres soins. Sans cesse il va à la salle de bains et mouille le gant et revient le passer sur le visage de la malade, sur ses tempes, sur son cou. À plusieurs reprises il tente de la faire boire, du thé chaud, de l'eau fraîche, elle n'avale rien, le liquide s'écoule sur son menton, il l'essuie, il la repose en douceur sur l'oreiller, il prend sa main, la garde dans la sienne, la caresse, effrayé par la chaleur que sa peau dégage il se relève et repart vers la salle de bains.

Vers minuit les râles commencent. L'air se fait rare dans les poumons d'Emma, sa respiration toujours plus pénible et difficile. À un moment elle tourne vers le garçon ses yeux scintillants de fièvre. Ses lèvres remuent : elle veut lui parler. Le garçon penche l'oreille pour l'entendre. Dans un murmure elle dit : « Maman… » Ce mot fait frissonner le garçon. Il se recule et la regarde. A-t-il bien compris ? Est-ce le délire qui la prend ? C'est qu'il ne peut pas deviner l'obscur cheminement de la pensée d'Emma : dans le sifflement qui s'échappe à présent de ses bronches obstruées elle a reconnu les derniers symptômes du mal qui emporta sa mère. Elle se trompe : la phtisie dont souffrait Laure Van Ecke n'est pas de même nature que cette grippe (nullement espagnole, quoi qu'on dise) qui s'est emparée d'elle. Mais qu'importe, dans son esprit embrumé la jonction s'est faite. Pour elle, il n'y a plus de doute : le temps est venu de récolter ce qu'elle a semé. D'ailleurs ses lèvres remuent encore, et lorsque le garçon se penche à nouveau, elle dit : « Je vais mourir, mon amour… » Cette fois il bondit. Debout près du lit il secoue la tête avec force, serre les poings. Non. Non. Qu'en serait-il de leurs voyages ? Qu'en serait-il de l'Italie ? De Rome, de Venise, de Parme, des îles, des dauphins, des sirènes ? Qu'en serait-il des saltimbanques et de leur ribambelle d'enfants prodiges ? Et la bonne aventure, alors ? Bonne, bonne, toujours bonne ! Une promesse est une promesse. Elle ne peut pas mourir. Le garçon fait non de la tête. Non. Emma a un lent battement de paupières. Puis elle se met à cracher une espèce de mousse roussâtre semblable à du jus de pruneaux.

L'agonie se prolonge. Entre les râles, les expectorations, les tremblements. Les phases d'agitation extrême alternent avec celles de totale sidération. Et il en va presque de même pour le garçon, qui souffre avec elle, s'agite avec elle, tremble avec elle, qui engrange par réflexe de vastes bouffées d'air quand il voit qu'elle en manque, respire, inspire à plein nez comme si cela pouvait remplir d'oxygène ses poumons à elle, et qui entre-temps trotte jusqu'au lavabo pour rincer la cuvette et rafraîchir le gant, et qui les lui rapporte dans la chambre, et qui se pose au bord du lit et lui donne la main.

Peu avant l'aube se produit une accalmie. Emma est allongée sur le côté, sa respiration continue de siffler mais elle n'a plus de spasmes. On la croirait assoupie. Seuls ses cils frémissent, telles les ailes d'un papillon. Le garçon l'observe. Il n'ose plus bouger. De même que le soleil poursuit sa lente ascension derrière l'horizon, l'espoir remonte en lui. Il ne peut l'empêcher. Mais c'est un leurre – l'un comme l'autre.

Le calme est de courte durée. Soudain Emma est prise d'une quinte de toux terrible, le corps tout entier bousculé, brinquebalé : une poupée de chiffon dans le poing d'un gamin coléreux. Ses doigts se crispent sur l'édredon. Le jus marron gicle entre ses lèvres, macule le drap. La crise la laisse pantelante. Au prix d'un immense effort elle se remet sur le dos. Elle reste un moment les paupières fermées, la bouche entrouverte, tâchant de reprendre ce souffle qui inexorablement s'amenuise. Puis tout à coup elle rouvre les yeux, et ses yeux paraissent démesurément grands et lumineux au milieu de ce visage d'une pâleur terreuse. En eux brûlent les derniers feux. Elle les fixe sur le garçon. Ses lèvres cyanosées remuent encore une fois. Le garçon se penche. À son oreille elle murmure son nom, le nom qu'elle lui a donné. Elle dit : « Félix mon frère… » Elle déglutit. Elle dit : « Félix mon enfant… » Et c'est à peine un filet d'air. Elle dit : « Félix mon amour… Mon amour à jamais… » Après quoi son cœur cesse de battre, pour elle comme pour lui.

Le jour se lève.

Le garçon reste deux jours et deux nuits étendu auprès d'elle sans bouger. La mort ne le prend pas. Pas encore.

Puis il erre dans l'appartement, éperdu, hébété, vacillant, il déambule dans les pièces et les couloirs.

Puis il retourne vers la chambre et se tient dans l'embrasure de la porte. Appuyé contre le chambranle il la contemple. La princesse. La bohémienne. La belle au bois dormant. Son regard tombe un peu plus loin sur le petit secrétaire, près de la fenêtre. Sur le plateau sont disposés l'encrier en étain, trois plumes, le buvard, un bloc de papier de couleur crème. C'est ici, avec ça, qu'elle écrivait ses poèmes. C'est ici qu'elle écrivait ses lettres. Mon amour, disait-elle.

Le garçon s'avance vers le meuble. Il soulève le couvercle de l'encrier et y plonge l'index. Il trace sur le mur de la chambre une longue ligne convexe, dans le sens de la hauteur. Puis son pendant en miroir. Cela donne une figure de type ellipsoïdal qui pourrait aussi bien représenter un œil en amande, positionné verticalement, qu'une vulve féminine. Ou Dieu sait quoi en vérité.

Le garçon poursuit son œuvre. Il trace d'autres lignes, d'autres traits, dessine d'autres formes et objets, peut-être des symboles, obscurs, énigmatiques, composant au final sur la cloison ce qui ressemble à une vaste fresque érotico-cosmique, et qui n'est pas sans rappeler celle ornant la caverne qu'il avait naguère visitée – la chambre sépulcrale surplombant la rivière.

Son témoignage et sa contribution.

L'encre est épuisée. Il laisse tomber l'encrier. Quelques gouttes éclaboussent la pointe de sa chaussure.

Après cela le garçon se retourne vers le lit et contemple à nouveau la jeune femme. Un long moment. Puis il s'approche d'elle, il la soulève et la porte dans ses bras jusque dans la pièce à musique. Il l'installe sur la chauffeuse en velours bleu. Il la recouvre des pieds au menton d'un plaid ayant appartenu à Gustave le père. Il la regarde encore. Puis il s'assoit sur la banquette du piano et il commence à jouer. Il joue pour elle. Pour eux. Il joue d'abord doucement, lentement, enfonçant les touches une par une, d'un seul doigt – sur l'ivoire pâle s'inscrit son empreinte à l'encre de Chine. Puis il ajoute d'autres doigts. La main entière. Puis les deux mains. Et il appuie de plus en plus fort, produisant des accords dissonants, disharmonieux, sans suite. Ce qu'il entend dans sa tête n'a rien de commun avec ce qui retentit dans la pièce. Les notes, les touches se confondent, d'autant que maintenant les larmes troublent sa vue. Et puis il se met à frapper du plat de la main, de la paume, du poing, des poings, il tape à grands coups sur le clavier, il bat, il martèle l'ivoire comme le forgeron le métal en fusion, et voilà la seule marche funèbre qu'il est capable d'interpréter, voilà tout ce qu'il peut lui offrir. Car elle est morte. Et avec elle l'amour. Avec elle l'art. Avec elle la musique. Avec elle les romances. Mort tout ça. Brusquement le garçon se redresse, renversant la banquette, et d'un grand geste il balaie les partitions posées sur le pupitre. Puis il saisit le pupitre à pleines mains et le secoue et l'arrache. Puis il fait de même avec l'abattant du clavier, qu'il fait sauter à son tour et dont il se sert comme d'une masse pour cogner sur l'instrument. Il cogne, il cogne, bûcheron forcené, et les touches éclatent, se déchaussent, jaillissent, crachées comme des dents d'une mâchoire. Puis il s'attaque au corps du piano, qu'il tabasse de toutes ses forces. Sous les coups le bois cède, craque, se fend, et dans les profondeurs du Érard les cordes vibrent, de ses entrailles métalliques montent des sons graves, lugubres, semblables au lointain écho d'un bourdon, d'un glas. Le garçon s'acharne jusqu'à ce que l'abattant se brise entre ses mains. Puis il s'empare du hautbois dans son étui et le démolit. Puis il décroche le dessin, le sien – la maison, le soleil, le jardin, la femme – et le fracasse aussi, et le cadre de bois et la plaque de verre volent en éclats. Il a du sang sur les mains. Il ne le sent pas. Que sent-il ? Ses yeux sont rouges. Son air hagard. Sur sa figure se mêlent les larmes et la sueur et la morve. Il tourne la tête de gauche et de droite en quête de ce qui reste à détruire. Il s'accroupit et ramasse les cahiers de partitions et les déchire, les ballades, les sonates, les préludes, les scherzos, les études transcendantes jonchent bientôt le sol sous forme de larges et hideux confettis. Sans doute cela l'inspire-t-il car il sort ensuite de la pièce et se dirige tout droit au salon, vers le pan de mur qu'occupe la bibliothèque, et il y prend une pleine brassée de livres qu'il revient déverser par-dessus les lambeaux de partitions. Il effectue de la sorte nombre de trajets, autant qu'il est nécessaire pour vider les rayons et n'y laisser que poussière, charriant, transvasant voyage après voyage des piles, des paquets d'ouvrages, romans, traités, essais, et les lourdes encyclopédies par dizaines de tomes, et les jetant en vrac sur le carrelage. Pour finir il se rend dans la chambre et ouvre l'armoire et il déleste les étagères de la précieuse collection de volumes érotiques qu'ils avaient secrètement, patiemment, amoureusement constituée, elle et lui. Car il est dit que rien ne sera épargné. L'enfer lui-même est dévasté.

Après le dernier trajet il s'arrête. Les livres gisent en tas devant les vestiges du piano. Çà et là des débris, des éclats de bois, de verre, des écailles d'ivoire, du papier froissé. Tout est prêt pour l'autodafé. Le garçon, debout, les épaules voûtées, considère le monticule. À présent il semble vidé. Sonné. Il oscille légèrement sur ses jambes. À ses pieds s'étale une feuille esseulée qui a dû se détacher d'un des ouvrages : l'illustration d'une pomme en coupe.

Le garçon se tourne vers Emma. Il s'agenouille près de la chauffeuse. Il prend la main de la jeune femme, y dépose un baiser, puis la repose doucement sur le plaid.

Il la regarde.

Mon amour, disait-elle.

Puis le garçon se relève, et d'un pas traînant va jusqu'à la cuisine chercher des allumettes.

Voilà, l'essentiel est dit.

Bien qu'il lui reste vingt années à vivre, celles-ci ne formeront en définitive que l'unique et dernière strophe, délayée, de sa chanson d'automne.

Le garçon reprend la route. La fin du voyage il l'accomplit seul, en roue libre (dont l'essieu, faut-il le rappeler, est cassé) ou pour mieux dire : au vent mauvais, qui l'emporte...

Au cours de ces premières années on le voit dans l'Eure, à Pacy, à Vernon. On le voit à Elbeuf. On le voit à Rouen. Suivant les méandres du fleuve certainement. On le voit au Havre et dans cette bonne vieille ville de Montivilliers. Puis il redescend. On le voit à Lisieux. On le voit à Argentan. On le voit plus bas à Chartres. On le voit au Mans. Sans compter entre chaque les cités de moindre importance, villages, hameaux, et ces contrées solitaires, désertiques, ces campagnes absolument dépourvues d'âmes. Il dort à la belle étoile. On le voit plus tard à Orléans, à Blois, à Tours. Aux détours d'un autre fleuve. Il dort sous les ponts. On le voit sur le parvis des cathédrales, à l'ombre des portails gothiques ou romans, sous les arcs et les voûtes et toute cette pierraille monumentale, écrasante.

... Deçà, delà. Pareil à la...

En vérité on ne le voit pas – et il n'est pas question cette fois de camouflage. C'est que la foule des misérables est nombreuse. Elle l'était déjà, la guerre l'a fait encore grossir. Lui parmi eux, parmi tant, sans feu ni lieu. Rien ne le distingue. Il vit, comme on dit, d'expédients. Il mendie. Il vole. Menus larcins, frugales rapines, juste pour ne pas crever de faim. Aux époques de récolte et de moisson il loue ses bras à des patrons de ferme point trop rebutés par sa mise et sa mine. Il cueille, il ramasse, en échange de quoi on lui fournit gîte et couvert. Il dort sur la paille, dans la grange. Il mange de la soupe et du pain. Il n'aspire pas à davantage. Si dans sa grande générosité le fermier lui octroie une poignée de francs le garçon les conserve pour des jours moins fastes : dans une auberge il prendra une autre assiette de soupe, ou du vin chaud pour tromper le froid.

On le trouve à Châtellerault. On le trouve à Poitiers. À Niort. À Limoges. Il traverse cette terre d'Auvergne qui connut en des temps antédiluviens le soufre et la lave, l'éruption et le chaos, et qui est aujourd'hui une paisible villégiature où sommeillent les volcans sages. À Clermont-Ferrand on l'arrête pour délit de vagabondage. Il ne possède aucun passeport, ne peut produire aucun certificat d'identité ou de bonnes mœurs, ne peut même pas se faire reconnaître par un tiers, curé, citoyen, dont la parole tiendrait lieu de caution. On l'enferme pendant un mois dans une cellule de quatre où il côtoie deux autres traîne-misère et un traîne-savate, voleur à la petite semaine. Ce sont là compagnons de hasard et d'infortune, faux frères – c'est fou, pourtant, comme ils se ressemblent. Il ne se lie pas. On le relaxe. Il repart.

La mésaventure se reproduit quelque temps plus tard à Brive-la-Gaillarde. La geôle à nouveau. Le séjour est plus long : dix semaines. C'est autant de passé avec l'assurance d'avoir un toit sur la tête et une pitance dans l'estomac. Il ne proteste pas. Il dort sur un bat-flanc. Quand ses cauchemars le prennent il fait mille fois les cent pas sur les trois mètres qui séparent la porte en acier de la fenêtre à barreaux.

Sa peine s'achève, on le libère. Lorsqu'on rouvre la cage il ne s'envole pas à tire-d'aile : l'essor est faible. Il est usé. Dehors, dedans, dedans, dehors : quelle différence ? Quelle importance ? Seulement celle qu'on lui accorde. Il a vu déjà beaucoup de choses. Il en a perdu beaucoup. L'innocence et l'insouciance et le désir et la joie et… Mieux vaut ne pas compter. Qu'a-t-il gagné en revanche ?

Les habitudes sont tenaces mais on n'est pas obligé de vivre, on peut se contenter d'être en vie.

Il y a belle lurette que ses habits ne font plus illusion. Ils flottent autour de sa carcasse. Ses joues se sont creusées, ses cheveux et sa barbe ont poussé comme l'herbe sauvage – brun chiendent où apparaissent les premiers fils d'argent. On lui donne soixante ans, il n'en a pas trente.

Il est à Aurillac. Il est sur les causses venteux de Lozère. Il est à Mende, à La Canourgue, à Florac. Il serait peut-être ainsi retourné jusqu'à son point de départ, vers l'embouchure du Rhône, si ne s'était dressé une nouvelle fois sur son chemin un représentant de la nation allemande. Ce qu'on appelle l'ironie du sort.

L'épisode a lieu en 1921 dans une gargote d'Alès, dans le Gard. Le garçon a pris place à une table du fond. Pour les deux sous qui lui restent on lui sert un bol de bouillon de pot-au-feu. Le brouet jaunâtre fume sous son nez. Il a un vague goût de poireau. Y surnage un os à moelle sans moelle. Mais la petite salle est chauffée. Quatre autres clients s'y trouvent. Trois sont des autochtones, des habitués. Ils tiennent le comptoir. Accoudés au zinc et cependant tournés vers le quatrième qui est assis à une table sur laquelle trônent deux bouteilles, une vide et une à demi vide. Celui-là a l'air d'être un habitué aussi mais il n'est pas du cru. Des quatre c'est lui sans doute qui maîtrise le mieux la langue française, pourtant son accent le trahit : il vient d'outre-Rhin. Un Boche. Les sourcils broussailleux, le teint cuit. Il est également le plus ivre de tous. Les trois autres en profitent. Ils l'interpellent, le titillent, le cherchent, s'adressant à lui comme à l'idiot du village dont les élucubrations provoquent immanquablement l'hilarité. À tour de rôle ils le relancent et le questionnent, lui soutirent des réponses qu'ils connaissent déjà, le poussent à raconter son histoire qu'il leur a cent fois racontée et qui les fait toujours autant s'esclaffer. Et le type est pris à leur jeu, entre deux verres il réplique. Il dit qu'il n'est pas n'importe qui. Il se présente comme musicien. Musicien de Brême ! précise-t-il, l'index brandi. Brême toi-même ! lance l'un des trois, et les trois rient. Et quand on lui demande de quoi il joue, le type répond qu'il joue du violon et de l'archet, et ceci, dit-il, avec à peine moins de virtuosité que ce diable de Niccolò ! Et l'un des trois compères reprend : Nicolo ! Nicolo ! Et un autre esquisse un pas de danse en mimant un joyeux violoniste, et les trois rient. Le type jure qu'il fut un jour mandé par l'impératrice en personne – une grande dame – pour jouer dans ses appartements privés, car celle-ci avait tant entendu vanter son talent qu'elle tenait absolument à l'ouïr de ses propres oreilles. Hoho ! s'exclame l'un des trois. Et tu l'as bien fait ouïr, la baronne, j'espère ! Et les trois rient.

Ils ne parlent pas, ils braillent. La voix du type et son accent germanique en particulier agressent le garçon, lui tapent sur les nerfs. Il ne lève pas la tête. Les coudes écartés, le front bas, il souffle sur son breuvage. Il boit à petites gorgées. Mais il ne peut entièrement se soustraire.

Et nous alors, tu vas bien nous jouer un petit air ? dit l'un des trois. Et les deux autres : Allez ! Un petit air, quoi ! Et ils réclament et ils insistent, priant le type de leur donner un aperçu de son immense talent, mais le type siffle son verre et le repose et montre ses mains vides et il répond qu'il a hélas été contraint de troquer son instrument contre un plat de lentilles et une tranche de lard fumé pour ne pas mourir de faim. Mon violon ! dit-il. Mon cher violon ! Une merveille réalisée par le grand maître autrichien Jakobus Stainer ! Jakobus le nimbus ? demande l'un des trois, et les trois rient. Et le type dit que cette œuvre d'art qu'il possédait valait en son temps le double de n'importe quelle crécelle sortie des ateliers d'Amati et Stradivari réunis. Et torticolis ! ajoute l'un des trois. Et c'est pas fini ! renchérit un autre, et les trois rient. Et le type dit que c'est ce bijou, cette perle rare qu'il a dû céder la mort dans l'âme pour une bouchée de pain ! Faudrait savoir, dit l'un des trois, c'était du pain ou du lard ? Et le type tape du poing sur la table et dit que tout ça c'est de la faute à Versailles, c'est de la faute à Clemenceau, c'est de la faute aux Français. C'est de votre faute ! dit-il.

Et c'est là que les choses commencent à se gâter. Le vin tourne à l'aigre. Les rires deviennent jaunes. Dans le fond de la salle les mains du garçon tremblent légèrement.

Versailles ! répète le type. Et il dit que tout ce que veut la France avec ce maudit traité, c'est écraser son pays, l'humilier, l'étrangler, le saigner à blanc ! Voilà ce qu'elle veut, la France. Et qu'est-ce qu'on va leur laisser, aux Allemands ? Rien. Nichts ! Cochons de Français ! dit-il. Hoho ! fait l'un des trois en agitant la main. Un ton plus bas, le Fritz ! T'es pas à Berlin, ici ! Et il n'y en a plus qu'un seul qui rit. Nichts ! Nichts ! répète le type. Et il dit qu'il aimerait mille fois mieux se trouver dans son pays, et que s'il l'avait quitté c'était justement parce que les cochons de Français ne lui avaient rien laissé, rien à boire, rien à manger, il dit qu'à l'heure qu'il est, dans son cher et beau pays, il faut débourser un milliard de marks pour un verre de bière. Un milliard ! dit-il, l'index brandi. C'est pas une raison pour venir siphonner notre pinard ! dit l'un des trois, et c'est toujours le même qui rit. Et un violon, dit le type, une splendeur signée Jakobus Stainer, ça ne vaut maintenant pas plus qu'une vulgaire saucisse ! Cochons de Français ! répète-t-il. De la saucisse ou du lard ? dit l'un des trois. Tu sais où tu peux te la fourrer, ta saucisse ? dit un autre. Tu veux savoir combien on en a embroché, des saucisses dans ton genre, quand on était là-bas à Crouy ? dit le troisième. Des pleins chapelets ! De la sale bidoche de Boche qu'on s'enfilait à la baïonnette ! Han ! Han ! La belle brochette !

Et c'est là que les choses dégénèrent franchement. Le type se dresse, la face rouge homard. Les trois larrons ne rient plus. Dans le fond de la salle le garçon fixe l'os à moelle flottant dans son bol. Le bouillon ne passe pas. Ses mains tremblent.

Bastarde ! lance le type dans une explosion de postillons. Schmutzige Bastarde ! Et il leur dit qu'ils ne feraient pas tant les fiers si les Américains n'avaient pas volé à leur secours. La grosse maman poule, dit-il, venue d'Amérique pour couver les pauvres petits poussins français et les prendre sous son aile. Ferme ça ! dit l'un des trois. Au secours, maman poule ! fait le type avec une voix haut perchée et une grimace censée imiter l'expression d'un gallinacé terrifié. Foutus, vous étiez ! Écrabouillés ! Il dit qu'à l'heure qu'il est, sans les Amerloques, il serait ici chez lui. Il dit qu'il ne serait pas obligé de se taper cette saleté de piquette et qu'il pourrait savourer une bonne bière blonde à un mark le bock. Tu vas la fermer, oui ! lance l'un des trois. Et le patron demande si c'est son vin qu'on traite de piquette. Et le type parle de revanche. Il dit que le temps viendra. Et le patron dit qu'un Fridolin comme lui serait même pas fichu de faire la différence entre l'orge et le raisin. Et le type dit que maman poule ne sera pas toujours là et alors on verra bien combien de petits poussins passeront à la broche. Ta gueule ! dit l'un des trois. Pourriture ! dit un autre. Même pas des poussins, dit le type, que des œufs. Des œufs cassés. En omelette, on vous bouffera ! Et il continue de déblatérer de la sorte, et les trois le menacent, l'insultent, puis finissent par lâcher le comptoir et s'avancer vers lui en grondant, et ils le poussent, le bousculent, la chaise tombe, et le type se défend, il gesticule, il couine, Schweine ! Schweine ! dit-il, et tout à coup, au beau milieu de cette empoignade, une main saisit une des bouteilles par le col et l'écrase sur la tempe du type, et cette main est celle du garçon. Et avant que le type ne s'écroule, le garçon a encore le temps de fracasser la bouteille sur le bord de la table puis de lui enfoncer le tesson dans l'œil.

Et c'est là que les choses s'arrêtent.

Quand les gendarmes débarquent, les trois drôles ont filé. Dans la salle ils ne trouvent que le patron, derrière son comptoir, un fusil de chasse à la main, le type vautré par terre et pissant le sang, et le garçon, assis à sa table, qui finit d'avaler son bouillon.

Le type n'est pas mort mais son œil est perdu. Il restera borgne.

La cour d'assises du Gard condamne le garçon à douze ans de travaux forcés. Il y a peu on l'aurait décoré d'une médaille, à présent il écope de douze années de bagne – pour un Teuton qu'il n'a pas tué. Les temps changent, et les mœurs.

Il passe six jours à la prison locale, après quoi on le transfère à la prison de La Rochelle où il passe une nuit. Le lendemain, par un petit vapeur, il rejoint le pénitencier de l'île de Ré. Il y demeure quatre mois dans l'attente du prochain convoi pour la Guyane. Il est tondu et rasé à blanc.

Le jour du départ ils sont environ quatre cents transportés et deux cents relégués rassemblés en colonnes dans la cour de l'établissement. Lui parmi eux. On fait l'appel. Un par un. Tous sont présents. On leur fournit un barda. On leur donne un numéro matricule. Puis, sous l'escorte des gardiens, des gendarmes, des surveillants militaires et d'une compagnie de tirailleurs, la troupe des condamnés se met en marche jusqu'au port, et de là embarque sur un bateau de la Société nantaise de navigation, le *La*

Martinière, ancien bâtiment de la flotte allemande reconverti en galère.

La mer.

L'autre côté de la mer.

Il va voir, il va savoir, enfin.

De l'océan le garçon ne voit pas grand-chose en vérité, enfermé qu'il est, entassé avec cent autres, dans une sombre cage puante, en fond de fond de cale. Ils roulent, ils tanguent. Deçà, delà... Le soleil ne les éblouit pas. À peine l'éclat blanc du ventre des albatros entre les barreaux.

Après quatorze jours de traversée le cargo pénètre dans l'embouchure du fleuve Maroni, qu'il remonte. Deux heures plus tard ils sont débarqués à Saint-Laurent-du-Maroni.

On y est.

Le comité d'accueil est composé pour l'essentiel de pauvres hères, en guenilles, décharnés, amassés le long de l'appontement comme autant de Robinson voyant surgir le premier navire, le premier signe de la civilisation après un quart de siècle d'isolement. Des naufragés ? Pas vraiment. Des épaves ? Sans doute. Pourtant ce sont en principe les plus chanceux. Ce sont les libérés. Ceux qui ont payé leur dette, ceux qui sont allés au bout de leur peine, mais qu'un système pervers et inique oblige à demeurer sur place, sans guère de droits, sans travail, sans ressources, sans espoir de retour. Un miroir pour les nouveaux venus – au reflet visionnaire. Vous voilà d'emblée prévenus, camarades : pour peu que votre conduite soit exemplaire, pour peu que la mort ne vienne écourter (adoucir ?) votre séjour, voici, sous vos yeux, ce qui peut vous arriver de mieux.

Ces malheureux sont prêts à se battre entre eux

pour pouvoir décharger le bateau contre une obole. Seuls quelques-uns seront élus.

Le bagne.

On y est.

Il n'y aura pas d'aventures spectaculaires, pas d'évasions tragiques ou rocambolesques, seulement le quotidien sordide, misérable, de sept mille forçats, sous l'empire d'une administration pénitentiaire imbécile et corrompue, au milieu d'une nature hostile, sous le climat lourd, chaud, moite des tropiques.

Le garçon est d'abord affecté à un chantier forestier, en pleine savane. De cinq heures du matin à midi il abat et débite des arbres. Il fait le stère : un mètre cube de bûches soigneusement empilées à présenter au surveillant à l'heure dite. Jour après jour pendant trois ans il s'acquitte de cette corvée de bois.

Il est ensuite envoyé à Cayenne où on l'emploie à la corvée de chiottes. C'est une promotion. La ville ne dispose pas d'égouts. Ils sont une douzaine à faire chaque matin le tour des habitations pour récolter le contenu des tinettes. Ils ramassent la merde et en remplissent une citerne et vont vider la citerne dans un marais à l'écart. La tâche est jugée suffisamment pénible pour qu'on les dispense de toute autre activité. Dès la fin de la matinée les bagnards sont libres. Libres dans le bagne. Ils peuvent vaquer à leurs occupations. Pour la majorité cela consiste à faire de la camelote. Ils fabriquent des paniers, des tapis, des cannes, des pipes, des bijoux. Ils tressent, ils coupent, ils taillent, ils sculptent des cocos, ils peignent des écailles de tortue. Artistes et artisans. Ces babioles ils les fourguent aux civils ou aux familles des gardiens afin d'alimenter leurs cagnottes.

Quelques francs glanés çà et là avec lesquels ils pourront se payer de quoi compléter leur ration, de bouffe, de gnôle, ou une meilleure affectation, ou tel ou tel service, tel ou tel produit de quelque sorte ou nature que ce soit. Ici comme ailleurs tout s'achète et tout se vend. Ici plus qu'ailleurs. Tout le monde en croque. Le règlement interdit aux forçats d'avoir de l'argent sur eux, cependant ils en ont. Pas sur eux : en eux. Le numéraire planqué dans un petit tube de zinc qu'ils s'enfoncent dans le rectum. C'est le « plan ». La tirelire dans le cul et le plan sur la comète, pourrait-on dire. Car, outre les menus avantages qu'elle peut leur apporter, cette réserve sert avant tout à entretenir le rêve. On parle là d'évasion. La malle. La belle. C'est grâce à ce pécule économisé sou par sou qu'ils pourront un jour graisser la bonne patte, se procurer le bon complice, le bon guide, le bon bateau et tout ce qu'il faut pour s'enfuir, pour foutre le camp avec ne serait-ce qu'un soupçon de chance de réussite. Un jour, oui. Un jour. S'envoler coûte cher. Tout l'espoir est là, au fond de leurs intestins.

Le garçon ne fait rien de cela. Pas de camelote, pas de bricole, pas de débrouille, pas de cagnotte. En dehors de la corvée de vidange imposée il ne travaille pas. Il ne trafique pas. Il ne songe pas à économiser ni même à gagner de l'argent. Il ne songe pas à s'évader. Il ne songe pas à l'avenir.

Le garçon ne rêve pas.

Après cinq ans de ce régime on le renvoie à Saint-Laurent où il est affecté au nettoyage de la ville. Il balaie les rues, arrache les mauvaises herbes, entretient les écuries, ce genre de tâches. C'est au cours de cette période qu'il se lie d'amitié avec un autre forçat. Ou plutôt quelque chose qui ressemble, de loin, à un semblant d'amitié. Le type se nomme Charles Lautrain. On l'appelle Piaf. C'est un tout petit bonhomme, presque un nain. Il est affublé de nombreux tics. Ses joues, son front, ses bras, ses mains sont constellés de pustules semblables à des brûlures mal cicatrisées. Ce sont des stigmates du pian bois – la leishmaniose. Malgré ça et le reste l'homme a l'air joyeux, souvent le sourire aux lèvres, et lorsqu'il rit un curieux réflexe de coquetterie lui fait porter la main devant sa bouche édentée. Piaf est un ancien. Il a soixante-quatre ans. Il a été condamné à vingt ans pour avoir empoisonné sa femme. Quand le garçon le rencontre il en a déjà purgé seize. C'est du moins ce qu'il dit.

L'homme a la parole facile. Il aime causer. Peut-être est-ce pour cette raison qu'il a jeté son dévolu sur le garçon. Le garçon est un public non seulement captif mais docile, patient. Ce n'est pas lui qui l'interrompra ou le contredira, il se tait et il écoute : l'interlocuteur idéal aux yeux de l'ancien. On les voit souvent ensemble. Le vieux ne perd pas une occasion de s'épancher, que ce soit la journée, en ville, le balai à la main, ou le soir, couché sur son hamac. Quatre années durant il distille ses aventures, ses expériences, quelquefois ses leçons, à l'attention du garçon.

Charles Honoré Lautrain, dit Piaf, matricule 38744, mourra à l'âge de soixante-dix ans tout rond, après en avoir passé vingt en détention et deux en résidence forcée. On trouvera son cadavre décapité assis au pied d'un manguier, la tête posée sur les genoux et les yeux dévorés par les fourmis rouges.

Le garçon ne sera plus là pour le pleurer.

Le 6 juin 1933 il est libéré.

Il a supporté la malnutrition et les brimades. Il a résisté aux puces chiques et aux vers macaques. Il a échappé au typhus, au scorbut, au béribéri, à la dysenterie, à l'ankylostomiase, à la lèpre, au choléra, à la tuberculose, à la fièvre jaune, aux requins, aux coups de couteau.

Maintenant, il peut crever.

On lui délivre sa tenue de sortie : un complet, une chemise, un chapeau, des galoches. On lui remet son solde – une somme dérisoire. C'est tout.

Il est libre.

Il n'a pas le droit de quitter le territoire. Il n'a pas le droit d'y exercer la plupart des métiers. Il n'a pas le droit de pénétrer dans la plupart des établissements. Il n'a pas le droit de s'asseoir sur un banc public. Il n'a pas le droit de fouler le gazon d'une promenade. Il n'a pas le droit de voler.

Il est libre.

Il traîne quelque temps à travers la ville. La journée le long des larges artères, rue Mélinon, rue de la République, avenue des Cocotiers, la nuit dans les venelles étroites, sales, impraticables après la pluie, du quartier chinois ou de celui des libérés. Ici est la zone. Au sol des ordures, des flaques d'eau croupissante d'où montent des odeurs fétides et des crapauds siffleurs. Autour des cahutes, des masures, des bicoques branlantes rafistolées avec des planches pourries et de la tôle rouillée. Des enseignes de toutes sortes. Commerces. Bouges. Vous vouliez du pittoresque ? Vous aurez de la crasse. L'authentique est là, dans ces cloaques, dans les arrière-salles des tripots asiatiques où les anciens bagnards à la peau tatouée jouent, et perdent, et se disputent, et s'entretuent, où devant les comptoirs poisseux des Noirs venus de la Hollande voisine, à la peau de suie, au pagne en loques, boivent jusqu'au dernier sou l'or qu'ils ont gagné. Rhum. Punch. Tafia. Ça coule. Partout des ivrognes. Partout des corps et des âmes qui sombrent. La grande épicerie du centre s'appelle *Au bon accueil*. Devant se croisent des Européennes aux toilettes immaculées, des négresses en calicot criard, des Martiniquaises en peignoir bariolé, de fières et nonchalantes mulâtresses, des Guyanaises fagotées comme des poupées de bazar, des Annamites dépenaillés, des Indiens demi-nus couverts de pendeloques et d'amulettes. Tout ce peuple qui grouille.

Et lui parmi eux.

Puisque c'est ainsi que les hommes vivent.

Deux semaines, trois semaines s'écoulent. Le garçon erre. Il dort à l'asile sur un lit de camp au milieu des vieux Blancs et de la vermine. Il dort par terre sous le toit de tôle ondulée du marché couvert. À l'aube il se réveille cerné par un groupe d'urubus dansant autour de lui la lente pavane des charognards. Il mange au moins coûteux. De la friture, des fayots pierreux, des semelles de bœuf rance, des têtes de mâchoirons au court-bouillon. Un jour des lamelles de manioc frites qu'on lui vend emballées dans du papier journal. Il mange le manioc. Quand il va pour se débarrasser de la feuille graisseuse son regard s'arrête sur une photo. C'est la première page de *Paris-Soir*, datée de six mois révolus, et la photo montre un homme brun et pâle à la moustache en brosse. Il a déjà vu ce visage. Il cherche dans sa mémoire. Puis il se souvient : le petit chien, la rivière, le soldat allemand devant son chevalet, un pinceau à la main. Le peintre. La guerre. Le passé.

Il froisse la feuille dans son poing et la jette.

Son pécule fond.

Un soir il va s'asseoir sur la berge du Maroni. La lune est pleine et blonde. Elle est belle. Sur la rive d'en face scintillent de timides loupiotes. C'est la ville d'Albina. Suriname. La Guyane hollandaise.

Le garçon regarde un couple d'aras traverser la frontière par-dessus les eaux. Puis c'est le tour d'une bande de pécaris qui s'éloigne à la nage.

Au loin dans la brousse pleurent les singes rouges.

Deux heures plus tard il franchit le bras du fleuve sur la barque d'un lépreux.

Il est portefaix à Paramaribo. Il est cireur de chaussures à Georgetown. Il est coupeur de canne dans les plantations du Demerara. Il est chasseur de papillons à Bartica. Il est scieur de long à Marlborough. Il travaille pour les compagnies pétrolières du Venezuela, sur les rives du lac Maracaibo. Il saigne les balatas. Il creuse la roche dans les mines d'émeraude de Colombie, à Muzo, à Chivor, à Montecristo, à Gachalá, et les hommes qui l'entourent sont tous voleurs et assassins et fugitifs. Il charge et décharge les cargos dans le port de Curaçao. Il est factotum sur la goélette d'un marchand syrien qui vend du tissu et de l'opium. Ils longent la côte jusqu'à Macapa et l'estuaire de l'Amazone, puis de Macapa à Belém, de Belém à Fortaleza, de Fortaleza à Recife, de Recife à Salvador. C'est ici qu'il démissionne. Il cueille les fèves de cacao dans les fazendas de Bahia. Il récolte les graines de caféier dans le Minas Gerais.

Puis il s'enfonce à l'intérieur des terres.

Il va aux trois quarts nu, la peau cuite et tannée. Une machette à la hanche, à l'épaule une musette en toile contenant en tout et pour tout une poignée de noix du Brésil et deux cocos et une demi-livre de viande de bœuf séchée et une de haricots noirs et trois boîtes d'allumettes. C'est là tout son viatique.

Il mange les haricots.

Il mange les noix.

Il tue un boa de sept mètres et il l'éventre et trouve dans ses entrailles quatre gros œufs à la coquille beige.

Il mange les œufs.

Il mange la chair du boa.

Dans la savane du haut Tombador il blesse un porc sauvage et n'a pas le temps de l'achever que la horde entière le charge et il doit se réfugier sur un arbre et y demeurer une journée complète avant que les porcs ne se lassent et l'abandonnent à son sort.

Il passe une saison au sein d'une peuplade indigène au bord du río Vermelho. C'est un village. Une douzaine de huttes, une soixantaine d'habitants. Ils étaient des milliers cent ans plus tôt mais le progrès a fait rage. Les hommes sont nus à part un cône de paille sur le pénis. Ils sont rouges, le corps teint des pieds à la tête à la graine d'urucu. Ils ont le nez percé d'une barrette et la lèvre d'un labret. Ils sont gais. Ils sont joviaux. Les femmes portent des pagnes en coton et des ceintures d'écorce. Sur des lopins de terre défrichés ils font pousser des patates douces, du manioc, du tabac, du maïs. Ils ont dans leurs basses-cours des araras et des perroquets. Le garçon jardine avec eux. Il pêche avec eux. Il apprend à tailler l'arc et les flèches. Il chasse le toucan. Il chasse le fourmilier. Il chasse le porc-épic. Il chasse le capucin. Avec eux il apprend à reconnaître les racines comestibles, et les baies, les champignons. Il apprend à dénicher dans les troncs d'arbres pourrissants ces grosses larves pâles qu'on appelle koro et qui fondent sous la langue comme du beurre et qui ont la saveur du lait de coco. Il fabrique des pendentifs avec les ongles du grand tatou. Et des parures en dents de singe. Et des coiffes en pennes d'aigrette. Les Indiens chantent toute la nuit. Ils dansent devant le feu, leurs ombres géantes projetées sur une muraille de kapokiers, et elles pourraient aussi bien être, ces ombres, les esprits même auxquels leurs litanies s'adressent. Théâtre et panthéon. Le garçon assiste à leurs messes. Il y a le coryphée qui bat la cadence avec un hochet de calebasse remplie de gravier. Il s'est paré d'un diadème de plumes vermillon. C'est l'homme-ibis. Un autre, grand et bien bâti, prend des postures de fauve, babines retroussées, crocs en avant. Jetée sur son dos une cape de peau ocellée. C'est l'homme-jaguar. Ils fument des cigarettes roulées dans des feuilles de maïs séchées. Cela dure jusqu'à l'aube. Ils dorment jusqu'à la mi-journée. Le garçon a sa place réservée dans une hutte au toit de palmes. Il la partage avec le sorcier et une vieille femme veuve qui chante ses nombreux deuils. Elle a eu trois époux et elle a eu trois fils et ils sont tous passés. Une à une elle a déposé leurs dépouilles dans une fosse jusqu'à ce que la chair fût putréfiée, puis elle a lavé leurs os, elle les a peints et les a ornés de plumes et les a immergés dans un panier au fond du río. Par l'eau ou par le feu tout finit par disparaître. Le garçon ne comprend pas sa langue mais il sait ce qu'elle chante. La vieille a les deux jambes paralysées. Elle se traîne sur la terre battue. C'est la femme-chenille.

Un matin il repart. Il emporte avec lui un arc,

des flèches dans leur carquois, et dans un tube en bambou un peu de pâte de curare.

Il est dans les environs de Cuiabà avec les mendiants chercheurs d'or. Ils guettent la pluie. Après les précipitations toute cette engeance se jette dans le lit des ruisseaux et plonge des boules de cire dans le courant en attendant que les précieuses paillettes s'y collent.

Il est chasseur d'aigrettes avec deux cousins corses.

Il est chercheur de diamants dans un campement de garimpeiros près de Poxoréu, et les hommes qui l'entourent sont tous voleurs et assassins et fugitifs. Diamant : larme de la Sainte Vierge, dans la bouche de ces bandits. Pourtant ce n'est pas une conduite qu'ils s'achèteront avec ça. Leur liturgie personnelle fondée sur la règle des trois C : « Cemitério, cadeia, cachaça ». Cimetière, prison, eau-de-vie. Il y en a un qui étale ses gemmes sur la table de l'auberge et il en pousse une vers le garçon et il dit qu'il veut son arc. Le garçon refuse. Le soir ils lui tombent à trois dessus et le tabassent, le dépouillent et le laissent pour mort dans la boue.

Il se relève.

Il traverse l'état du Mato Grosso grand comme le lointain pays de France. Un territoire ravagé six mois de l'année par le déluge et six mois par la sécheresse. Il suit le tracé de la ligne télégraphique de sept cents kilomètres de long que le maréchal Rondon construisit quarante ans plus tôt dans ce désert et qui s'avéra obsolète sitôt que terminée. Une piste sommairement défrichée dans la brousse à travers les arbustes et les cactées et les épineux. Les poteaux du télégraphe pareils à des troncs nus, stériles, sans sève ni branche ni feuillage ni bourgeon, et souvent rongés par les termites ou abattus par la foudre, et jamais réparés ni remplacés. Pour quoi faire ? Le morse est mort. À peine un message par jour transmis d'un poste perdu à un autre poste perdu juste pour s'assurer mutuellement qu'on continue de crever à petit feu. Entre deux le fil serpente dans la poussière.

Au milieu de cette désolation le garçon rencontre à nouveau les quelques membres d'une tribu primitive et nomade et il chemine un temps avec eux. Les femmes portent sur le dos une grande hotte en bambou où sont amassées toutes leurs possessions. De petits singes domestiques se cramponnent à leurs cheveux. Des chiens faméliques trottent entre leurs jambes. Tous ils marchent courbés ou accroupis, fouillant la croûte de terre aride et craquelée et les herbes sèches en quête de leur pitance. Ils mangent des sauterelles. Ils mangent des araignées. Ils mangent des lézards, des serpents, des rongeurs. Ils mangent des tubercules et des graines. Le soir ils lancent des épieux vers les nues pour tuer les esprits malfaisants. Ils savent que les âmes des hommes défunts s'incarnent en jaguars et les âmes des femmes et des enfants s'évanouissent dans l'univers. Ils dorment à même le sol serrés les uns contre les autres pour se garder du froid et le garçon dort avec eux. Un jour ils lui offrent pour épouse une fillette qui n'a pas deux ans. Le garçon refuse. Ils insistent. Il refuse. Leurs chemins se séparent.

Il reprend le fil du télégraphe et fait halte de poste en poste. Chacun éloigné de cent kilomètres et plus, chacun isolé et coupé de tout, chacun tenu par un homme ou un couple ou une famille et tous à moitié quand ce n'est pas totalement fous.

À la station de Juruena il est hébergé dans la masure de trois pères jésuites : un Hollandais, un Brésilien, un Hongrois. Ils sont venus civiliser les sauvages. Ils profitent de son séjour pour tenter de convertir le garçon. Dans un sabir bigarré ils lui parlent de rémission et de rédemption et de damnation. Ils lui parlent de salut. Ils lui font miroiter l'existence d'un royaume gouverné par un roi juste et bon. Mais le garçon a déjà fait le Ravi et il ne le fera plus.

Il laisse les missionnés prêcher dans le désert et poursuit sa route vers le nord. Sous ses pas l'herbe repousse et reverdit.

Il récolte le caoutchouc dans la province de Manaus au bord du río Madeira. Deux mois de file il s'en va dès l'aurore saigner les arbres à latex avec une poignée de seringueiros qui n'ont pour seule richesse que l'air qu'ils respirent et pour avenir que leurs dettes. Le patron de la concession n'est guère mieux loti. C'est un grand escogriffe que nul n'a jamais vu sans son rifle – une vieille carabine Winchester calibre 44. On dit qu'il dort avec. On dit que l'homme fut colonel dans l'armée et l'un des principaux instigateurs de la révolution de 1930 et qu'il se terre ici par crainte des représailles. Il a pour concubine une mulâtresse pachydermique qu'il a paraît-il enlevée dans un bordel de Trinidad. Ils ont deux fils jumeaux d'une dizaine d'années qui ont pour noms Euclide et Archimède.

Le garçon gagne ici tout juste de quoi payer sa fuite sur le canot d'un marchand libanais qui vend des conserves et des armes. Le lendemain le marchand le débarque sur la rive du fleuve père, et bientôt le garçon s'enfonce dans les entrailles de la forêt mère.

Amazone ! Amazone !

Le voilà.

Ce sont des terres vierges qu'il sillonne. Des contrées incultes. Une jungle dense de ficus et d'hévéas, de jatobàs, de courbarils, de copaïers. Des hectares entiers couverts de ronces et de griffes de chat où il s'embronche. Entre les troncs et les branches. Entre les racines et les frondaisons. Entre les lianes sans fin du figuier étrangleur et les hautes échasses du palmier marcheur. Amazone ! Amazone ! La nature explose. La sève foisonne. Corolles, coupoles, sépales, ici resplendissent les orchidées, là croissent les hibiscus, et partout sur les arbres et les arbustes mûrissent les fruits et les baies. Il mange des corossols. Il mange des goyaves. Il mange du miel sauvage. Il mange de l'oiseau-chien et du singe saki. Amazone ! Amazone ! À tous les étages des fleurs inconnues, jaunes, rouges, blanches, mauves, orange, pourpres, tapissent les cloisons et les voûtes. Pour lui. Il est seul en ce domaine. Il avance dans la lumière diffuse. Il découvre. Il voit ce que personne n'a vu. Il longe à son insu la ligne de l'équateur. Latitude zéro. Degré nul. Il est au milieu du monde. Amazone ! Amazone ! Il mange des mygales. Il mange des iguanes. Il mange des ananas au goût de framboise. Il mange des cœurs de palmier et des cerises d'acérolas. Il mange le fruit de l'araçá et celui de l'açaï. Il mange de la tortue et du singe ouakari. Amazone ! Amazone ! Il va. Loin de toute piste. Loin de tout chemin tracé ou ne serait-ce qu'esquissé par quelqu'un de sa race. Pionnier en ces confins, semble-t-il. S'il a eu des prédécesseurs ils sont morts, ils sont en exil depuis si longtemps que s'est effacé le souvenir même de leur présence. Conquistador nu. Il explore. Il arpente. Inaugure des sentes au même titre qu'un tapir ou un tamanoir. Bête parmi les bêtes. Jalonnant son périple il n'y a d'essentiel que le repos, la nourriture et l'eau.

Amazone !

Au terme de cette longue traversée il débouche sur une berge du río Pastaza, près de la frontière péruvienne. Il s'est mis à pleuvoir. Le garçon regarde couler les eaux grises du fleuve. Les gouttes cinglent sa peau. Son poil ruisselle. Vers l'est flotte une nappe de brume. Il est là depuis moins de cinq minutes quand soudain quatre hommes tombent des arbres ou du ciel. Des indigènes. Ils le cernent à distance. Tournant lentement autour de lui, d'immenses sarbacanes à la bouche, pointées dans sa direction. Ils sont prudents. Ils sont méfiants. Ils ne savent pas ce qu'il est. Quelle sorte de créature. Un homme ? Un animal ? Un démon ? Un esprit de la forêt ?

Le sait-il lui-même.

Sa machette pend au bout de son bras. Il la lâche. C'est tout ce qu'il a. Il lève les mains.

Il demeure dans leur village tant que dure la saison des pluies. Il dort beaucoup. Les Indiens sont impressionnés par ses cauchemars. Chaque fois qu'il s'éveille en sursaut, presque en transe, cela provoque entre eux d'interminables palabres. Ils ne sont guère plus qu'une trentaine d'individus. Le chef de la tribu est particulièrement volubile. Il semble prendre plaisir à la compagnie du garçon. Souvent il lui tient de longs discours ponctués de grands éclats de rire. Autour de son cou pend la tête réduite d'un valeureux ennemi. Il en est une autre, également, qui paraît apprécier la présence du garçon. C'est une jeune Indienne à peine pubère. Elle lui fait les yeux doux. Elle lui prépare et lui apporte elle-même une pâte de manioc et de piment qu'elle a liée de sa propre salive. Elle redessine avec les doigts, sur le torse du garçon, les contours de ses cicatrices. Avec sa couronne de fleurs et ses peintures au front elle n'est pas sans lui rappeler l'icône qui veillait sur son sommeil dans la maison de Joseph et de son fils Louis-Paul : diosa Centéotl. La première déesse qu'il croisait. C'était il y a longtemps.

Lorsqu'il repart, un matin, au lever du jour, la jeune Indienne est là. Un mince et humble sourire étire ses lèvres. De son sceptre de maïs elle lui adresse un signe, qui est peut-être de bénédiction, peut-être de bannissement. Et cette esquisse de déesse sera le dernier être humain que le garçon verra.

La foi peut nous quitter, disait Joseph, la solitude reste.

Cette année-là l'Allemagne annexe l'Autriche.

Cette année-là en Espagne les forces républicaines, opposées aux insurgés nationalistes de Franco, s'emparent de la ville de Teruel.

Cette année-là en Chine les troupes nationalistes de Tchang Kaï-Chek, opposées à l'Armée impériale japonaise de Hirohito, font sauter les digues du fleuve Jaune, provoquant la mort de cinq cent mille à neuf cent mille civils selon les sources.

Cette année-là à Munich le chancelier Adolf Hitler, le duce Benito Mussolini, le Premier ministre français Édouard Daladier et le Premier ministre britannique Arthur Neville Chamberlain signent un accord sur le statut de la Tchécoslovaquie. À son retour en France Daladier est vivement acclamé pour avoir sauvé la paix. À son retour en Angleterre Chamberlain est accueilli en héros et surnommé The Peacemaker.

Cette année-là le film *Blanche-Neige et les sept nains* est projeté pour la première fois sur les écrans français, belges et canadiens.

Cette année-là les troupes franquistes, opposées aux forces républicaines, reprennent la ville de Teruel.

Cette année-là vient au monde Juan Carlos Ier, futur roi d'Espagne.

En Roumanie le roi Charles II abolit le régime parlementaire pour mettre en place une dictature royale.

À Glasgow, Écosse, la reine d'Angleterre baptise le paquebot *Queen Elizabeth*, le plus grand et le plus beau du monde, et naturellement insubmersible.

Cette année-là en France est officiellement constituée la Société nationale des chemins de fer français (SNCF).

Cette année-là en France le Premier ministre Édouard Daladier rompt avec les communistes, annonçant de fait la fin du Front populaire.

Cette année-là en France le décret-loi Daladier autorise l'assignation à résidence et l'internement des étrangers susceptibles de porter atteinte à l'ordre public ainsi que l'ouverture de centres spéciaux pour faciliter leur surveillance permanente.

Cette année-là en France les frères Biró, après avoir fui les lois anti-juives de Hongrie, déposent un brevet pour l'invention du stylo à bille.

En Italie les lois raciales, fondées sur des considérations scientifiques destinées à prouver l'existence de la race italienne et son appartenance au groupe des races aryennes, sont entérinées par le chef du gouvernement Benito Mussolini et promulguées par le roi Victor-Emmanuel III.

En Allemagne Heinrich Himmler signe le « décret pour la lutte préventive contre l'infestation tsigane ».

Aux États-Unis Samuel Gensberg, fils d'immigrés juifs de Pologne, invente le premier billard électrique.

À Moscou, Union soviétique, se déroule un troisième grand procès au cours duquel sont jugés vingt et un anciens bolcheviks accusés d'espionnage et de complot visant à l'assassinat de Staline. Tous ont avoué. Tous sauf trois sont condamnés à mort et exécutés.

Le journal *Pravda*, qui signifie « Vérité », indique que le verdict est accueilli par de grandes manifestations de joie populaire.

Cette année-là Léon Trotski, exilé, crée la IVe Internationale.

Cette année-là disparaît Jigorō Kanō, fondateur du judo, qui signifie « Voie de la souplesse ».

Cette année-là dans le petit village de Kaio, Japon, un jeune homme de vingt et un ans nommé Mutsuo Toi décapite sa grand-mère et tue vingt-huit autres habitants à l'aide d'une hache, d'un katana et d'un Remington M11, avant de se donner la mort.

À Bâle, Suisse, le laboratoire Sandoz synthétise le Lyserge Saüre Diäthylamid, plus connu sous l'appellation de LSD.

Aux États-Unis le réalisateur Orson Welles adapte pour la radio le roman de science-fiction *la Guerre des mondes* et terrorise une bonne partie des auditeurs, ceux-ci croyant réellement à une invasion extraterrestre.

En Allemagne les forces du IIIe Reich se livrent à un pogrom contre la communauté juive. Au cours de cette action d'éclat, baptisée Nuit de Cristal, deux cents synagogues sont détruites, des milliers de commerces et sociétés saccagés, une centaine de Juifs assassinés et près de trente mille déportés dans des camps.

Aux États-Unis Jerry Siegel et Joe Shuster, deux fils d'immigrés juifs, créent un personnage baptisé Superman.

En France naît le personnage de Spirou dans le journal éponyme.

Au Brésil meurt le plus célèbre des cangaceiros, Virgulino Ferreira da Silva, dit Lampião.

Cette année-là en Allemagne le chancelier Adolf Hitler inaugure l'usine Volkswagen qui produit la nouvelle voiture du peuple : un véhicule qui sera mondialement connu sous le nom de Coccinelle, et conçu par l'ingénieur Ferdinand Porsche, membre du parti nazi et concepteur également du char Tigre.

Cette année-là au Yankee Stadium de New York, États-Unis, le boxeur noir américain Joe Louis bat le champion allemand Max Schmeling par K.-O. à la première reprise, en deux minutes et quatre secondes.

Cette année-là le Vatican reconnaît le gouvernement nationaliste de Franco.

Cette année-là l'équipe d'Italie remporte la coupe du monde de football, certainement encouragée par le mot que lui a envoyé le duce Mussolini : « Vaincre ou mourir. »

Cette année-là l'Allemagne annexe les Sudètes.

Cette année-là l'écrivain Georges Bernanos publie *les Grands Cimetières sous la lune*.

Cette année-là au large des côtes africaines un pêcheur ramène à la surface un poisson identifié comme étant un cœlacanthe, disparu depuis environ soixante-dix millions d'années. Ce que d'aucuns appellent un « taxon Lazare », soit la résurrection d'une espèce que l'on pensait définitivement éteinte.

Et ensuite ? Lorsque toutes les pistes auront été tracées et suivies ? Et après encore, bien après, quand le soleil ne sera plus qu'une naine blanche ?

Le temps se resserre. C'est un vieillard que l'on croit voir apparaître. L'ancêtre de lui-même.

Il faut en finir.

Mer, mer, lui avait-elle dit. Mais il a vu un côté de la mer et il a vu l'autre côté et il n'a pas trouvé. Les deux rives de l'horizon et il n'a pas trouvé. De quel fabuleux séjour rêvait-elle ? Paisible et chaleureux. D'or et de lumière.

S'il n'est pas ici-bas c'est peut-être qu'il est là-haut.

Le garçon lève les yeux. Devant lui se dressent les premiers contreforts de la grande cordillère. Les Andes. Tel un gigantesque caprice tellurique, une monumentale redoute bâtie par des puissances dont l'existence même nous dépasse. Remparts et tours et précipices. Au loin la chape immaculée d'un volcan. Les neiges qui jamais ne fondent.

Le garçon commence son ascension.

Il monte.

Qui sait combien d'heures et combien de jours et combien de nuits. Qui sait ?

Il monte.

Et peu à peu la pente se fait plus raide, les flancs plus abrupts. Les plantes disparaissent. Herbe, mousse, lichen. La pierre épluchée. Jusqu'à l'os la roche se dénude. Et de même le garçon. Ce sont ses souvenirs qui viennent et puis s'en vont. Un à un. Couche après couche, strate après strate ils surgissent puis s'évanouissent. Les images, les sons, les sentiments. Que retenir ? Rien. Place ! Place ! Place au vide. À mesure qu'il s'élève tout se détache de lui. Ou est-ce lui qui s'en détache ? Toutes ces choses et tous ces êtres. L'humble et doux sourire de la jeune Indienne. Un dauphin rose dans les eaux mauves du río. Le bleu métallique des ailes d'un morpho, larges comme des feuilles de vigne. Et les oreilles et le nez et les lèvres fondus d'un lépreux dans sa pirogue. Le cri de nourrisson d'un singe hurleur. Le cri d'une mouette sur le pont d'un cargo. Le cri du seconde classe Wachfeld appelant sa maman. La main rouge du caporal éclose dans la boue. Les enveloppes blanches dans la main du caporal. Les grosses mouches noires sur les cils du hongre. Les rats. Les vers. Les champs de cadavres. La puanteur des chairs en décomposition. Et la chair souple, la chair tendre, la chair tiède, la chair vivante d'Emma. Les seins d'Emma. Les hanches d'Emma. La bouche d'Emma. Mon amour, disait-elle. Mon amour. Les yeux d'Emma. La voix d'Emma. Les mots d'Emma. Mon amour. Et les perles de soleil accrochées au rideau du saule. Leur arbre. Leur cher arbre. Et les vers du poète. Et le chant du hautbois. Le bon regard de Gustave sous ses paupières lourdes. Et Brabek dans son tonneau, sous les étoiles. Le rire énorme de l'ogre. Ses pieds énormes. Ses mains énormes. Son cœur énorme. Et le cheval de bronze. Et les chevaux d'argent. La terre qui tremble. Le Gazou qui danse, sa grâce, son chaos, ses caresses de chien. Et Jésus dans son berceau. Et Joseph le sage. L'homme-chêne. Ses racines dans la terre et son esprit dans les nuages.

Tous autant qu'ils sont ils viennent et puis s'en vont. Défilent dans la tête du garçon puis s'éloignent, s'effacent, la multitude, l'humanité entière. Son humanité. Peu à peu il s'en défait.

Il monte.

Aussi longtemps et aussi haut qu'il peut, il monte.

Puis il s'arrête.

Maintenant c'est la montagne brute. Partout, autour. La pierre rugueuse et nue. Le squelette. Maintenant ils s'en sont tous allés. Tous ces êtres, et toutes ces choses invisibles et immatérielles qui ont un nom quand lui n'en a pas.

Vois : il n'y a plus rien.

Le garçon s'assoit sur un rocher plat qui fait saillie. Un instant encore il croit sentir l'odeur de la mère. Ses effluves de salpêtre et de cendre. Puis cela s'évapore comme le reste. Il s'allonge sur son promontoire, face au ciel. Il est seul.

Il passe les trois derniers jours de sa vie à regarder tournoyer les condors.

REMERCIEMENTS

Pour l'écriture de ce roman, l'auteur a reçu le soutien du Centre National du Livre, de la maison De Pure Fiction, du Relais Culturel Régional du pays de Falaise, ainsi que d'Écla et de l'association Vers d'Autres Horizons, dans le cadre d'une résidence d'écriture au Chalet Mauriac, à Saint-Symphorien.

DU MÊME AUTEUR

Aux Éditions Gallimard

Dans la Série Noire

LES HARMONIQUES, 2011 (Folio Policier n° 678). Prix Mystère de la critique 2012.

Aux Éditions Zulma

LE GARÇON, 2016 (Folio n° 6515). Prix Femina 2016.

FANNIE ET FREDDIE, 2014.

TOUTE LA NUIT DEVANT NOUS, 2008.

GARDEN OF LOVE, 2007 (Folio Policier n° 589). Grand Prix des lectrices de *Elle* 2008.

INTÉRIEUR NORD, 2005.

LA PART DES CHIENS, 2003 (Folio Policier n° 519).

MON FRÈRE EST PARTI CE MATIN…, 2003 (Folio 2 € n° 5351).

ET TOUS LES AUTRES CRÈVERONT, 2001.

Aux Éditions Fleuve Noir

CARNAGE, CONSTELLATION, 1998 (Folio Policier n° 506).

LE LAC DES SINGES, 1997 (Folio Policier n° 564).

LE DOIGT D'HORACE, 1996 (Folio Policier n° 551).

Aux Éditions In8

FAR WEST, 2016 (repris avec *Canisses*, Folio n° 6355).

TAMARA, SUITE ET FIN, 2013.

CANNISSES, 2012 (repris avec *Far West*, Folio n° 6355).

Aux Éditions Le Bec en l'air

MORTES SAISONS, photographies de Cyrille Derouineau, 2012.

Aux Éditions La Tengo

IL EST MORT LE POÈTE, 2011.

Aux Éditions Les enfants rouges

IL EST MORT LE POÈTE, dessins de Vincent Gravé, 2011.

Aux Éditions Baleine

LE VRAI CON MALTAIS, collection Le Poulpe, 1999.

Aux Éditions Six pieds sous terre

LE VRAI CON MALTAIS, dessins de Jampur Fraize, 2002.

Aux Éditions Syros Jeunesse

MON VAISSEAU TE MÈNERA JEUDI SUR UN NUAGE,
    2011.
Ô CORBEAU, illustrations de Rémi Saillard, 2010.
SCARRELS, 2008.
LE CHAT MACHIN, illustrations de Candice Hayat, 2007.
LE CHAPEAU, illustrations de Rémi Saillard, 2007.
L'ÉCHELLE DE GLASGOW, collection Tempo +, 2007.
IL VA VENIR, 2005.

Aux Éditions Pocket Jeunesse

DE POUSSIÈRE ET DE SANG, 2007.
BANDIT, vol. 1, 2005.
SOUS MA COUVERTURE, dessins de Delphine Vincent, 2001.

Aux Éditions Sarbacane

TU SERAS MA PRINCESSE, illustrations de Régis Lejonc, 2017.
LES NUITS DE SATURNE, dessins de Pierre-Henry Gomont,
    2015.

SOUS MA COUVERTURE VIT UNE SOURIS, illustrations d'Aurélie Guillerey, 2014.

SOUS MA COUVERTURE VIT UN KANGOUROU, illustrations d'Aurélie Guillerey, 2013.

SOUS MA COUVERTURE VIT UNE TORTUE, illustrations d'Aurélie Guillerey, 2012.

SOUS MA COUVERTURE VIT UN OURS BLANC, illustrations d'Aurélie Guillerey, 2012.

LA CHANSON DE RICHARD STRAUSS, illustrations d'Alexandra Huard, 2012.

APPELLE-MOI CHARLIE, 2011.

Aux Éditions du Seuil

CENT JOURS AVEC ANTOINE ET TOINE, 2000.

Aux Éditions Autrement

PLAGE DES SABLETTES, SOUVENIRS D'ÉPAVES, photographies de Stéphanie Léonard, 2005.

Aux Éditions Aéropage

POSER MA BESACE À BESAC, 2008.

COLLECTION FOLIO

Dernières parutions

Composition Nord compo
Impression Maury Imprimeur
45330 Malesherbes
le 13 juillet 2018.
Dépôt légal : juillet 2018.
Numéro d'imprimeur : 228803.

ISBN 978-2-07-273323-9. / Imprimé en France.